O LIVRO COMPLETO DO BARALHO PETIT LENORMAND

Odete Lopes Mazza

O LIVRO COMPLETO DO BARALHO PETIT LENORMAND

Título Original: *A Bíblia do Baralho Petit Lenormand*

Publicado em 2023 pela Editora Alfabeto

Direção Editorial: Edmilson Duran
Ilustração da capa: Paulo Rodrigues
Ilustrações do miolo: Diogo Borges
Colaboração da capa: Gabriela Duran
Adaptação: Dayan da Silva Leite
Revisão: Sirleia Vicente da Silva
Diagramação: Décio Lopes

DADOS INTERNACIONAIS DE CATALOGAÇÃO DA PUBLICAÇÃO

Lopes Mazza, Odete

O Livro Completo do Baralho Petit Lenormand / Odete Lopes Mazza, 2ª edição. São Paulo: Alfabeto, 2024.

ISBN: 978-65-87905-56-3

1. Lenormand 2. Arte Divinatória 3. Tarô I. Título

Índices para catálogo sistemático: 133.32424

EDITORA ALFABETO
Rua Protocolo, 394 | CEP 04254-030 | São Paulo/SP
Tel: (11)2351.4168 | E-mail: editorial@editoraalfabeto.com.br
Loja Virtual: www.editoraalfabeto.com.br

SUMÁRIO

Prefácio de Douglas Domit 9
Prefácio de Ligia Guelfi 11
Dedicatórias.. 12

INTRODUÇÃO 15
A arte de aprender a ler as cartas 15
A escolha do baralho 20
A consagração do baralho 27

CAPÍTULO 1: Origens, cartas e naipes............................ 33
Breve história das origens do baralho Petit Lenormand 33
Anatomia das 36 cartas 64
Os naipes da cartomancia alemã.................................. 67

CAPÍTULO 2: Significados das 36 cartas do baralho.............. 75
As "escolas" ou "tradições" do Petit Lenormand 77
As cartas ciganas e os orixás 78
Cartas invertidas.. 86
Cartas do tarô similares às do baralho Petit Lenormand 90
O significado das 36 cartas 92

CAPÍTULO 3: Polaridade e Cartas Significadoras 171
Polaridade das 36 cartas.. 171
A carta significadora... 173
Carta significadora – Pessoas 174

As duas cartas consulentes: o homem e a mulher 175
As 34 cartas do baralho: outras pessoas nas cartas......... 179
As cartas para personalidade, caráter e atitude............ 187
Carta significadora - Temas 200
Carta tema para amor, sentimentos, emoções e relacionamentos............................ 200
Carta tema para comunicação e notícias................. 210
Carta tema para trabalho e emprego 214
Carta tema para finanças e dinheiro..................... 230
Carta tema para viagem, deslocamento, férias 241
Carta tema para saúde 243
Carta tema para morte física............................ 259
Carta tema para magia.................................. 261
Outros temas: localidades e lugares nas cartas 269
Tempo prognóstico...................................... 288

CAPÍTULO 4: Os Códigos Lopes Mazza........................ 301
A lei do Philippe Lenormand 302
A lei do olhar.. 306
A lei da posição.. 312
A lei da predominância 377
A lei da movimentação.................................. 378

CAPÍTULO 5: Técnica das Combinações 381
Realizar uma combinação de cartas...................... 382
Passos a serem considerados............................ 383
Combinações com duas cartas 395
Combinações com mais de duas cartas 397
A carta oculta.. 400

CAPÍTULO 6: Os Métodos de Leitura (Lançamentos) 403
Método "energia do dia" 412
Método das "três cartas" 416
Métodos "dos três" (ampliado) 425
Método "devo confiar?" 432
Método para identificar magia 437
Método da vovó 441

CAPÍTULO 7: O Grand Tableau 447
As estruturas do Grand Tableau 451
As bases do Grand Tableau 453
O método Philippe Lenormand 453
O método da Linha do Tempo 463
O método das Casas 478
As técnicas auxiliares 523
Posição da carta consulente 523
Técnica da Ponte 532
Identificação de uma pessoa no Tableau 533
Técnica da corrente 537
Técnica do movimento do cavalo 552
Técnica do movimento da rainha 558
Técnica do espelho 564
Técnica da contagem dos 7 569
Introdução à leitura do Grand Tableau (passo a passo) 579
Guia passo a passo para uma leitura geral 581
Guia passo a passo para uma leitura específica 594

Referências 611
Sobre a autora 613
Agradecimentos 615

PREFÁCIO

por Douglas Domit

Com muita alegria recebi esse convite de fazer o prefácio de uma obra que tenho certeza de que será de grande contribuição a cartomancia e principalmente ao Petit Lenormand. A autora, que hoje chamo de amiga, é uma profunda conhecedora dos mistérios deste oráculo maravilhoso.

Meu primeiro contato com o Petit Lenormand foi na década de 80, quando fui ver uma prima que era cartomante, ela jogava o Tarô, mas sua filha começou com o Petit Lenormand, naquela época achávamos que este baralho havia sido criado pela famosa cartomante francesa Marie Anne Adelaide Le Normand, esta teve grande fama na era napoleônica. Hoje já sabemos que ela nunca conheceu o Petit Lenormand, o provável que ela jogava com o Tarô ou o Tarô de Eteilla. O Petit Lenormand foi criado na Alemanha, por Johann Kaspar Hechtel, seu primeiro nome foi Jogo da Esperança. Posteriormente por motivos de marketing foi associado ao nome de Marie Anne Le Normand. Desde que conheci o Petit Lenormand fiquei fascinado por suas cartas. Assim que pude comprei e comecei a estudar esse fascinante oráculo. Na época era muito vinculado aos ciganos, chamado no Brasil até hoje de Baralho Cigano. Estudei com as obras de Katja Bastos com seu Tarô Cigano da tribo cósmica, a obra de Geraldo Spacassassi. Joguei com toalhas ciganas, elementos na mesa, consagraçoes. Mas sentia uma falta de coerência simbólica mais profunda com sua leitura. Queria mais, não me satisfazia a ideia de confiar no meu cigano, já acreditava que deveria ter uma metodologia forte de leitura. Deixei o Lenormand um pouco de lado, mais para uso pessoal e de pessoas próximas, me dediquei ao Tarô. Começando minha vida como profissional de cartomancia em 2003, principalmente com Tarô, mas sempre com um Lenormand por perto. Por volta de 2015 chega em minhas mãos o livro da Odete Lopes Mazza, "Baralho Petit Lenormand. Método Alemão - Introdução às Combinações." Foi uma retomada deste estudo, busquei cursos e praticá-lo dentro desta metodologia. Todas essas ideias e técnicas começaram a explodir em minha cabeça. Esses conteúdos começaram a fazer sentido, a se encaixar, e isso mudou minha forma de ver esse oráculo.

Nesta altura minhas leituras começaram a ser mais precisas e assertivas com o Lenormand e meus clientes começaram a pedir para abrir mais o Lenormand. Os retornos com feedbacks positivos de concretização das previsões e análises foram muitos. Desde origens dos problemas vivenciados pelos clientes, até pensamentos e sentimentos. Os detalhes trazidos por uma leitura de Lenormand é fascinante. Nos cursos que ministro é fascinante ver como os alunos ficam maravilhados com detalhes do passado que as cartas revelam.

Tenho certeza de que esta obra vai trazer outra expansão das minhas leituras, e nas de quem se dedicar a sua metodologia. Em nossas conversas vejo na Odete uma pessoa que expande os conteúdos já existentes dentro da cartomancia, pesquisa, analisa, anota suas jogadas, confere resultados, expandindo o que aprendeu. Ela é uma pessoa de grande coração, uma pessoa que quer compartilhar o que sabe e contribuir para expansão do conhecimento. Ela busca levar com ela as pessoas que ela vê a seriedade profissional, com profundo conhecimento e dedicação ao seu trabalho. Ela quer ver a cartomancia como uma profissão respeitada a nível mundial.

Para você leitor que ama a cartomancia será uma leitura fascinante, para você leitor que é cartomante de Lenormand é uma leitura imprescindível, para meus alunos uma referência das minhas aulas. Para todos, um mergulho em universo mágico fantástico.

PREFÁCIO

por Ligia Guelfi (Ariela Tarot)

Conheci o trabalho da Odete em 2020, quando estava iniciando meus estudos a respeito do Petit Lenormand, conhecido aqui no Brasil com o peculiar nome de Baralho Cigano. Na época, era bastante complicado encontrar aqui em meu país livros que tratassem desse oráculo utilizando os pressupostos da Escola Europeia, que, na verdade, é a fonte original de aprendizado deste baralho. Uma pessoa me recomendou o livro "Baralho Petit Lenormand", o qual adquiri e devorei em praticamente um final de semana. Fiquei encantada com a clareza e a objetividade didática usadas pela autora, facilitando em muito o aprendizado desse fascinante jogo de cartas!

Sendo Taróloga já há muitos anos, encantei-me com a simplicidade do Petit Lenormand. Apaixonei-me perdidamente e comecei a praticar todos os dias, o que me ajudou muito. Sem sombras de dúvidas, o livro da Odete me auxiliou demais, pois além de ter a intenção clara de ajudar quem quer aprender, é também fruto de muitos anos de experiência prática.

Esse novo livro vem complementar o aprendizado da obra anterior. Organizado de maneira a oferecer tudo aquilo que um aspirante a cartomante pode precisar, ele é uma ferramenta preciosa nas mãos daqueles que querem usar o Petit Lenormand para si mesmos ou trabalhar com esse incrível oráculo profissionalmente.

Odete, com sua gentileza e generosidade, compartilha conosco seus conhecimentos e macetes. Vale a pena aprender com tão carinhosa e competente mestra! Bons Estudos!

DEDICATÓRIAS

Dedico este livro à amiga e colega Jane C. Nascif (Mística BC) e ao seu pai José Carlos Nascif.

Que este livro ilumine o coração e a mente da pessoa que o tem nas suas mãos! Que aceite os meus ensinamentos e os use com sabedoria, amor, responsabilidade, humildade, respeito, paz e, acima de tudo, que seja para o benefício de quem o procurar para encontrar a luz na sua escuridão.

Assim seja!

Odete Lopes Mazza

Shaila Naisha Kumar Lopes

Minha Amada Vovó Shaila

Querida vovó, a você, que foi um presente valioso em minha existência, que me criou e me ensinou tudo o que sei — humildade, respeito, ética e profissionalismo pelo mundo esotérico —, hoje te honro com o presente, que, com a sua bênção, estará nas mãos de outros profissionais.

Carinhosamente, tua neta Detinha

Que este livro seja para todos nós um bom companheiro de trabalho e que possa iluminar a vida daqueles que vêm em busca de uma luz. Assim seja!

Odete Lopes Mazza

“A CARTOMANCIA SERÁ NO FUTURO O QUE DELA FIZERMOS HOJE!”

ODETE LOPES MAZZA

INTRODUÇÃO

Este livro foi concebido com o propósito de auxiliar todos os que pretendem dar os primeiros passos no estudo do baralho Petit Lenormand. Para que fosse acessível a todos, o seu conteúdo encontra- se devidamente organizado e explicado numa linguagem simples.

Trata-se de um guia introdutório ao tema que – além de auxiliar, passo a passo, com gráficos e exemplos ilustrados – aborda outras áreas fundamentais como o significado das cartas e técnicas para que o iniciado supere os desafios apresentados ao longo deste caminho.

Espero, de todo o meu coração, que saiba colher os frutos de meus ensinamentos e que aproveite o que estou lhe oferecendo com muito amor. Desejo-lhe boa sorte e, sobretudo, bom trabalho.

A ARTE DE APRENDER A LER AS CARTAS

É necessário ter vocação para ser cartomante. A vocação traz-nos a predisposição e motivação para estudar, praticar, ter paciência durante o longo percurso de aprendizagem. Se não existir vocação e uma boa dose de paixão pela cartomancia, não adianta insistir, porque ficará sempre no mesmo nível. Nunca chegará a ser um profissional.

Para ser cartomante, não é necessário ser descendente de uma família de cartomantes ou de videntes (como eu). Também não é necessário ter um dom. A cartomancia baseia-se na interpretação de uma linguagem simbólica composta por números e símbolos (religiosos, culturais, astrológicos etc.). O que o cartomante faz é traduzir essa linguagem simbólica para uma linguagem que o/a consulente entenda (no seu caso em língua portuguesa e, no meu, em língua italiana).

Lembre-se: ninguém nasce cartomante e todo cartomante profissional já passou pelas mesmas dificuldades.

O que você deve saber para iniciar bem os estudos:

1. Quando se opta pelo estudo do Petit Lenormand, é importante não misturar as "escolas". Isto é, Petit Lenormand não é Baralho Cigano (mesmo que de uma certa forma eles sejam parecidos pelo conteúdo figurado nas cartas). Na Europa, o Petit Lenormand "fala" alemão, Suíço-Alemão, Francês, Holandês, Belga, Russo. Existem diferenças sutis entre eles e, por isso, não devem ser misturados. Cabe a você escolher a "escola" ou "linguagem" a qual você melhor se adapta.
Seja a tradicional, a Alemã (uma das escolas mais reconhecidas na Europa), a Francesa ou a Brasileira. Todas são boas. Nenhuma delas deve ser desvalorizada ou desprezada, porque cada uma traz uma riqueza de conhecimento enorme.
Nas minhas andanças profissionais pelo mundo, tenho encontrado cartomantes com "escolas" diferentes e, com cada um deles, tenho aprendido muito. Um exemplo está na minha escolha em seguir a "escola" alemã em 1990 através de uma colega que me mostrou as várias possibilidades práticas de trabalhar com o baralho Petit Lenormand. Naquela época, a "escola" tradicional (método Philippe como é chamado aqui na Suíça) – minha primeira "escola" desde 1971 – era bem pobre em comparação à "escola" tradicional moderna de hoje, que é rica em conteúdo.

2. É preciso estar ciente de que o estudo de um baralho não se baseia apenas na memorização dos significados de cada carta, ou qualquer combinação de cartas. Este é o caminho errado para aprender, seja qual for a matéria. Lembre-se de que a pressa é inimiga da perfeição. Ela complica muito a fase de aprendizagem. Acredite: não existe ninguém que consiga aprender a ler as cartas em sete dias ou num Workshop de fim de semana. Nesse período de tempo, pode-se memorizar nomes, números e algumas palavras-chave das cartas. Como já expliquei, não acredito nesse tipo de aprendizagem porque, na realidade, nada se aprende.

Um baralho não é uma poesia para ser memorizada. Um baralho é vida e só é possível entendê-lo convivendo com ele no seu dia-a-dia. A minha Mestra, minha avó, disse-me sempre: "minha filha, você só vai entender o que pretende quando conviver com o que quer entender. Conviva com o seu problema, com suas amigas, com o seu trabalho todos os dias para poder conhecê-los melhor e superar qualquer desavença existente".
Aprender a arte da cartomancia é um processo lento que necessita de um longo período de tempo. Por isso é inútil esperar alcançar resultados em poucos dias de estudo e de prática ou na leitura de livros e textos encontrados em blogs ou páginas de estudo virtual, porque ninguém está apto para enfrentar uma consulta com pouca experiência.

3. É somente através de exercício contínuo que temos a oportunidade de interagir diretamente com as cartas. É preciso tocá-las, senti-las e ouvi-las, dia após dia. Se queremos conhecer perfeitamente o nosso baralho, não devemos ter pressa. Paciência, calma e paixão vão nos ajudar a criar empatia com elas.
Começamos a partir das palavras-chave que cada uma delas contém e, depois, aprendemos a formar as nossas. Não há coisa pior do que ver um cartomante interpretar uma leitura usando uma linguagem "engessada", fruto de palavras e textos decorados. Traga a sua personalidade, a beleza que está dentro de si. Essa maneira de rir, gesticular, comunicar, irá fazer você se sentir completamente livre e sereno.

4. Quando seguramos um baralho de cartas nas nossas mãos e decidimos que, a partir daquele momento, ele vai se tornar o nosso "companheiro" de trabalho, devemos não só cuidar dele como também devemos nos comprometer em saber tudo sobre ele: as suas origens, a simbologia e seus significados.
Cada baralho divinatório tem a sua metodologia que o distingue dos demais. Uma boa preparação deve ser um dos nossos objetivos principais, pois isso será essencial para um início correto. Baseada na minha experiência, recomendo vivamente a todos que tentem

assimilar todas as informações possíveis sobre o assunto durante a fase de estudo.

Devemos ter em mente ou estar bem conscientes de que seguir o caminho mais fácil é um "perigo" que ameaça o futuro de um profissional que não tem as bases concretas necessárias: uma excelente preparação teórica e prática. Portanto, é essencial seguirmos um estudo metódico ao lado de um Mestre que saiba como nos orientar, passo a passo, para que possamos assimilar com precisão todas as "chaves" que podem ajudar a melhorar a nossa técnica.

Conhecer toda esta informação ajuda muito na introdução psicológica do baralho. A capacidade de interpretar com maestria não está só na beleza do baralho e na intuição (parte também importante numa leitura), mas, sim, no conhecimento que se tem sobre ele.

5. A segurança profissional é adquirida através da prática constante que vem com a familiarização diária com as cartas e com o aprofundamento das técnicas e esclarecimento de dúvidas em algumas questões que surgem durante os estudos.

Não desanime nem perca a confiança em si mesmo diante dos primeiros resultados pouco gratificantes. Nesse caso, o melhor a fazer é aprofundar os estudos sobre o assunto em questão, identificar o problema e tentar melhorar. Não receie contatar um cartomante mais experiente, apresentar o seu problema e procurar o conselho daqueles que no passado já tiveram de lidar com uma situação similar.

Com empenho e perseverança, ao longo do tempo, essas "falhas" vão se dissolvendo e os sacrifícios serão recompensados. Todos os profissionais já passaram por momentos difíceis caracterizados por erros, dúvidas e incertezas ou por falta de autoconfiança.

Portanto, sugiro que faça um curso introdutório do Petit Lenormand do "estilo" ou "escola" (como queira chamar; nós, aqui na Europa, chamamos de métodos) com que mais se identifica (Tradicional, Alemã, Suíço-Alemã, Francesa, Holandesa, Belga, Russa ou Brasileira). O curso introdutório permite iniciar de forma

mais segura os estudos. Obviamente, estes cursos não permitem enfrentar uma verdadeira consulta profissional, mas fornecem a base essencial (ferramentas) para que você seja capaz de continuar o seu caminho, se essa for a sua vocação.
Aprenda com um cartomante profissional e que faça cursos profissionais sérios ou com pessoas do seu conhecimento que tenham uma boa bagagem prática. Comece bem, isso é muito importante. Lembre-se: ninguém nasce cartomante e todo cartomante profissional já passou pelas mesmas dificuldades.

6. O livro aqui presente é estruturado para acompanhar, passo a passo, a todos aqueles que estejam iniciando os estudos ou mesmo profissionais que queiram enriquecer mais o próprio conhecimento do baralho Petit Lenormand.
Para quem está no início, aconselho a não saltar nenhuma fase de estudo programado do livro. Os 7 capítulos de aprendizagem, aqui apresentados, seguem uma cronologia precisa de ensinamentos baseados nos meus cursos profissionais do nível 1 (introdução) e 2 (avançado) que permitem adquirir corretamente, e com facilidade, tudo que diz respeito ao baralho Petit Lenormand do método alemão.

Capítulo 1
- Origens do baralho Petit Lenormand
- Anatomia das cartas
- Os Naipes

Capítulo 2
- Significado das 36 cartas

Capítulo 3
- As polaridades das cartas
- As cartas Significadoras

Capítulo 4
- Os códigos Lopes Mazza

Capítulo 5
- Técnica das combinações

Capítulo 6
- Os métodos de leitura (lançamentos)

Capítulo 7
- O Grand Tableau

A Escolha do Baralho

Antes de passarmos aos estudos do baralho Petit Lenormand, é necessário que se adquira um baralho. Para o iniciado, esta pode ser uma experiência difícil, porque ele já traz consigo algumas ideias formadas no sentido de dizer, por exemplo, que o baralho tem de ser roubado ou oferecido etc.

Todos esses mitos, criados no passado, não fazem atualmente sentido algum de serem sustentados, uma vez que tais crendices podem ser facilmente desmistificadas pelos próprios cartomantes e tarólogos profissionais que, vivenciando cotidianamente o próprio trabalho, são capazes de "desmascarar" qualquer tipo de história criada para transformar o baralho em algo mágico e poderoso. No decorrer do livro, todos vocês irão descobrir que a única magia e poder que um baralho possuirá será o conhecimento (intuição, teoria e prática) que cada um terá dele.

Para iniciar o seu percurso de estudos é necessário que você tenha um baralho. Provavelmente você já ouviu falar que o baralho deve ser roubado ou que você deve ser presenteado com um, senão o baralho não será eficiente para trabalhar numa consulta. Esta afirmação não tem fundamento algum. Apesar de o meu primeiro baralho ter sido doado pela minha avó, numa cerimônia de passagem - cerimônia está normal numa família de cartomantes - todos os outros baralhos de trabalho ou de coleção que possuo foram desenhados ou comprados por mim.

A partir do ano de 1989, passei a trabalhar com o baralho Blue Owl (Coruja Azul) que comprei em uma loja esotérica, aqui da Suíça, chamada "O Profeta" e que demonstrou ser tão eficiente quanto o meu primeiro baralho que recebi das mãos da minha avó.

Deixo aqui algumas sugestões sobre alguns fatores que devem ser levados em conta quando se adquire um baralho de cartas do Petit Lenormand.

Os tipos de baralhos existentes

Existem quatro tipologias de baralhos.

BARALHOS COM NAIPES

BARALHOS COM POEMAS

BARALHOS COM IMAGENS

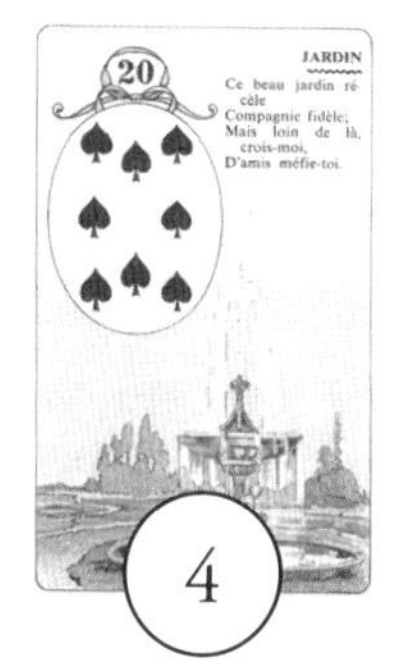

BARALHOS COM NAIPES, POEMAS E IMAGENS

Da esquerda para a direita:

1. Baralhos com um símbolo central e um naipe;
2. Baralhos com um símbolo central e um poema;
3. Baralhos com um símbolo;
4. Baralhos com um símbolo, um naipe e um poema.

Hoje em dia, existe uma variedade de baralhos disponíveis no comércio em diferentes estilos: clássicos, modernos e temáticos.

Os BARALHOS CLÁSSICOS, também chamados de baralhos tradicionais, são uma reprodução de baralhos históricos ou de baralhos que mantêm a simbologia tradicional do Petit Lenormand. Pela sua simplicidade e clareza simbólica, os baralhos clássicos são bons aliados para quem está dando os primeiros passos nos estudos, porque ajudam a se familiarizar mais facilmente com a linguagem do Petit Lenormand.

Temos, como exemplo, o baralho Lilac Dondorf Lenormad de 1878, baralho restaurado por Fanu e disponível no blog Game of Hope. É um baralho lindo, seus símbolos são nítidos e fáceis de identificar durante a leitura. Tenho um grande carinho por este baralho, porque foi o baralho com que minha avó trabalhou e também porque foi através dele que recebi os meus ensinamentos.

Lilac Dondorf Lenormand

O baralho Lenormand Silouettes das autoras Kendra Hurteau (cartomante) e Katrina Hill, publicado no ano 2013, é um outro exemplo de baralho clássico. No centro de cada carta, rodeado de uma cornicha estilo vintage, encontra-se a silhueta do símbolo de cada carta (uma âncora, um coração, uma mulher, etc.). Embaixo, à esquerda, encontra-se o número que identifica a carta e, à direita, uma carta do baralho tradicional. Baralho projetado como uma ferramenta de fácil compreensão, adequado para iniciantes e cartomantes com experiência.

Lenormand Silhouettes

O baralho Blue Owl (1920), utilizado neste livro, é um baralho lenormand popular mais usado pelos cartomantes na Suíça, Alemanha e França. Trabalho com este baralho desde 1989 quando o comprei numa loja esotérica chamada "O Profeta" aqui na Suíça. Lá se vão 32 anos e ainda trabalho com o mesmo baralho.

Os baralhos modernos são todos aqueles baralhos que, mesmo contendo os 36 símbolos do Petit Lenormand, os autores acrescentam outros símbolos que se ligam aos significados do Lenormand

(Astrologia, Chakras, etc.). Um outro tipo de baralho moderno são aqueles baralhos que retratam cenas e imagens divertidas, diferentes do baralho clássico.

Gilded Reverie Lenormand de Ciro Marchetti

Temos como exemplo, o baralho Gilded Reverie Lenormand (2014) do artista Ciro Marchetti. O baralho tem grande popularidade em todo o mundo pelo fascínio e pela energia que as cartas transmitem. Em 2017, Ciro Marchetti fez uma revisão do baralho e lançou o Gilded Reverie Lenormand - Expanded Edition, acrescentando outras cartas adicionais para a representação dos consulentes do mesmo sexo. Desta vez, Marchetti considerou a lei do olhar nas cartas 28 (O Homem) e 29 (A Mulher). Ambas as cartas Consulentes, na primeira versão do baralho, olhavam na mesma direção.

Os BARALHOS TEMÁTICOS são baralhos inspirados em filmes, em fábulas, em animais, em uma cultura (cigana, celta, viking, árabe etc.), em uma época festiva (natal, halloween etc.), na sexualidade e assim por diante.

O primeiro baralho, trazido aqui como exemplo, pertence a autora Rana George, cartomante e autora de um livro Lenormand de nome The Essential Lenormand (2014), que mostra cenas da vida cotidiana Libanesa, representando a realidade cultural da autora. O baralho foi publicado no ano 2017. O segundo baralho - The Celtic Lenormand - de autoria de Chloe McCracken, cartomante profissional Inglesa, e ilustrado por Will Worthington em 2015, é um baralho inspirado na cultura celta. Nos meus cursos, tenho encontrado alunos fãs desta cultura que adotam o presente baralho para trabalhar. Cada uma das cartas mostra-nos uma cena cotidiana do povo celta, sem trair a simbologia tradicional do Lenormand. O terceiro baralho - The Egyptian Lenormand - publicado em 2015, pertence à autora americana (Texas) Nefer Khepri, cartomante profissional e mestra em Reiki, fascinada pelo mundo egípcio e pela sua cultura misteriosa e cativante. Todos estes baralhos Lenormand, com um tema, são baralhos ricos de ensinamentos culturais e, para mim, é um privilégio tê-los na minha coleção de baralhos Lenormand.

Rana George Lenormand

Celtic Lenormand

The Egyptian Lenormand

Os baralhos não tradicionais, entendemos por baralhos não tradicionais todos aqueles baralhos que – mesmo carregando o mesmo número e nome de cada carta do baralho Petit Lenormand – são personalizados, trazendo, neste caso, o cunho pessoal do autor que, em alguns casos, desviam-se da verdadeira identidade simbólica do Petit Lenormand. Ambos os baralhos aqui apresentados – o Melissa Lenormand da cartomante e autora Melissa Hill e o Les Vieux Jours Lenormand da artista e autora Pam Batista, publicado no ano 2012 – são ricos de simbologia, principalmente o segundo baralho no qual a autora adiciona imagens simbólicas do Tarô, da Alquimia, entre outros.

Melissa Lenormand

Para quem inicia agora o seu percurso, aconselho a escolha de um baralho que não se distancie muito do baralho clássico, porque vai facilitar a familiarização com a simbologia tradicional do Petit Lenormand sem correr o risco de ser contaminado por símbolos supérfluos guiados pela crença pessoal de cada autor.

Les Vieux Jours Lenormand

Muitos acreditam que se tal baralho funciona nas mãos de tal Cartomante famoso, também vai funcionar para eles e então correm para comprar um igual. Não é assim que funciona. A "magia" que faz tal baralho "funcionar" muito bem nas mãos de um Cartomante é o conhecimento profundo que se tem sobre o próprio baralho. Então, não deixe de lado o baralho que tanto ama. Dedique-se de corpo e alma a ele aprendendo a sua linguagem e verá que vai dominá-lo e sentir-se grato no fim. Mãos à obra!

Continuando...

O que deve ser considerado ao comprar um baralho?

1. Ao escolher um baralho, é importante que esse transmita boas energias, que seja do seu gosto (cor, imagens, tamanho, qualidade do cartão); algo que é agradável e prazeroso de se olhar, de se tocar e de se sentir. Tem que sentir-se confortável e seguro com ele. Portanto, escolha o seu estilo. Escolha o baralho "que fale com você". Uma vez decidido com qual baralho se pretende iniciar, trabalhe com ele pelo menos por um ano inteiro até se familiarizar com os símbolos.

2. É importante que preste atenção na aquisição dos baralhos, verificando qual o tipo de cartão usado no baralho: se é resistente, grosso ou fino. Por exemplo, o material e a espessura das cartas podem dificultar a sua manipulação. Já comprei muitos baralhos lindos, mas o material não era de qualidade, estragando-se em poucos dias de uso. Um baralho deve ser de boa qualidade e durável no tempo.

3. Um outro fator importante relaciona-se com a necessidade de prestar atenção à dimensão do baralho com que se pretende trabalhar. Quer seja grande ou pequeno, deve ser prático quando se embaralha e quando o temos nas mãos. Para uma leitura pelo método Grand Tableau, convém que o baralho seja de pequena dimensão pela questão de espaço.

4. Observe também a parte de trás do baralho. Veja se gosta. É importante que tudo seja do seu jeito e gosto.

5. Atualmente com a disponibilidade que se tem na internet, existem blogs escritos por profissionais Cartomantes e colecionadores de baralhos que disponibilizam imagens de cada carta e que fornecem informações detalhadas sobre os baralhos. Portanto, antes de comprar um baralho na sua loja esotérica preferida (física ou online), faça uma pesquisa detalhada sobre ele. Para quem está em Portugal, pode contatar no Facebook a loja online *Templo dos Oráculos e Cristais* (Facebook e Instagram), *Venda de Tarot e Baralhos de cartas* (Facebook), *Baralhos de Tarot* (Facebook e Instagram) e *Loja Sorte Lenormand* (Facebook e Instagram).

6. Para quem optar por trabalhar de acordo com a tradição alemã, é importante respeitar a lei das direções, principalmente no que diz respeito às duas cartas consulentes: carta n.º 28, O Homem e a carta n.º 29, A Mulher. Os personagens devem olhar um para o outro. Esta técnica – como poderão verificar quando estudarem o Capítulo 4 (os códigos Lopes Mazza) – é essencial, porque irá permitir criar uma linha do tempo (passado, presente e futuro) e caso a leitura tenha como contexto uma relação, poder-se-á verificar as condições dessa relação no momento e as verdadeiras intenções de cada um. Atualmente é fácil encontrar no mercado baralhos com cartas adicionais (extras) para representar pessoas do mesmo sexo numa leitura, principalmente do Grand Tableau Lenormand.

Os personagens devem olhar um para o outro

A CONSAGRAÇÃO DO BARALHO

Tenho recebido tanto por e-mail, como através da minha página do Facebook, várias perguntas sobre este tema: "O que é a consagração do baralho de cartas? É realmente necessário consagrar o baralho de cartas?" A consagração é a "libertação" do baralho de qualquer influência externa deixada por outras pessoas, tais como o proprietário anterior (se for um baralho de segunda mão) ou a manipulação por parte dos trabalhadores durante a sua fabricação, entre outras influências. Um ritual de consagração faz a limpeza do baralho e, ao mesmo tempo, carrega-o com a sua própria energia.

"É realmente necessário consagrar o baralho de cartas?" Alguns acreditam que não é necessária a consagração do baralho. Mas para aqueles que seguem uma religião, seja ela qual for, a consagração é uma prática necessária. Ambas as opções devem ser respeitadas, porque cada um é livre para decidir o que é melhor para si mesmo. No entanto, é importante esclarecer que não é a consagração que torna o cartomante capaz de "ler" as cartas. Afirmo e continuarei afirmando que só se torna cartomante profissional quem for detentor de uma boa preparação, apoiada em conhecimentos sólidos e resultantes de muito estudo teórico e prático. Para se conseguir atingir o grau de cartomante profissional, é necessário muito tempo de árduo trabalho (diário e constante).

A consagração do baralho varia de cartomante para cartomante, existindo inúmeras formas de o fazer. Proponho, a seguir, um ritual muito simples que eu mesma faço.

São necessários os seguintes materiais:

- Uma toalha de mesa de algodao branco grande 1m x 1m (que servirá como uma toalha de mesa de trabalho durante suas consultas). Eu uso um lenço que pertencia à minha avó.
- Uma varinha de incenso (a seu gosto).
- Sal grosso (o suficiente para formar um círculo de sal).
- Um copo d'água.
- Pedras de cristal ou moedas.

Passo a passo do ritual:

1. Coloque a toalha numa mesa que esteja num local tranquilo e isolado, longe dos olhares e contato de outras pessoas.
2. Coloque a vela no canto superior esquerdo da mesa.
3. Coloque o copo d'água no canto superior direito.
4. Deposite as pedras de cristal ou as moedas no canto inferior esquerdo.
5. Coloque o incensário com o incenso no canto inferior direito.
6. Com o sal grosso, forme um círculo no centro da mesa onde as cartas serão colocadas, uma a uma, depois do ritual da consagração.
7. Coloque o baralho inteiro de cartas numa posição fora do círculo de sal.

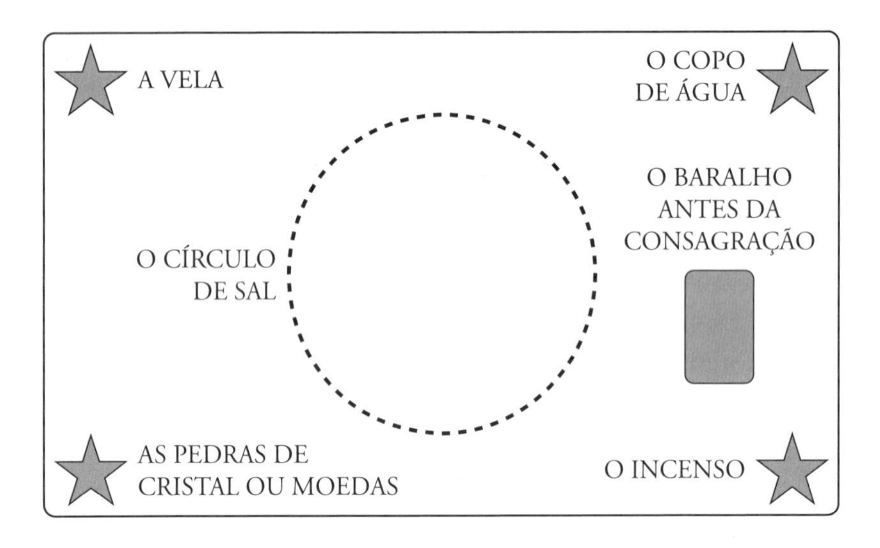

Uma vez preparada a mesa para o ritual:

1. Acenda a vela e o incenso.
2. Passe uma carta de cada vez, frente e costa, na fumaça do incenso, com calma e sem pressa. Deposite-as, em seguida uma a uma, dentro do círculo de sal. Durante a consagração pode-se fazer uma oração ou um credo criado por si.

3. No final do ritual de consagração, pronuncie as palavras "E assim é!" para selar a consagração.

4. Deixe tudo sobre a mesa até que a vela seja totalmente consumida. Coloque num jornal os restos da vela, do incenso, o sal, o copo d'água e despeje num rio. As moedas ou as pedras de cristal podem ser guardadas para o próximo ritual ou colocadas dentro da caixa que servirá de proteção ao baralho de cartas.

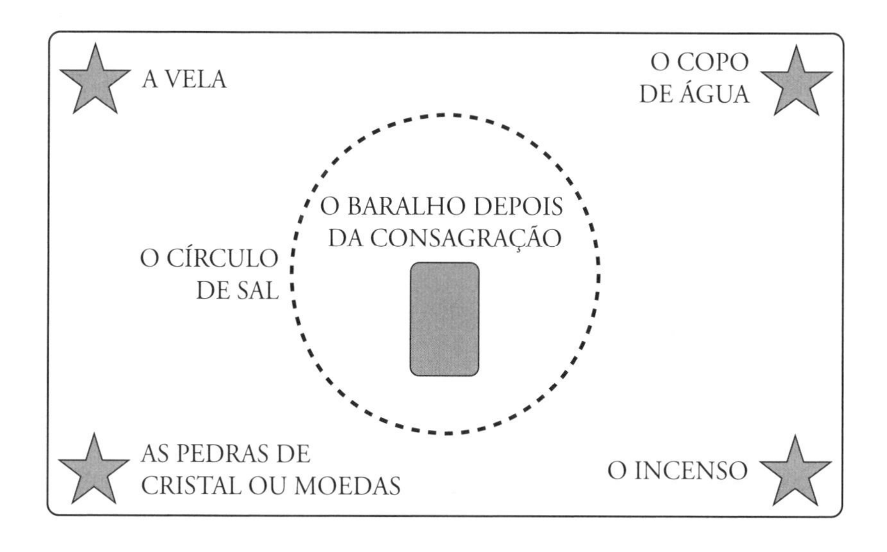

Costumo também colocar algumas gotas do meu perfume nas minhas cartas.

Nota Importante:
A consagração pode acontecer todos os dias da semana e em qualquer momento, a menos que sigam uma crença religiosa que imponha outras regras sobre o assunto. Este ritual deve ser repetido sempre que sentir necessidade de o fazer.

Limpeza das cartas

Para limpar o baralho de energias negativas, sugiro que sigam o mesmo ritual de consagração. Esse ritual pode ser feito em qualquer momento que considere necessário.

Para limpar o baralho, caso esteja sujo, coloquem o baralho dentro de um saco plástico com pó de talco. Fechem o saco e sacudam várias vezes de forma que o pó passe por todas as cartas. Abram o saco, limpem uma carta de cada vez com uma toalha ou lencinho de papel e notem como as cartas estarão limpas e brilhantes.

Custódia (proteção) do baralho

Uma vez consagrado, ou depois de cada consulta, é aconselhável manter o seu baralho de cartas num lugar seguro e bem longe das mãos alheias. Sugiro que o mantenha dentro de uma bolsinha ou envolvido num pano e guardado dentro de uma caixa de madeira (não é obrigatório). Para proteção das suas cartas, pode colocar - dentro da bolsinha ou no pano - uma pedra turmalina preta, uma foto sua, uma raiz de mandrágora, cânfora chinesa, folhas de louro e sal grosso. Pode colocar qualquer coisa que sinta que pode servir de proteção, não há regras precisas sobre isso.

Na minha família, é tradição cada um fazer o enxoval do seu baralho, costurar o saquinho das cartas e o pano onde serão colocadas as cartas durante a consulta. Este é um ritual que transmito aos meus alunos; uma espécie de "herança" que eu deixo para aqueles que vêm até mim, dando-me a honra de ser sua Mestra. Existem muitos cartomantes que não protegem o seu baralho de cartas, mantendo-o dentro da caixinha do próprio baralho. Esta decisão não deve ser julgada, todos são livres para fazer o que quiserem. O fato de alguém não acreditar em tradições e rituais não significa que sejam menos capazes como cartomantes.

Tocar no baralho de cartas

Para um cartomante, são muitas as motivações que o levam a permitir que toquem ou não no seu baralho de cartas e efetuar rituais inerentes a uma consulta tais como embaralhar, cortar, extrair as cartas para o lançamento etc.

Alguns cartomantes julgam ser positivo envolver ativamente o/a consulente nos rituais da consulta (embaralhamento, corte e a extração das cartas), porque acreditam que esse ato permite projetar diretamente sobre as cartas as verdadeiras razões que o levaram a procurar auxílio. Este contato tem como objetivo gerar um diálogo entre o/a consulente e o baralho de cartas, onde este assume o papel de canal direto com as cartas e o cartomante toma o papel de porta-voz.

Outros preferem que o/a consulente não toque no baralho, pelo simples fato de não quererem que ele fique danificado ao ser manipulado por mãos inexperientes.

Para um cartomante, é devastador ver o seu baralho de cartas ser manipulado violentamente, com insegurança e falta de concentração por pessoas inexperientes e que não conhecem os rituais e que se encontram emocionalmente sobrecarregadas, devido a problemas pessoais. Consegue imaginar-se vivenciando uma experiência como esta durante cada consulta? Pergunto-me inúmeras vezes o porquê de envolver uma pessoa num ritual quando provavelmente não se tem vontade de fazê-lo? Acredito que qualquer pessoa que decida ir a uma consulta de cartomancia não esteja esperando ter de efetuar algumas tarefas, mesmo contra sua vontade.

Eu não permito que toquem no meu baralho de cartas. Entre mim e meu baralho de cartas existe uma ligação forte, estabelecida desde o primeiro momento em que o escolho para trabalhar comigo. Trato as cartas com amor e protejo-as de qualquer influência externa. Estou convencida de que só o cartomante deverá realizar os rituais relativos à consulta, porque só ele possui agilidade, prática e preparação para gerar a energia necessária à realização de uma consulta em pleno equilíbrio.

— CAPÍTULO 1 —

ORIGENS, CARTAS E NAIPES

Quando damos início aos estudos de qualquer baralho divinatório ou não, é necessário conhecer as suas raízes, a sua história, tudo aqui que o concerne. É a partir deste ponto que iremos entender a sua verdadeira essência e a sua linguagem.

Neste capítulo serão tratados os seguintes pontos:

- Origens do baralho Petit Lenormand
- Anatomia das cartas
- Os naipes

Breve história das origens do baralho Petit Lenormand

Ainda hoje, muitos atribuem a criação do baralho Petit Lenormand, conhecido em Portugal e no Brasil como o baralho cigano, à célebre vidente francesa Marie-Anne Adelaide Le Normand – nome abreviado de M.lle Le Normand – ou a La Sibylle de Salons, ou ao povo cigano.

Até recentemente, a maioria dos cartomantes, mestres e escritores de todo o mundo, com falta de documentação que sustentasse o contrário, acreditavam que a autora dos inúmeros baralhos existentes, que carregavam o nome de M.lle Le Normand, eram de sua autoria.

Graças a pesquisadores e estudiosos como Mary K. Greer, Helen Riding, Marcus Katz, Tali Goodwin e Andy Boroveshengra, hoje estamos na posse de documentos que comprovam que as origens do baralho estão longe de serem tão mágicas quanto reza a história criada em torno deste baralho. Para entender as origens do baralho Petit Lenormand, apresento-lhes um breve percurso histórico onde são identificados três personagens de relevante importância na sua criação e divulgação. Em síntese, é tudo que sabemos até hoje. Acredito que ainda há muito por descobrir!

Lady Charlotte Schreiber

Nasceu no dia 19 de maio de 1812 em Uffington, Lincolnshire, Inglaterra e faleceu no dia 15 de janeiro de 1895 na propriedade de Canford Manor, em Dorset, com 82 anos de idade. Desde jovem, demonstrou um profundo interesse pelas línguas estrangeiras e literatura, tornando-se uma figura de destaque como tradutora, empresária, colecionadora de objetos de cerâmica e de baralhos de cartas. À data da sua morte, Lady Charlotte Schreiber deixou a sua vasta coleção de baralhos de cartas ao Museu Britânico (British Museum) onde é possível – caso não se verifique a disponibilidade de visitar pessoalmente o museu – fazer uma viagem virtual nos arquivos que se encontram no site: www.britishmuseum.org. No seguinte site, é também possível consultar o registro do catálogo da coleção de baralhos de cartas de Lady Charlotte Schreiber: archive.org

Na sua coleção de baralhos de cartas, encontra-se um baralho alemão de nome Das Spiel der Hofnung (o Jogo da Esperança) composto por 36 cartas, simbolicamente idênticas ao baralho Petit Lenormand, datado de 1798/9.

Para continuar a nossa história, é necessário que lhes apresente uma segunda personagem.

Johann Kaspar Hechtel

Nasceu no dia 1 de maio de 1771 em Nurembergue, Baviera, Alemanha. Faleceu em 20 de dezembro de 1799 na mesma cidade em que nasceu, vítima de uma epidemia de varíola.

No ano de 1798/9, o empresário Johann Kaspar Hechtel – criador de jogos sociais – cria, na cidade de Nurembergue, um baralho chamado Der Spiel der Hofnung (o Jogo da Esperança) que serviria, anos depois (1846), de protótipo para o baralho Petit Lenormand.

Das Spiel der Hofnung [Reg. 1896, 0501.495] (o Jogo da Esperança) Nürnberg – GPJ Bielin

Em 1972, o professor e histórico alemão Detlef Hoffmann e Erika Kroppenstedt já o tinham mencionado numa revista de nome Wahrsagerkarten (Cartas de adivinhação) cujo título era: Ein Beitrag zur Geschichte des Okkultismus. Deutsches Spielkartenmuseum in Bielefeld (Uma Contribuição para a história do ocultismo. Museu Alemão de Baralhos em Bielefeld). Editora: Deutsches Spielkartenmuseum in Bielefeld, 1972.

No ano 1996, os estudiosos e históricos Ronald Decker, Thierry Depaulis e Michael Dummett publicaram o livro A Wicked Pack of Cards: Origins of the Occult Tarot, onde também falam sobre as origens do baralho Petit Lenormand:

> As cartas são ilustradas e coloridas à mão. Cada um tem dois quadros de cartas em miniatura. Um padrão alemão conhecido como o "padrão de Ansbach" e o outro padrão chamado de "naipes franceses". Os símbolos e números são exatamente os mesmos que mais tarde conheceríamos como "Petit Lenormand".

O baralho encontra-se no British Museum em Londres. E para quem não tem a possibilidade de apreciar pessoalmente esta beleza, pode fazê-lo virtualmente através do site: www.britishmuseum.org

Este baralho vem acompanhado de uma folha de instruções em alemão:

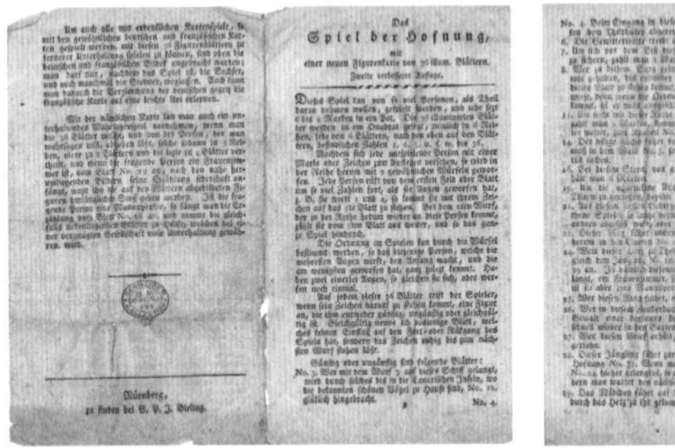

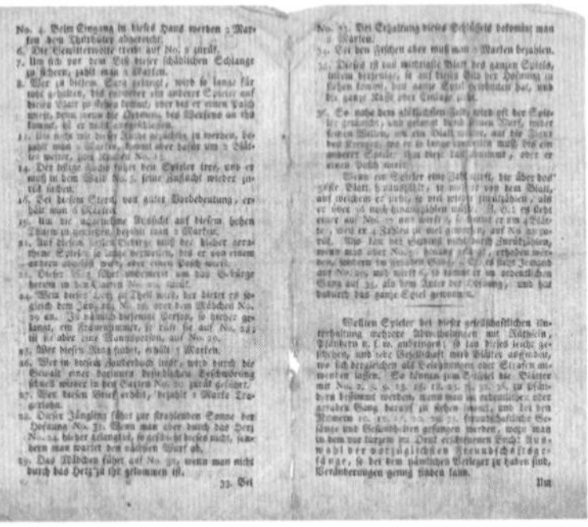

"Hechtel, JK – o Jogo da Esperança, um agradável jogo de entretenimento, com 36 cartas, embaladas."[1]

1. Tradução de Alexsander Lepletier ("Hechtels, JK - das Spiel der Hoffnung, eine angenehme Gesellschaftsunterhaltung, mit 36 illumirten Figurenkarten, gebunden)".

Podemos encontrar uma referência sobre o Das Spiel der Hofnung no livro Humoristische Blätter für Kopf und Herz (Bieling -1799).

Hechtels, J. K. Beiträge zur geselligen Freude oder Auswahl neuer Karten- Pfänder- und Unterhaltungsspiele zum Nutzen und Vergnügen, mit illumirten Kupfern, 8. 798. 45 kr.

— — Denkmale der Freundschaft und kleine Lehren der Weisheit und Tugend, zum Gebrauch in Stammbücher und Geistes- und Sittenveredlung junger Leute, 8. 798. 30 kr.

— — Pandora, ein neues Gesellschaftsspiel mit 24 Fragen und 144 scherzhaften Antworten, geb. 30 kr.

— — das Spiel der Hoffnung, eine angenehme Gesellschaftsunterhaltung, mit 36 illumirten Figurenkarten, gebunden 30 kr.

Temos o privilégio de ter disponível a tradução do documento para a língua portuguesa no blog do meu caro amigo e colega brasileiro Alexsander Lepletier (lenormando.blogspot.com). Agradeço a ele por me permitir a publicação de seu texto sobre as instruções do Jogo da Esperança.

O JOGO DA ESPERANÇA

Neste jogo, não há limite de pessoas para jogarem (faz lembrar o jogo da Glória). Cada jogador tem um peão (ou peça) diferente dos seus adversários e é com ele que irá movimentar-se. As 36 iluminuras são dispostas num quadrado que deve ter seis linhas de seis cartas (monta- se assim um tabuleiro de 6 cartas por 6 cartas), em ordem numérica de 1 a 36. Cada jogador pega um peão ou uma peça e joga os dois dados de cada vez, e conforme o somatório dos dois dados, percorre-se o número de cartas começando pela primeira. Por exemplo, um jogador que tenha tirado nos dados 4 e 1, move sua peça até a 5ª carta. Na próxima vez irá mover o número de cartas a partir da 5ª até terminar o jogo. A ordem do jogo pode ser determinada pelos dados, por exemplo, pode-se combinar que quem obtiver o maior número nos dados começa e o menor número joga por último. Se dois jogadores obtiverem o mesmo número, joga-se de novo para o desempate.

Cada uma das 36 lâminas na qual o seu peão cair, nela encontrará uma figura que pode ser favorável, desfavorável ou indiferente. Chamo de indiferentes as lâminas que não influenciarem a direção do peão para frente ou para trás no jogo, de forma que ele fique ali até a próxima rodada.

As lâminas seguintes são favoráveis ou desfavoráveis:

Nº 3 A pessoa que tirar 3 e chegar ao navio, será alegremente levada por ele até às ilhas Canárias onde os belos conhecidos pássaros estão na casa, nº 12.

Nº 4 Na entrada dessa casa, dois marcos (dinheiro) têm de ser dados ao porteiro.

Nº 6 As nuvens trovejantes levam o jogador de volta ao nº 2.

Nº 7 Para se proteger da perigosa picada dessa serpente, três marcos (moeda) tem de ser pagos.

Nº 8 Aquele que chegar a esse caixão será considerado morto até outro jogador chegar nessa lâmina ou até que ele consiga dois números iguais para que, quando for jogar os dados, não saia do jogo.

Nº 11 Para que não seja castigado por esse chicote, deve-se pagar dois marcos. Movendo-se duas casas para o rapaz (criança), carta nº 13.

Nº 14 A astuta raposa desvia o jogador e ele tem de buscar refúgio na floresta na lâmina nº 5.

Nº 16 Chegando à estrela, há boas perspectivas, o jogador ganha seis marcos.

Nº 19 Para desfrutar de uma vista agradável da Torre, paga-se dois marcos.

Nº 21 O jogador deve ficar nesses íngremes alpes até que outro o tire de lá, ou ele consiga dois números iguais nos dados.

Nº 22 Sem saber, esse caminho leva-te de volta para o jardim na carta de nº 20.

Nº 24 Quem quer que conquiste esse coração, terá de o oferecer imediatamente para o jovem número 28 ou para a jovem no número 29.

Nº 25 Quem achar esse anel ganha três marcos.

Nº 26 Quem ler esse grimório (livro de conhecimentos mágicos) será forçado por um feitiço a voltar para o jardim, carta nº 20.

Nº 27 Quem receber essa carta tem de pagar dois marcos para o portador.

Nº 28 Esse jovem leva até o brilhante sol da esperança no nº 31. Mas, quem chegar aqui por meio do coração, nº 24, isso não acontecerá. Espera-se, então, pela próxima vez.

Nº 29 A jovem leva até ao nº 32, a menos que se chegue por aqui através do coração (nº 24).

Nº 33 Alcançando essa chave, ganha-se dois marcos. Nº 34 Alcançando o peixe, paga-se dois marcos.

Nº 35 Essa é a lâmina mais importante do jogo e, aquele que cair aqui é o vencedor e leva todo o dinheiro da caixa ou depósito.

Nº 36 Tão perto do campo mais afortunado, o jogador é enganado e, contra sua vontade, avança um passo para longe em direção à figura da cruz até que outro jogador chegue e retire o seu fardo ou consiga um duplo nos dados.

Se o jogador lançar um número que exceda 36 cartas, ele deve contar para trás a quantidade de números que moveria depois da cruz. Por exemplo, se o jogador está na n.º 32 e obtém o n.º 8 no lançamento, então tem de voltar 4 casas, pois elas são os excedentes de 36, de forma que fique na n.º 28.

Também não será possível receber o dinheiro da caixa caso esteja movimentando-se para trás a partir do excesso de 36, somente se estiver avançando, por exemplo, se alguém fica na casa n.º 29 e obtém 6 no lançamento, ele chegará até a âncora (n.º 35) e ganha o jogo.

Se os jogadores quiserem adicionar mais variedade para o entretenimento do jogo, usando charadas, multas etc., é fácil de se fazer e cada grupo será capaz de encontrar lâminas em que podem ser acrescentadas recompensas ou multas. Por exemplo, as lâminas n.º 2, n.º 5, n.º 9, n.º 13, n.º 15, n.º 18, n.º 23, n.º 30, n.º 32 e n.º 36 podem ser declaradas como multas, quando se chegar até elas em ordem numérica, nas lâminas n.º 10, n.º 12, n.º 17, n.º 29 e n.º 35 devem-se cantar canções de amizade e desejos de saúde e para isso encontrará várias sugestões no livro "Seleção das mais Excelentes Canções de Amizade", publicado pelo mesmo editor.

Para que se possa jogar com cartas comuns, de naipes franceses e alemães com essas 36 cartas, com figuras para maior entretenimento, as cartas alemãs e francesas foram incluídas no topo de cada lâmina. É somente necessário deixar os seis e setes fora do jogo. Isso também torna fácil de aprender a comparar as cartas alemãs e francesas.

Também é possível jogar um divertido jogo oracular com essas cartas baralhando as 36 cartas e deixando a pessoa para quem é destinado o oráculo cortá-las e depois dispô-las em 5 linhas, com 4 linhas de 8 cartas e a quinta com as 4 restantes. Se a pessoa que consulta é uma mulher, carta n.º 29, começa-se compondo um alegre conto a partir das cartas que a rodeiam. Se para um homem, o conto começa da carta n.º 28 e, mais uma vez, usam-se as cartas que o rodeiam. Isso trará muita diversão para qualquer boa companhia."

Este último passo, escrito por Johann Kaspar Hechtel, deixa-nos uma mensagem muito significativa: que o baralho O Jogo da Esperança poderia ser utilizado para fins divinatórios. Descreve também o esquema a ser utilizado para a disposição das cartas na mesa de trabalho, "5 linhas, sendo 4 linhas de 8 cartas e uma quinta com as 4 restantes", hoje conhecida pelo nome de Grand Tableau Lenormand ou por 8x4+4. Nas poucas linhas escritas por Hechtel, encontra-se um outro ponto que fornece as primeiras indicações de como interpretar estas cartas numa leitura divinatória: "Se a pessoa que consulta é uma mulher, a carta n.º 29 começa-se compondo um alegre conto a partir das cartas que a rodeiam. Se para um homem, o conto começa da carta n.º 28 e, mais uma vez, usam-se as cartas que o rodeiam." Acredito que Philippe Lenormand tenha se inspirado nos escritos de Hechtel e que, através de um estudo aprofundado, elaborou os significados das 36 cartas e a forma como essas vêm sendo interpretadas ao intento do Grand Tableau, localizando a carta que representa o/a Consulente e tendo em conta as cartas que estão perto, porque essas têm muita influência sobre o/a Consulente, em detrimento daquelas que se encontram distantes.

M.lle Le Normand

Marie-Anne Le Normand Retrato de François Dumont (1793)

Marie-Anne Adelaide Le Normand nasceu no dia 27 de maio de 1772 em Aleçon, na Normandia, França e faleceu no dia 25 de junho de 1843, em Paris, Île-de-France, na França. Contrariando as afirmações de M.lle Le Normand acerca da sua data de nascimento, existem documentos oficiais indicando que o seu nascimento data de 16 de setembro de 1768. Órfã de pai e mãe, tendo ambos falecido prematuramente – Jean Louis Antoine Le Normand e Marie Anne Le Normand – a partir dos cinco anos de idade foi educada num colégio de freiras.

Em 1790, passa a residir em Paris e, três anos mais tarde, junta-se a Madame Gilbert começando, então, a dar consultas de cartomancia. Em 1797, vive na Rue de Tournon n.º 5 e abre uma livraria que servirá de fachada a um consultório de cartomancia. Ilustres personagens se destacam na sua enorme lista de clientes: Marat, Robespierre, Saint-Just – ao qual prognosticou uma violenta e trágica morte – e o Czar Alexander I.

Afirmou também ter sido confidente e vidente da imperatriz Josephine e do seu marido, Napoleão Bonaparte.

Em 1814, inicia a sua carreira literária e publica vários livros, nos quais descreve a sua carreira e a sua relação com alguns ilustres personagens daquela época. Esses livros e algumas das suas previsões foram motivos de controvérsia pública, ao ponto de a fazerem enfrentar processos judiciais e penas de prisão.

Os seus restos mortais encontram-se na divisão três, no cemitério de Père Lachaise em Paris.

Os livros escritos por M.lle Le Normand são: Les souvenirs prophétiques d'une sibylle sur les causes secrétes de son arrestation – Paris (1814); Anniversaire de la mort de l'impératrice Josephine (1815); La sibylle au tombeau de Louis XVI (1816); Les oracles sibyllins ou la suite des souvenirs prophétiques – Paris (1817); La sibylle au congrès d'Aix-la- Chapelle (1819); Mémoires historiques et secrets de l'impératrice Joséphine, MarieRose Tascher-de-la-Pagerie, première épouse de Napoléon Bonaparte – Paris (1820); Mémoire justificatif présenté par M.lle Le Normand (1821); Cri de l'honneur (1821); Souvenirs de la Belgique – Cent jours d'infortunes où le procès memorable (1822); L'ange protecteur de la France au tombeau de Louis XVIII (1824); L'ombre immortelle de Catherine II au tombeau d'Alexandre Ier (1826); L'ombre de Henri IV au palais d'Orléans (1830); Le petit homme rouge au château des Tuileries – Paris (1831); Manifeste des dieux sur les affaires de France (1932); Arrêt suprême des dieux de l'Olympe en faveur de Mme. la duchesse de Berry et de son fils (1833)

L'ORACLE
PARFAIT
OU
LE PASSE-TEMPS DES DAMES
ART
DE TIRER LES CARTES
AVEC EXPLICATION
Claire et facile de toutes les cartes du jeu de piquet, leur interprétation et signification d'après les plus célèbres cartomanciens,
Mlle LENORMAND, ETTEILLA, &, &.

TROIS PIQUES
L'As annonce BONHEUR, Roi et Dame : MARIAGE.

SE TROUVE
CHEZ TOUS LES LIBRAIRES DE FRANCE ET DE L'ÉTRANGER

L´Oracle Parfait ou Le Passe-Temps Des Dames Art De Tirer Les Cartes. M.lle Lenormand, Etteila (1875)

Uma alusão ao baralho utilizado pela M.lle Le Normand para as suas leituras encontra-se no livro L´Oracle Parfait ou Le Passe-Temps Des Dames Art De Tirer Les Cartes, escrito por Etteila em 1875.

Diz o livro que M.lle Le Normand utilizava um baralho comum, composto por 36 cartas – com nove cartas por cada naipe: Rei, Dama, Valete, Dez, Nove, Oito, Sete, Dois e Ás – e que o método de lançamento utilizado por M.lle Le Normand era uma estrutura de nove cartas em quatro filas composta de 36 casas (estrutura hoje conhecida como o Grand Tableau Lenormand 9x4).

Cada casa representava as áreas da vida, estados emocionais ou eventos, que serviam de guia durante a leitura (hoje conhecido como o Grand Tableau Lenormand das Casas, muito praticado aqui na Suíça, Alemanha, Áustria e França).

1 Projet.	2 Satisfaction.	3 Réussite.	4 Espérance.	5 Hasard.	6 Désir.	7 Injustice.	8 Ingratitude.	9 Association.
10 Perte.	11 Peine.	12 État.	13 Joie.	14 Amour.	15 Prospérité.	16 Mariage.	17 Affliction.	18 Jouissance.
19 Héritage.	20 Trahison.	21 Rival.	22 Présent.	23 Amant.	24 Élévation.	25 Bienfait.	26 Entreprise.	27 Changement.
28 Fin.	29 Récompense.	30 Disgrâce.	31 Bonheur.	32 Fortune.	33 Indifférence.	34 Faveur.	35 Ambition.	36 Indisposition.

As 36 casas do Tableau de M.lle Le Normand

As palavras-chave podem parecer vagas, mas poucos detalhes são dados no livro sobre os seus significados. O baralho inteiro de 36 cartas vem distribuído nas 36 casas. A leitura baseia-se observando a cor do naipe que está presente nas casas.

Os significados das 36 cartas limitam-se em:

- Naipe de Copas: São positivas e anunciam sucesso, amor e bons sentimentos.
- Naipe de Paus: São um bom presságio e anunciam o sucesso, apoio, lealdade e amizade.
- Naipe de Ouros: São positivas e negativas e geralmente anunciam ganhos, negócios, dificuldades, atrasos, invejas ou ciúmes.
- Naipe de Espadas: São presságios negativos e anunciam a chegada de problemas de todos os tipos e mistérios.

Aqui, em seguida, estão alguns exemplos de interpretação de algumas cartas nas casas, em maneira que possam ter uma ideia do funcionamento do sistema:

Casa n.º 1 – Projeto

- Copas: Felicidade e sucesso nos projetos.
- Paus: Pessoas fiéis trabalham para o sucesso de um projeto.
- Ouros: Grande dificuldade nos negócios a causa de ciúmes.
- Espadas: Traição levam a falência

Casa n.º 8 – Ingratidão

- Copas: O consultor terá justiça abrangente sobre pessoas vergonhosas.
- Paus: Consiga a reparação da honra graças à ajuda de amigos.
- Ouros: O ciúme será a única causa de ingratidão recebida.
- Espadas: Traição pelas mesmas pessoas que foram ingratas.

Casa n.º 23 – Amante

- Copas: Amante de bom caráter e apaixonado.
- Paus: Amante fiel e com boas intenções.
- Ouros: Amante ciumento, suspeitoso e chateado
- Espadas: amante enganoso e vingativo.

Casa n.º 28 – Fim

- Copas: Perda de um ente querido que aumentará a fortuna do/a consulente.
- Paus: Perda de um amigo que deixará boas lembranças.
- Ouros: Perda de um adversário.
- Espadas: Perda de um inimigo ou rival perigoso.

E serão as cartas que se encontram em contato com a carta, isto é, as que estão posicionadas à esquerda, à direita, por cima e por baixo que vão fornecer detalhes sobre a carta central.

Por exemplo, se o nosso foco está na carta posicionada na casa n.º 14, Amor, a carta recebe a influência das cartas posicionadas nas casas n.º 5, n.º 15, n.º 23 e n.º 13. No entanto, se o nosso foco está na casa n.º 36, as cartas a considerar são as que estão nas posições n.º 27 e n.º 35. E assim adiante.

Segundo Etteilla, os significados das 36 cartas – utilizadas por M.lle Le Normand – eram os seguintes:

Naipe de Copas

- O Rei: Um homem bom, carinhoso, gentil e atencioso.
- A Rainha: Uma mulher boa, carinhosa, gentil e atenciosa.
- Os Valetes: Rapaz bom, carinhoso, gentil e atencioso.
- 10: Felicidade, grande alegria, festa, comemoração.
- 9: Amor, sucesso, vitória, conquista.
- 8: Alegria, honra, fortuna, avanço, sentimentos bonitos.
- 7: Jovem, criança, vida afetiva, uma visita.
- 2: O Consulente.
- Ás: A casa, o lar, a família, um parente, a amizade.

Naipe de Paus

- O Rei: Um amigo fiel, prestativo, cauteloso. Homem benéfico e protetor.
- A Rainha: Amiga fiel e devota, discreta e respeitada. Mulher benéfica e protetora.
- O Valete: Rapaz virtuoso, amigo mais novo, fiel, discreto e respeitado.
- 10: Muito dinheiro inesperado.
- 9: Um presente.
- 8: Lucros, salário.
- 7: Amante, rival.
- 2: Confidente do/a consulente.
- Ás: Sucesso, abundância, fama.

Naipe de Ouros

- O Rei: Homem estranho, poderoso, ciumento, maldoso, mal-humorado.
- A Rainha: Mulher estranha, poderosa, ciumenta, maldosa, mal-humorada.

- O Valete: Um jovem estranho ciumento, mal-humorado.
- 10: Viagem por terra ou mar, curta ou distante.
- 9: Notícias, boas ou más serão anunciadas pelas cartas vizinhas.
- 8: Pequenas viagens de lazer ou negócios.
- 7: Criança estrangeira.
- 2: Amante, pai.
- Ás: Carta, contrato.

Naipe de Espadas

- O Rei: Homem bruto, maldoso e falso.
- A Rainha: Mulher bruta, maldosa e falsa.
- O Valete: Jovem brutal, maldoso e falso.
- 10: Tristeza, dor emocional, decepção.
- 9: Ruptura, fim.
- 8: Aflições, lágrimas, aborrecimentos, tribulações.
- 7: Falsidade, infidelidade, rivalidade, inconstância.
- 2: O Rival.
- Ás: Perseverança, constância.

Outra insinuação, de que M.lle Le Normand pudesse ter usado um baralho comum (32 cartas) para as suas consultas, encontra-se no livro por ela escrito intitulado Les oracles sibyllins ou La suite des souvenirs prophétiques – Paris (1817), onde vagamente menciona os seus lançamentos e significados de algumas cartas.

Depois da morte de M.lle Le Normand, o seu nome surge associado a vários baralhos por uma questão de marketing. Precisamente em 1845 (um ano antes da publicação do baralho Petit Lenormand) é publicado pela editora Grimaud o Grand Jeu de M.lle lenormand (Grande Jogo de M.lle Lenormand), que vinha acompanhado com cinco livros que tratavam temas como Astrologia, Geomancia e Quiromancia. O autor usou o pseudônimo "Mme la Contesse de ***" e apresenta um endereço fornecido pelo editor "46, rue Vivienne" – provavelmente uma estratégia do editor por motivos comerciais.

O método é o menos conhecido e praticado no mundo pela sua aparente complexidade (encontrei muito poucos cartomantes que o praticam e esses encontram-se na Alemanha, França e Suíça Francesa). De alguns anos para cá, tenho aprofundado os meus estudos neste baralho e pude constatar a precisão dos eventos prognosticados nas minhas leituras.

Breve apresentação do baralho Grand Jeu de M.lle Lenormand

O baralho Grand Jeu de Mlle Lenormand é constituído por 54 cartas (cada uma das cartas contém oito símbolos), duas cartas representam os consulentes e as 52 restantes são divididas em cinco categorias:

1. O Velocino de Ouro (a conquista do Tosão de Ouro) representa questões mundanas, o comércio, os negócios e viagens. Contém seis cartas: 10 de Ouros, 9 de Ouros, Rei de Paus, 4 de Ouros, Ás de Paus e 9 de Copas;

2. A Guerra de Tróia representa o domínio dos mais fortes sobre os mais fracos. As cartas pertencentes a este grupo vão falar das lutas que se têm de enfrentar para realizar os próprios objetivos. Contém nove cartas: 5 de Paus, 2 de Espadas, Valete de Ouros, 10 de Paus, 9 de Espadas, 6 de Paus, 6 de Espadas, 8 de espadas e Rainha de Ouros;

3. O Conhecimento Hermético representa o amor, laços afetivos ou familiares, a amizade, a união e o casamento. Contém sete cartas: 7 de Espadas, 3 de Paus, 4 de Paus, 8 de Paus, 6 de Copas, 7 de Copas e 10 de Copas;

4. O Imprevisto. Este grupo de cartas traz eventos não previstos e não calculados pelo/a consulente, que podem facilitar ou complicar a realização dos projetos. Contém 19 cartas: 2 de Paus, Valete de Paus, 7 de Ouros, 8 de Copas, 3 de Copas, 6 de Ouros, 2 de Copas, Rei de Ouros, Rainha de Espadas, 3 de Espadas, 4 de Espadas, Rainha de Paus, 5 de Copas, 10 de Espadas, Ás de Copas, 2 de Ouros, Ás de Ouros, Rei de Copas e Rei de Espadas;

5. A Ordem do Tempo representado pelos 12 signos zodiacais que representam a sequência do tempo e contém 12 cartas: Valete de Copas, Ás de Espadas, 3 de Ouros, 9 de Paus, 9 de Copas, Rainha de Copas, Valete de Espadas, 5 de Ouros, 5 de Espadas, 7 de Paus, 8 de Ouros e 4 de Copas.

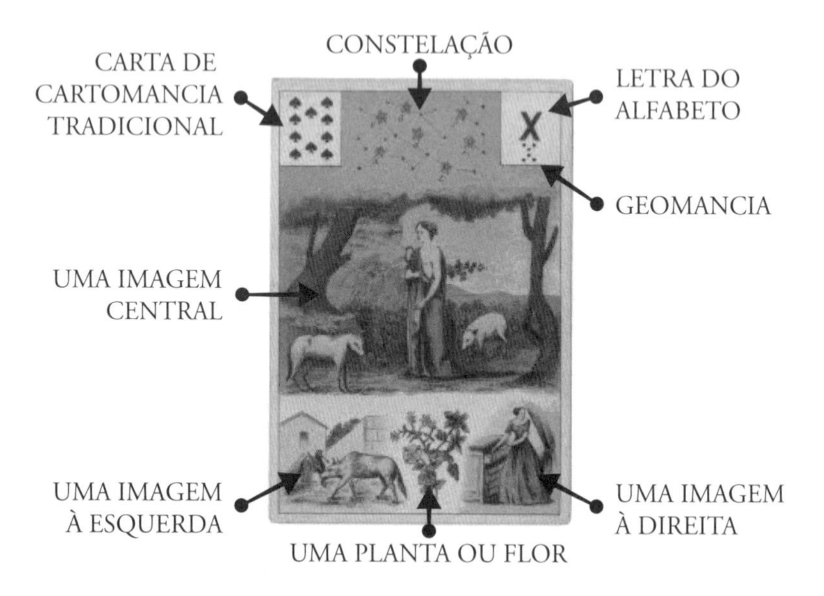

O presente baralho e instruções de utilização, encontram-se depositados no British Museum e estão disponíveis, caso tenham curiosidade de vê-los, no site www.britishmuseum.org

Em 1846, é publicado um baralho com o nome Wahrsagerin, die, M.lle Lenormand. Erklärung des Kartenspiels d. berühmten Wahrsagerin M.lle Lenormand in Paris – Jogo de cartas de adivinhação da famosa cartomante M.lle Lenormand de Paris – inspirado no Das Spiel der Hofnung (o Jogo da Esperança). Do baralho protótipo do Petit Lenormand, vêm retirados os naipes alemães e são mantidos os franceses, com a intenção de acentuar a credibilidade de que o baralho tinha origens francesas e autoria de M.lle Le Normand. Foi a partir desta data, que todos os baralhos publicados em vários países, em nome de Mlle Le Normand, trazem o naipe francês.

Wahrsagerin, die, M.lle Lenormand. Erklärung des Kartenspiels d. berühmten Wahrsagerin M.lle. Lenormand in Paris – 1846

Ainda no ano de 1846, é publicado o primeiro folheto de instruções que acompanha o baralho da autoria de Philippe, autointitulando-se sobrinho e herdeiro de M.lle Le Normand. Obviamente Philippe é um nome fictício com fins comerciais. O folheto contém informações para uso prático e imediato do baralho que vos deixo em seguida:

Explicações de uso

M.lle Lenormand deixou muitas opiniões favoráveis a seu respeito e, para que o seu talento ímpar fosse homenageado, acredito que um serviço benemérito foi prestado aos admiradores do seu sistema cartomântico, através da publicaçao destas cartas, encontradas depois da sua morte. Cartas estas com as quais profetizou ao Imperador Napoleão I não só a sua magnitude (semelhante ao que fez a muitos outros príncipes, igualmente grandes homens da França) como também o seu declínio e infortúnios. Milhares de nobres reconheceram o seu enorme talento. Mesmo durante o seu tempo de vida, confessaram que o seu método era regido pela verdade e exatidão.

O que torna esta publicação mais estimulante, é o fato de ela apresentar as explicações da leitura das mesmas cartas exatamente como Mademoiselle Lenormand as deixou. Organizou-se tudo isto de maneira a que cada pessoa possa ler o seu destino, sem necessitar da orientação de outrem.

MÉTODO DE UTILIZAÇÃO DAS CARTAS

Depois de embaralhar as 36 cartas e as ter cortado com a mão esquerda, distribua-as em cinco montes; quatro dos quais contêm oito cartas cada, colocados em quatro linhas, da esquerda para a direita. O último contém unicamente quatro cartas, colocadas no centro, abaixo da última linha, conforme apresentamos neste diagrama de distribuição.

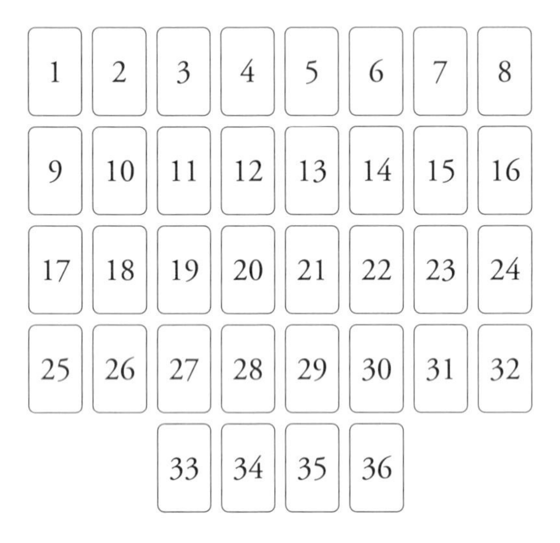

A pessoa que deseja conhecer o seu futuro é apresentada pela carta número 29, se é uma mulher, ou o número 28, se for um homem. Devemos centrar-nos e ter uma grande atenção nestas duas cartas, os números 28 e 29. O seu posicionamento na distribuição, indica a felicidade futura ou o infortúnio da pessoa; todas as outras cartas adquirem o seu significado a partir destas duas e, de uma maneira geral, o seu posicionamento, desde a maior proximidade ou máximo afastamento, das duas cartas citadas, determina a mensagem do destino.

Explicação das 36 cartas

- 1 – O Cavaleiro: é uma mensagem de boa sorte quando não circundada por cartas desfavoráveis. Traz boas informações, que podem vir da própria casa da pessoa ou do estrangeiro; esta situação, contudo, pode não acontecer imediatamente, mas depois de algum tempo.
- 2 – O Trevo: é também um prenúncio de uma boa notícia, mas, se rodeada pelas nuvens, indica uma grande dor. No entanto, se esta carta estiver próxima do n.º 29 ou n.º 28, a dor será de curta duração e em breve, modifica-se para uma situação agradável.
- 3 – O Navio: o símbolo do comércio, traduz uma grande riqueza que será adquirida por comércio ou herança; perto da pessoa, significa uma viagem próxima.
- 4 – A Casa: é um sinal garantido de sucesso e prosperidade em todas as áreas e, mesmo que a posição atual da pessoa não seja favorável, o futuro será brilhante e feliz. Se a carta aparece no centro da distribuição, abaixo da carta da pessoa, este é um indicativo para tomar cuidado com aqueles que o/a rodeiam.
- 5 – A Árvore: se distante da carta do/a consulente, significa boa saúde. Várias árvores próximas não oferecem dúvida sobre a realização e de que todos os seus desejos serão cumpridos e que você terá um belo futuro.

- 6 – As Nuvens: se o lado claro das mesmas é direcionado para a carta da pessoa a previsão é positiva, mas com o lado enegrecido na direção da pessoa, algo desagradável irá acontecer brevemente.
- 7 – A Serpente: é um indicador de infortúnio, cuja extensão depende da maior ou menor distância da carta da pessoa; ela traduz, invariavelmente engano, infidelidade e problemas.
- 8 – O Caixão: muito próximo da carta da pessoa, significa, sem a menor dúvida, doenças graves, morte ou uma ausência total de sorte. Mais afastado da pessoa, a carta oferece menos perigo.
- 9 – O Ramo de Flores: é um indicador de felicidade em todos os aspectos da vida do/a consulente.
- 10 – A Foice: indica um grande perigo que só será evitado quando cartas positivas estão próximas.
- 11 – O Chicote: indica discórdias em família, aflições na vida doméstica, ausência de harmonia entre pessoas casadas. Indica também febre e doença prolongada.
- 12 – As Corujas: são indicadores de dificuldades a ultrapassar, mas de curta duração. Distantes do/a consulente, revelam a realização de uma viagem agradável.
- 13 – A Criança: significa que a pessoa se movimenta num meio social agradável e a sua total bondade é oferecida a todos.
- 14 – A Raposa: se próxima do/a consulente, é um indicador de desconfiança para com as pessoas com as quais você está conectado/a, porque algumas delas tentam enganá-lo/a. Se distante, não há indicação de perigo.
- 15 – O Urso: é também um mensageiro de felicidade, ou, pelo contrário, avisa para nos mantermos afastados de determinadas pessoas, principalmente daquelas que têm inveja de nós.
- 16 – As Estrelas: confirmam sorte em todos os empreendimentos, mas próximas das nuvens, indicam um longo período de acontecimentos desfavoráveis.

- 17 – As Cegonhas: são indicadoras de uma mudança de residência que se materializa quanto mais a carta estiver próxima da pessoa.
- 18 – O Cão: se próximo da carta da pessoa, indica amigos fiéis e sinceros, mas se estiver muito distante da mesma e circundado pelas nuvens, sinaliza cautela com aqueles que se intitulam como seus amigos.
- 19 – A Torre: oferece a oportunidade de uma vida prolongada e feliz, mas se está próxima das nuvens, prenuncia doença e, de acordo com as circunstâncias, indica mesmo morte.
- 20 – O Parque: prevê o contato com um grupo de pessoas bastante respeitado. Se muito próximo, indica o crescimento de uma amizade bastante íntima; se muito distante, pressupõe falsos amigos.
- 21 – As Montanhas: próximas da pessoa, indicam a presença de um poderoso inimigo; se distantes, amigos influentes estão presentes na sua vida.
- 22 – Os Caminhos: com as nuvens, materializam o infortúnio; na ausência desta carta e distantes da pessoa, sinalizam caminhos e meios de ultrapassar o perigo existente.
- 23 – Os Ratos: são indicadores de um roubo, uma perda. Quando próximos da pessoa, materializam a recuperação de um objeto ou situação roubado ou perdido; se distante, a perda é irrecuperável.
- 24 – O Coração: indica alegria, materializada em união e felicidade.
- 25 – O Anel: posicionada à direita da pessoa, indica um casamento próspero e feliz. Quando posicionada à esquerda e distante, revela uma discussão com a pessoa da sua afeição e o fim de um casamento.
- 26 – O Livro: assinala uma descoberta iminente. A posição da carta revela como a mesma se materializa. Bastante cuidado, no entanto. É necessário encontrar uma solução.
- 27 – A Carta: sem nuvens por perto, designa uma situação positiva, que vem de uma localidade distante, informações favoráveis. Mas, se as nuvens escuras estão próximas da pessoa, a expectativa é de momentos bastante desagradáveis.

- 28 – O Homem e 29 – A Mulher: todos os jogos têm como base qualquer uma destas duas cartas, dependendo apenas se o/a consulente é mulher (n.º 29) ou homem (n.º 28).
- 30 – Os Lírios: são indicadores de uma vida feliz. Com as nuvens por perto assinalam uma decepção familiar. Se esta carta aparece em cima da pessoa, indica que a mesma é virtuosa; se posicionada abaixo da pessoa, os princípios morais da mesma são dúbios.
- 31 – O Sol: próximo da carta do/a consulente, é um indicador de felicidade e plenitude, dado que ele irradia energia luminosa e quente. Afastado, traduz infortúnio e esterilidade, já que a ausência do Sol é significado de inexistência.
- 32 – A Lua: é tradutora de grandes honras, sucesso e reconhecimento, se a carta aparecer próxima da pessoa em questão; distante, traduz infortúnio e sofrimento.
- 33 – A Chave: quando próxima da carta da pessoa, significa sucesso garantido de um projeto ou de uma situação; quando distante, o significado é exatamente o oposto.
- 34 – Os Peixes: estando próximos da pessoa, indicam grande prosperidade através de empreendedorismo marítimo e um conjunto de projetos frutíferos; se distantes, eles indicam o insucesso de todo ou qualquer projeto, não importando o empenho aplicado no mesmo.
- 35 – A Âncora: diz-nos que há empreendedorismo bem-sucedido, através de intercâmbio marítimo e sucesso comercial e também um relacionamento verdadeiro; mas distante da pessoa, ela indica um completo insucesso de projetos e insegurança no relacionamento.
- 36 – A Cruz: indica sempre uma situação desagradável em toda e qualquer circunstância. Se muito próxima da carta da pessoa, o período de infortúnio é de curta duração.

Na sequência da explicação supracitada, apresentamos uma leitura das 36 cartas, a título de exemplo. O jogo apresentado corresponde a uma leitura para uma mulher.

Oferece-se a seguinte solução próspera e feliz:

O Sol, número 31, colocado acima da sua cabeça, transmite a garantia de uma felicidade duradoura, porque a Estrela, número 16, à sua esquerda, projeta o brilho na carta da sua pessoa. Sob a proteção dos mesmos, os seus empreendimentos são bem-sucedidos e você é uma pessoa realizada no seu casamento.

O seu marido, número 28, colocado à sua esquerda, testemunha a sua virtuosidade, confirmada pela Criança, número 13, situada à sua direita. Os Lírios e as Flores (n.º 9), que se aromatizam sobre si, são os indicadores do seu comportamento correto.

O destino também utiliza o Cavaleiro (n.º 1), para verbalizar o seu mérito e a informação do mesmo aos seus verdadeiros amigos. As suas atitudes corretas e benevolentes, confirmadas nas cartas números 02, 03, 24, 04, 05, 32, 27, 18, 26, 21, 20, 15 e 34, que a circundam, são testemunhos que comprovam a sua felicidade futura. A união das suas forças é uma proteção para ambos, apesar das calúnias, que hostilizam a sua pessoa, o que prova triunfalmente, que a virtude supera sempre as intrigas dos opositores (literalmente, vindas da maldade dos outros). A sua felicidade, no entanto, foi interrompida, durante um curto período de tempo, por indivíduos (à letra: espíritos) invejosos, que se esforçaram por ofendê-la, esses mesmos estão representados pelos números 14, 12, 35 e 33, que fizeram todas as tentativas possíveis para arruiná-la, mas as suas calúnias foram ignoradas pela opinião pública, que se manteve do vosso lado.

A Torre, número 19, promete-lhe uma velhice longa e feliz, como recompensa pela sua coragem, ao suportar todas as situações adversas. Ultrapassou e venceu o número 11, que sinaliza a semente da discórdia na sua casa. O número 17 é indicador da mudança breve do seu local de residência; o número 10, é um presságio negativo, mas vai superá-lo pela intervenção do número 25, com a colaboração da Chave, número 33, colocada aos seus pés.

Numa leitura geral, todas as situações desagradáveis materializam- se longe da sua vida, porque as cartas, o Caixão (n.º 8), as Nuvens (n.º 6), a terrível Serpente e a perigosa Cruz, representadas nos números 08, 06, 07 e 36, estão longe da sua carta pessoal e não têm a capacidade de afetá-la por muito tempo. A Providência determinou a sua felicidade e a partir deste momento, você vai usufruir a recompensa da sua virtude, apesar de vivermos num mundo vicioso e corrupto, confie sempre na Providência e ela nunca a abandonará. Agindo desta forma, o seu destino será melhor e eu estou feliz, por ter nas minhas mãos o poder, para apresentar-lhe a solução.

Esta é toda a honorífica arte de M.lle LeNormand. Por esse motivo, oferecemos, confiantes, as suas cartas ao Público, convictos de que o nosso trabalho terá algum sucesso, seja através da fé colocada na arte divinatória, ou apenas servindo como um passatempo de lazer. Estamos honrados, por sermos nós a fazer algo pela memória da grande Sibila e por termos agraciado os seus amigos com esta preciosidade.

(Assinado) PHILIPPE,
Sobrinho de M.lle LeNormand

Mary K. Greer

No ano 2013, Mary K. Greer, importante personagem no mundo esotérico, pelo contributo que vem acrescentar com as descobertas baseadas em pesquisas e estudos sobre o baralho Petit Lenormand e o Tarô, redescobre um baralho acompanhado de um livrinho com 31 páginas publicado na Inglaterra em 1796, mas que foi editado no ano 1794 em Viena, Áustria.

O livro intitulado Les Amusements des Allemands; or, The Diversions of The Court of Vienna acompanha um baralho composto por 32 cartas. Cada carta possui um número (de 1 a 32), uma imagem impressa de uma paisagem de campanha ou de um local pertencente à cotidianidade que reportam uma imagem dominante (uma serpente, um anel, um caixão, uma âncora, etc.) e um texto que tem objetivo preditivo ou de aconselhamento. É extraordinária a semelhança deste baralho com o baralho O jogo da Esperança e o Petit Lenormand. Por exemplo:

- A carta 1 – A Encruzilhada que corresponde à carta 22 – Os Caminhos do Baralho Petit Lenormand e do Jogo da Esperança;
- A carta 9 – O Cão corresponde à carta 18 – O Cão do baralho Petit Lenormand e do baralho o Jogo da Esperança;
- A carta 12 – As Nuvens corresponde à carta 6 – As Nuvens do baralho Petit Lenormand e do baralho o jogo da Esperança.

- A carta 24 – O Coração é a única carta que mantém o mesmo número da carta e nome em ambos baralhos.

Este fato leva-nos a uma única conclusão: que Johann Kaspar Hechtel, na criação do baralho "O Jogo da Esperança", inspirou-se no baralho Les Amusements des Allemands; or, The Diversions of The Court of Vienna, excluindo as cartas 16 (A Árvore) e a carta 30 (As Víboras).

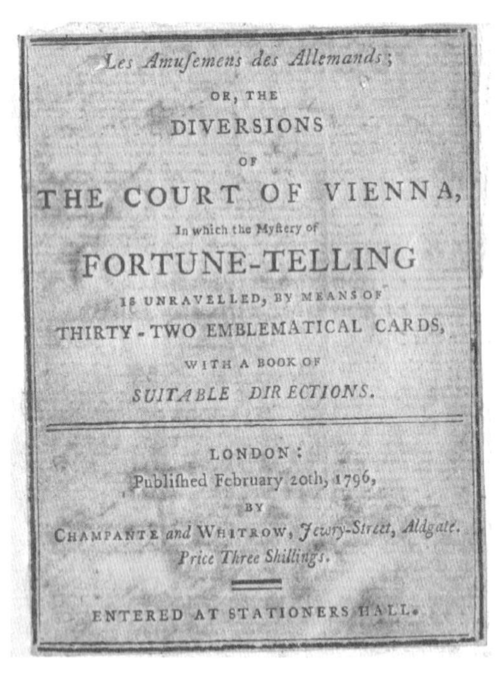

Les Amuſemens des Allemands;

OR, THE

DIVERSIONS

OF

THE COURT OF VIENNA,

In which the Myſtery of

FORTUNE-TELLING

IS UNRAVELLED, BY MEANS OF

THIRTY-TWO EMBLEMATICAL CARDS,

WITH A BOOK OF

SUITABLE DIRECTIONS.

LONDON:

Publiſhed February 20th, 1796,

BY

CHAMPANTE *and* WHITROW, *Jewry-Street, Aldgate.*

Price Three Shillings.

ENTERED AT STATIONERS HALL.

Les Amusements des Allemands; or, The Diversions of the Court of Vienna, in which the Mystery of Fortune-Telling

Quanto à carta 28 (O Leão), segundo a crença de Mary K. Greer, está representado pela carta 15 (O Urso) no Petit Lenormand pela sua semelhança significadora na borra de café: "O Leão, ou um animal feroz". O significado das cartas do baralho Les Amusements des Allemands; or, The Diversions of The Court of Vienna são correspondentes aos significados do baralho Petit Lenormand.

Tomemos como exemplo a carta 23, Os Ratos. O texto da carta 21, diz: "21. O Rato: Tenha os olhos abertos com seus empregados, pois a sua negligência pode tornar um homem honesto num ladrão."

Na página 27 do livrinho que acompanha o baralho, o texto referente à carta O Rato diz: "Como este animal vive furtivo, é também um emblema de furto ou roubo, se estiver claro, mostra que se recuperará o que foi roubado, mas se aparece pouco claro, não tenha esperanças na recuperação."

Carta n.º 21 – Os Ratos
Le amusements des Allemands; or,
The Deversions of The Court of Vienna
(1794/1796)

Carta n.º 23 – Os Ratos
Philippe Lenormand
(1846)

Na leitura do texto, um pensamento veio-me à cabeça: a técnica da borra do café. Minha avó e Latifa, uma mulher Turca, me ensinaram que quando todos os símbolos presentes na leitura estão bem evidenciados, isto é, claros e posicionados perto da alça da xícara, anunciam o que está prestes a entrar na vida do/a Consulente. Mas, se esses símbolos não são evidentes ou bem claros na sua forma, anunciam que tal evento não acontecerá ou que aquele evento traz consigo um mistério que no momento não poderá ser identificado.

Um segundo exemplo, encontramos na carta das Nuvens, no que se refere à técnica das nuvens claras e nuvens escuras, técnica esta já presente em 1794 quando foi criado este lindo baralho. Uma parte do texto sobre a carta 12, As Nuvens, do baralho Les Amusements des Allemands diz: "Se as nuvens são mais claras que escuras, poderá contar com um bom resultado, as suas esperanças vão tornar-se realidade, se mais escuras, então terá de abandonar os seus planos e esperanças."

Carta n.º 12 – As Nuvens
Le amusements des Allemands; or,
The Deversions of The Court of Vienna
(1794/1796)

Carta n.º 6 – As Nuvens
Philippe Lenormand
(1846)

Perante esta afirmação do trecho "se estiver claro, mostra que se recuperará o que foi roubado, mas se aparece pouco claro, não tenha esperanças na recuperação.", posso deduzir que se as nuvens claras estiverem em contato com a carta O Rato, a possibilidade de descobrir uma fraude ou encontrar algo que foi roubado é maior do que se as nuvens escuras estiverem em contato com a carta O Rato.

A folha de instrução do Philippe Lenormand de 1846 diz: "23. - OS RATOS são indicadores de um roubo, uma perda; quando próximos da pessoa, materializam a recuperação de uma situação ou objeto roubado ou perdido; se distante, a perda é irrecuperável."

Diante dos fatos aqui apresentados, temos de concordar que os significados e técnica de leitura que se atribuem ao baralho Petit Lenormand têm raízes antigas, provavelmente muito mais antigas que as datas aqui reportadas, e, com a presente descoberta, vem se confirmar a teoria de que os símbolos ou emblemas aqui reportados no baralho têm as suas origens na adivinhação da borra do café. Acredita-se, também, que Johann Kaspar Hechtel tomou a decisão de criar um baralho com 36 cartas baseando-se no Schafkorpf Tarock Bayerisches, que naquela época era muito popular, acrescentando, assim, às 32 cartas outras 4 cartas.

Não me surpreende ver o método do Grand Tableau (figura abaixo trato do livrinho Les Amusements des Allemands; or, The Diversions of The Court of Vienna) associado a este baralho ou a qualquer outro baralho daquela época.

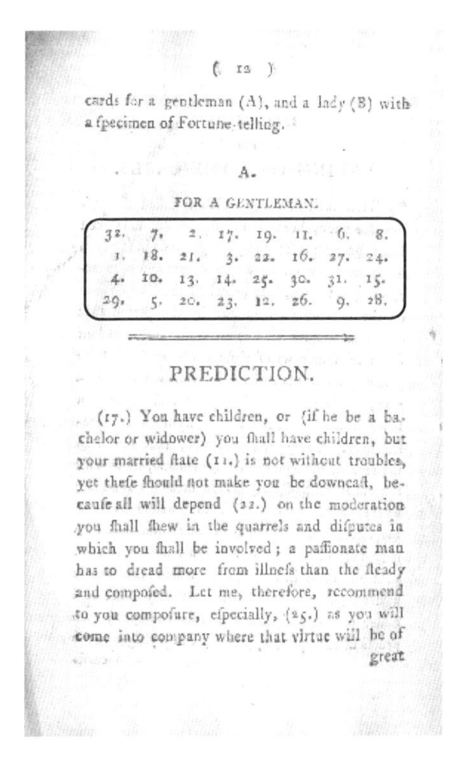

(12)

cards for a gentleman (A), and a lady (B) with a ſpecimen of Fortune-telling.

A.

FOR A GENTLEMAN.

32.	7.	2.	17.	19.	11.	6.	8.
1.	18.	21.	3.	22.	16.	27.	24.
4.	10.	13.	14.	25.	30.	31.	15.
29.	5.	20.	23.	12.	26.	9.	28.

PREDICTION.

(17.) You have children, or (if he be a bachelor or widower) you ſhall have children, but your married ſtate (11.) is not without troubles, yet theſe ſhould not make you be downcaſt, becauſe all will depend (22.) on the moderation you ſhall ſhew in the quarrels and diſputes in which you ſhall be involved; a paſſionate man has to dread more from illneſs than the ſteady and compoſed. Let me, therefore, recommend to you compoſure, eſpecially, (25.) as you will come into company where that virtue will be of great

Le amusements des Allemands; or,
The Deversions of The Court of Vienna (1794/1796)

A minha avó sempre me falou que os cartomantes do século passado trabalhavam com "jogos" amplos nos quais o baralho inteiro estava envolvido na leitura e a interpretação das cartas era baseada na distância em que elas se encontravam daquela que representava o/a Consulente ou de outra carta que estivesse representando uma área da vida ou preocupação do momento. E foi através dessa estrutura, hoje conhecida como Grand Tableau, que aprendi a ler as cartas com qualquer baralho, graças a minha avó que me transmitiu a sua sabedoria com as francesinhas (Petit Lenormand), com o baralho tradicional e, mais tarde, com o Kipper, com o Belline e com o Tarô.

Aqui estão as 32 cartas do baralho Les Amusements des Allemands; or, The Diversions of The Court of Vienne:

Giordano Berti

Em 2015, o meu querido amigo Giordano Berti, pesquisador e histórico italiano, contatou-me para participar da realização de um baralho: A Sibila do Coração. Tudo o que tive nas minhas mãos foram 40 figuras enigmáticas projetadas por um seguidor dos Rosa Cruzes, o teólogo alemão Daniel Cramer (20 de janeiro 1568 – 5 de outubro 1637). Estes emblemas (que fazem parte de uma série de outros) foram publicados pela primeira vez em 1617.

O meu trabalho, na realização do baralho, foi dar uma identidade e voz a cada carta, segundo o ponto de vista divinatório. Durante esse processo de criação do baralho, seja da minha parte, quer também da do Giordano, descobrimos que muitos desses emblemas continham símbolos idênticos ao baralho Petit Lenormand.

Por exemplo, o emblema Affligor, está representado por duas mãos que seguram uma vassoura e um chicote, símbolo este, A Vassoura e O Chicote, presentes na carta n.º 11 do baralho Petit Lenormand. Um outro exemplo encontra-se no emblema Crucifigor (que significa O crucificado), onde uma grande cruz com um coração espetado com quatro pregos são o símbolo predominante. O presente emblema encontra-se na carta 36, A Cruz.

Affligor - Emblema de Daniel Cramer

Carta N.º 11 A Vassoura e o Chicote

Crucifigor - Emblema de Daniel Cramer

Carta N.º 36 A Cruz

Anatomia das 36 cartas

O baralho Petit Lenormand é composto por 36 cartas, numeradas de 1 a 36, e todas ilustradas com figuras simbólicas, facilmente compreensíveis.

A cada carta é atribuído um número, uma carta de jogo tradicional e um símbolo.

- Um número: o número referenciado em cada carta não tem função alguma premonitória. Serve para identificar a carta. Contudo, em alguns países, como França e Rússia, os números presentes nas cartas servem como análise do perfil numerológico do/a Consulente.
- Uma carta da cartomancia tradicional francesa: as 36 cartas são divididas em quatro famílias ou naipes e cada um desses naipes engloba nove cartas: Ás, Rei, Dama, Valete, 10, 9, 8, 7 e 6.
- Um símbolo: um símbolo central que mostra uma figura simbólica (pessoas, objetos, animais, plantas, corpo celeste, edifícios, flores, etc.), símbolos que fazem parte do nosso cotidiano. É através dos símbolos que cada carta recebe o seu nome.

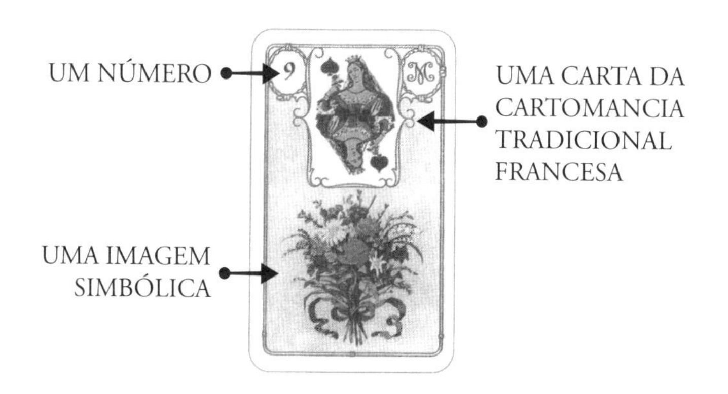

AS 36 CARTAS (NÚMERO E NOME)

- 1 – O Cavaleiro
- 2 – O Trevo
- 3 – O Navio
- 4 – A Casa
- 5 – A Árvore
- 6 – As Nuvens
- 7 – A Serpente
- 8 – O Caixão
- 9 – O Ramo de Flores
- 10 – A Foice
- 11 – A Vassoura e O Chicote
- 12 – As Corujas
- 13 – A Criança
- 14 – A Raposa
- 15 – O Urso
- 16 – As Estrelas
- 17 – As Cegonhas
- 18 – O Cão
- 19 – A Torre
- 20 – O Parque
- 21 – A Montanha
- 22 – Os Caminhos
- 23 – Os Ratos
- 24 – O Coração
- 25 – O Anel
- 26 – O Livro
- 27 – A Carta
- 28 – O Homem
- 29 – A Mulher
- 30 – Os Lírios
- 31 – O Sol
- 32 – A Lua
- 33 – A Chave
- 34 – Os Peixes
- 35 – A Âncora
- 36 – A Cruz

Recomendo a todos aprenderem a identificar as cartas por número e nome. Por exemplo, se falarmos da carta A Foice, é importante que saibamos que estamos nos referindo à carta 10 do baralho. Mas se nominarmos a carta 14, temos que saber que estamos falando da carta A Raposa.

Por que é que esta lição é importante? Acredito que todos vocês frequentam salas de estudos ou blogs nas suas buscas de informações sobre o baralho e, como notaram, a maioria dos autores identificam as cartas por números ou pelos nomes. Um outro benefício em aprender a identificar as cartas pelos números está quando se trabalha com o Grand Tableau das casas, onde a casa é identificada pela carta que a governa, isto é, a casa 31 é governada pela carta 31, O Sol.

Antes de mais nada, vamos aprender a conhecer no íntimo o baralho. Como sabemos, o baralho utilizado no Jogo da Esperança foi o protótipo de todos os baralhos Petit Lenormand. E que, por razões comerciais, Johann Kaspar Hechtel incluiu no seu baralho o padrão do baralho tradicional Alemão, o Schafkorpf Tarock Bayerisches e o padrão do baralho tradicional Francês.

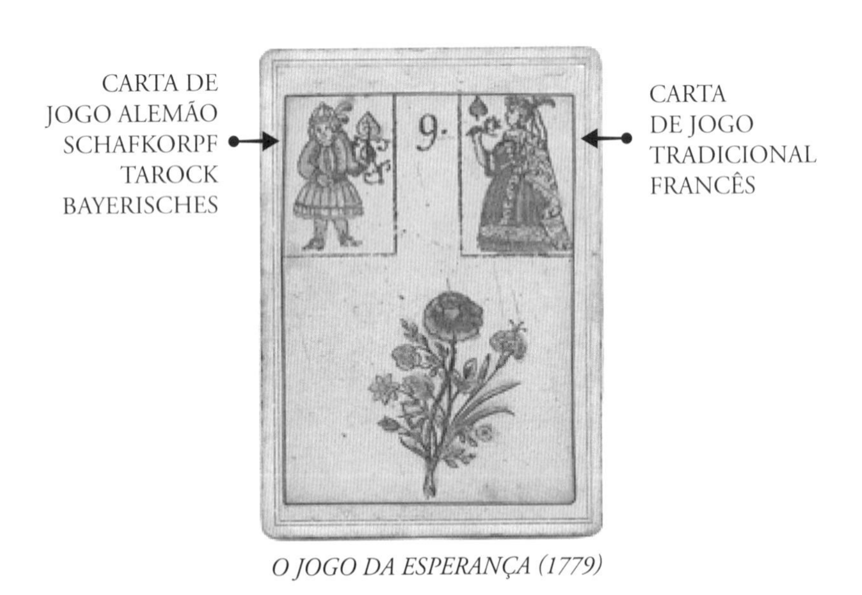

O JOGO DA ESPERANÇA (1779)

Desde a aparição do primeiro baralho Petit Lenormand no ano 1846, o padrão Francês acompanha o baralho até hoje e por essa mesma razão, por longos anos, a associação do baralho tradicional Francês foi fonte de confusão no momento da leitura.

A contradição dos significados é muita, ao ponto de levar os Cartomantes a considerarem os naipes como principal significado divinatório e os símbolos como orientação ou conselho, ou então a ignorar totalmente os naipes numa leitura.

Tomemos como exemplo a carta 9, O Ramo de Flores. Este é representado pela carta a Rainha de Espadas e um ramo de flores como símbolo. O Ramo de Flores é uma carta positiva e representa alegria, felicidade, carinho, elogios, conquista etc. Contrariamente, a Rainha de Espadas, é uma carta negativa que representa uma mulher fria, calculista e inimiga. Dela podem-se esperar mentiras, maldades, manipulações, vinganças e traições da pior espécie.

Como observamos, existe uma contradição entre o naipe e o símbolo representado pela carta. Mas, se estudarmos o padrão Alemão, iremos entender que o naipe Alemão e a simbologia representada na carta estão ligadas num só significado. Particularmente, acredito que as imagens simbólicas, reportadas em cada carta, sejam um pró-memória dos seus significados tradicionais representados em cada uma delas.

Os naipes da cartomancia alemã

Quando estudamos as origens do baralho Petit Lenormand, aprendemos que o baralho tem as suas raízes em Nurembergue, Bavaria na Alemanha e, como tal, o baralho "fala" Alemão. Partindo deste ponto, muito importante para o entendimento do baralho, é essencial que concentremos os estudos do baralho tradicional Alemão naquela zona da Alemanha. Portanto, o primeiro passo é aprender a reconhecer os naipes Alemães e a sua correspondência com os naipes Franceses.

- No naipe Alemão, os Corações (Rot) correspondem ao naipe Francês de Copas;

- No naipe Alemão, as FOLHAS (Laud) correspondem ao naipe Francês de ESPADAS;
- No naipe Alemão, os SINOS (Schellen) correspondem ao naipe Francês de OUROS;
- No naipe Alemão, As NOZES ou BOLOTAS (Eichen) correspondem ao naipe Francês de PAUS.

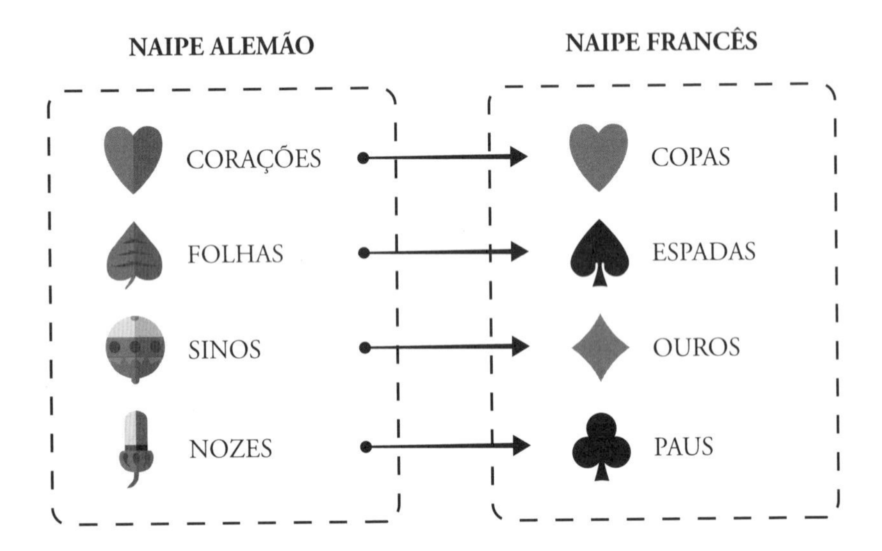

Provavelmente, quem tem conhecimento do baralho tradicional Francês, achou estranha a ordem pela qual dispus os naipes Copas, Espadas, Ouros e Paus. Existe uma explicação para isto que será entendida quando conhecerem os significados de cada naipe Alemão.

Como podem reparar, na próxima imagem, na Alemanha, os naipes têm cores diferentes, principalmente o naipe de Espadas que é de cor verde e o naipe de Ouros que é de cor laranja. Os naipes na Alemanha chamam-se Vier Farben que em português significa "as quatro cores", que obviamente representam os quatro naipes.

Seria magnífico se os produtores dos baralhos do Petit Lenormand levassem em consideração a substituição dos naipes Franceses pelos naipes Alemães e se os estudiosos e Mestres desse baralho começassem a chamar os naipes pelos seus verdadeiros nomes: Corações, Folhas, Sinos e Nozes. Isto não só traria honra ao baralho, como também ajudaria a não criar mais confusão na hora da leitura. Nos meus cursos, incentivo os meus alunos a chamar os naipes pelos seus verdadeiros nomes: Corações, Folhas, Sinos e Nozes, precisamente para habituá-los a introduzirem-se, desde o início, nos estudos do sistema alemão.

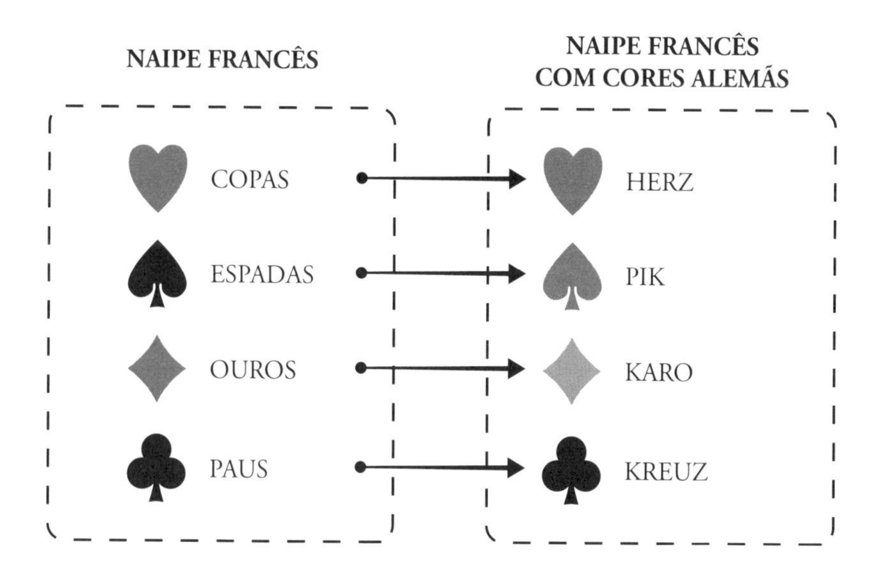

BARALHO SCHAFKOPF TAROCK BAYERISCHES

LAUB
(FOLHAS)

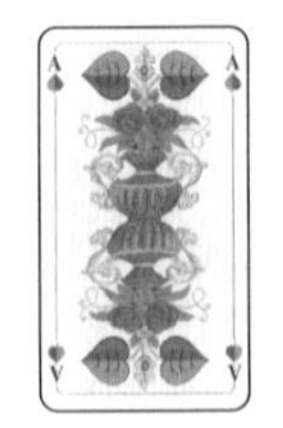

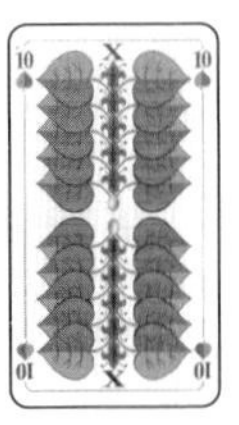
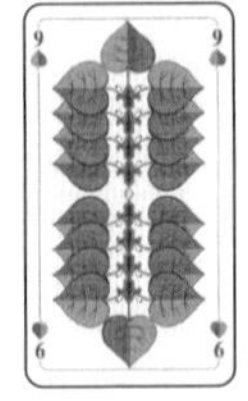
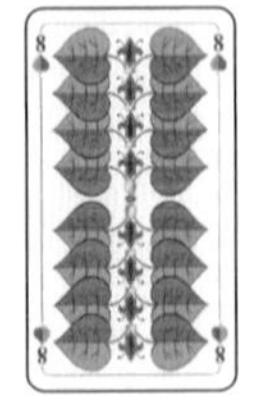
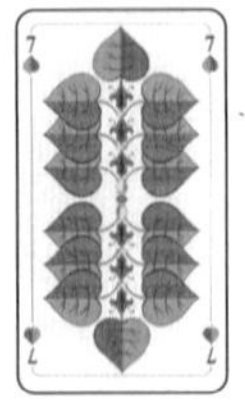
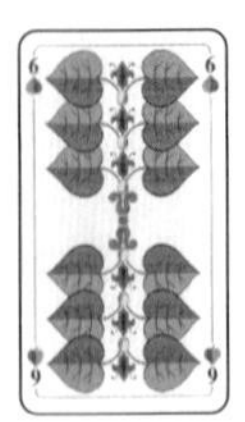

EICHEN
(NOZES)

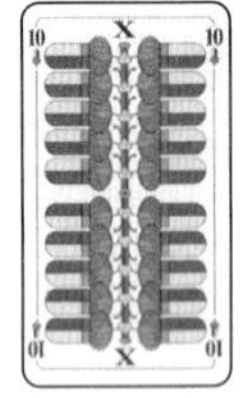
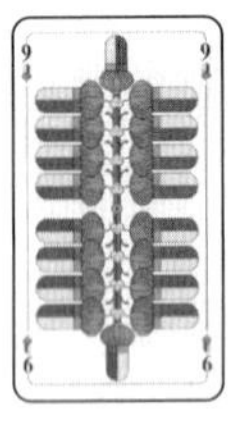
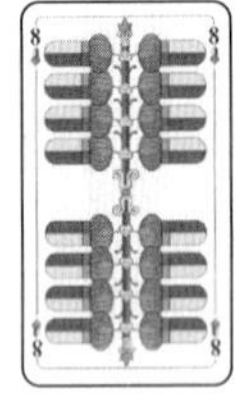
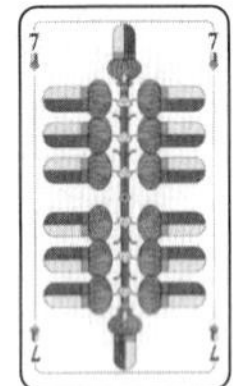
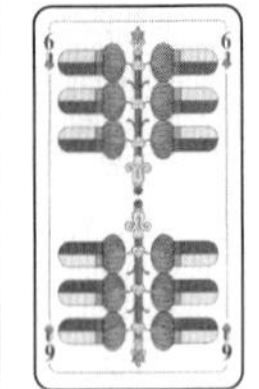

SCHELLEN
(SINOS)

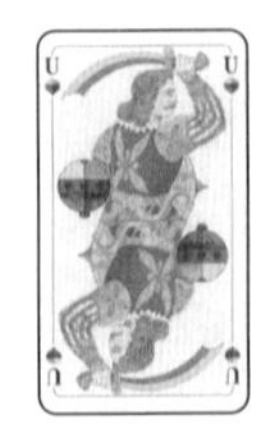
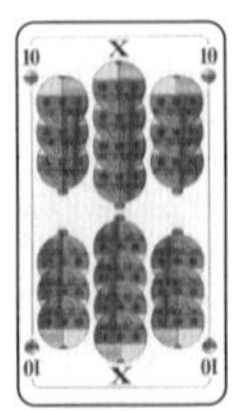
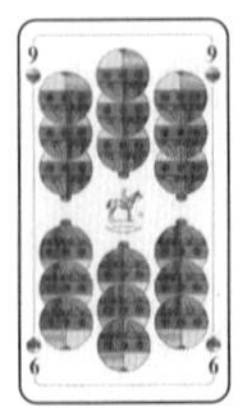
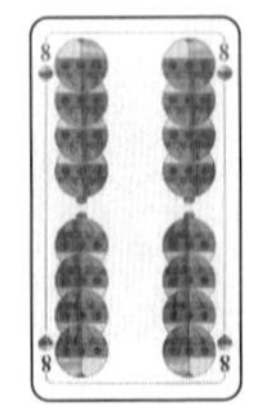
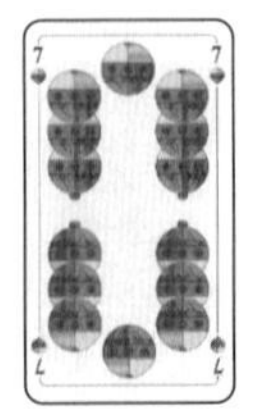
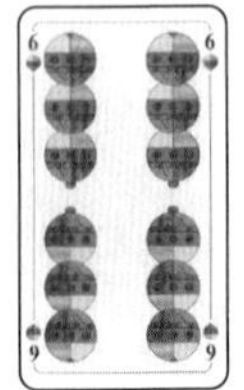

Segundo a tradição alemã, naquela época, os quatro naipes correspondiam às quatro classes sociais:

- Os naipes de Corações pertenciam ao clero e à igreja;
- Os naipes de Folhas pertenciam aos senhores da terra, os camponeses;
- Os naipes de Sinos pertenciam à nobreza;
- Os naipes de Nozes pertenciam à classe baixa, aos servos.

Proponho agora que você coloque os naipes na sua frente na seguinte ordem:

O Naipe de Corações

Este naipe representa as emoções, os sentimentos, as paixões, as alegrias, os prazeres e os desejos (no bem e no mal). Lealdade, honestidade, sinceridade, confiança, apoio, assistência e ajuda.

O Naipe de Folhas

Este naipe representa as esperanças, as viagens, as comunicações, os contatos, a maturidade, a estabilidade, o equilíbrio, a justiça e trazem eventos felizes.

O Naipe de Sinos

Este naipe é representativo das questões financeiras, os ganhos e as despesas, os negócios, os riscos, a fortuna e o infortúnio, a recompensa e as formações.

O Naipe de Nozes

Este naipe vem representar os problemas, os aborrecimentos, as doenças, os roubos, as perdas, as destruições, as traições, as mentiras, as falsidades, os ciúmes, as invejas, os obstáculos, os atrasos, os pactos, os fardos, as tristezas, o luto, os sofrimentos, as angústias, as amarguras, os tormentos e as ameaças.

Como você pode observar, a maioria das cartas negativas encontram- se no naipe de Nozes e outras no naipe de Sinos. Neste ponto dos estudos, acredito que você já começa a entender as energias dos quatro naipes:

- O naipe de Corações – são positivos;
- O naipe de Folhas – são positivos;
- O naipe de Sinos – são positivos e negativos;
- O naipe de Nozes – são negativos.

Segundo o livro alemão Das Kartenlegen, de Augustus Tora, 1914, a característica de uma carta vem intensificada ou não pelo naipe da carta que estiver ao lado. Por exemplo, no caso da carta o Valete de Nozes, que representa um policial ou veredictos judiciais, quando acompanhada por outra carta do mesmo naipe, sendo esta de natureza negativa, aumenta o seu significado negativo, principalmente quando o Valete de Nozes está combinado com a carta do 9 de Nozes, que irá anunciar um engano por parte das autoridades.

Uma vez compreendidos os significados dos quatro naipes alemães, podemos passar aos significados das 36 cartas do baralho.

— CAPÍTULO 2 —

SIGNIFICADOS DAS 36 CARTAS DO BARALHO

Antes de passar aos significados das 36 cartas, existem três pontos importantes a esclarecer que têm sido objeto de muitas discussões entre os estudiosos do baralho.

- As "escolas" ou "tradições" do Petit Lenormand
- Cartas invertidas
- Cartas do Tarô similares a algumas cartas do baralho Petit Lenormand

Uma vez entendidos estes três pontos, podemos iniciar os estudos dos significados de cada uma das cartas.

O cadastro de cada carta contém:

1. Número e nome da carta.
2. O naipe da carta – Cada naipe vem representado pelo seu nome, segundo o padrão alemão.
3. Texto escritopor Philippe Lenormand (1846) –Todos os estudiosos do baralho Petit Lenormand deveriam levar em consideração os verdadeiros significados do baralho que encontram na folha de instruções de uso, porque estas são as bases dos significados das 36 cartas e são através delas que se desenvolvem todos os significados hoje existentes. Sendo este documento importante para a boa compreensão do baralho, concluí que é útil mencioná-los como ponto de referência no estudo de cada carta.

4. Qual o papel desempenhado pela carta numa leitura? – Aqui iremos obter, numa síntese, informações sobre o papel que uma carta tem quando presente numa leitura.

5. Em geral – Nesta posição, explora-se a carta em detalhe e segundo a sua vizinhança ou distância a respeito da carta do/a Consulente ou de outras cartas.

6. Palavras-chave tradicional – As palavras-chave, aqui representadas, nascem da síntese do texto de Philippe Lenormand.

7. Palavras-chave modernas – As palavras-chave modernas são todas aquelas palavras que nascem da nossa experiência com o baralho.

O que são as palavras-chave?

Palavras-chave são um grupo de palavras que resumem a essência de uma determinada carta. Este "pró-memória" (lembrete) de palavras tem por função facilitar o momento da leitura, principalmente, no que diz respeito à construção de combinações. Além disso, as palavras-chave são de grande ajuda para quem está dando os primeiros passos nos estudos do Lenormand, ajudando-o a reconhecer, com facilidade, os principais significados de cada carta sem ter que recorrer ao "caminho" da "memorização" dos inúmeros significados, permitindo-lhe, assim, ficar em sintonia com o baralho de uma forma natural. É bom lembrar que, para uma correta interpretação das cartas, uma leitura deve ser orientada para um tema específico para que se possa escolher as palavras-chave mais adequadas ao tema, tornando-se muito mais clara a resposta à questão investigada.

Nota importante:

Durante o processo de aprendizagem, vão surgir algumas cartas sobre as quais se sentirá uma certa rejeição ou encontrará dificuldade em compreendê-las. É natural, eu também já passei por isso. Portanto, concentrem-se nelas, pesquisem e aprofundem-se nos estudos dessas cartas. É bom recordar que cada uma das cartas é parte integrante quando presente na leitura.

As "escolas" ou "tradições" do Petit Lenormand

Para quem frequenta ou frequentou o meu grupo de estudos Lenormand no Facebook, já teve oportunidade de ver textos meus com referência às várias tradições. Expliquei que o Petit Lenormand não "falava" uma "língua" única e, por isso, pergunto a todos aqueles que dizem pertencer à tradição Lenormand europeia, a qual das tradições se referem. Só aqui na Europa existem inúmeras tradições.

Ao longo dos anos, foram criados em alguns países – ou até mesmo no seio das famílias tradicionais de cartomantes – um estilo próprio que segue a tradição do país a que pertence: Alemanha, Suíça, Holanda, Bélgica, França, Rússia. Cada uma dessas tradições tem uma identidade própria que a diferencia das outras. São diferenças sutis, mas existem. O que é importante saber é que todas essas "escolas" têm raízes no método tradicional (método Philippe).

Há algum tempo, a "escola" Lenormand brasileira foi alvo de críticas e rejeições vindas de alguns adeptos das várias "escolas", mas, profissionais brasileiros, grandes conhecedores do baralho cigano e não só, têm levado ao mundo inteiro os seus conhecimentos com cursos online, palestras, eventos e disponibilizando nos seus blogs pessoais materiais que ajudam a compreender de forma elucidativa o baralho cigano. Tive a honra de conhecer alguns deles e posso garantir que são íntegros, tanto a nível pessoal como profissional.

O baralho cigano tem força e isso reconhece-se não só pelo elevado número de adeptos brasileiros que o usam, como também pelos seus utilizadores nos vários países Africanos (Moçambique, Angola, Cabo Verde, Guiné-Bissau), ilha da Madeira, Açores e Portugal. Na Itália, precisamente em Nápoles, Calábria e Sicília, já encontrei alunos italianos que leem o baralho cigano.

Portanto, não julgue um baralho pela má experiência obtida em consultas efetuadas por cartomantes incompetentes ou por antipatia relativamente a uma cultura ou religião. Se assim fosse, todas as "escolas", sem exceção, teriam de ser julgadas.

Para quem tenha curiosidade de conhecer a tradição Lenormand Brasileira, deixo aqui embaixo alguns trechos do livro "As Cartas Ciganas e os Orixás" dos autores Filipi Brasil e Tânia Durão que são uma referência mundial do baralho cigano. Agradeço a Tânia Durão pela disponibilidade das cartas e texto.

AS CARTAS CIGANAS E OS ORIXÁS

A palavra Orixá foi trazida ao Brasil pelos negros escravizados conhecedores do panteão africano. Representa a força da NATUREZA e estão relacionados às manifestações dessas forças. Na África são mais de 600 Orixás, mas no Brasil foram reduzidos a 16, dos quais 12 são mais venerados.

Em Iorubá, Orixá significa "a divindade que habita a cabeça" ("ori" é a cabeça e "xá" é o rei ou divindade). Esotericamente, Orixá significa "Luz do Senhor" ou "Mensageiro do Senhor." Correspondem aos pontos de força da natureza, seus arquétipos e características. São agentes divinos, os quais representam as vibrações das forças elementares da natureza. São subordinados a Jesus Cristo, governador do Planeta Terra, mas quem atua no culto da Umbanda são as entidades ou guias espirituais, também conhecidos como falangeiros. Estes guias são os mensageiros dos Orixás, foram encarnados, são espíritos de grande luz e possuem muita força espiritual. O Orixá é responsável pelas características físicas, emocionais e espirituais de seu filho.

Carta 1 – Cavaleiro = Exu

Carta n.º 01
Cavaleiro = Exu

Exu é um dos Orixás do panteão africano no Candomblé. Ele é "Pai de Cabeça/Regente de Ori". É o mais humanizado e o mais antigo dentre os Orixás.

As lendas dizem que antes do mundo ser criado, Exu já estava lá, no nada, no vazio. Desta forma Exu está em todo lugar. Representa o "mensageiro" entre os homens e os Orixás. É o guardião das portas, dos templos, dos terreiros, das casas e das pessoas. É o executor da justiça cármica. Atua na abertura de caminhos, ligação do material com o espiritual, descarrego.

Exu é capaz de expandir, absorver e neutralizar, como um guerreiro da lei, é perito no combate e quebra de magia negra. É o mais próximo do ser humano e trabalha com rapidez, pois é o dínamo entre o céu e a terra. A comunicação é o seu maior atributo. É o senhor dos princípios da transformação, principalmente das angústias humanas. Estimula o mercado e os grandes negócios.

Carta 3 – Navio = Iemanjá

Iemanjá é a mãe de todos, que acolhe indistintamente seus filhos. O significado do nome Iemanjá é "mãe cujos filhos são peixes". É a rainha do mar, a sereia, a patrona da família e dos lares, o arquétipo da mãe.

Carta n.º 03
Navio = Orixá Iemanjá

Uma das Orixás mais populares e conhecidas em todo Brasil. É a mãe de quase todos os Orixás e esposa de Oxalá. Os enviados da linha de Iemanjá são responsáveis pela limpeza e descarrego das emoções e dos pensamentos no terreiro.

Eles vêm lavando todo o mal, a perturbação, as mazelas e levam para o fundo do mar. São os principais responsáveis pela mudança das correntes energéticas que nos circundam. Respeito e amor; desperta a grande mãe em cada um, a percepção de que podemos gerar "vida", nos inspirando a força geradora e de que somos cocriadores com o Pai. Estimula-nos ao amor maternal, sem apego, fazendo com que seus filhos sejam cidadãos do mundo.

Carta 5 – Árvore – Orixá Oxóssi

Oxóssi é filho de Iemanjá, marido de Oxum e pai de Logun Edé. É o rei da nação de Ketu, o caçador de uma única flecha, amante das artes e diplomático. É o grande curador e o patrono da Linha dos Caboclos. Oxóssi é o Orixá da fartura, da prosperidade, da abundância, da expansão do conhecimento, do sustento, da alimentação, da astúcia, da inteligência.

É o grande caçador de almas, senhor das matas, das florestas, dos animais e de tudo que nela habita. Está ligado ao elemento terra. É o "caçador de almas", o conselheiro. Corresponde à nossa necessidade de saúde, nutrição, energia vital e equilíbrio fisiológico, num trabalho constante de crescimento e renovação. Fartura, riqueza, liberdade de expressão são seus pontos marcantes.

Carta 6 – Nuvens = Orixá Iansã

Iansã aprendeu a usar a espada com Ogum, a manipular os raios com Xangô, a caçar com Oxóssi e lidar com os segredos da morte com Obaluaê. É a senhora dos nove oruns (céus), mãe dos nove filhos. Um dos seus principais símbolos é a adaga.

É a Orixá dos ventos, raios, furacões, ciclones, tempestades, tempo, bambuzal, da luta, guerreira, do movimento, das paixões, é a senhora dos eguns (desencarnados) e a deusa das paixões. Tem a força do búfalo e a leveza da borboleta, é brisa suave, é vendaval e o furacão devastador. É a Orixá do movimento, intensidade e mudança; necessidade de deslocamento, transformações materiais, avanços tecnológicos e intelectivos; luta contra as injustiças.

Carta 7 – Cobra = Orixá Oxumaré

Oxumaré é o filho de Nanã e irmão de Obaluaê, é simbolizado pela serpente, demonstrando mobilidade, ciclos, destreza, flexibilidade, o infinito, ambivalência (água e terra / masculino e feminino), pela rotação do universo, também é representado pelo arco-íris, pela fortuna, riqueza, prosperidade.

Uma das lendas conta que Oludumare (Deus) estava sofrendo de problemas nos olhos e de lá não conseguia ver a terra. Desta forma, convocou Oxumaré para ir ao céu curá-lo, após ser curado Oludumare convidou a Oxumaré para morar no céu em sua companhia. Todas as vezes que o arco-íris aparece no céu diz-se que Oxumaré está na terra.

É o Orixá da agilidade, prosperidade, riqueza, fortuna, abundância, dualidade, o masculino e feminino, as polaridades, o todo e as partes, o movimento, a constante mudança, o serpentear pelos caminhos e experiências da vida, é a integração simbolizada pela cobra mordendo o próprio rabo e formando um continuum, a roda da vida.

Carta 9 – Flores = Orixá Nanã

Carta n.º 09
Flores = Orixá Nanã

Nanã é casada com Oxalá, mãe de Obaluaê e Oxumaré. Nanã é a mais velha dentre os Orixás (rege a maturidade, protege os idosos) está associada a linha do Povo d'Água.

É o arquétipo da anciã, da avó, a senhora do portal, dona dos manguezais, pântanos e do lodo, é o encontro da água da chuva com a terra, é a lama, é o barro, representa a memória ancestral. Nanã é a doçura da avó, mas também a austeridade e severidade. É calma e misericórdia. Nanã é o momento inicial em que a água brota da terra ou da pedra. É a soberana de todas as águas; é também a lama, a terra em contato com a água; é o pântano, o lodo, sua principal morada e regência.

Ela é a chuva, a tempestade, o chuvisco. É a senhora da passagem desta vida para a outra, comandando o portal mágico, a passagem das dimensões. Este orixá relembra a nossa ancestralidade mística, o momento em que fomos criados espírito. A água foi necessária na Terra para a geração da vida, tendo o barro ou a lama um simbolismo correspondente ao momento em que fomos "feitos" pelo Pai. Assim ela reconduz os espíritos desencarnados ao mundo espiritual, aconchegando-os em seus braços.

Carta 10 – Foice = Orixá Obaluaê (Jovem) / Omulu (Velho)

Obaluaê/Omulu nasceu com o corpo coberto por chagas, sua mãe Nanã não conseguiu lidar com a doença e o entregou ao mar. Iemanjá se tornou sua mãe de coração, pois o acolheu e o criou desde pequenino até a vida adulta e até ficar curado. Também foi responsável pela reaproximação entre ele e Nanã. Iemanjá cobria Obaluaê/Omulu com palha para esconder as suas feridas. O nome Obaluaê significa: "Dono da Terra e da Vida" e Omulu – "Filho da Terra".

Carta n.º 10
Foice = Orixá
Obaluaê/Omulu

Responsável pelas doenças epidérmicas, pragas e suas curas. Na Umbanda, compreendemos Obaluaê e Omulu como um só Orixá. Sendo que há um desdobramento energético em que Obaluaê representa a vibração mais jovem e guerreira, enquanto Omulu, o mais velho e feiticeiro.

O elemento deste Orixá é a terra, sua energia é absorvedora. É comum evocarmos a energia da força da terra de Pai Obaluaê/Omulu em trabalhos de descarrego e cura. Obaluaê/Omulu é o Orixá rei da terra, senhor da saúde, da cura dos males físicos e da alma, é o mestre da magia, é o responsável pela transmutação, pelas mudanças dos ciclos da vida, rege a morte e a vida, o seu campo de força é cemitério e as regiões abissais do fundo do mar. É o orixá da transformação, agente cármico a que todos os seres vivos estão subordinados, rege a "reconstrução de corpos" nos quais os espíritos irão reencarnar, pois todos nós temos o corpo físico de acordo com nossa necessidade de reajustamento evolutivo.

Assim, todas as doenças físicas às quais estamos sujeitos são necessárias ao fortalecimento de nossos espíritos. Omulu não causa doença; ao contrário, ele a leva embora, a "devolve" para a terra. Corresponde à nossa necessidade de compreensão do carma, da regeneração, da evolução, de transformações e transmutações existenciais. Representa o desconhecido e a morte, a terra para onde voltam todos os corpos, e que não guarda apenas os componentes vitais, mas também o segredo do ciclo de nascimento e desencarne.

É o orixá da misericórdia; está presente nos leitos dos hospitais e nos ambulatórios, e, à sua invocação, nos momentos dolorosos das enfermidades, pode significar a cura, o alívio e a recuperação da saúde, de acordo com o merecimento e em conformidade com a Lei Divina.

Carta 13 – Criança = Orixá Ibeji

Ibeji é considerado o Orixá criança. São gêmeos, divindades infantis, ligadas à alegria, ao novo, ao sentido da vida, à felicidade, à união. São protetores das crianças, simbolizam o nascimento, as novidades e, por isso, estão associadas às nascentes dos rios, ao olho d'água, à pureza, ao germinar e a tudo o que nasce. Por serem gêmeos, estão ligados à dualidade.

Carta n.º 13
Criança = Orixá Ibeji

Na Umbanda, foram assimilados sincreticamente a São Cosme e São Damião, aos santos católicos gêmeos, que eram médicos e que cuidavam de crianças. Ibeji na Umbanda passou a estar ligado à Ibejada, como é designado no culto, a falange das crianças. Outro fator popular, é que a imagem católica de São Cosme e São Damião, ganhou a companhia de uma terceira imagem menor, designada como Doum. Ibeji, na Umbanda, é um Orixá que não é considerado Pai de Cabeça. Já no Candomblé, é considerado e é raro um filho desta divindade. É o Orixá da felicidade, alegria, espontaneidade, sentido da vida, simplicidade, energia, agilidade, ânimo, vontade de viver, representa o nascimento, novos ciclos, o desabrochar, expansividade, pureza de sentimentos, verdade, sobrevivência e continuidade.

Carta 20 – Jardim = Orixá Ossaim

Carta n.º 20
Jardim = Orixá Ossaim

Ossain é o Orixá das folhas, das ervas sagradas, dos seus mistérios e segredos magísticos, o feiticeiro que habita o interior das florestas. Na Umbanda, não é comum o culto direto a Ossain. As folhas e tudo relacionado às matas e florestas são atribuídos a Oxóssi. Na Umbanda, praticada em nossa vertente, compreendemos que Orixás são oriundos das potencialidades de Deus. Como todos somos filhos de Deus, compreendemos que temos a energia de todos os Orixás em nossa coroa, alguns em maior e outros em menor parcela. Sendo assim, não contemplamos quizilas/contendas entre os Orixás, por todos serem oriundos da vibração uníssona de Deus. Assim sendo, não contemplamos problemas em usar uma erva que não seja pertencente ao seu Orixá. É o pai das ervas sagradas, o curandeiro, discreto, reservado, analítico, paciente, desconfiado, misterioso, o feiticeiro, o conhecedor do segredo das folhas, o apreciador do isolamento e do silêncio, seletivo, o dono do axé.

Carta 21 – Montanha = Orixá Xangô

Xangô significa: "Xa" = Senhor e dirigente / "Ango" = Raio, fogo e almas. Senhor do Raio, do fogo, dos trovões, das pedreiras, do saber, do poder, da força; é quem nos inspira o equilíbrio em nossas decisões, é quem lavra a sentença para Ogum e Exu executarem a lei, ele é firme como a rocha. Xangô é o Orixá da justiça.

Teve três esposas: Obá, Oxum e Iansã. É o Orixá da sabedoria e prudência; entendimento do encadeamento de nossas ações e reações, as quais estabelecem uma relação de causa e consequência no sentido de ascensão espiritual (equilíbrio cármico).

Carta 22 – Caminhos = Orixá Ogum

Algumas lendas apontam Ogum como o irmão mais velho dos Orixás Oxóssi e Exu, sendo estes filhos de Iemanjá. Daí uma das explicações para a estreita ligação entre Exu e Ogum. Ogum é o orixá dos caminhos, se encontra presente em todos os reinos dos demais orixás.

É o patrono da agricultura, tecnologia, é o ferreiro, o soldado, o comandante, o guerreiro, o general de Umbanda. É hábil no combate à magia e quebra de demandas.

Quando evocamos a energia de Pai Ogum, estamos evocando os seus valores, potencialidades e virtudes. Ogum é a perseverança, a tenacidade, a coragem, a força, a determinação, a bravura, a valentia, o desbravador, o primeiro passo, o impulso, a energia realizadora, a busca pelo pão de cada dia, o vencedor de demandas.

É a execução da lei maior. É o arquétipo do militar, do comandante, do líder, do guerreiro que habita o nosso interior. É o senhor das guerras; porém, não das batalhas sangrentas e, sim, das lutas que travamos internamente para a nossa transformação íntima. É o pai da metalurgia, patrono da agricultura e da tecnologia, o ferreiro, é a vontade, o impulso, o primeiro passo, a conquista, a garra, a vitória, o sangue correndo nas veias, representa os diferentes caminhos da vida.

Carta 30 – Lírios = Orixá Oxum

Carta n.º 30
Lírios = Orixá Oxum

Oxum é filha de Oxalá e uma das esposas de Xangô, responsável pela fertilidade, pela maternidade e pelo ventre feminino.

Protege os recém-nascidos, é a deusa das cachoeiras, cascatas, rios e águas doces; deusa da beleza e do amor, da compaixão, do ouro, da riqueza e da prosperidade. É a Orixá protetora da gestação, da maternidade, da fecundidade e das crianças. Está ligada ao elemento água. É o amor-doação, equilíbrio emocional, concórdia, complacência, fertilidade.

Carta 31 – Sol = Orixá Oxalá (Oxaguian = Jovem e Oxalufan = Velho)

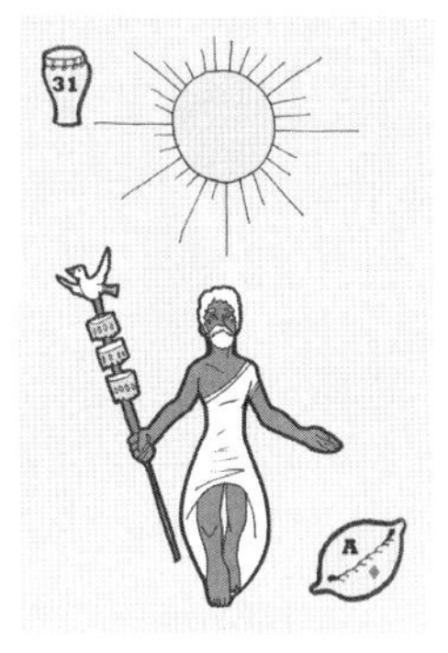

Carta n.º 31
Sol = Orixá Oxalá

A palavra Oxalá tem a grafia do português e do árabe significando "se Deus quiser ou tomara Deus". Já na língua ioruba é designado como Orixalá ou Obatalá, sendo conhecido como o Rei do pano branco ou a própria criação.

A imagem de Oxalufan traz o cajado e representa o ancião Oxalá sábio. Os negros sincretizaram Pai Oxalá com Jesus Cristo, porém na Umbanda, esta relação transpassa a visão sincrética, pois compreendemos Jesus como um Mestre, um dos grandes avatares da humanidade, um espírito de alta envergadura espiritual, o governante espiritual da terra. Desta forma, a Umbanda pode ser compreendida como uma religião comum à visão cristã, pois seguimos as diretrizes estabelecidas por Jesus, Deus e pelos Orixás. Então, quando nos voltamos em nossos altares para a imagem de Jesus, estamos nos conectando a Oxalá e a Jesus. Na religião de Umbanda, não se venera a imagem de Jesus crucificado ou em sofrimento. Oxalá é considerado o Pai de todos os orixás, responsável pela criação do mundo e deu ao homem o livre-arbítrio. Representa a paz e a fé, é o Orixá da luz, da brancura, da ética, da religiosidade, da espiritualidade, da serenidade, da criação, é a síntese cósmica, Pai de todos os Orixás, o masculino, o início, o fim, a vida e a morte.

Desta forma, é saudado na abertura e no encerramento das Giras de Umbanda. Como Orixá, do início e do fim, os médiuns usam o uniforme branco em homenagem a Pai Oxalá durante a caminhada espiritual e são enterrados de branco como um simbolismo do encerramento do ciclo de encarnar.

É comum quando os médiuns entram na corrente mediúnica, numa casa de santo, submeterem-se a algum rito (iniciações, batismos, amacis, consagrações etc.) para Oxalá, pois é considerado um marco, o nascer para a religião, o surgimento de um neófito/principiante.

Habitualmente é a primeira guia que o médium recebe. É normal que alguns filhos guardem a sexta-feira a Pai Oxalá, como uma reverência, usando uma peça de roupa branca e comendo carne branca.

Como Orixá da luz e clareza, em geral, seus rituais são realizados à luz do dia, antes do pôr do sol. Oxalá representa o Orixá fortaleza, a paciência, estabelece a ligação com a espiritualidade e leva ao despertar da fé, à compreensão do "religar" com o Cristo interno.

As Cartas Ciganas e os Orixás – 2ª edição.
Autores: Filipi Brasil e Tânia Durão.
Editora: Bonecker

Cartas Invertidas

Tradicionalmente as cartas do baralho Petit Lenormand não são lidas invertidas. A folha de instrução de Philippe Lenormand não traz nenhuma referência sobre isso.

Nos últimos anos, alguns estudiosos e apaixonados do baralho, na França e Rússia, criaram significados invertidos para as 36 cartas. Naquela época, surgiu muita polêmica da parte daqueles que condenam esta prática, porque afirmam que uma leitura baseada com cartas direitas e invertidas não se tem um prognóstico exato.

Direita

Invertida

Tive a oportunidade de trabalhar na Rússia e na França, lado a lado, com colegas que aplicam nas suas leituras a técnica das cartas invertidas, e foi surpreendente como a leitura foi correta.

A minha curiosidade levou-me a aprofundar-me mais sobre os significados invertidos e também a testar pessoalmente em algumas das minhas leituras pessoais. Foi uma boa experiência e com resultados satisfatórios.

Sofia Kuznetsova, estudiosa e taróloga Russa, em 2015 doou-me um lindo baralho Lenormand russo de nome Lenormand Oracle Autumn Whisper, onde cada carta é dividida em dois cenários (direito e invertido), como podem notar nas duas cartas como exemplo.

LENORMAND ORACLE AUTUMN WHISPER

Carta n.º 5
A Árvore

Carta n.º 6
As Nuvens

Carta 5 – A Árvore

Na posição direita, está representada uma árvore vigorosa, forte e saudável. Símbolo este de boa saúde, vitalidade, resistência e bem-estar. À sua volta encontramos um céu luminoso e um campo verde que transmite vida, tranquilidade e paz.

Na posição invertida, estamos de frente a uma imagem deprimente, angustiante e triste. A Árvore está seca e a paisagem à sua volta é sombria, escura e sem vida. A carta nesta posição significa doença, enfraquecimento e depressão.

Carta 6 – As Nuvens

Na posição direita, as nuvens símbolo principal da carta, são límpidas e o céu é luminoso. A autora do baralho introduziu um outro elemento muito importante que pode ajudar a entender esta carta, o rio com água límpida e tranquila. É uma imagem que transmite tranquilidade e promete a vivência de uma jornada sem algum evento preocupante.

Na posição invertida, encontramo-nos numa jornada de mau tempo. As nuvens estão escuras e carregadas e encontram-se muito próximas ao terreno e ao rio que transborda de água alagando o terreno vizinho. Numa leitura, a carta nesta posição, anuncia a chegada de eventos desagradáveis que serão uma surpresa ao Consulente ou anuncia o agravamento de uma questão importante.

Como já notaram, eu não leio as cartas no sentido invertido, mesmo apoiando esse método para quem deseja adotar essa maneira de trabalhar com o baralho. Nunca senti a necessidade de inverter as cartas para procurar outros significados. Por quê? Para mim, cada uma das cartas têm o seu lado luz (positivo) e lado sombra (negativo).

Quando a carta está presente numa leitura, observo com atenção a carta que é vizinha, porque isto irá me mostrar quais dos dois lados está se expressando.

Vou explicar melhor este conceito. Por exemplo, a carta n.º 9, O Ramo de Flores, é um símbolo de expressão de sentimentos, emoções e atitudes muito profundos. É um símbolo que nos acompanha em todos os momentos da nossa vida, sejam bons ou maus.

Nos momentos bons, representa a recompensa de um evento feliz, como uma comemoração, a celebração de algo (aniversário, o nascimento de um filho), o reconhecimento de um trabalho bem-feito (recompensa de um campeão, aplausos a uma bailarina, a um cantor ou autor, uma promoção profissional ou escolar), uma atitude ou gesto realizado (a conquista de algo, ter salvo ou ajudado alguém em dificuldade).

Algumas combinações:

- O Ramo de Flores + O Anel
  - Comemoração de uma data recorrente, como um aniversário;
  - Pedido de noivado ou casamento.
- O Ramo de Flores + Os Lírios
  - Pedido de perdão, desculpas;
  - Gestos nobres de lealdade.
- O Ramo de Flores + A Lua
  - Promoção;
  - Manifestação de carinho e respeito da parte dos admiradores ou fãs;
  - Entrega de Óscar ou prêmio.

O Ramo de Flores acompanha-nos também nos momentos mais sombrios e tristes das nossas vidas como em uma visita a um parente ou conhecido doente ou no funeral de uma pessoa querida.

- O Ramos de Flores + O Caixão + Os Lírios
  - Coroa fúnebre;
  - Celebração de aniversário do falecimento de uma pessoa especial;
  - Dia dos Mortos.

Cartas do Tarô similares às do baralho Petit Lenormand

É necessário entender que, mesmo que dois baralhos diferentes tenham cartas idênticas, seja pelo nome ou simbologia, não quer dizer que ambas tenham o mesmo significado divinatório. Para quem trabalha com o Tarô, é comum transferir os seus significados para algumas cartas do Lenormand que tem semelhanças e o mesmo nome. Estas cartas são: As Estrelas, A Torre, O Sol e A Lua.

Nas cartas As Estrelas e O Sol de ambos os baralhos, os significados são quase idênticos. É nas cartas da Torre e da Lua que encontramos a diferença. Na comparação entre as cartas aqui apresentadas não irei aprofundar os seus significados, mas o suficiente para que possam entender a diversidade entre elas.

A Torre

A carta 16, A Torre do Tarô, apresenta uma cena dramática onde a torre é atingida por um relâmpago, causando a destruição da estrutura. É uma carta altamente negativa, representa mudanças abruptas, eventos inesperados e traumáticos, colapso dos planos, dor, separação etc.

Na carta 19, A Torre do Petit Lenormand, a tradição diz: "... A TORRE, oferece a oportunidade de uma vida prolongada e feliz, mas se está próxima das nuvens, prenuncia doença e de acordo com as circunstâncias, indica mesmo morte."

Em geral, a carta A Torre do Petit Lenormand representa a segurança, a seriedade e integridade, a estabilidade, a autoridade, a carreira e a longevidade. Portanto é necessário que a Torre esteja perto de cartas negativas para que esta seja prenúncio de desgraças e morte.

A Lua

A carta 18, A Lua do Tarô, a carta tem como cena, uma lua com perfil de um rosto humano, do qual despontam raios sobre os dois cães ou lobos que uivam à lua como veneração a esta. Um caranguejo emerge da água e parece também hipnotizado pela lua. Representa o mundo sobrenatural e o misterioso, inimigos e perigos ocultos, ilusão, traição. Do ponto de vista desta carta, a minha avó chamava-a de "a alma negra" pelas contradições e obscuridades do efeito da lua na mente e alma das pessoas.

Já a carta 32, A Lua do Petit Lenormand, a tradição diz: "... A LUA, é tradutora de grandes honras, sucesso e reconhecimento se a carta aparecer próxima da pessoa em questão, distante traduz infortúnio e sofrimento."

Como podem observar as diferenças entre A Torre e A Lua dos dois baralhos é enorme. Para que uma interpretação seja correta e precisa é necessário conhecer a verdadeira linguagem do baralho. Portanto, não misturem significados de um baralho com o outro.

O SIGNIFICADO DAS 36 CARTAS

CARTA 1

O CAVALEIRO

9 de Corações

"O CAVALEIRO é uma mensagem de boa sorte se não circundada por cartas desfavoráveis, traz boas informações, em que a pessoa pode esperar que venham da sua própria casa ou do estrangeiro; esta situação, contudo, pode não acontecer imediatamente, mas depois de algum tempo."

Philippe Lenormand 1846

Qual o papel desempenhado pela carta numa leitura?
Traz movimento, algumas notícias, novidades ou ideias, ou alguém (poderá ser uma visita) que está chegando; traz determinação e audácia para pôr as coisas a andar.

Significado geral
Quando a carta do cavaleiro aparece numa leitura, ela indica-nos que algo de novo está para chegar à nossa vida. Quanto mais próxima estiver da carta do/a Consulente, mais rápido esse acontecimento se verificará.

É uma carta que acelera os acontecimentos das cartas vizinhas. Esta carta representa informações em forma falada ou escrita, podendo as mesmas chegarem ao destino através de qualquer meio de comunicação. Por exemplo: com O Envelope, temos notícias que chegam por correspondência ou outro meio escrito (jornais, revistas, bilhetes, postais), ao invés, com As Corujas as notícias chegarão por telefone, telemóvel, fax, correio eletrônico, televisão. Para obter mais informações, acerca do tipo de informação e sobre a forma como elas chegarão ao destino, é importante observar as cartas vizinhas, "o antes e depois" do Cavaleiro.

Quando se está fazendo uma leitura no Grand Tableau, se O Cavaleiro está situado numa linha, em último lugar, então a carta ou as cartas que se encontram colocadas à esquerda, ou seja, em frente ao olhar do cavalo, dão indicação acerca do destino ou do local para onde se dirige.

Portanto, as cartas que se encontram nesta posição representam o destinatário ou o local para onde se dirige, no caso de algo ter de ser entregue. Por exemplo, se nesta posição encontramos a carta As Nuvens é de esperar que a "bagagem" do Cavaleiro não é das melhores. Com certeza trará algo desagradável que vai nos aborrecer. Ou pode anunciar uma avaria no carro ou moto. Deste modo, como exemplo, a carta O Caixão, a notícia não chegará ao destino, ou vai ser fruto de imensa dor.

Ao contrário, a carta ou as cartas que se encontram posicionadas à direita, ou seja, atrás do Cavaleiro, vão dar informações sobre o "remetente" do conteúdo que o Cavaleiro carrega consigo. Também fornecem indicações sobre as razões que o levam a efetuar este deslocamento, viagem, visita ou encontro.

Por exemplo, O Cavaleiro

- O Caixão: notícias funestes;
- A Criança: a chegada de um filho ou gravidez; um novo começo;
- As Estrelas: novas inspirações, ideias;
- As Cegonhas: o retorno de alguém na vida do/a Consulente ou de uma mudança significativa;
- Os Lírios: anuncia a chegada de uma pessoa idosa ou de um momento de serenidade.

Palavras-chave tradicionais:
Notícias, novidades.

Palavras-chave modernas:

Mente ágil, ideias, novos planos, algo novo, alguém ou algo que está se aproximando, chegando, movendo-se; algo que está para entrar na vida do/a consulente, visita, hóspede, meio de comunicação, novidade, notícias (telefonemas, correio, telegrama, fax), troca de informações (dados) importantes, proposta, encontro, reunião, algo transmitido, entrega, comissão, feedback, resposta, atualização, deslocação, movimento, avanço, ação, progresso, desenvolvimento, reunião, encontro, apontamento, tarefa a ser realizada, ir em frente, avançar, desporto; um estrangeiro ou forasteiro; veículo (carro, moto, bicicleta); animais de transporte.

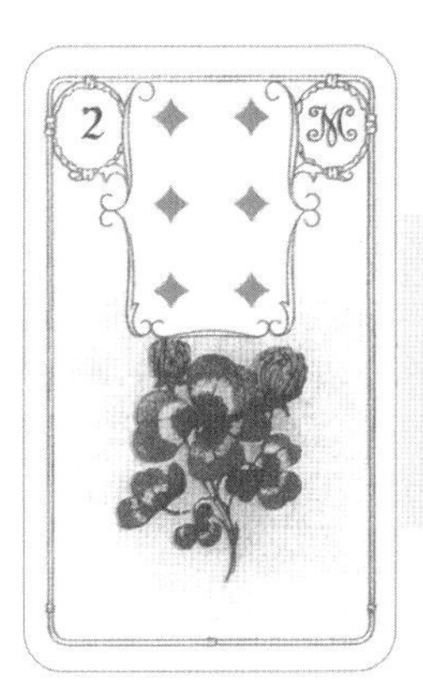

CARTA 2

O TREVO

6 de Sinos

"O TREVO é também um prenúncio de uma boa notícia, mas, se rodeada pelas nuvens indica uma grande dor, no entanto, se esta carta estiver próxima do n.º 29 ou n.º 28, a dor será de curta duração e em breve, modifica-se para uma situação agradável."

Philippe Lenormand 1846

Uma frase Céltica diz:

"Cada folha simboliza uma característica diferente de sorte: a primeira é para a esperança, a segunda para a fé, a terceira para o amor, e obviamente, a quarta para a fortuna."

Qual o papel desempenhado da carta numa leitura?

Novas oportunidades que vão trazer estímulo, motivação e esperança a uma situação que se acreditava já não ter hipótese de acontecer; sorte, fortuna.

Significado geral

Esta carta simboliza a boa sorte. Quando está presente numa "leitura", traz sempre consigo uma esperança que gera motivação para a realização de algo. As oportunidades oferecidas por esta carta são um toque saudável, portador de energia, vitalidade, coragem e confiança, a ponto de fazer avançar os próprios projetos ou ideais. De fato, a fortuna trazida por esta carta ocorre de forma aleatória, de forma inesperada, fazendo aparecer uma nova oportunidade onde já nada o fazia prever, onde já nada se esperava. Representa a sorte que joga a nosso favor, colocando-nos frente a frente com situações munidas de ferramentas que permitirão a realização dos nossos desejos. Por isso, esta carta deve ser vista como uma ponte entre a esperança e a realização.

A Carta do Trevo disponibiliza o que é preciso para seguir em frente. Corresponde sempre a um momento de sorte de curta duração que tem de ser aproveitado naquela ocasião. Numa "leitura", é muito importante observar em que posição se encontra a carta do Trevo, se ela está na vizinhança ou distanciada da carta do/a Consulente. Se ela se encontra em contato com a carta do/a Consulente, traz fortuna e proteção à sua vida. Descreve o fim de um período desafortunado, situações preocupantes que estão prestes a serem resolvidas. Numa posição distante da carta do/a Consulente, traz desilusões, decepções e falta de meios para realizar os próprios projetos ou, então, que a sua concretização demorará a acontecer. Esteja perto ou distante da carta da pessoa em causa, se O Trevo se encontrar em contato com a carta As Nuvens ou de outra carta de valor negativo, como, por exemplo, A Foice ou O Caixão, prevê a chegada de situações desafortunadas, inconvenientes, graves preocupações, decepções, infelicidade e tristezas na vida do/a Consulente. Para uma interpretação correta deixe-se guiar pelo significado da carta vizinha.

Esta carta tem o poder de reduzir as dificuldades trazidas pelas cartas com valor negativo que se posicionam ao seu lado, facilitando (mesmo por um breve período de tempo) o andamento de uma questão.

Palavras-chave tradicionais:
A boa sorte, fortuna.

Palavras-chave modernas:
Agradável surpresa, alegria, acontecimento feliz, satisfação, melhoria, circunstâncias favoráveis, encontro afortunado, esperança, casualidade, ajuda inesperada, o inesperado, suporte, surpreendente, de repente, algo relevante, de importante em que se pode confiar, oportunidade, segunda oportunidade, otimismo, algo que começa a ir para a frente, empurrão, encorajamento, incentivo, alívio, algo de especial ou raro, exclusivo, oferta, bônus, precoce, breve, rápido, provisório, curto período de tempo, loteria, jogo de aposta, de risco, jogos e entretenimento, amuleto para dar sorte, superstição, verduras.

CARTA 3

O NAVIO

10 de Folhas

"O NAVIO, o símbolo do comércio, traduz uma grande riqueza, que será adquirida por comércio ou herança, se próximo da pessoa, significa uma viagem próxima."

Philippe Lenormand 1846

Qual O papel desempenhado pela carta numa leitura?
Anuncia movimento, novas direções, viagem e negócios.

Significado geral
Quando a carta do Navio está presente numa leitura, assinala que algo na vida do/a consulente, ou na área em estudo, está mudando. Algo se aproxima ou se afasta. A resposta para esta pergunta será encontrada nas cartas vizinhas.

O Navio traz novidades de grande alcance na vida do/a Consulente. Anuncia uma viagem iminente para localidades distantes (pode também ser mediúnica), um cruzeiro ou exploração em lugares culturalmente diferentes.

A natureza da viagem será indicada pelas cartas vizinhas: uma viagem de férias será indicada pela carta O Parque; por razões de saúde será indicada pela carta A Arvore, e assim por diante. Naturalmente, antes de afirmar que tais viagens podem ser favoráveis, é aconselhável observar a ou as cartas que estão ao redor da carta O Navio. Por exemplo, a carta Os Peixes prevê riquezas por meio de uma herança ou através de negócios com países distantes (também por internet).

Pode também representar as viagens que se fazem ao profundo do nosso ser, a saudade nostálgica de alguém ou por alguém que se perdeu ou faleceu. Nesta situação, está predisposto/a a viver uma enorme quantidade de emoções, que podem arrastar a própria alma para um turbilhão de emoções, ficando num estado de melancolia, tristeza e depressão. Se a carta O Navio se encontra distante da carta do/a Consulente, os eventos representados pelas cartas que a rodeiam, serão lentos e consequentemente demorarão mais tempo para serem realizados. Uma viagem não acontecerá de imediato e pode até vir a ser adiada.

A mudança, representada pela carta do Navio, deve ser compreendida como um forte desejo de mudança (de dar um novo rumo à própria vida) que provocará mudança notável, tanto mental como psicológica ou física. Esta mudança acontecerá de uma forma gradual e lenta. Quando combinada com O Caixão, por exemplo, pode anunciar uma mudança radical na própria existência.

A um Consulente meu, durante um longo período de tempo, em todas as suas consultas, surgia sempre a carta O Navio. Esse fato despertou imediatamente a minha atenção, até que um dia veio acompanhada pela carta O Caixão. Pude concluir que a transformação, mudança que o Consulente estava atravessando tinha chegado ao fim. Quando lhe comuniquei essa leitura, a sua resposta foi afirmativa. Confidenciou-me que havia já algum tempo que se sujeitava a operações para mudança de sexo, que o percurso foi longo, com momentos mais fáceis do que outros, mas que finalmente tinha conseguido atingir o seu objetivo. A sua mudança foi profunda e radical, como pudemos ver na combinação O Navio mais O Caixão, que ela finalmente chegou ao fim.

Algumas vezes, esta carta pode representar eventos, questões que acontecem numa localidade distante do/a Consulente. A presença desta carta numa leitura pode também representar que o/a consulente espera algo.

Por exemplo, O Navio:

- As Corujas: espera de um telefonema ou de falar com alguém;
- A Criança: espera de um filho; espera do momento apropriado para começar um negócio;
- O Coração: espera de um grande amor.

Pode ainda significar que o/a consulente sente saudades, nostalgia de algo ou de alguém. A carta que se encontra à sua frente pode dizer-nos do que se trata:

O Navio

- A Casa: saudades de casa;
- O Anel: saudades do companheiro;
- A Âncora: saudades de voltar ao trabalho.

O Navio também indica uma transição, por este motivo é comum encontrar a presente carta com outras cartas numa leitura que anuncia a morte de alguém.

Palavras-chave tradicionais:
Comércio, importação e exportação, viagem.

Palavras-chave modernas:
Compra e venda, viagem (física, mental ou espiritual), deslocamento de longa distância, país estrangeiro, exterior, internacional, outras culturas (crenças, cultura, idiomas, sabores), turismo, contato com países ou lugares distantes (até mesmo pela internet), emigração, novos horizontes, novas visões, novas experiências, direções e perspectivas, outro rumo, mudança, intercâmbio, câmbio, exploração, curiosidade, expansão, expedição, transação, transferência (propriedade, etc.), ação, avanço, progresso, movimento lento, mas contínuo, desenvolvimento gradual, gestação, ventre materno, saudades, nostalgia, desejos (desejos de crescimento), distanciamento, afastamento, saída, partir, retirada, ausência, abandono, separação, herança, alma, trespasse; veículos de grande dimensão (pesados), meios de transporte públicos (trem, ônibus, metrô, barco, navios, batelão/barco grande para carregar artilharia e carga pesada), equipamentos de transporte; água, rio, lagoa, mar, oceano.

CARTA 4

A CASA

Rei de Corações

"A CASA é um sinal garantido de sucesso e prosperidade em todas as áreas e, embora a posição atual da pessoa não seja favorável, o futuro será brilhante e feliz. Se a carta aparece no centro do jogo, abaixo da carta da pessoa, este é um indicativo para tomar cuidado com aqueles que o/a rodeiam."

Philippe Lenormand 1846

Qual o papel desempenhado pela carta numa leitura?

Traz notícia sobre a própria casa, residência; informações relacionadas com o ambiente onde se vive ou se trabalha e também sobre a própria família ou as pessoas que convivem com o/a Consulente.

Significado geral

A Casa representa o nosso "EU", reflete a nossa alma. É na nossa casa, que nos sentimos nós mesmos, onde encontramos conforto e paz longe do caos cotidiano. É na casa que guardamos os nossos segredos mais íntimos, onde lutamos conosco para encontrar equilíbrio e estabilidade na alma e na vida.

Quando a carta A Casa sai como primeira carta numa leitura, anuncia que a preocupação principal do/a Consulente é a própria casa e tudo aquilo que a rodeia – tarefas domésticas, a família, os vizinhos, os móveis, os eletrodomésticos, pagamento do aluguel, etc. A Casa indica uma situação que perdura no tempo, a pessoa em estudo está ligada a um lugar, à própria família ou vem indicar que algo está acontecendo naquela casa. Pode representar também uma casa com um papel importante neste momento de vida do/a Consulente. Se na vizinhança se encontra a carta O Navio ou a carta As Cegonhas prevê uma mudança de casa ou para outro país ou ficar distante da residência atual. As cartas vizinhas à A Casa, também podem nos dar uma visão de como o/a Consulente lida com as pessoas que a circundam e se as pessoas naquela casa são confiáveis ou não. Por exemplo, a carta A Casa (principalmente se acompanhada pela carta Os Lírios) se encontrar perto da carta do/a Consulente, revela uma forte ligação com a família. Identifica também o bairro onde reside e a sua habitação.

Caso a carta A Casa esteja rodeada ou em contato com cartas que representem falsidade e traição, tais como Os Ratos, A Raposa, A Serpente, indica que o/a Consulente deverá prestar maior atenção às pessoas que recebe em sua casa, a um membro da família que pode estar nutrindo sentimentos de raiva, ciúmes, inveja ou que está traindo a sua confiança. Poderá representar também problemáticas de várias ordens trazidas por vizinhos ou hóspedes.

Palavra-chave tradicional:
Casa.

Palavras-chave modernas:
Habitação própria (casa, apartamento, alojamento, moradia, vivenda, casa de campo, sede), um pequeno edifício, família, valores, tradição, vizinhos, parentes, inquilino, equipe, assuntos domésticos, lar, vida privada, ambiente íntimo, assuntos pessoais, endereço, base, entre quatro paredes, hospitalidade, hábitos, rotinas, site, blogue, página Facebook, proteção, segurança, estabilidade, confiança, conforto, zona de conforto, sustento, apoio, patrocínio, imóvel, mercado imobiliário, o corpo.

CARTA 5

A ÁRVORE

7 de Corações

"A ÁRVORE se distante da carta do/a consulente, significa boa saúde. Várias árvores próximas não oferecem dúvida sobre a realização de que todos os seus desejos serão cumpridos e que você terá um belo futuro."

Philippe Lenormand 1846

"As árvores são indispensáveis: assistem-nos e acompanham-nos ao longo da vida, e ficam conosco, mesmo após a morte, com as quatro madeiras do caixão."

Alfonso Burgio Dizionario delle superstizioni
- Hermes Edizioni

Qual o papel desempenhado pela carta numa leitura?

Disponibiliza informações relacionadas com a condição de vida e de saúde.

Significado geral

Símbolo da vida, quando presente numa leitura, assinala as condições de saúde do tema da carta que está em contato. Com a carta O Anel por exemplo, vai indicar que o relacionamento não é saudável, que necessita de cura e atenção da parte do/a Consulente. A causa pode ser atribuída à rotina do casal ou a interferências externas.

Para maior clareza, observe as cartas que se encontram na vizinhança. Numa leitura, as cartas que circundam A Árvore, trazem notícias relativas à saúde do/a Consulente.

Se perto do/a Consulente com cartas desfavoráveis – As Nuvens, O Caixão, A Foice, A Vassoura e O Chicote, Os Ratos e A Cruz – assinala mal-estar ou doença longa e séria. É extremamente importante observar as cartas vizinhas para "recolher" mais informações.

Posicionada distante do/a Consulente indica boa saúde, especialmente se está posicionada no passado. Posicionada no futuro, distante da carta do/a Consulente, mesmo em posição distante, é necessário observar as cartas que estão vizinhas, porque dará notícias das condições de saúde no futuro.

Palavras-chave tradicionais:
Saúde, bem-estar.

Palavras-chave modernas:
Paz, calma, tranquilidade, estabilidade, vida, condição de vida, percurso da vida, tempo de vida, recursos internos, resiliência, situação bem enraizada, rigidez, inflexibilidade, monotonia, tédio, preguiça, lento, longo prazo, crescimento, desenvolvimento, progresso, maturidade, passado, origem, árvore genealógica, tradições, conservadorismo, ascendência, geração, paciência, silêncio, confiabilidade, firmeza, estável, natureza, plantas medicinais, medicinas, nutrição, fruta.

CARTA 6

AS NUVENS

Rei de Nozes

"AS NUVENS, se o lado claro das mesmas é direcionado para a carta da pessoa, a previsão é positiva, mas com o lado enegrecido na direção da pessoa, algo desagradável irá acontecer brevemente."

Philippe Lenormand, 1846

Qual o papel desempenhado pela carta numa leitura?

As Nuvens são portadoras de problemas, aborrecimentos e caos de curta duração.

Significado geral

Philippe Lenormand ensina-nos que, no aparecimento da carta As Nuvens numa leitura, é importante observar dois aspectos: as nuvens claras e as nuvens escuras. Quanto mais próxima esta carta estiver da carta do/a Consulente (lado escuro das nuvens), mais difíceis de suportar serão os eventos previstos. E que as cartas que estiverem próximas às nuvens claras receberão brilho e positividade.

Elas são o termômetro do tempo: se avistarmos no céu nuvens limpas e claras anuncia-se uma linda jornada, mas, se estiverem escuras, anunciam a chegada de mau tempo. Num contexto geral, a carta As Nuvens simboliza a chegada imprevista de contratempos e de preocupações na vida do/a consulente. Anuncia algo não visível, ambíguo, algo que dificulta a compreensão de uma realidade, informações vagas sobre um assunto, uma situação ou evento pouco claro que pode esconder alguma armadilha.

A carta também é um indicador de mudanças emocionais e instabilidade mental que podem levar o/a Consulente a perder a concentração e a orientação dos próprios objetivos. Acompanhada ou circundada por cartas negativas, o seu estado emocional e mental agrava-se, levando ao excesso de comportamentos obsessivos, negativos e destrutivos, como consumo excessivo de medicamentos, de droga e álcool. É um momento de fragilidade e de desestabilização emocional, depressão, ânsias, incertezas e frustrações.

As Nuvens mais Os Lírios podem, por exemplo, anunciar incertezas sobre a própria sexualidade ou que a pessoa esconde a sua verdadeira orientação sexual.

A mesma combinação pode indicar falta de serenidade e de tranquilidade na própria vida ou anunciar uma traição no âmbito da família. Uma força externa interfere, trazendo agitação e caos na vida do/a consulente, obrigando-o a atrasar a realização ou a resolução de algo. Mesmo que seja de breve duração, pode causar grandes frustrações e infelicidade. Confirmado por outras cartas como, por exemplo, A Serpente, A Vassoura e O Chicote ou O Livro, as forças externas podem ser representadas por inimigos secretos ou forças ocultas (magia).

As Nuvens aconselham máxima prudência e calma neste período.

Melhor não se mover e deixar passar alguns dias antes de agir.

Nota importante:
Se a carta As Nuvens estiver ocupando a última posição de uma linha de leitura, significa que a situação em análise está sofrendo uma mudança e que certamente ocorrerão novos acontecimentos ou velhas questões que voltam à tona com um peso relevante na situação atual. Também anuncia que a questão está se desenvolvendo e que o/a Consulente não tem controle algum sobre a situação investigada.

Palavras-chave tradicionais:
Problemas, aborrecimento.

Palavras-chave modernas:

Chatices, preocupações, obstáculos, dificuldades, caos, confusão, atrasos, crise, ameaça, abuso, incertezas, indecisão, situação ou questão mutável, não estável, não confiável, desgraça, ansiedade, obscuro, escondido, invisível, aparência, ilusão, desilusão, contradição, fingimento, segredos, escondido, camuflagem, situação ou questão pouco clara, falta de transparência, situações mal-entendidas, imprecisão, acusações não infundadas, impedimento, estorvo, incômodo, adiamento, drama, desordem, raiva, irritação, tensão, melancolia, substância química, tóxica, vapor, fumo, poeira, pó, gás, pouco iluminado, sombra, opaco, poluição, escuro, céu, atmosfera, nevoeiro, tormenta, tempestade, trovoada, chuva, vento, mau tempo (adaptar à estação do ano no momento da leitura).

CARTA 7

A Serpente

Rainha de Nozes

"A SERPENTE é um indicador de infortúnio, cuja extensão depende da maior ou menor distância à carta da pessoa; ela traduz, invariavelmente, engano, infidelidade e problemas."

Philippe Lenormand 1846

Qual o papel desempenhado pela carta numa leitura?

Traz uma advertência, um aviso para ficar atento com eventos, situações e pessoas.

Significado geral

Recomenda-se muita cautela quando esta carta está presente numa leitura. Algo perigoso se aproxima, em silêncio, e vai destruir a reputação e a vida do/a Consulente.

Os principais significados da carta A Serpente são a traição, o engano, a manipulação dos eventos por parte de terceiros. Recomenda- se prudência e maior atenção à sua conduta, ao que se comenta. Alguém vai organizar um cenário de situações, manipular acontecimentos (um enredo preparado nos mínimos detalhes) para servir de atração (isca) conduzindo o/a Consulente "ingênuo" a trair-se. As provas (gravações de conversas, escritos, filmagens etc.), esta "fraqueza", será de domínio público, ou servirá de chantagem. Tudo isto com a intenção de ferir a reputação da vítima. Em alguns casos, a carta aconselha o uso de algumas habilidades da Serpente para ajudar a vencer ou derrubar quaisquer complicações que se apresentem como obstáculos à realização de um projeto. Não é necessário cumprir à risca o caminho traçado inicialmente. Por vezes, ocorrem situações que impõem obrigatoriamente um desvio, levando-nos a seguir por outros caminhos.

A Serpente numa leitura representa um aviso, principalmente, quando esta se encontra posicionada na vizinhança da carta do/a Consulente. As cartas que acompanham A Serpente darão mais informações sobre o perigo a que a pessoa está sujeita e qual a área da sua vida que vai ser atingida. Com cartas negativas, como a carta A Vassoura e O Chicote e As Nuvens (já tive a confirmação), o/a Consulente está sob o efeito de maldição ou magia. Ao lado da carta que representa o/a companheiro/a, ou mesmo ao lado da carta O Anel pode anunciar a presença de um rival entre o casal (amante). Perto da carta do/a Consulente só demonstra que o perigo é iminente porque há a negatividade trazida por ela. Mesmo quando A Serpente se encontra distante da carta do/a Consulente, aconselha-se observar atentamente as cartas que a circundam.

Palavras-chave tradicionais:
Engano, traição.

Palavras-chave modernas:
Inveja, ciúmes, bajulação, ameaça oculta, perigo, o mal, o pecado, mente diabólica, hipocrisia, sedução, adulação, manipulação, calúnia, intrigas, perfídia, difamação, desonestidade, malícia, inimizade, desejo de prejudicar através da mentira, mentiras intencionais (mentiroso patológico), assédio, complicações, graves problemas, situação complexa, veneno, vingança, não se vai direto ao assunto, voltas e reviravoltas, desvio, indiretas, enrolação, decepção, mau conselho, forças ocultas, maldição, feiticeira, magia, demônio, inimigo, rival, amante, hipnose, rastejar, répteis; sabedoria, inteligência, astúcia, força da mente e cura.

CARTA 8

O CAIXÃO

9 DE SINOS

"O CAIXÃO, muito próximo da carta da pessoa, significa, sem a menor dúvida, doenças graves, morte ou uma ausência total de sorte. Mais afastado da pessoa, a carta oferece menos perigo."

Philippe Lenormand 1846

"Eu carrego mortos"

Donald "Pee Wee" Gaskins
Serial Killer

Qual o papel desempenhado pela carta numa leitura?

A presença da carta O Caixão numa leitura assinala o encerramento, a perda definitiva de algo ou de alguém, uma mudança significativa que pode ser traumática e devastadora.

Significado geral

O Caixão é um veículo de mudanças profundas que na maioria das vezes são chocantes e difíceis de suportar. Informa o fim de algo, o desfecho e o desapego do que é agora inútil, prejudicial e não mais recuperável. Portanto, a aparição desta carta numa leitura aconselha o abandono do passado, a livrar-se de velhos padrões (pensamentos, crenças, hábitos, comportamentos) que o impeçam de atingir o estado de felicidade.

Esta carta recomenda que se faça um esforço, resistindo ao momento com coragem aceitando os fatos tais como são, mesmo que a situação vivida no momento seja dramática e profundamente dolorosa.

A área da vida que vai ter um fim definitivo ou que viverá uma mudança radical é assinalada pela carta tema que está perto. Por exemplo, O Caixão vizinha com A Âncora, pode indicar o fim da carreira profissional, desemprego ou aposentadoria. Esta mesma combinação também pode representar a conclusão de uma tarefa ou cargo. Por outro lado, uma carta tema vizinha da carta O Caixão pode identificar a área da vida que deve ser atualizada, renovada.

Algumas vezes, a carta anuncia algo que deve permanecer enterrado, que não deve ser falado, contado, recordado ou vivido novamente. A tradição diz que se a carta O Caixão se encontra posicionada ao lado ou perto da carta do/a Consulente ou tema, preveem-se perdas significativas, dor, doença ou morte.

Assinala também que o/a Consulente está num estado depressivo, ou está enfrentando uma batalha muito grave na sua vida.

Se a carta A Árvore e a carta As Nuvens estiverem ao lado prevê-se uma doença grave. Quando a carta O Caixão se encontra posicionada distante da carta do/a Consulente a sua intensidade enfraquece e o seu efeito é menos marcante. Não se trata de morte física, mas, sim, do fim de um ciclo trazendo a renovação.

Para representar a morte física, é necessário que a carta O Caixão esteja combinada com outras cartas, como O Navio, A Árvore, A Torre, Os Lírios, A Cruz. Trataremos deste argumento mais à frente quando estudarmos o grupo de cartas negativas.

Quem frequentou o meu grupo de estudos no Facebook, deve se lembrar de uma consulta que fiz (no início do mês de janeiro 2013) quando meu irmão mais velho deu entrada no hospital em Lisboa (Portugal).

A situação dele era muito crítica, e então decidi perguntar às minhas cartas qual seria a evolução do estado de saúde dele. Tive no corte: A carta A Árvore que para mim também significa vida, mas também expansão, ramificação e com a presença da carta O Caixão que estava transmitindo uma mensagem de luto, mas também que o estado dele era muito grave.

Em seguida reuni os dois montes do corte e estendi o baralho em forma de leque e escolhi ao acaso 3 cartas:

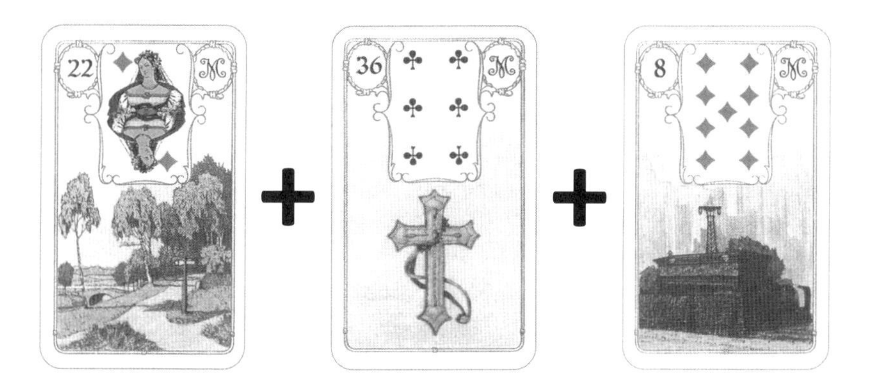

- A primeira carta Os Caminhos: são as várias tentativas, dos médicos em salvá-lo, além de representar também a passagem de uma vida para a outra;
- A segunda carta extraída A Cruz: dores, sofrimentos;
- A terceira carta O Caixão: que numa questão de saúde, aponta para uma doença grave, incurável.

Quando não trabalho com um método posicional, dou início a minha leitura partindo da primeira carta extraída combinando com as sucessivas. Também é meu hábito fazer "espelhamento" entre as cartas, uma técnica aplicada em qualquer linha de 3, 5 ou 7 cartas e também no Grand Tableau.

- Os Caminhos + A Cruz: vários exames, tratamentos;
- Os Caminhos + O Caixão: tentativas que serão em vão; tomar a decisão para deixá lo ir; duas semanas para o fim;
- A Cruz + O Caixão: final lento e doloroso, agravamento da doença e falecimento.

Diante destas cartas, o prognóstico era negativo. 10 dias depois desta consulta, dia 14 de janeiro de 2013, às 14 horas, meu irmão faleceu no hospital da Cuf em Lisboa (Portugal). Fica em paz meu irmão querido.

Nota importante:
Quando a carta O Caixão aparece posicionada como primeira carta numa leitura, anuncia questões do passado ainda presentes ou que retornam à vida do/a Consulente. Um outro ponto a levar em consideração na presença da carta O Caixão, é a sua posição na leitura em relação a outras cartas, porque pode também trazer algo de bom, como o fim de uma doença, de um tormento ou situação infeliz. Mais detalhes sobre este argumento, trataremos mais à frente no capítulo dos códigos de leitura.

Palavras-chave tradicionais:
Fim, doenças.

Palavras-chave modernas:
Morte, luto, fim de uma fase (positiva ou negativa), perda definitiva, conclusão, cessação, encerramento, finalização, desfecho, cancelamento, desapego, desprendimento, liberação, falta, ausência, desaparecimento, sem perspectivas, recursos esgotados, esquecimento, exausto, cansaço, vazio, esgotamento, mudança radical e inevitável, provações, experiência traumática, choque, angústia, dor, sofrimento, desespero, doença (acamado), desânimo, depressão, medo, mágoa, uma separação dolorosa, divórcio, ruptura, ruína, decadência, dano (material), prejuízo, dívidas, demissão, suspensão, algo que não funciona, uma questão que não se desenvolve, negação, recusa, uma despedida, um adeus, medo, mágoa, choque, trauma, pesadelo, algo maligno, incubação, parado, estagnação, passividade, encerramento, prisão, isolamento forçado, solidão, viuvez, aposentadoria; o passado (memórias). Segredo, ocultar, fechado, escuro, leito, cama, útero, incubadora, jejum, túnel.

CARTA 9

O RAMO DE FLORES

RAINHA DE FOLHAS

"O RAMO DE FLORES é um indicador de felicidade em todos os aspectos da vida do/a consulente."

Philippe Lenormand 1846

Qual o papel desempenhado pela carta numa leitura?
Quando esta carta surge numa leitura, anuncia que um importante evento está prestes a decorrer: superar um exame, recuperação de uma doença, o reconhecimento de um trabalho (artístico), a comemoração de um aniversário, uma visita etc.

Significado geral
Representa a manifestação de sentimentos, de carinho, de respeito. Representa também uma ocasião especial que gera entusiasmo e confiança para seguir em frente. Um convite (casamento, aniversário, cinema etc.), uma proposta, um presente ou um gesto de gratidão.

O Ramo de Flores simboliza a beleza, a alegria o prazer e a satisfação na vida do/a Consulente. Um ramo de flores traz alegria não só a uma sala, em cima de uma escrivaninha, mas também a quem o recebe. É um gesto que evidencia o afeto e carinho que se tem por outra pessoa. Algo que se dá de coração. Representa também a aparência que se deve manter perante certas pessoas ou situações.

Perto da carta do/a Consulente, O Ramo de Flores anuncia fortuna, joias, felicidade e sucesso. Com As Nuvens (lado escuro) anuncia sentimentos enfraquecidos, que estão morrendo ou a ambiguidade vinda de pessoas que se mostram gentis e cordiais. Com a carta A Lua, receberá uma recompensa e reconhecimento por um trabalho bem-feito (aplausos). Com a carta O Livro, anuncia realizações escolares. Um flerte, mas também de sedução.

Nota importante:
Durante a minha doença de cancro, pude observar nas minhas leituras, com o objetivo de conhecer o rumo do tratamento que eu estava fazendo, que sempre que a carta O Ramo de Flores estava presente depois de uma carta qualquer, principalmente aquelas de valor negativo, o resultado da cura era favorável. Portanto, quando a carta O Ramo de Flores se encontra posicionada depois de uma carta negativa, anuncia a superação de um momento difícil ou uma pequena vitória que será conquistada.

Palavra-chave tradicional:
Felicidade.

Palavras-chave modernas:
Satisfação, alegria, bom humor, momentos de felicidade, grande emoção, surpresa adorável, eventos alegres, experiência agradável, etapa alcançada com êxito, recompensa, promoção, prêmio, reconhecimento, admiração, prazer, apreciação, agradecimento, gratidão, alívio, recuperação, tentativa de reconciliação, presente, carinho, agrado, gesto, elogio, saudação, pedido de desculpas, diplomacia, formalidade, demonstração de afeto, mimos, cortesia, cordialidade, bondade, educação, boas maneiras, etiqueta, elegância, charme, beleza, vaidade, estética, moda, decoração, convite (celebração, aniversário, jantar, concerto, cinema, etc.), visita, diversão, recreação, passatempo, dom, circunstâncias favoráveis, resposta positiva, conquista, proposta, patrocínio, atendimento, talento, hobby, criatividade, arte, exposições, flores, trabalho manual ou artístico, talento artístico, ervas, breve tempo.

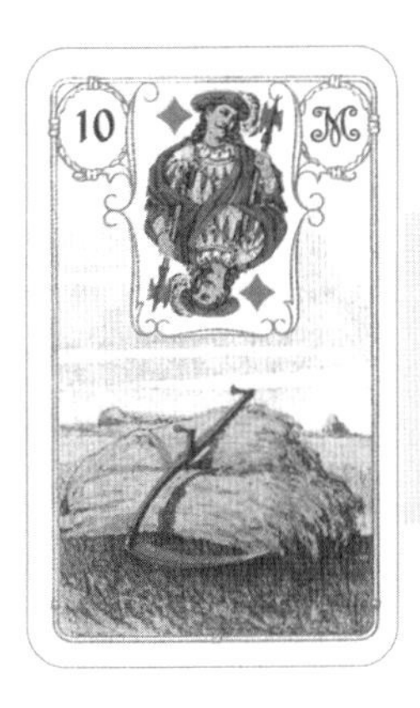

CARTA 10

A FOICE

VALETE DE SINOS

"A FOICE indica um grande perigo, que só é evitado quando cartas positivas estão próximas."

Philippe Lenormand 1846

Qual o papel desempenhado pela carta numa leitura?
Traz um corte, no bem e no mal.

Significado geral
A foice simboliza o corte, a separação ou a colheita de algo. Quando surge numa leitura causa medo e terror ao consulente. É necessário tranquilizá-lo/a, explicando-lhe que ela nem sempre traz consigo eventos trágicos.

Por vezes, pode assumir um papel de libertação ou de alívio, por exemplo, de pessoas ou de situações que oprimem e não são salutares para a própria evolução.

Quando combinada com A Vassoura e O Chicote, pode significar uma discussão ou um abuso que termina; com a carta A Montanha pode anunciar a libertação de uma situação estagnante.

Perto da carta do/a Consulente, representa um alerta para um perigo iminente ou poderá indicar que se está perante uma pessoa perigosa, violenta e com a língua afiada.

É aconselhável observar, com atenção, as cartas que a circundam: se forem positivas poderão aliviar a energia negativa trazida pela carta A Foice.

Palavras-chave tradicionais:
Perigo, ruptura.

Palavras-chave modernas:
Aviso, alerta de perigo, perigo de acidentes, risco, lesão, ferimento, choque, trauma, terror, horror, violência, agressividade, crueldade, frieza, rejeição, cortar, divisão, eliminar, ruptura necessária, separação, rompimento, interrupção, cancelamento, cessação, ação decisiva, tomada de posição, decisão irrevogável, execução, veredicto final, sentença, inesperado, imprevisto, de repente, de forma rápida, reviravolta inesperada, penetração, violação, adultério, criminalidade, faísca, ferramentas, armas, tempo de colheita, vindima, dor, febre, infortúnio, cirurgia, cicatriz, tatuagem.

CARTA 11

A VASSOURA E O CHICOTE

VALETE DE NOZES

"O CHICOTE indica discórdias em família, aflições na vida doméstica, ausência de harmonia entre pessoas casadas. Indica também febre e doença prolongada."

Philippe Lenormand 1846

Qual o papel desempenhado pela carta numa leitura?
Divergências e conflitos, hostilidades e adversidades entre pessoas; punição, imposição de regras (para o bem e para o mal) abuso, recriminação; a lei; traz também limpeza, afastamento, purificação.

Significado geral
Quando a carta está posicionada perto do/a Consulente, anuncia divergências, confrontos verbais de natureza grave e que podem prolongar-se por longo período. Com a carta As Nuvens assinala abuso psicológico e físico; se A Foice fizer parte deste grupo de cartas, estamos perante situações de agressão física. Com a carta A Casa, prevê desavenças entre os membros da família; com a carta A Torre, problemas com a justiça ou de ordem militar; com a carta O Parque, um protesto ou revolta em que vai fazer parte muitas pessoas ou, uma manifestação; com O Anel, discórdia ou abuso no relacionamento, mas também que o/a Consulente pode ter duas relações ao mesmo tempo; com A Âncora, dois empregos ou divergências no local de trabalho.

Circundada ou acompanhada de cartas positivas, a presente carta diminui a sua intensidade. Por exemplo: O Trevo vai assinalar confrontos, discórdias e conflitos de pequena intensidade; já com cartas negativas, o valor prognóstico da carta A Vassoura e O Chicote é intensificado. É necessário prestar muita atenção às cartas que a circundam, quer estejam perto ou distantes do/a Consulente.

Palavras-chave tradicionais:
Divergência, aflição, doença.

Palavras-chave modernas:
Disputa, discórdia, polêmica, discussões, argumentos, conversas, debate, agressão verbal ou física, gritar, levantar a voz, queixas, querelas, processos, reclamação, multa, causa, contestação, controvérsia, crítica, confrontos, conflitos, desacordos, cólera, abusos, pancadaria, tortura, castigo, penitência, tormento, luta, batalha, repetitivo, repetição de algo, negociação, escrita, separação, magia, regulamento, disciplina, imposição, impor, dominar, submeter; poder, autoridade; assuntos jurídicos, questões relacionadas com a lei, desporto, atividade física, competição, treino, instrutor; estímulo, sadismo; linguagem gestual, mímica, magia, bruxaria, número 2.

CARTA 12

AS CORUJAS

7 DE SINOS

"OS PÁSSAROS são indicadores de dificuldades a ultrapassar, mas de curta duração. Distantes do/a consulente, revela a realização de uma viagem agradável."

Philippe Lenormand 1846

Qual o papel desempenhado pela carta numa leitura?
Traz pequenas dificuldades cotidianas, notícias ou informações recebidas por voz.

Significado geral
O significado principal da carta As Corujas são pequenos aborrecimentos, preocupações, agitação e estresse cotidiano que não terão consequências graves, tendo uma carta próxima com valor positivo. Caso cartas com valor negativo estejam posicionadas na vizinhança da carta As Corujas, é de se esperar o complicar dos eventos.

A comunicação verbal (conversas, diálogo, troca de opinião ou informações) vem representada pela carta As Corujas. Serão as cartas vizinhas que irão indicar o tipo e o conteúdo dessa comunicação. Por exemplo, com a carta As Estrelas, que representa a internet e tecnologia moderna, a comunicação ocorre através da internet (Messenger, WhatsApp, Skype etc.); caso a carta O Ramo de Flores acompanhe As Corujas mais a carta As Estrelas, indica que se receberão elogios ou notícias através de uma videochamada ou conversa que serão fonte de alegria. Esta mesma combinação também anuncia convite de amizade ou namorico virtual.

Combinada com a carta A Árvore, as suas preocupações ou telefonema referem-se à saúde, se a carta A Carta estiver por perto indica uma notícia escrita; acompanhada da carta As Nuvens, anuncia a chegada de más notícias ou de um período estressante; com Os Lírios pode indicar telefonema erótico, preocupações ou telefonema com um membro da família caso a carta A Casa ou a carta A Árvore também estejam presentes.

As Corujas acompanhada com a carta A Serpente pode estar representando calúnias, falatórios ou boatos malignos com a intenção de destruir a reputação da pessoa. Esta mesma combinação anuncia a presença de um/a cartomante (com a carta O Livro), de um/a astrólogo/a (com a carta As Estrelas) ou de bruxaria e maldições.

As notícias e as novidades representadas pela carta As Corujas chegam por meio de divulgação publicitária ou de boca a boca. E está garantida uma resposta maciça. Algumas vezes, a carta As Corujas também revela a vontade de fugir das responsabilidades, desejo de independência, liberdade, necessidade de um espaço para si mesmo.

Posicionada distante da carta do/a Consulente, anuncia viagem de curta duração ou que a comunicação tão esperada tardará a chegar. Na minha experiência, a carta As Corujas representa uma viagem curta ou de trajeto breve e quando a carta vizinha representa o/a Consulente ou uma pessoa qualquer, anuncia que esta irá deslocar-se para uma localidade próxima. Um outro detalhe que observei nas minhas leituras é que estas viagens são efetuadas por aeroplano ou por helicóptero.

Palavras-chave tradicionais:
Pequenos problemas, dificuldades cotidianas temporárias.

Palavras-chave modernas:
Tristeza, preocupações, amargura, estresse, nervosismo, agitação ou incômodos (de curta duração), desentendimentos, cautela, vigilância, comunicação verbal (notícias), troca de informações (boca a boca), conversas (sermão, discurso, comentários, falatório, mexericos,

sussurros, calúnia), contato, reunião, encontro, entrevista, colóquio, negociação, venda, chamada telefônica, chat (WhatsApp, Skype, etc.), redes sociais (Facebook, Instagram, fórum, etc.), telecomunicações (TV, rádio), vozes, barulho, rumores, ruído, som, música, concerto, anúncio, publicidade, pressa, ir e vir, breve deslocação (excursão, turismo, o ir e vir do trabalho ou das tarefas cotidianas), namoricos, flerte, pensamentos, número dois, casal de idosos, eventos menores, clarividência, visões, magia, feitiçaria.

CARTA 13

A CRIANÇA

VALETE DE FOLHAS

"A CRIANÇA significa que a pessoa se movimenta num meio social agradável e a sua total bondade é oferecida a todos."

Philippe Lenormand 1846

Qual o papel desempenhado pela carta numa leitura?

Traz notícias sobre uma criança ou sobre um adolescente. Representa um fato novo - algo nunca experimentado antes - um novo início, uma nova fase da vida.

Significado geral

Esta carta, quando posicionada perto do/a Consulente, anuncia a chegada de novas situações que permitirão renovar a própria vida. Com a carta O Coração, representa um novo amor e, acompanhada da carta O Navio, assinala que a pessoa tem origem estrangeira ou, geograficamente, vive distante do/a Consulente.

Acompanhada da carta As Cegonhas, anuncia um nascimento na família ou desejo de maternidade ou paternidade. Se a carta As Cegonhas está acompanhada da carta As Corujas, gêmeos, dois filhos, mas também pode assinalar uma criança nervosa, estressada.

Perto da carta do/a Consulente, juntamente com a carta As Nuvens, anuncia o início de algo relativo a uma criança (filho, jovem, adolescente) que gera desorientação, preocupação ou problemas. Pode ainda indicar que o/a Consulente é uma pessoa caprichosa e que faz birras. Com a carta Os Peixes, prevê pequenos investimentos que vão frutificar no futuro.

Quando posicionada na linha do passado e distante da carta do/a Consulente, se estiver acompanhada da carta As Nuvens com a carta A Montanha, assinala que o/a Consulente teve uma infância difícil.

As cartas circundantes darão mais detalhes. Pode ainda indicar que o/a Consulente é uma pessoa bondosa e, às vezes, muito ingênuo/a e crédulo/a. Distante do/a Consulente prevê afastamento de um filho ou de que o/a Consulente não tem uma boa relação com os filhos (caso tenha filhos) ou com alguém mais novo.

Palavras-chave tradicionais:
Bondade, confiança.

Palavras-chave modernas:
Novo início (projetos, vida), primeiros passos, começar do zero, recomeço, fase inicial, estreia, agradável surpresa, crescimento, evolução, imaturidade, inocência, ingenuidade, vulnerabilidade, sensível, fragilidade, inexperiência, imaturidade, despreocupado, descontrair, brincar, bondade, confiança, diversão, ternura, alegria, animação, pequeno, pouco, parcial, curto prazo, provisório, tamanho (P = pequeno), nascimento, infância, uma criança ou adolescente, dependência, obediência; doenças infantis.

CARTA 14

A RAPOSA

9 DE NOZES

"A RAPOSA, se próxima do/a consulente, é um indicador de desconfiança para com as pessoas com as quais você está conectado, porque algumas delas tentam enganá-lo/a; se distante, não há indicação de perigo."

Philippe Lenormand 1846

Qual o papel desempenhado pela carta numa leitura?
Algo de errado está acontecendo.

Significado geral
Informa que se deverá prestar mais atenção a pessoas mal-intencionadas ou a uma situação que pode esconder mentiras e enganos; traz astúcia, esperteza, estratégia para superar a adversidade. O/A Consulente está prestes a ser alvo de uma armadilha bem arquitetada. Esta carta diz-nos que é necessário agir com maior prudência no setor da vida representado pelas cartas que se encontram na direção indicada pelo focinho da raposa. Por exemplo:

- A Casa: algo está errado com os vizinhos ou com os familiares;
- A Árvore: algo está errado com a saúde;
- A Criança: algo está errado com os filhos, ou com um projeto que está nascendo;
- O Anel: algo está errado com um contrato ou uma parceria;

- A Carta: algo está errado com papéis, correio eletrônico, correspondência, faturas ou recibos;
- A Âncora: algo está errado na área do trabalho;
- Etc.

Circundada com cartas positivas, A Raposa simboliza a criatividade, a inteligência e a sabedoria usadas em benefício próprio ou dos outros. Perto da carta do/a Consulente ou da carta tema, assinala que ele está prestes a vivenciar uma decepção da pior espécie. Alguém está criando intrigas, enganando ou roubando o/a Consulente. Por vezes, pode até representar uma sabotagem do/a consulente a si mesmo ou a outra pessoa. Pode ser um sinal de alerta para abrir os olhos e tomar consciência da sua realidade, deixando de lado as fantasias. É o chamamento à realidade e à adaptação às circunstâncias da vida. Alerta para a necessidade de investigar melhor uma determinada situação. Longe da carta Consulente ou da carta tema, não representa qualquer perigo.

Palavras-chave tradicionais:
Perigo, desconfiança, engano, fraude.

Palavras-chave modernas:
Mentira, ameaça, estado de alerta, "jogo sujo", truques, armadilhas, sabotagem, simulação, camuflagem, disfarce, invisibilidade, perseguição, espiar, espreitar, esconder, blefe, roubo, ataque premeditado, tirar proveito de uma situação, esperar uma boa oportunidade, cálculo, estratégia, manipulação dos fatos, conspiração, metas irrealistas, fingimento, falsificação, falsa testemunha, coisa ou pessoa desfavorável, distorção, desconfiança, suspeita, decisão errada, sedução, astúcia, agilidade, esperteza, perspicácia, inteligência, raciocínio rápido, sabedoria, discrição, paciência, persistência, agilidade, capacidade de adaptação, integração, independência, intuição e instinto, forte espírito de sobrevivência; independente, autônomo; falso profeta, investigação; animais selvagens ou de rua.

CARTA 15

O URSO

10 DE NOZES

"O URSO é também um mensageiro de felicidade, ou, pelo contrário, avisa para nos mantermos afastados de determinadas pessoas, principalmente daquelas que têm inveja de nós."

Philippe Lenormand 1846

Qual o papel desempenhado pela carta numa leitura?
Fornece informações sobre as posses, poupanças e bens do/a Consulente.

Significado geral
A carta 15 apresenta um urso posicionado no topo de uma montanha (símbolo associado à autoridade e poder). A sua pata esquerda está ligeiramente levantada numa atitude de defesa ou de aviso de prudência a quem se aproxima invadindo o seu espaço.

O urso é um símbolo de potência, força, luta e proteção. Carta de bons resultados obtidos de ações ou projetos bem definidos, perseverança e determinação. O urso é uma fonte de energia, vitalidade, força, resistência e inteligência usada com moderação e de forma construtiva. Faz referência de forma explícita à presença de alguém em particular – mãe, pai, chefe, um amigo ou pessoa influente – que apoia ou protege o/a Consulente dos sofrimentos da vida.

Já assistiu ao filme A Bússola de Ouro? Não? Uma pena! Este filme ilustra muito bem o instinto primordial e a capacidade física de um urso quando tem de proteger os seus entes queridos do perigo. Perto da carta do/a Consulente, prevê proteção e sustento por parte dos pais ou de uma pessoa influente. Acompanhada da carta As Nuvens, prevê inveja e ambiguidade por parte de pessoas vizinhas.

Portanto, nesta fase, é necessário ficar em silêncio e agir com prudência e vigilância. Esta combinação também pode assinalar um indivíduo de autoridade incompetente e abuso de poder. Combinada com a carta Os Lírios, indica a existência de fortes laços familiares e que a família condiciona a vida do/a Consulente. Circundada ou vizinha de cartas negativas, indica ciúmes, agressividade ou possessividade.

Palavras-chave tradicionais:
Força, poder.

Palavras-chave modernas:
Finanças pessoais, poupança, acumular bens, a prosperidade, o lucro, estoque, mercado de ações, posses, resistência, estabilidade, hibernação, gordura, nutrição, alimentação; estabilidade, honestidade, confiança, autoridade, o poder pessoal, força de espírito, coragem, resistência, perseverança; recursos, domínio, experiência, competência, proteção, controle, tutela; guru, xamã, terapeuta, guia espiritual, patrocinador, pessoa influente, fidelidade, confiança, segurança mas também inveja, ciúmes e possessividade.

CARTA 16

AS ESTRELAS

6 DE CORAÇÕES

"AS ESTRELAS confirmam sorte em todos os empreendimentos, mas próximas das nuvens indicam um longo período de acontecimentos desfavoráveis."

Philippe Lenormand 1846

Qual o papel desempenhado pela carta numa leitura?
Orientação e novos projetos; traz transparência, esclarecimento e melhoria relativamente a uma questão.

Significado geral
Perto da carta do/a Consulente, assinala uma pessoa mística: um/a cartomante, um/a astrólogo/a, um/a médium (isso se for acompanhado pela carta A Lua), dom da clarividência. Próxima da carta O Trevo, anuncia fortuna e muita sorte, mas de pouca duração, é necessário aproveitar o momento; com O Caixão, prevê fim de um ideal, sonho.

Se a carta As Cegonhas estiverem por perto, este é um bom momento para se fazer uma mudança; com a carta A Âncora, sucesso profissional. Se a carta As Estrelas está acompanhada com a carta O Parque, pede ao Consulente para se expor mais aos outros, exibir o próprio talento ao público, porque será bem acolhido. Acompanhada da carta As Nuvens, anuncia que é necessário esclarecer uma questão ambígua, pouco clara, eventos infelizes. Esta combinação de cartas pode também assinalar abuso de substâncias tóxicas e, se no grupo das cartas circundantes se encontrar a carta Os Peixes, representa abuso de álcool ou medicinas químicas. Quando a carta As Estrelas se encontra posicionada na casa do/a Consulente (isto no Grand Tableau das Casas), assinala que é confiante, otimista e que está criando as suas próprias oportunidades.

Palavras-chave tradicionais:
Sorte, sucesso.

Palavras-chave modernas:
Êxito, esperança, expectativas, incentivo, otimismo, encorajamento, proteção, clareza (revelação da verdade), novo começo, ideia, iluminação, inspiração, verdadeira vocação, talento, potencialidade, arte, música, moda, criatividade, novos projetos, objetivos (busca de objetivos mais elevados), desejo realizado, bom senso, fama, reputação, popularidade, abundância, expansão, progresso, processo de desenvolvimento, direção, orientação, guia, norte, estratégia, gráfico, esoterismo, ciências ocultas (combinada com O Livro), astrologia, clarividência, intuição (sentidos bem desenvolvidos), espiritualidade; universo, astronomia (combinada com A Lua), inovação, ciência, tecnologia, internet; muitos (número ou coisas), beleza, fascínio, pele, células, frio, noite, inverno, neve, gelo; Religião: judaico, Wicca, islâmica (combinada com A Lua).

CARTA 17

AS CEGONHAS

RAINHA DE CORAÇÕES

"AS CEGONHAS indicam uma mudança de residência, que se materializa, quanto mais a carta estiver próxima da pessoa."

Philippe Lenormand 1846

Qual o papel desempenhado pela carta numa leitura?

Quando As Cegonhas estão presentes numa leitura, vêm anunciar uma situação que está prestes a mudar; trazem mudanças, alterações desejadas por si mesmo.

Significado geral

Representa uma transformação, mudança de posição ou de situação; um movimento que vem quebrar uma rotina, um hábito (alimentação, estética, comportamento, atitude, ideia, opinião). Esta carta é considerada o símbolo da renovação, de uma nova vida e da longevidade. Representa também a prudência e a vigilância para não deixar a vida cair na monotonia. As situações alteram-se, modificam-se tanto para o bem como para o mal. É através da análise das cartas circundantes que se obtém detalhes sobre qual o setor da vida do/a Consulente está sujeito a essa transformação.

Indica uma renovação existencial amadurecida com o tempo e conduzida com segurança e certeza. Mudança e movimento são as palavras que melhor definem esta carta. A análise das cartas vizinhas dará mais detalhes sobre o assunto em estudo.

Por exemplo:

- O Navio: viagem de negócios, emigração, mudança para o exterior;
- A Casa: mudança de casa, mudança na habitação (melhoria interna), no escritório;
- A Árvore: mudança do estilo de vida, das condições de saúde;
- A Vassoura e o Chicote: novas regras e leis;
- As Corujas: mudança de opinião;
- O Parque: mudança na vida social;
- O Coração: mudança nos sentimentos;
- O Anel: mudança no casamento ou modificação contratual de um acordo;
- Os Peixes: mudanças na situação econômica;
- A Âncora: mudanças no emprego, ou na carreira.

É uma carta que faz avançar uma importante mudança: de atividade, de projetos, de rotina, de planos ou até mesmo de vida. Se a mudança será positiva ou negativa, só a análise das cartas posicionadas à sua direita pode confirmá-la. Esta carta também revela o desejo de escapar, de migrar da realidade atual para uma nova situação, num outro lugar, partindo à descoberta de novos ritmos que a vida possa oferecer. Esta vontade de dinamizar, de renovar, de reconstruir, de mudar, exige que o/a consulente seja determinado e coloque em prática um plano.

Para quem deseja um filho, esta carta traz alegrias, porque de fato ela anuncia uma iminente gravidez, um nascimento na família ou uma adoção (com a carta O Anel). Quando a carta As Cegonhas se encontra posicionada na vizinhança, ou em contato com a carta do/a Consulente, algo está prestes a mudar. Circundada com cartas positivas, é possível que o/a Consulente esteja concentrado no presente, reconstruindo ou até vivendo um momento de uma significativa transformação na sua vida.

Na vizinhança da carta O Cavaleiro ou da carta O Navio, por exemplo, anuncia uma iminente viagem ou a chegada de alguém do passado. Circundada por cartas desfavoráveis, em particular pela carta

As Nuvens ou a carta O Caixão, anuncia drásticas ou desnecessárias mudanças, agitação, dúvidas e algumas vezes imobilidade, tédio e preguiça. Este movimento pode vir do/a próprio/a Consulente que está em processo de mudanças pessoais: psicológicas, emotivas, físicas ou em algum setor da sua vida.

Quando a carta As Cegonhas se encontra distante da carta do/a Consulente, uma viagem ou uma mudança sofrerá um atraso ou será suspensa por um período indeterminado (longo se for acompanhada por uma das seguintes cartas: carta A Torre, A Montanha, a carta Os Lírios, a carta A Âncora).

Palavra-chave tradicional:
Mudanças em geral.

Palavras-chave modernas:
Movimento, chegada (retorno) ou partida, constante ir e vir, viagem (avião), deslocamento, mudança (ideia ou direção), transferência, transação, atualização, reorganização, renovação, reforma, conversão, variação, modificação, alteração; algo de novo, nova experiência, progresso, progredir, melhorar; entrega; fecundidade, fertilidade, gravidez, parto (se A Criança for a próxima carta); adaptação, flexibilidade, paciência; emigração.

CARTA 18

O CÃO

10 DE CORAÇÕES

"O CÃO, se próximo da carta da pessoa, indica amigos fiéis e sinceros, mas se estiver muito distante da mesma e circundado pelas nuvens, sinaliza cautela com aqueles que se intitulam como seus amigos."

Philippe Lenormand 1846

Qual o papel desempenhado pela carta numa leitura?
Confiança, seriedade, lealdade e obediência; uma indicação de confiabilidade a longo prazo; traz notícias sobre amigos, colegas, pessoas próximas ao consulente e também sobre os animais de estimação.

Significado geral
Posicionada perto da carta do/a Consulente, identifica uma pessoa conhecida ou sugere que o/a Consulente é uma pessoa confiável e afável. Alguém com quem o/a Consulente tem uma relação de respeito recíproco. O/A Consulente está rodeado de amigos fiéis com quem pode contar nos momentos difíceis.

Acompanhada com a carta As Nuvens anuncia a presença de amigos não confiáveis, decepção e incompreensão entre amigos. Se a carta O Anel está perto da carta A Serpente, anuncia infidelidade, traição na união. Perto da carta O Cavaleiro, indica o recebimento de notícias da parte de um/a amigo/a.

Em posição distanciada do/a Consulente e circundada de cartas negativas, prevê infidelidade e traição por parte de amigos.

Palavras-chave tradicionais:
Amizade, fidelidade, sinceridade.

Palavras-chave modernas:
Lealdade, confiança, verdade, valores e princípios, respeito, obediência, segurança, submissão, apego emocional, apoio, ajuda, sustentação, adoção, companhia, camaradagem, trabalho em equipe, instinto, discípulo, seguidor, animal de estimação, proteção.

CARTA 19

A TORRE

6 DE FOLHAS

"A TORRE oferece a oportunidade de uma vida prolongada e feliz, mas se está próxima das nuvens, prenuncia doença e, de acordo com as circunstâncias, indica mesmo morte."

Philippe Lenormand 1846

Qual o papel desempenhado pela carta numa leitura?

Questões ligadas à autoridade, ao governo, a instituições; uma separação do mundo exterior, o isolamento em si mesmo; traz também distanciamento e limitações; grandes ambições.

Significado geral

Quando a carta A Torre se encontra em contato com a carta do/a Consulente, descreve uma pessoa solitária ou solteira. Acompanhada de boas cartas, anuncia longa vida e resistência às tempestades da vida. Pode anunciar reforma, se a carta A Âncora estiver por perto.

Se estiver localizada à direita da carta do/a consulente, pode anunciar isolamento ou fuga a uma questão. Acompanhada de cartas negativas, como a carta dos Ratos ou a carta do Caixão, informa a possibilidade de internamento num hospital para fazer exames médicos ou devido a uma doença. Com a carta As Nuvens, anuncia sérios problemas de saúde; com a carta A Vassoura e O Chicote, graves problemas com a autoridade ou na fronteira, alfândega (pode também ser embaixada, consulado ou departamento governamental), isto é, se vem acompanhada com a carta A Montanha.

Nota importante:

Como última carta, pode representar também uma situação que não altera, que se mantém igual por longo tempo. A separação representada pela Torre, nem sempre indica uma separação efetiva. Por isso é importante que se preste muita atenção às cartas vizinhas para poder ter uma visão precisa sobre a situação. Por exemplo:

- O ANEL + A TORRE: anuncia o afastamento do parceiro. Este afastamento pode ter múltiplas origens:
- O CAIXÃO: por razões de doença ou até (se as outras cartas confirmam) por questão de morte;
- O LIVRO: por razões de estudos ou pesquisas, também pode anunciar que um dos parceiros medita sobre uma possível separação e por isso o esfriamento, isolamento no casal;
- E assim por diante.

Pode também representar uma restrição, limitação dos movimentos no casal ou até na própria vida (dívidas, situações externas ou internas etc.), que estabelece viver isolado dos outros.

Palavra-chave tradicional:

Longevidade.

Palavras-chave modernas:

Longa vida, estado, governo, órgãos e instituições (hospitais, palácios do governo ou da monarquia, bancos, escolas, departamento, repartições públicas, escritórios administrativos, embaixadas, consulados, tribunais, quartéis militares, etc.), autoridade, a lei, questão jurídica (isto se a carta vem acompanhada pela carta A Vassoura e O Chicote), convenções, burocracia, hierarquia, carreira, ambição, restrição, limitação, fronteira, espaço não autorizado, espaço reservado, separação, divórcio, distância, solidão, isolamento (necessário), período de repouso e de reflexão, retiro, recuar, afastamento, rigidez, autossuficiente, independente, o que é velho, idosos, ereto, direito, fixo, duro, alto, força, constância, resistência, persistência, inflexibilidade; pertencente à classe alta na sociedade, ego, autoestima elevada, ambição, proteção, edifícios altos, prédios, torres, palácios, castelos e sítios de arqueologia.

CARTA 20

O PARQUE

8 DE FOLHAS

"O PARQUE prevê o contato com um grupo de pessoas bastante respeitado. Se muito próximo, indica o crescimento de uma amizade bastante íntima; se muito distante, pressupõe falsos amigos."

Philippe Lenormand 1846

Qual o papel desempenhado pela carta numa leitura?
Informações sobre a vida social (também de redes sociais), eventos, companhia, grupos (turma), o público, os clientes.

Significado geral
A carta O Parque simboliza o mundo social do/a Consulente. As experiências, a integração e o convívio com o mundo exterior. É onde o/a Consulente transforma os seus sonhos e ideias em realidade.

Pode representar também um afastamento com o objetivo de se isolar num ambiente tranquilo, provavelmente no meio da natureza, afastando- se do caos cotidiano. Perto da carta do/a Consulente, anuncia um período de inspiração e criatividade. A chegada de novos amigos, com a carta O Cão ou clientes se estiver em companhia da carta A Âncora. Com a carta A Torre, anuncia que o/a Consulente vai conhecer pessoas influentes que poderão servir de ajuda no futuro. Com a carta O Coração, o/a Consulente ama estar em público e é amado pelos outros. Circundada de cartas negativas, pode anunciar calúnia e difamação pública. Distante da carta do/a Consulente e em companhia de cartas negativas, anuncia má companhia, pessoas que fingem ser amigos ou falta de inspiração. Preste atenção às cartas que circundam O Parque, porque darão maiores indicações sobre a vida social do/a Consulente.

Palavra-chave tradicional:
Vida social.

Palavras-chave modernas:
Espaço externo, população, povo, público, multidão, grupo, partido político, apresentação em público, socialização, comunicação social, rede social (Facebook), fórum, internet, encontro, reunião, evento (manifestações, celebrações, comícios, seminário, festival, concerto, festas, exposição), tempo livre, diversão, entretenimento, audiência, plateia, férias, ar livre, divulgação, publicidade, comunicação pública, abertura, crescimento e desenvolvimento, ajuda de terceiros, terra, natureza, talento artístico, locais públicos (parque público, estádio, bares, discotecas, restaurantes, centros comerciais, hotéis, etc.), comunidade, meio ambiente.

CARTA 21

A MONTANHA

8 DE NOZES

"AS MONTANHAS, próximas da pessoa, indicam a presença de um poderoso inimigo; se distantes, amigos influentes estão presentes na sua vida."

Philippe Lenormand 1846

Qual o papel desempenhado pela carta numa leitura?
Problemas e dificuldades sérias, obstáculos e bloqueios.

Significado geral
Quando A Montanha está presente numa leitura, anuncia um importante obstáculo que bloqueia o andamento de um projeto, que cria atrasos, frustrações, fadigas, opressão e ansiedade.

Esta carta prevê grandes desafios, que só serão ultrapassados com sucesso adotando uma postura de disciplina, rigor, perseverança, esforço, comprometimento e sacrifício. É necessário pensar e agir com cuidado e sem pressa. Se A Montanha se encontra posicionada perto da carta do/a Consulente, anuncia uma imponente barreira (que pode ser um adversário ou um inimigo potente) ou um problema sério. Com a carta As Corujas ou a carta Os Caminhos por perto, indica duas pessoas inimigas que trarão sérios problemas à vida do/a consulente. Irá ocorrer uma oposição à evolução positiva de uma questão. O/A Consulente verá o seu projeto parar, não conseguirá avançar. As razões e as soluções do problema serão encontradas nas cartas vizinhas. Por exemplo, com a carta O Cão, posicionada antes da carta A Montanha, indica que um amigo procura impedir o/a Consulente de alcançar os próprios objetivos; mas se posicionada depois da carta A Montanha, anuncia que um amigo irá ajudar a solucionar uma questão difícil.

Distanciada da carta do/a Consulente, não representa qualquer ameaça, ou seja, o caminho para alcançar os objetivos está livre de obstáculos, com o apoio e sustento de amigos potentes.

Palavras-chave tradicionais:
Inimigo, oposição.

Palavras-chave modernas:
Problema difícil, situação hostil, dificuldades sérias, obstáculo, bloqueio, impedimento, barreira, limites, restrições, inacessível, fronteira, posto de bloco, distância, afastado, algo que está bem longe de se alcançar, objeção, oposição, resistência, nenhuma evolução no momento, atraso, inatividade, imobilidade, estagnação, opressão, peso, pesado, subida, esforço, resistência, superfície áspera, duro, frio, gelo; inimigos potentes, adversário, opositor, solitário, isolado, altitude, colinas, montanhas.

CARTA 22

OS CAMINHOS

RAINHA DE SINOS

"OS CAMINHOS com as nuvens, materializam infortúnio, na ausência desta carta e distantes da pessoa, sinalizam caminhos e meios de ultrapassar o perigo existente."

Philippe Lenormand 1846

Qual o papel desempenhado pela carta numa leitura?
Representa uma escolha, alternativas.

Significado geral
O/A consulente encontra-se diante de uma encruzilhada, obrigado a fazer uma escolha importante que vai condicionar a sua existência futura.

Circundada de cartas positivas, representa uma decisão tomada livremente, sem qualquer tipo de constrangimento ou pressão; quando está acompanhada de cartas com valor negativo, é necessário agir com a máxima cautela porque possivelmente a própria vida do/a Consulente ou a questão investigada está bloqueando uma nova direção.

Perto da carta do/a Consulente, anuncia que acontecerá um conflito ou situação à qual ele terá de dar resposta efetuando uma escolha ou tomando uma decisão. Neste caso, é necessário observar as cartas vizinhas. Por exemplo, com a carta A Âncora anuncia que o/a Consulente vai tomar uma decisão ou fazer uma escolha definitiva relativamente a uma questão. Com O Caixão, é iminente a conclusão de um dilema.

Quando acompanhada pela carta As Nuvens, prevê infortúnio ou que o momento é mau para tomar uma decisão, pode existir uma pressão emocional ou psicológica criada pela emoção do momento (crise). Com a carta A Raposa, assinala que alguém está manipulando o/a Consulente com o objetivo de o levar a tomar uma decisão.

Atenção: Caso a carta O Navio esteja na vizinhança, acompanhada da carta As Nuvens, anuncia uma viagem numa estrada nebulosa ou com mau tempo em que podem existir riscos de acidente ou aborrecimentos.

Encontrando-se distante da carta do/a Consulente e sem cartas negativas à sua volta, anuncia que será tomada uma decisão favorável relativamente à questão investigada ou que ele terá tempo de controlar a situação tomando algumas medidas e ações favoráveis.

Palavra-chave tradicional:
Escolha.

Palavras-chave modernas:
Decisão a tomar, opção, alternativa, possibilidade, outros pontos de vista, definições diferentes, ambiguidade, dúvida, incertezas, instabilidade, dilema, proposta a avaliar, uma questão ainda não determinada, planos que estão sendo preparados, ponto de virada, mudança de direção ou ideia, indecisão, pesquisa, busca, hesitação, assuntos pendentes, dispersão, encaminhar para mais pessoas, partilha, eleição, seleção, livre arbítrio, liberdade de escolha, ruptura temporária, deserção, fugir, vagar, aventura, sem destino, viagem, deslocamento, andar a pé ou de bicicleta, trilha, estrada, mapa geográfico, rota, explorar, evitar encontrar alguém, poligamia, infidelidade, o número dois de algo; novos métodos de tratamento.

CARTA 23

OS RATOS

7 DE NOZES

"OS RATOS são indicadores de um roubo, uma perda. Quando próximos da pessoa, materializam a recuperação de um objeto ou situação roubado/a ou perdido/a; se distante, a perda é irrecuperável."

Philippe Lenormand 1846

Qual o papel desempenhado pela carta numa leitura?
Os Ratos trazem perdas, desgastes e doenças.

Significado geral
Simbolizam os problemas que oprimem, os pensamentos negativos que angustiam e atormentam. Representam também a astúcia e determinação empenhada para conseguir realizar os próprios projetos. Os Ratos são portadores de graves problemas e de destruição.

Esta carta pode significar correria e agitação, à procura em mil direções de soluções para os seus problemas. Muitas destas direções não vão dar a lugar algum. Diz a tradição que se a carta Os Ratos estiver na vizinhança ou em contato com a carta do/a Consulente, os objetos perdidos ou roubados vão ser recuperados e que, caso ela esteja distante da carta do/a Consulente, corre-se o risco de nunca mais encontrar ou recuperar esses objetos.

A minha experiência na utilização do Método do Philippe Lenormand (técnica do perto/distante), principalmente com esta carta, demonstrou-me que, tal como acontece com qualquer outra carta numa leitura, não é aconselhável limitar- se a essa regra. Quando a carta Os Ratos se encontra na proximidade da carta do/a Consulente, significa que ele está sofrendo uma perda na sua vida. Esta perda pode ter inúmeras origens tais como: energia, saúde, dinheiro, emprego, etc. As cartas vizinhas fornecerão mais detalhes. Representa também um alerta para a possibilidade de ocorrência de roubo e sequestro de bens ou de pessoas.

Esta carta, quando acompanhada pelas cartas O Cavaleiro ou As Cegonhas, traz de volta algo que se perdeu, que foi roubado ou pessoas desaparecidas.

Por tudo o que foi descrito anteriormente, é de extrema importância prestar atenção às cartas que estão ao redor da carta Os Ratos, quer se aplique a técnica perto/distante ou não. É também bom recordar que no Petit Lenormand as cartas nunca são interpretadas isoladamente, mas, sim, em combinação com as cartas que se encontram na sua vizinhança. Prestem sempre atenção a este detalhe! Quando a carta Os Ratos ocupa a primeira posição numa leitura, representa ansiedade, preocupações, estresse, algo que está "roendo", afligindo emotivamente e mentalmente o/a Consulente. As razões deste estado podem ser procuradas nas cartas vizinhas:

- A Criança: por um filho;
- O Anel: uma união, o casamento;
- Os Peixes: dinheiro;
- Os Ratos + Os Peixes + O Anel: pagamento de uma fatura;
- Os Peixes + Os Ratos: dívidas.

Palavras-chave tradicionais:
Roubo, perda.

Palavras-chave moderna:
Perda (gradual ou parcial), risco de assalto, traição, infidelidade, desconfiança, redução (trabalho, dinheiro, saúde, doença, quilos, etc.), extinguir gradualmente, esgotar, desaparecimento, falta (de autoestima), mercadoria em segunda mão, de baixo valor, danos materiais, prejuízos, ruína, decadência, pobreza, destruição, ganância, abandono,

privação, desperdício, doença (sistema nervoso, estômago, doença infecciosa), corrupção, marginalização, plágio, extravio, apropriação indevida, chantagem, decepção, sérias preocupações, circunstâncias difíceis, surpresas desagradáveis, aborrecimentos, insatisfação, medo, estresse, sujo, porco, nojento, lixo, lixeira, detritos, estrumeira, fezes, putrefação, mau cheiro, desagradável, spam, vandalismo, defeito, impuro, dependência, vícios, maus hábitos, enfraquecimento, ignorância, ofensas, hipocrisia, má educação, palavrões, desrespeito, desprezo, repulsa, rejeitar, fome, presença inimiga, inveja, ciúme, energia negativa, bruxaria, mau-olhado, roedores.

CARTA 24

O CORAÇÃO

VALETE DE CORAÇÕES

"O CORAÇÃO indica alegria, materializada em união e felicidade."

Philippe Lenormand 1846

Qual o papel desempenhado pela carta numa leitura?

A expressão de todos os tipos de tendências, emocionais e sentimentais, vividas com intensidade (tanto para o bem como para o mal): amor, paixão, generosidade, sensibilidade, caridade, ódio, rancor etc.

Significado geral

A carta O Coração simboliza o amor. Se esse amor é negativo ou positivo, só as cartas que a envolvem o poderão responder. É a carta que trata de todos os assuntos do coração, de tudo aquilo que faz apaixonar, que dá entusiasmo.

Representa o modo natural de agir (expressão, talento, vocação), quando se faz algo agradável como cozinhar, comer, beber, ler, escrever, viajar, praticar esporte, arte, música, comunicar, trabalhar, ensinar, estudar, amar, dançar, fazer amor, filhos, casa ou família. O Coração é a carta da beleza externa e interna do ser humano. Ela expressa-se através das cartas vizinhas.

Perto da carta do/a Consulente anuncia felicidade, romantismo, apoio e amor. Anuncia que o/a Consulente se ama, que tem cuidados especiais consigo e com aqueles que necessitam de ajuda. Algo ou alguém vai fazer palpitar o coração do/a Consulente.

Mas atenção, se a carta O Coração se encontrar circundada de cartas negativas anuncia sentimentos e emoções negativas (ódio, inveja, ciúmes, vingança), apego doentio e destrutivo, atração ao mal. Com a carta O Anel + A Cruz, anuncia que uma história de amor é vivida com muito sofrimento ou como um fardo.

Palavras-chave tradicionais:
Alegria, amor.

Palavras-chave modernas:
Sentimento íntimo, forte emoção, afetos, desejo, paixão, atração, sedução, sensualidade, prazer, amor às coisas, felicidade, romance, entusiasmo, preferido, compartilhar, afinidade, doação, compaixão, caridade, sensibilidade, delicadeza, carinho, calor humano, intimidade, disponibilidade, simpatia, proteção, apego, perdão, bondade, sinceridade, honestidade, lealdade, ajuda, apoio, gosto, doce, arte, música, sobremesa, circunstâncias felizes, vaidade, obsessão.

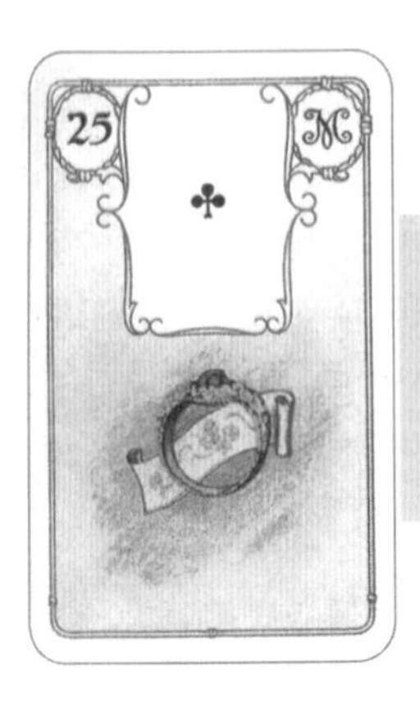

CARTA 25

O ANEL

ÀS DE NOZES

"O ANEL posicionado à direita da pessoa, indica um casamento próspero e feliz. Quando localizado à esquerda e distante, revela uma discussão com a pessoa da sua afeição e o fim de um casamento."

Philippe Lenormand 1846

Qual o papel desempenhado pela carta numa leitura?
Anuncia a oficialização de uma união ou um contrato.

Significado geral
A legalização de qualquer situação para assegurar as partes envolvidas. Um envolvimento efetivo, contrato, assinatura, pacto, juramento, ética, noivado, casamento; traz também obrigações e deveres a cumprir.

Geralmente esta carta representa deveres, respeito pelas leis e pela moralidade. Representa tudo aquilo que é justo e que deve ser exposto à luz do dia. Uma declaração, um contrato, um estado ou situação que finalmente se torna oficial.

O Anel indica uma ligação com compromisso para toda a vida. Este compromisso pode ser agradável ou asfixiante. Trata-se de uma carta que deve ser bem avaliada numa leitura. Certamente o primeiro impacto transmitido por ela é positivo, mas este símbolo carrega também o seu lado negativo, consequência das promessas e compromissos assumidos e/ou aceitos. É uma carta rígida, inflexível e que não deixa espaço ao livre arbítrio de um indivíduo. Cria vínculos a condições, obrigações e regras limitadas. Obriga a agir dentro de uma total legalidade em qualquer contexto, seja ele de ordem cultural, jurídico ou religioso. Pode ser um compromisso consigo mesmo, visando garantir a ordem na própria vida. Por vezes, a presença da carta O Anel, numa leitura, representa uma chamada de atenção ao Consulente, mostrando-lhe a necessidade de reorganizar a própria vida seguindo uma conduta disciplinada e sem esquecer os seus valores morais e sociais. É importante que, qualquer coisa que esteja planejando neste momento, respeite as regras de execução. Ordem, disciplina e compromisso é o lema desta carta. Estas regras são importantes para prosperar. A carta O Anel representa todo o tipo de contratos estipulados por escrito ou verbalmente: compra e venda (casa, carro etc.), trabalho, crédito, inscrição num grupo ou num curso, namoro, noivado, casamento etc.

Segundo a tradição, se a carta O Anel estiver na vizinhança ou perto da carta do/a Consulente, é importante observar se ela está posicionada à direita ou à esquerda. À direita, traz felicidade na relação e, para quem está só, representa uma união com alguém em boa situação econômica. À esquerda, representa litígios/disputas ou dissolução de uma união. A minha experiência, com a utilização da técnica perto/distante ou com qualquer outra técnica de leitura, tem me mostrado que é aconselhável observar as cartas que circundam a carta tema, objeto da leitura, no nosso caso O Anel; essa observação contribuirá para que tenhamos mais indicações sobre o tipo de relação que se está vivendo no momento.

A minha leitura pessoal da carta O Anel, utilizando a técnica perto/distante é a seguinte:

- Se O Anel estiver posicionado na LINHA DO FUTURO e na VIZINHANÇA DA CARTA DO/A CONSULENTE, anuncia que uma união está iminente (as cartas que a acompanham fornecerão informações e indicações acerca do tipo de união a que se refere).
- Se O Anel estiver posicionado na LINHA DO FUTURO, mas DISTANTE DA CARTA DO/A CONSULENTE, é possível que uma união venha a esfriar ou que uma união só seja possível num futuro distante. A Foice + O Anel assinala um divórcio ou uma ruptura de acordo/contrato. Pode indicar também que o/a consulente sofrerá um forte abalo, um choque. As cartas circundantes darão mais detalhes.

- O Anel posicionado POR CIMA DA CARTA DO/A CONSULENTE, informa que ele está ansioso ou deseja ter um relacionamento sério. Mas se As Nuvens acompanham a carta O Anel, significa que uma determinada união é um foco de preocupação para o/a Consulente.
- O Anel posicionado na LINHA DO PASSADO e na VIZINHANÇA DA CARTA DO/A CONSULENTE, assinala um compromisso, uma união, uma obrigação que influencia a situação atual. Uma situação que causa apego e dependência.
- O Anel posicionado na LINHA DO PASSADO, mas DISTANTE DA CARTA DO/A CONSULENTE, pode fazer referência a uma união passada (casamento, noivado, associação) que deixou uma marca indestrutível. Por exemplo, se a carta A Foice acompanha a carta O Anel, assinala um divórcio ou uma separação passada.
- Se a carta O Anel se encontra posicionada ao LADO DA CARTA DE UM DOS CONSULENTES, as cartas que a circundam podem fazer referência a questões do companheiro/a.

Palavras-chave tradicionais:
Casamento, união.

Palavras-chave modernas:
Acordo, promessa, juramento, pacto, tratado, confirmar, compromisso, empenho, contrato, assinatura, mútuo, ligação, vínculo, conexão, obrigações, dever, responsabilidade, garantia, seriedade, relação oficial, unir, fusão, sociedade, sucursal, filiação, voto, nomeação, regular, continuidade, repetição, mensalmente, renda, aluguel, estar conectado a algo, crônico, círculo, ciclo de repetição, ritual, cerimônia, rotina, dogma, proposta, ética, ordem, disciplina, objetivos bem precisos, preservação, documentos oficiais, tradicional, sobrenome, apelido, delegar, durabilidade, evento recorrente.

CARTA 26

O LIVRO

10 DE SINOS

"O LIVRO assinala uma descoberta iminente. A posição da carta revela como a mesma se materializa; bastante cuidado, no entanto, é necessário encontrar uma solução."

Philippe Lenormand 1846

Qual o papel desempenhado pela carta numa leitura?

Algo desconhecido e confidencial que vai ser investigado, aprofundado; também fornece informações relacionadas com a educação (escola, estudos, formação) e intelecto (cultura, inteligência); sinaliza um mistério, algo oculto, um segredo.

Significado geral

Perto da carta do/a Consulente anuncia que ele tem uma personalidade fechada, é reservado e esconde um segredo. Combinada com a carta As Nuvens prevê inquietações, devido à existência de segredos perigosos, pouca capacidade de concentração nos estudos. Com a carta A Foice, posicionada antes da carta O Livro, indica que um segredo será revelado, mas também a descoberta de um documento que revela informações importantes.

Preste atenção em que posição se encontra a carta O Livro relativamente à carta do/a Consulente: se estiver posicionada atrás, representa uma pessoa que não se conhece ou que não quer se revelar; pelo contrário, se a carta O Livro estiver posicionada na frente da carta n.º 28/29, o/a Consulente representa uma pessoa conhecida e que tem uma confissão, um segredo ou informações importantes a revelar. Pode representar também uma pessoa com quem o/a consulente está tratando de uma questão relacionada com papéis, documentos, testamento.

Quanto mais perto a carta estiver da carta do/a Consulente, mais o segredo ou as informações são importantes. As cartas circundantes darão mais detalhes.

Palavras-chave tradicionais:
Segredo, mistérios.

Palavras-chave modernas:
Escondido, oculto, desconhecido, conhecimento, escola, estudo, instrução, formação, curso, aprendizagem, posse de conhecimento, educação, mente, memória, cultura, inteligência, diário, livros, documentos, papéis, material (cartas, produtos esotéricos), informação, testamento, silêncio, confidencial, reservado, não acessível a todos, intimidade, privacidade, sigilo, tabu, investigação, inquérito, pesquisa, código, decifrar, descoberta, revelação, projeto, dados (pessoais), memória do computador, arquivo, fichário, livros, prova, exame, capacidade, competência, não oficial, ainda nada se sabe, quebra- cabeças, enigma, ocultismo, esoterismo, baralho de carta, atividade literária, bolsa de estudos, a mente, o cérebro, futuro.

CARTA 27

A CARTA

7 DE FOLHAS

"A CARTA, sem nuvens por perto, designa uma situação positiva, que vem de uma localidade distante, informações favoráveis. Mas, se as nuvens escuras estão próximas da pessoa, a expectativa é de momentos bastante desagradáveis."

Philippe Lenormand 1846

Qual o papel desempenhado pela carta numa leitura?
Informações escritas (documentos, jornal, correspondência, e-mail, inbox, fax, chat, blog).

Significado geral
Simboliza os portadores de notícias ou de informações. A Carta representa a chegada de novidades e informações escritas relativamente à questão em estudo na leitura.

Se esta carta se encontrar posicionada perto da carta do/a Consulente, prevê-se a chegada de uma notícia escrita. Mas com a carta As Nuvens (lado escuro) prevê-se a chegada de notícias que vão perturbar ou trazer grandes preocupações e aborrecimentos ao Consulente.

A experiência ensinou-me a não perder de vista as outras cartas que se encontram ao redor. Essas cartas darão outras indicações relativas à notícia que o/a Consulente está prestes a receber ou enviar.

Por exemplo:

- Com a carta A Casa: as notícias fazem referência à própria habitação; cadastro num fórum ou blog; correio eletrônico; registro de um imóvel ou de uma propriedade;
- Com a carta A Árvore: receita médica; relatório médico; marcar uma consulta;
- Com a carta O Caixão: notícias sobre a morte de alguém; a rejeição de uma proposta;
- Com a carta A Vassoura e O Chicote: formulário para denúncia ou processo; multa; uma comunicação ou e-mail que será motivo de conflito;
- Com a carta A Raposa: as notícias são incorretas;
- Com a carta O Livro: notícias confidenciais; resultado de exame médico; certificado, diploma; encomenda de um livro ou baralho de cartas;
- Com a carta Os Peixes: notícias referentes às finanças; todos os tipos de papéis relacionados com questões de dinheiro (prova da transferência ou depósito de dinheiro); faturas com ordem de pagamento;
- Com a carta A Âncora: correio profissional ou que trazem esperança.

Palavras-chave tradicionais:
Notícias, informações.

Palavras-chave modernas:
Correio, correspondência escrita, meios de comunicação que se regem pela escrita (mensagem de texto, e-mail, fax, carta), boletim informativo, informação, papéis, revelação, resposta, lembrete, resultado, recado, aviso, uma pista, um sinal, burocracia, formulário, documento, pasta, imagem, fotografia, certificado, matrícula, inscrição, mediação, publicidade, anúncio, artigo (blogue), contato, correspondente, aplicativo (WhatsApp etc.), superficialidade, leviandade, frivolidade.

CARTA 28

O HOMEM

ÀS DE CORAÇÕES

CARTA 29

A MULHER

ÀS DE FOLHAS

"28. – O HOMEM e 29. – A MULHER, Toda a leitura têm como base qualquer uma destas duas cartas, dependendo apenas se o/a Consulente é mulher (29) ou homem (28)."

Philippe Lenormand 1846

As cartas O Homem e A Mulher desempenham um único papel numa leitura: o de representar fisicamente o/a Consulente na leitura. Antes de dar início a uma leitura, é importante atribuir uma identidade a cada uma destas cartas Consulente: O Homem e A Mulher. Se a leitura for solicitada por uma pessoa do sexo masculino, a carta O Homem retrata o próprio Consulente. Caso a leitura seja solicitada por uma pessoa do sexo feminino, a carta A Mulher representa a própria Consulente.

Quando a leitura se refere a um relacionamento de qualquer gênero, a outra carta Consulente vai representar essa pessoa. Por exemplo, se é um homem solicitando a leitura, a carta que o representa será O Homem e a carta A Mulher vem em representação de uma mulher de essencial importância para o consulente que poderá ser a noiva, a namorada, a esposa, a amante, a colega, a tia, a irmã, a mãe etc. dependendo da pergunta colocada pelo/a Consulente. Por outro lado, se for uma mulher que solicita a leitura, a carta A Mulher é que irá representá-la e a carta O Homem representará o esposo, o noivo, o namorado, o amante, um colega, pai, tio, irmão, primo etc.

Numa leitura onde a outra carta não representa alguém em particular, é necessário prestar atenção às cartas que entram em contato com ela, porque vão fornecer informações relevantes sobre essa pessoa. De fato, as cartas vizinhas identificam o estado civil – casado/a, divorciado/a, viúvo/a; a idade (se jovem ou maior de idade), o tipo de ligação que tem com o/a consulente – pai, mãe, padrasto, madrasta, padrinho, madrinha, irmão, irmã, primo/a, tio/a, avó, avô, patrão, patroa, colega, etc. –, características físicas como alto/a, baixo/a, magro/a, gordo/a, loiro/a, etc.; e de personalidade como honesto/a, desleal, mentiroso/a, inteligente, ignorante, educado/a, etc. deste homem ou mulher.

Como agir nos casos em que a pessoa investigada na leitura seja do mesmo sexo do/a Consulente? Se o seu baralho de cartas contém uma única carta para representar o sexo masculino e outra para representar o sexo feminino, atribua a uma delas a representação do elemento do mesmo sexo do consulente. Em outras palavras:

- Se o consulente homem pede uma leitura para o seu irmão, tio, colega ou até mesmo para o seu companheiro, a carta A Mulher irá representá-lo;
- Se a nossa consulente (mulher) pede uma leitura para sua amiga, irmã, colega ou companheira, a carta O Homem é que vai representá-la.

Nota importante:
As cartas Consulentes são duas cartas de extrema importância numa leitura. É através do seu posicionamento na leitura, principalmente numa leitura com o Grand Tableau, que a técnica perto/distante é amplamente desfrutada. A leitura dá início a partir da carta do/a Consulente e é através da distância – muito perto/perto e distante/ muito distante das outras cartas – que a interpretação é baseada.

Mais informações sobre as cartas Consulentes quando estudarmos as cartas Significadoras no Capítulo 3.

CARTA 30

OS LÍRIOS

REI DE FOLHAS

"OS LÍRIOS são indicadores de uma vida feliz. Com as nuvens por perto, assinalam uma decepção familiar. Se esta carta aparece em cima da pessoa, indica que a mesma é virtuosa; se posicionada abaixo da pessoa, os princípios morais da mesma são dúbios."

Philippe Lenormand 1846

Qual o papel desempenhado pela carta numa leitura?
Símbolo da castidade, a inocência e a pureza. A carta Os Lírios traz harmonia e paz à vida do/a Consulente.

Significado geral
Posicionada perto da carta do/a Consulente, a carta Os Lírios descreve uma pessoa virtuosa, experiente e de bom caráter. Se a carta As Nuvens se encontra em contato com as cartas Os Lírios e o/a Consulente, estamos perante uma pessoa de mau carácter e mal-intencionada; com a carta O Caixão, anuncia morte na família; com a carta A Árvore, uma longa recuperação depois de uma doença; com a carta O Cão, recebe se apoio e assistência de alguém muito influente.

Diz a tradição que se a carta Os Lírios estiver posicionada abaixo da carta do/a Consulente, anuncia infelicidade e problemas. Nas minhas leituras, quando Os Lírios se encontram abaixo da carta do/a Consulente, indica que este não respeita ou não dá qualquer valor aos princípios morais, tradicionais, pessoais ou sociais.

Palavras-chave tradicionais:
Harmonia, família, sexo.

Palavras-chave modernas:
Paz, calma, pacificação, reconciliação, tranquilidade, relaxamento, paz da mente, meditação, yoga, tradição, velha geração, vintage, moralidade, nobreza, experiência, maturidade, consultoria, apoio, suporte, honestidade, seriedade, respeito, integridade, honra, virtude, virgindade, idosos, aposentadoria, produtos envelhecidos com o tempo (vinho, queijo, conservas), congelamento, atrasos, inverno, doenças da velhice, sexualidade.

CARTA 31

O SOL

ÀS DE SINOS

"O SOL, próximo da carta do/a consulente, é um indicador de felicidade e plenitude, dado que ele irradia energia luminosa e quente. Afastado, traduz infortúnio e esterilidade, já que a ausência do Sol é significado de inexistência."

Philippe Lenormand 1846

Qual o papel desempenhado pela carta numa leitura?
Iluminação, força de vontade, vitalidade e otimismo que trazem importantes sucessos, vitórias; alegria e felicidade.

Significado geral
A presença desta carta numa leitura é sempre reconfortante. Ela anuncia a vinda de um período produtivo, de conquistas e de progressos nas áreas desejadas. É um momento em que o/a consulente deve aproveitar para mostrar o melhor de si mesmo.

Representa um período em que se concretizarão objetivos e se alcançarão metas pessoais. Os segredos que se revelam, a verdade que triunfa. Problemas que finalmente encontram uma solução. A carta O Sol anuncia sempre uma situação favorável, um período afortunado e produtivo. Confirma que a caminhada da vida está sendo feita pelo caminho certo. Está se fazendo a coisa exata. Quando a carta O Sol se encontra na vizinhança ou perto da carta do/a Consulente, ela anuncia que ele vai ficar sob a influência de energias positivas e que, durante um período de tempo, viverá num estado de plena serenidade. Vai se sentir forte e lúcido para enfrentar, com determinação e sucesso, qualquer tipo de adversidade (observar as cartas que a circundam, ajuda a identificar em que área da vida do/a Consulente será vivenciada essa influência). Com a carta Os Peixes, sucesso nos negócios e bom salário.

Por outro lado, se a carta O Sol se encontra distante da carta do/a Consulente anuncia desânimo, desconforto. Verifica-se uma perda de vitalidade e coragem para enfrentar a vida ou algum problema que será identificado nas cartas que a circundam. Preveem-se decepções.

Nota importante:
Esta carta tem o poder de reduzir o valor negativo das cartas posicionadas à sua esquerda, tais como a carta do Caixão ou a carta da Montanha. Quando se encontra posicionada como última carta numa fila, O Sol garante o sucesso da situação investigada.

Palavras-chave tradicional:
Felicidade.

Palavras-chave modernas:
Sucesso, vitória, êxito, realização, grande fortuna, sorte, verdade, afirmação, resultado positivo (SIM), solução, superação, energia, vitalidade, revitalização, bem-estar, ganho, positividade, otimismo, entusiasmo, satisfação, confiança, segurança, luz, clareza, abundância, expansão, progressão, evolução pessoal, crescimento, desenvolvimento, atitude construtiva, avanço de carreira, criatividade, objetividade, determinação, certeza, personalidade forte e carismática, vitamina D, verão, quente, calor, fogo, incêndio, queimadura.

CARTA 32

A LUA

8 DE CORAÇÕES

"A LUA é tradutora de grandes honras, sucesso e reconhecimento, se a carta aparecer próxima da pessoa em questão; distante, traduz infortúnio e sofrimento."

Philippe Lenormand 1846

Qual o papel desempenhado pela carta numa leitura?
Honra, glória, reconhecimento, status.

Significado geral
Fama (para o bem ou para o mal); momento de glória e de popularidade; traz a expressão do próprio talento e arte. A carta afirma que se conseguiu alcançar o reconhecimento e sucesso merecido das obras cumpridas: trabalho, negócios, estudos, educação etc. e também que é admirado/a e respeitado/a nesse meio. Implica o julgamento do que foi feito no passado pelo/a Consulente.

Os seus atos e atitudes irão ser projetados e, por consequência, julgados. Quem lutou e trabalhou duramente e honestamente receberá glória e fama. Perto da carta do/a Consulente prevê a chegada de eventos memoráveis, reconhecimento e admiração por parte dos outros.

A Lua

- O Navio: viagem, férias românticas;
- O Navio + As Estrelas: fama internacional;
- A Serpente: a reputação do/a Consulente é minada por calúnias e mentiras;

- As Estrelas: intuição e premonição dos sonhos, mas também reconhecimento e fama;
- O Parque: reconhecimento público;
- A Chave: o sucesso é garantido;
- A Âncora: prevê sucesso e reconhecimento no trabalho, mas também trabalho noturno.

Distante do/a Consulente indica que não obterá reconhecimento ou que não está recebendo méritos devidos pelo trabalho realizado. Acompanhada pela carta As Nuvens, para uma mulher pode representar atraso do período menstrual.

Palavras-chave tradicional:
Honra, sucesso, reconhecimento, fama.

Palavras-chave moderna:
Notoriedade, popularidade, admiração, elogios, reputação, ser alvo das atenções (para o bem ou para mal), prestígio, celebridade (combinada com a carta as Estrelas), a alma, mundo emocional, sensibilidade, sensação, intuição, capacidade intuitiva, sono, sonhos, fantasia; criatividade, arte; romance.

CARTA 33

A CHAVE

8 DE SINOS

"A CHAVE, quando próxima da carta da pessoa, significa sucesso garantido de um projeto ou de uma situação; quando distante, o significado é exatamente o oposto."

Philippe Lenormand 1846

Qual o papel desempenhado pela carta numa leitura?

A carta A Chave tem como função bem específica abrir e fechar algo. Quando está presente numa leitura, traz a certeza de que se está agindo de acordo com a própria vontade ou que se tem o poder de alterar as condições de uma determinada situação.

Significado geral

Livre-arbítrio na ação ou decisão, no abrir ou fechar situações (para o bem e para o mal); traz certezas, soluções, respostas. A Chave está ligada ao simbolismo da porta de cada enigma que se abriu e foi revelado; nesse sentido, ela assume o papel de iniciar algo novo, quando ocorre a transição de um nível de existência para outro.

A carta A Chave tem a capacidade de dissolver um enigma para trazer ordem e clareza a uma situação confusa: normalmente dizemos –"achei a chave" quando finalmente se encontra a solução para um desafio (mental ou experiencial).

No Grand Tableau, quando posicionada perto da carta do/a Consulente, A Chave anuncia a realização dos desejos, uma resposta afirmativa a uma questão. Acompanhada da carta As Nuvens, anuncia não só incertezas ou um problema que tem de ser resolvido, como também uma desilusão, ou que as iniciativas e decisões tomadas não são as justas.

Distante da carta do/a Consulente, anuncia que a solução para um determinado problema ainda não foi encontrada, ou que o/a consulente não tem os meios essenciais para avançar na realização de um objetivo.

Palavras-chave tradicionais:
Sucesso, certeza.

Palavras-chave modernas:
Segurança, solução, resposta, resolver algo, abrir ou fechar algo, entrar, acesso a uma área (computador, login, local), descobertas, revelações, esconder ou trazer à luz algo, mudança desejada, colocar em prática, novas ideias, um golpe de inspiração, intuição, compreender algo, confiável, autoconfiança, novo início, iniciação, prevenir, um passo em frente, passar a uma nova fase, livre arbítrio, autonomia, independência, emancipação, graduação, promoção, alcançar um objetivo, penetração, nota musical, instrumento, telemóvel, conexão, decodificar, código, palavras-chave, código de reconhecimento, combinações, informática, método, sistema, inovação.

CARTA 34

OS PEIXES

REI DE SINOS

"OS PEIXES, estando próximos da pessoa, indicam grande prosperidade, através de empreendedorismo marítimo e um conjunto de projetos frutíferos; se distantes, eles indicam o insucesso de todo ou qualquer projeto, não importando o empenho aplicado no mesmo."

Philippe Lenormand 1846

Qual o papel desempenhado pela carta numa leitura?
Informações sobre dinheiro, questões econômicas, investimentos, negócios e valores materiais.

Significado geral
Esta carta simboliza a abundância e fortuna material. De acordo com o método tradicional, se a carta Os Peixes estiver perto da carta do/a Consulente, prevê fortuna e felicidade no campo financeiro. Distante da carta do/a Consulente, anuncia falência econômica e desgostos. A minha experiência de leitura com a carta Os Peixes, pelo método tradicional, mostrou-me que em posição vizinha ou perto da carta do/a Consulente, anuncia boas notícias no campo financeiro. É um bom momento para pedir um aumento de salário ou para fazer investimentos.

As cartas que a circundam indicarão a origem da melhoria financeira ou a fonte de rendimento. Se a carta Os Peixes se encontra por cima da carta do/a Consulente, significa que ele/a está desenvolvendo grandes projetos para melhorar a sua situação financeira, mas se a carta As Nuvens estiver na sua proximidade, anuncia preocupações econômicas. Posicionada por baixo da carta do/a Consulente e com a carta Os Ratos ao seu lado, identifica a existência de dívidas e restrições econômicas. Ao lado da carta O Caixão, representa pobreza. Posicionada na linha do passado, mas distante do/a Consulente, informa que ele vivenciou um colapso econômico muito significativo ou que vem de uma família humilde. Pode anunciar dívidas geradas pela má gestão dos seus recursos econômicos. Posicionada na linha do futuro, mas distante do/a Consulente, esta carta anuncia sacrifícios para alcançar a estabilidade econômica.

As cartas vizinhas darão mais detalhes sobre o futuro no setor econômico. A carta Os Peixes, perto de uma outra carta, pode indicar a que o/a Consulente dá mais valor e importância na vida. Por exemplo, com a carta O Cão, a honestidade e lealdade é fundamental na vida para a pessoa; com a carta O Coração, a empatia, a compaixão e a solidariedade com os outros são o motor de vida do/a Consulente; com a carta Os Lírios, a ética, as regras morais, a família, para alguns, o sexo (porque os Lírios também representam o sexo) são a riqueza do/a Consulente.

Palavras-chave tradicionais:
Prosperidade, abundância.

Palavras-chave modernas:
Riqueza, finanças, dinheiro, lucro, salário, capital, investimento, um presente ou herança, valor material, negócios, comércio, conquista, expansão, ampliação, fertilidade, reprodução, contatos, liberdade, independência, trabalho autônomo, movimento, fluir, família numerosa, alimentos, substância líquida, líquidos (bebidas), gordura (óleo), água, chuva, lágrimas, alma.

CARTA 35

A ÂNCORA

9 DE FOLHAS

"A ÂNCORA diz-nos que há empreendedorismo bem-sucedido, através de intercâmbio marítimo e sucesso comercial e também um relacionamento verdadeiro; mas, distante da pessoa, ela indica um completo insucesso de projetos e insegurança no relacionamento."

Philippe Lenormand 1846

Qual o papel desempenhado pela carta numa leitura?

Esperança, estabilidade, equilíbrio, segurança, tenacidade e perseverança para alcançar os seus objetivos.

Significado geral

É a carta que traz informações sobre questões relativas ao trabalho: orientações e qualificação profissional. Perto do/a Consulente e acompanhada pela carta O Cavaleiro, a carta O Navio ou a carta As Cegonhas, anuncia uma mudança referente a uma questão profissional. Acompanhada da carta O Anel, representa fidelidade e assegura uma relação profissional ou matrimonial estável e de longa duração, mesmo isenta de emoções. Com a carta Os Ratos por perto, numa questão profissional, indica diminuição de trabalho (as cartas circundantes vão dar maiores detalhes).

Distante do/a Consulente, anuncia eventos negativos e infidelidade por parte da pessoa do seu interesse. Falsas esperanças.

Algumas vezes, A Âncora, perto ou contornada por cartas negativas ou paradas, nos diz que o/a Consulente está bloqueando ou criando obstáculos à própria evolução, impedindo, assim, o próprio crescimento e progresso na vida. Contrariamente à carta A Montanha, que representa um bloqueio externo, a carta A Âncora representa um bloqueio interno.

Palavras-chave tradicionais:
Sucesso comercial, segurança, esperança.

Palavras-chave modernas:
Equilíbrio, estabilidade, trabalho, profissão, ocupação, empenho, perseverança, determinação, constância, persistência, firmeza, vínculo, segurança, fidelidade, ética, base sólida, fixo, apego, não deixar ir deixar como está, conservadorismo, devoção aos próprios ideais, vício, dependência, projeto a longo prazo, habitual, nenhuma modificação, possessividade, formação.

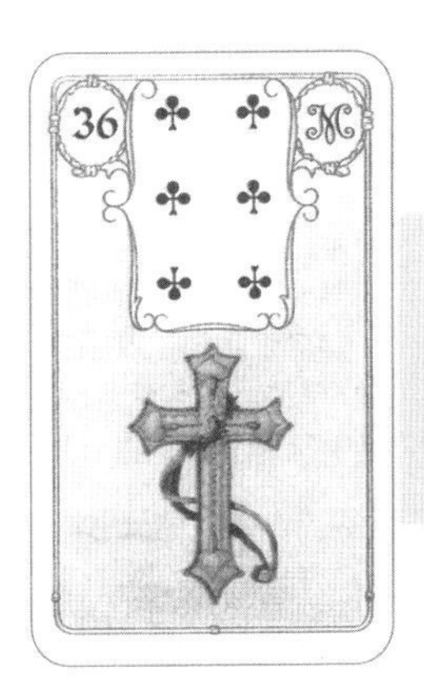

CARTA 36

A CRUZ

6 DE NOZES

"A CRUZ indica sempre uma situação desagradável, em toda e qualquer circunstância. Se muito próxima da carta da pessoa, o período de infortúnio é de curta duração."

Philippe Lenormand 1846

Qual o papel desempenhado pela carta numa leitura?
Conforme a sua posição, assim nos mostra qual área da vida o/a Consulente vai sentir a pressão da responsabilidade e dever.

Significado geral
Grandes cargos de responsabilidade na própria vida ou pessoa movida pelo poder da fé, não está livre de angústias e de enormes sacrifícios; traz valores e ideologias.

A carta A Cruz anuncia uma adversidade que o/a consulente vai ter de enfrentar. O caminho será fatigante e momentos de desânimo e dor não faltarão. Para cumprir essa missão, o/a Consulente vai necessitar de uma dose de coragem, de força e de muita fé, porque sem esses ingredientes nada se conseguirá. Perto da carta do/a Consulente, esta carta anuncia atribulação e uma provação a ser superada com muito sacrifício e renúncias. Combinada com a carta As Nuvens e a carta As Estrelas, pode identificar uma pessoa fanática, ou até uma situação pesada em que o/a Consulente necessitará da ajuda de alguém para sair dela; com a carta O Caixão, anuncia o agravamento da doença e provável morte do paciente; com a carta O Anel, assinala que o relacionamento atravessa uma fase de grave crise (observar as cartas ao redor para obter mais detalhes sobre o assunto).

A tradição diz que se a carta estiver em contato com o/a Consulente, as dores ou angústias serão de breve duração. Pessoalmente, não confirmei essa situação. Em algumas das minhas leituras, pude observar uma angústia maior, tribulações, dor e um grande sacrifício a cumprir ou a suportar determinados eventos e situações descritas pelas cartas vizinhas.

Numa leitura com o Grand Tableau, quando A Cruz se posiciona na casa n.º 1, anuncia que a situação geral da vida do/a Consulente se apresenta muito pesada e que é consciente do fardo que carrega; durante algum tempo a vida é caracterizada por lutas, sérios problemas e preocupações. As cartas circundantes darão maiores detalhes. Se, por exemplo, a carta Os Peixes se encontra vizinha da carta A Cruz, podemos afirmar fracassos financeiros, dívidas, contas que não se conseguem pagar. O/A Consulente também pode estar pagando por erros cometidos no passado, tanto que é comum encontrar a carta A Cruz numa leitura direcionada a alguém que está na prisão.

Palavras-chave tradicionais:
Infortúnio, sofrimento, sacrifício.

Palavras-chave modernas:
Dor, prova, teste, carga, um fardo, algo fatídico, angustiante, desespero, atribulação, aflição, provações, teste, prova, graves dificuldades, caminho difícil, lições de vida, tristeza, choro, lágrimas, consciência pesada, culpa, sentença, cumprir uma pena, remorso, arrependimento, algo decisivo, uma situação fatal, inevitável, cruz a carregar, encargo difícil, ato de fé, oração, crença, vocação, devoção, missão, ideologia, dogma, mistificação, fanatismo, infortúnio.

— CAPÍTULO 3 —

POLARIDADE E CARTAS SIGNIFICADORAS

Coube à segunda fase de estudos (capítulo 2) introduzir os significados das 36 cartas. Nela, aprenderam a reconhecer a essência de cada carta antes de entrar na parte mais profunda dos estudos. Agora sabem que a carta O Ramo de Flores, numa leitura, irá anunciar eventos alegres e felizes. Irá falar de coisas bonitas, convites e de gratidão. Na presença da carta A Raposa, irão saber que naquela pessoa ou evento marcado pelas cartas vizinhas, algo não está certo e que é necessária uma atenção maior no que se ouve, pensa-se e se faz.

No capítulo 3, iremos aprofundar os estudos das 36 cartas começando a reconhecê-las através das polaridades (cartas com valor positivo, negativo e neutro), das cartas Significadoras (cartas tema) e das várias áreas da vida em que se manifestam (amor, dinheiro, trabalho, saúde etc.).

POLARIDADE DAS 36 CARTAS

A polaridade de cada carta revela a sua verdadeira natureza:

- Positiva
- Negativa
- Neutra

AS CARTAS DE VALOR POSITIVO

As cartas com valor positivo são cartas benéficas, pois elas trazem estabilidade, equilíbrio, clareza, harmonia, paz e alegria. Vitórias e sucesso nos objetivos pessoais. Trazem esperança, força perante as várias adversidades da vida. Trazem mudanças favoráveis, crescimento, desenvolvimento, uma vida saudável e pacífica.

- As cartas com Valor Positivo são: O Trevo, O Ramo de Flores, A Criança, As Estrelas, O Cão, O Coração, Os Lírios, O Sol, A Lua.

CARTAS DE VALOR NEGATIVO

As cartas com valor negativo indicam a existência de uma situação grave que vai perturbar de forma negativa a vida do/a Consulente: esgotamento, ruptura, uma realidade dura e cruel, morte física, o fim de uma situação estável. Podem representar atrasos e bloqueios na concretização de um determinado acontecimento quando se encontram junto de outras cartas em jogo. Estas cartas impedem o desenvolvimento positivo de uma determinada situação, identificam limitações nas ações, afastam o/a consulente dos seus objetivos, dão resposta negativa a uma questão. Todos estes eventos podem provocar fragilidade emocional, psicológica e física a uma pessoa.

- As cartas com Valor Negativo são: As Nuvens, A Serpente, O Caixão, A Foice, A Vassoura e O Chicote, A Raposa, A Montanha, Os Ratos, A Cruz.

CARTAS DE VALOR NEUTRO

As cartas de valor neutro não fornecem informações suficientes sobre a situação, ou da pessoa que estamos investigando. São todas aquelas que expressam a incerteza e a dúvida, ou dependem de outra carta para se expressar.

- As cartas com Valor Neutro são: O Cavaleiro, O Navio, A Casa, A Árvore, As Corujas/Pássaros, O Urso, As Cegonhas, A Torre, O Parque, Os Caminhos, O Anel, O Livro, A Carta, O Homem, A Mulher, A Chaves, Os Peixes, A Âncora.

Nota importante:
A minha avó ensinou-me a polaridade das cartas (positivo, negativo e neutro), também pontualizou que todas as cartas eram subordinadas umas às outras para conhecer a sua verdadeira mensagem.
Dizia ela: "É como a personalidade de uma pessoa. As cartas também possuem o seu lado luz e sombrio e é na observação atenta das cartas vizinhas que se expressa melhor".

A Carta Significadora

Uma carta significadora desempenha um papel fundamental, uma vez que, através da sua posição na leitura (especialmente quando se trabalha com o Grand Tableau), podemos determinar – através das cartas que a circundam – quais os eventos e oportunidades que estão influenciando ou que estão para entrar na vida do/a nosso/a consulente.

Portanto, numa leitura, a carta significadora age como uma bússola mantendo uma leitura equilibrada e objetiva.

As cartas significadoras estão divididas em dois grupos:

Grupo 1: Carta significadora – Pessoas
A função de uma carta significadora pessoas é identificar fisicamente o/a consulente, uma determinada pessoa ou um animal numa leitura.

Grupo 2: Carta significadora – Tema
A função de uma carta significadora tema é dar indicações sobre um determinado assunto ou área da vida: sentimento, relacionamento, trabalho, dinheiro, saúde etc.

A ESCOLHA DA CARTA SIGNIFICADORA

Todas as 36 cartas do baralho podem ser escolhidas para representar uma pessoa, um estado emocional, uma situação, um objeto ou uma esfera da vida humana. Mas só algumas cartas se destacam nessa representação. Por exemplo:

- Carta tema que representa o/a CONSULENTE: O Homem e A Mulher
- Carta tema para o AMOR: O Coração
- Carta tema para uma RELAÇÃO: O Anel
- Carta tema para a FAMÍLIA: Os Lírios
- Carta tema para QUESTÕES DE IMÓVEIS ou a PRÓPRIA HABITAÇÃO: A Casa
- Carta tema para o TRABALHO: A Âncora
- Carta tema para os ESTUDOS: O Livro
- Carta tema para as FINANÇAS: Os Peixes
- Carta tema para a AMIZADE: O Cão
- Carta tema para NOTÍCIAS: A Carta
- Carta tema para VIAGENS: O Navio
- Carta tema para a LEI ou QUESTÕES BUROCRÁTICAS: A Torre
- Carta tema para a RELIGIÃO: A Cruz
- Carta tema para a ESPIRITUALIDADE: As Estrelas
- Carta tema para a SAÚDE: A Árvore
- Carta tema para a DOENÇA: O Caixão
- Iremos explorar algumas cartas significadoras em detalhes, de maneira que possam compreender melhor o papel que elas têm numa leitura.

GRUPO 1
CARTA SIGNIFICADORA – PESSOAS

Quando o/a Consulente nos procura para qualquer tipo de questão que o aflige, é importante que consigamos identificar as pessoas que podem estar influenciando a vida do/a Consulente naquele momento e também individualizar qual ou quais pessoas podem ajudar.

A identificação de pessoas no baralho Petit Lenormand acontece através dos seguintes três pontos:

1. As duas cartas Consulentes: O Homem e A Mulher;
2. As 34 cartas do baralho;
3. As 12 figuras da corte.

Os pontos 2 e 3 representam pessoas que o/a Consulente conhece ou que estão diretamente envolvidas na questão investigada.

AS DUAS CARTAS CONSULENTES: O HOMEM E A MULHER

Como podem notar – diferentemente de outros baralhos (como o Tarô, a Sibilla Italiana ou o baralho comum) nos quais a escolha da carta que irá representar o/a Consulente na leitura é efetuada através de uma elaborada operação que envolve o conhecimento, seja dos arcanos maiores, das figuras da corte ou da astrologia – o baralho Petit Lenormand contém, já incorporadas nas 36 cartas, duas cartas que têm como única função representar o/a Consulente na leitura. Essas cartas são a carta 28 – O Homem e a carta 29 – A Mulher.

Na folha de instrução do Philippe Lenormand, escrito no ano 1846, encontramos três frases que nos dão as primeiras informações de como usar e qual o papel que desempenham as duas cartas que representam o/a Consulente na leitura.

A primeira frase diz:

> "A pessoa que deseja conhecer o seu futuro é apresentada pela carta 29, se é uma mulher ou o 28, se for um homem."

A segunda frase diz:

> "Devemos centrar-nos e, ter uma grande atenção nestas duas cartas, 28 e 29. O seu posicionamento (na distribuição) indica a felicidade futura ou o infortúnio da pessoa; todas as outras cartas adquirem o seu significado a partir destas duas e, de uma maneira geral, o seu posicionamento, desde a maior proximidade ou máximo afastamento das duas cartas citadas, determina a mensagem do destino."

A terceira frase diz:

> "Todo o jogo tem como base qualquer uma destas duas cartas, dependendo apenas se o consulente é mulher (29) ou homem (28)."

Portanto, as cartas O Homem e A Mulher desempenham um único papel: o de representar fisicamente o/a Consulente na leitura. Se a leitura for solicitada por uma pessoa do sexo masculino, a carta O Homem retrata o próprio Consulente. Caso a leitura seja solicitada por uma pessoa do sexo feminino, a carta A Mulher representa a própria Consulente.

Estas duas cartas, como aprendemos com os ensinamentos do Philippe Lenormand, são o ponto central numa leitura, especialmente quando se trabalha com o método do Grand Tableau onde a leitura inicia-se partindo da localização e da posição em que se encontra a carta Consulente no Tableau.

Entraremos em mais detalhes sobre este argumento no capítulo 7 onde enfrentaremos o estudo deste método. Por ora, vamos nos concentrar nos estudos do reconhecimento de pessoas nas cartas.

AS DUAS CARTAS CONSULENTES NUMA LEITURA DE RELACIONAMENTO

Quando a leitura se refere a um relacionamento, de qualquer gênero, a outra carta Consulente vai representar a outra pessoa na leitura.

Por exemplo: se é um homem que solicita a leitura, a carta que o representa será O Homem e a carta A Mulher representa uma mulher de vital importância para o Consulente que poderá ser a noiva, a namorada, a esposa, a amante, a colega, a tia, a irmã, a mãe etc. dependendo da pergunta colocada pelo/a Consulente.

Por outro lado, se quem solicita uma leitura for uma mulher, a carta A Mulher irá representá-la e a carta O Homem representará o esposo, o noivo, o namorado, o amante, um colega, pai, tio, irmão, primo etc.

O importante é que, antes da leitura, a outra carta Consulente venha "batizada" com o nome dessa pessoa.

Por exemplo, vamos supor que eu deseje conhecer o estado da minha relação profissional com um colega de trabalho. A carta A Mulher batizo-a com o nome de Odete, porque esta carta irá representar-me fisicamente na leitura. Por sua vez, a carta O Homem irei batizar com o nome do meu colega.

O termo "batizar" a carta do/a Consulente e carta tema foi utilizado, pela primeira vez, pela cartomante americana Sylvie Steinbach, autora do livro em língua inglesa The Secret soft the Lenormand Oracle (2007), para identificar fisicamente o/a Consulente e a outra pessoa numa leitura. Sylvie pertence à "escola" Lenormand francesa.

COMO AGIR NOS CASOS EM QUE A PESSOA A SER INVESTIGADA NA LEITURA SEJA DO MESMO SEXO DO CONSULENTE?

Se o seu baralho de cartas contém uma única carta para representar o sexo masculino e outra para representar o sexo feminino (como o baralho aqui usado neste manual, o baralho Blue Owl Lenormand), atribua a uma delas a representação do elemento do mesmo sexo do/a Consulente.

Em outras palavras, se o Consulente homem pede uma leitura para o seu irmão, tio, colega ou até mesmo para o seu companheiro, a carta A Mulher irá representá-lo; se a nossa Consulente (mulher) pede uma leitura para sua amiga, irmã, colega ou companheira, a carta O Homem irá representá-la.

Para quem tem prática com o computador, pode criar as próprias cartas extras. Ao fazê-las é importante observar três pontos:

1. Virar a carta de maneira que as duas personagens se "olhem";
2. Mudar o naipe da carta. Por exemplo, a carta O Homem tem como naipe o Ás de Corações. Ao criar uma carta extra do mesmo sexo, iremos colocar como naipe o Ás de Folhas;
3. Mudar o número da carta. A carta O Homem por exemplo, é representada pelo número 28. E como a carta extra irá substituir a carta A Mulher, carta número 29, é natural que a carta carregue o número 29.

Assim sendo, obteremos as nossas cartas extras. Vejam o resultado a seguir:

CONSULENTES DO SEXO MASCULINO

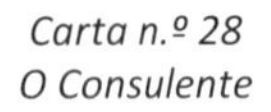
Carta n.º 28
O Consulente

Carta n.º 29
A outra pessoa

CONSULENTES DO SEXO FEMININO

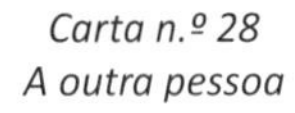
Carta n.º 28
A outra pessoa

Carta n.º 29
A Consulente

No mercado, existem alguns baralhos criados por autores ou cartomantes, que contêm duas ou mais cartas Consulentes extras.

Sugiro-lhes alguns deles:

- Gilded Revirie Lenormand do autor Ciro Marchetti.
- Lilac Dondorf Lenormand (Tenho e trabalho com ele no Grand Tableau).
- The game of hope.

QUANDO A OUTRA CARTA NÃO VEM "BATIZADA"

Numa leitura onde a outra carta não está representando alguém em particular, é necessário prestar atenção às cartas que entram em contato com ela, porque vão fornecer informações relevantes sobre essa pessoa. De fato, as cartas vizinhas identificam o estado civil (casado/a, divorciado/a, viúvo/a), a idade (se jovem ou maior de idade), o tipo de ligação que tem com o/a Consulente (pai, mãe, padrasto, madrasta, padrinho, madrinha, irmão, irmã, primo/a, tio/a, avó, avô patrão, patroa, colega, etc.), características físicas (alto/a, baixo/a, magro/a, gordo/a, loiro/a, etc.) e de personalidade (honesto/a, desleal, mentiroso/a, inteligente, ignorante, educado/a, forte, etc.) deste Homem ou Mulher.

AS 34 CARTAS DO BARALHO: OUTRAS PESSOAS NAS CARTAS

Como estudamos anteriormente, o baralho é composto de 36 cartas e duas cartas têm a única função de representar o/a Consulente numa leitura.

Agora vamos concentrar-nos nas restantes 34 cartas (símbolos), que algumas delas também podem dar a identidade de uma determinada pessoa, como parentes (pai, mãe, filho/a, sogro/a, genro, nora, avós, primos etc.), amigo/a, colegas, inimigos, rivais, adversários, advogado, juiz, médico etc. ou podem criar o perfil de uma pessoa. As cartas vizinhas à carta que representa o/a Consulente permitem, além de indicar o estado em que se encontra no momento da consulta, também possibilita descrevê-lo: estado civil, aparência física, personalidade, crença, estado de saúde, profissão, estado financeiro.

Existem alguns métodos de leitura que podem servir de apoio na identificação e na descrição das pessoas numa leitura. Mais adiante (Capítulo 7), apresento-lhes um método e um exemplo demonstrativo.

ELENCO DE PESSOAS NAS 34 CARTAS

Carta 1: O Cavaleiro

Filho, amante, conhecido, hóspede, viajante, forasteiro, um portador de notícias, uma pessoa estrangeira, mensageiro, um/a novo/a empregado/a, carteiro (se esta carta vier acompanhada com a carta do envelope), taxista, condutor, piloto, maquinista, representante, garçom, intermediário, mediador, cliente, fornecedor, jóquei, cocheiro, militar, toureiro, cowboy, texano, índio, atleta, atleta profissional, escoteiro, guia. Alguém que está prestes a entrar na vida do/a consulente.

Por vezes, representa alguém que se encontra no estrangeiro em trabalho ou por outras razões. Eu vivo na vizinhança da fronteira com a Itália e considero que esta carta representa os emigrantes que entram e saem todos os dias da Suíça. Mas também alguém que vem de outra cidade, percorrendo quilômetros (não maior que aquela representada da carta O Navio) para trabalhar ou para fazer viagens pendulares (vai e vem diário).

Carta 2: O Trevo

Uma pessoa que surge inesperadamente em auxílio do/a consulente. Pode ser alguém com quem não se tem contatos frequentes ou até um desconhecido que propõe uma ideia, um caminho para resolver uma questão difícil. Um apostador, jogador.

Carta 3: O Navio

Representa um estrangeiro ou estrangeira. Tenho observado a tendência de muitos para classificar a carta como representando uma pessoa de pele escura ou morena. O Navio, como carta única, só pode identificar uma pessoa estrangeira ou de origem estrangeira (se a carta ao lado for A Árvore, identifica uma pessoa com ascendência estrangeira), nada mais. As cartas vizinhas darão mais detalhes sobre as suas origens. Por exemplo:

- O Sol: originário de um país tropical, exótico ou do Sul;
- As Estrelas: origem nórdica;
- Os Lírios: originário de um país frio;
- Os Peixes: origem mediterrânea ou em contato com o oceano, mar, praia (já comprovei esta combinação para turistas também).

Também é possível identificar a cor da pele da pessoa:

- O Caixão: representa uma pessoa de raça negra;
- O Sol: representa uma pessoa morena;
- Os Lírios: representa uma pessoa branca (muito clara). E assim sucessivamente.

A carta representa: estrangeiro/a, étnico, emigrante, marinheiro, comerciante, pessoas que vivem longe.

Carta 4: A Casa

Representa uma pessoa ligada à família: um parente, um vizinho de casa, um amigo íntimo (se a carta O Cão estiver ao lado), dona de casa, caseiro, porteiro/a, proprietário/a de casa (com a carta O Urso), corretor.

Carta 5: A Árvore

Paciente, ambientalista, pessoas que trabalham na área da saúde (médicos, enfermeiros, assistentes, auxiliares), os antepassados.

Carta 6: As Nuvens

Um/a ex, toxicodependente, operário, espírito.

Carta 7: A Serpente

Inimigo oculto, adversário, rival, amante, ex-namorado/a ou ex-mulher/marido (caso não se use a carta da corte como orientação dos personagens na leitura), psicólogo/a, curandeiro/a.

A Serpente

- O Caixão: ocultista, adepto da magia;
- As Corujas: bruxa, feiticeira, curandeira;
- As Corujas + As Estrelas: vidente;
- As Corujas + O Caixão: médium;
- As Estrelas: astrólogo;
- O Livro: amante, inimigo oculto.

Carta 8: O Caixão

Pessoa propensa à doença ou um doente. Vítima de um desastre (acidente, terremotos, desmoronamento). Um defunto, um cadáver, um desaparecido/a, viúvo/a, solteiro/a, um/a ex, órfão. Arqueólogo/a. Pessoal que trabalha em contato com os mortos.

Carta 9: O Ramo De Flores

Uma amiga, irmã, filha, sobrinha. Esteticistas, cabeleireiros, estilistas, modelos, artistas. Alguém que cuida do/a consulente com dedicação e carinho. Um pretendente ou alguém que demonstra interesse pelo/a consulente.

Carta 10: A Foice

Divorciado/a, crítico, cirurgião, dentista, tatuador, agricultor. Trabalhadores da colheita de uvas, frutas, verduras, azeitonas.

Cabeleireiro/a, barbeiro. Costureiro/a, alfaiate, bordadeiras. Vítima de um acidente ou da guerra, agressor, assassino/a, homicida, mercenário, soldado.

- A Foice + O Anel: pessoa divorciada.

Carta 11: A Vassoura e O Chicote

Agressor, acusado (réu), ditador, autoridade da lei, advogado/a, árbitro, instrutor disciplinador, treinador. Militar. Pessoal da limpeza. Ativista.

Carta 12: As Corujas

Por vezes pode surgir representando duas pessoas: um casal, gêmeos. Pode também representar um pequeno grupo de pessoas. Bruxo/a, cartomante, ocultista. Telefonista, recepcionista, mediador, locutores, apresentador/a de televisão ou produtos, negociante. Informador, orador, palestrante, leiloeiro.

As Corujas

- As Crianças: dois filhos, duas crianças, gêmeos;
- Os Lírios: um casal de idosos.

Carta 13: A Criança

Bebê, criança, jovem, adolescente (com a carta O Cavaleiro), filho/a, sobrinhos, netos, menor da família, debutante, principiante, discípulo, estudante, aluno. Baby-sitter (babá), educador/a de infância, professor do 1º ciclo.

A Criança

- A Árvore: filho biológico;
- A Torre: Filho/a único/a;
- O Anel: filho adotivo;
- O Livro: estudante, aprendiz, debutante, filho/a ilegítimo/a, uma criança desconhecida.

Carta 14: A Raposa

Suspeito, malandro, um falso profeta, charlatão, um ladrão, falsário, espião, assediador, criminoso, mafioso, assassino, serial killer, caçador.

"Advogado do diabo". Apostador, ator ou atriz. Um vendedor/a, político, engenheiro, detetive, polícia à paisana, perito.

Rodeada de cartas positivas, A Raposa pode representar uma pessoa que vai ajudar o/a consulente a resolver uma questão importante, mas não a confunda como amigo porque A Raposa nada faz sem um interesse concreto. Os seus interesses pessoais estão em primeiro lugar.

Carta 15: O Urso

Os pais, mestre, empresário, empreiteiro, chefe, superior, diretor, gestor, gerente, proprietário, autoridade, patriota, amante, uma pessoa comprometida (casado/a, noivo/a), pessoa mais velha. Oficial (funcionário, magistrado, polícia, militar caso esteja combinada com a carta A Vassoura e O Chicote ou A Torre), alguém que aplica a lei. Líder. Nutricionista, cozinheiro/a.

O Urso

- A Casa: senhorio;
- A Árvore: mãe;
- A Vassoura e O Chicote: árbitro, polícia, advogado;
- A Torre: pai, advogado, governador, chefe (de estado). Pessoa idosa;
- A Torre + A Cruz: Papa, padre;
- A Montanha: advogado acusador;
- O Coração: amante;
- O Livro: professor, instrutor, diretor escolar, contabilista, advogado;
- Os Lírios: avó, chefe da família, tutor, mentor. Juiz.

Carta 16: As Estrelas

Clarividente, vidente, profeta, astrólogo/a, astrônomo, cientista, artista, pessoal do mundo da televisão, cinema, teatro, espetáculos, moda, música, arte, pessoa famosa.

Carta 17: As Cegonhas

Emigrante, nômade, parteira, obstetra, fornecedor, transportador.

Carta 18: O Cão

Amigo/a próximo/a, companheiro/a, parceiro/a, irmão/a, filho/a adotado/a, inquilino, colega, pessoal médico (enfermeiro/a, médico/a, auxiliar). Alguém que se conhece bem (pessoa íntima). Padroeiro, seguidores, ajudante, guarda, polícia (com A Montanha, guarda da fronteira, penitenciário), escolta. Animal de estimação.

O Cão

- A Casa: amigo/a da família, vizinho de casa, inquilino;
- A Árvore: amigo/a de longa data, enfermeiro/a, auxiliar de enfermagem;
- O Urso: amigo/a mais velho, advogado defensor, protetor;
- As Cegonhas: anjo da guarda;
- A Carta: amigo/a de contato (internet).

Carta 19: A Torre

A carta A Torre pode representar pessoas da autoridade ou que ocupam cargos importantes (com poder) como políticos (vereador, prefeito, deputado, presidente da república, governadores, senador). Administradores, executivo, diretor, superior. Pessoas que lidam com a lei (policiais, juízes, advogados). Quando acompanhada pela carta O Urso, representa um funcionário público, do governo, fiscal, um empresário. Uma pessoa de alta patente no exército (comandante, capitão). Professor universitário, se A Torre vem combinada com a carta O Livro. Um especialista médico, se estiver perto da carta A Árvore. Intelectual se acompanhada da carta O Livro (também podemos ver um pensador ou psicólogo com esta combinação).

Carta 20: O Parque

O público, cidadãos, população, clientes, eleitores, grupo, equipe, fãs, quadro de funcionários, organizador/a de eventos, turma, jardineiro/a, conhecido/a, ator.

Carta 21: A Montanha

Procurador, advogado de acusação, inimigo/a, adversário/a. Um funcionário que bloqueia o andamento de uma tarefa, um chefe, um supervisor. Inválido, deficiente físico. Preso, prisioneiro, escravo, eremita. Geólogo, alpinista, esquiador. Guarda da fronteira (empregado da fronteira). Desempregado/a.

Carta 22: Os Caminhos

Um caminhante, peão, separada (mas não legalmente), explorador, vendedor/a ambulante, pessoa da rua, cigano.

Carta 23: Os Ratos

Mendigo, ladrão de carteira, sequestrador, vândalo, infiltrado, hacker, traficante, contrabandista, clandestino/a, desaparecido/a, fugitivo/a. O que vive às custas de outrem (gigolô/cafetão). Desocupado/a.

Carta 24: O Coração

A pessoa que o/a consulente ama ou que lhe é muito querida. Na maioria das vezes, é uma pessoa que o/a consulente conhece muito bem. Essa pessoa tem boas intenções para com o/a consulente.

O Coração

- O Parque: fãs;
- O Livro: amante.

Carta 25: O Anel

A carta O Anel representa todas as pessoas com quem se tem uma ligação de qualquer gênero ou pessoas com quem nos ligamos através de uma cooperação, união: marido/mulher, noivo/a, namorado/a, parceiro/a, sócio/a, empregado/a, funcionário/a, colega. O devedor e o cobrador, o proprietário da casa, etc. Representa também um grupo de pessoas que fazem parte de uma associação, uma cooperativa, um clube, uma equipe, um clã etc. Aqui também identificamos pessoas com quem se tem uma ligação familiar adquirida pelo casamento ou união, como cunhados, sogros, padrinhos e madrinhas, filho/a adotivo/a.

Carta 26: O Livro

Escritor/a, editor, livreiro, bibliotecário/a, orientador, conselheiro, professor/a, educador/a, instrutor/a, estudante, pesquisador/a, descobridor, explorador, historiador, arquivista. Desconhecido/a ou alguém que não se conhece bem. Admirador/a secreto.

Ao lado desta carta encontram-se os companheiros/as de escola, de estudo, mas também pessoas desconhecidas ou alguém que não se conhece bem, ou alguém que se deseja manter em anonimato; na posição depois da carta do/a consulente, alguém que não se conhece.

Carta 27: A Carta

Um contato (redes sociais), um/a intermediário/a, informante. Carteiro, secretário/a, correspondente. Um dos contatos na rede social.

Carta 30: Os Lírios

Representa uma pessoa mais velha que o/a consulente: um homem, uma mulher, os avós, bisavós, tios, sogros, uma figura paterna ou materna na vida do/a consulente. Uma pessoa séria que vai dar apoio e proteção; alguém que vai cuidar dos interesses do/a consulente: um assistente social, um consultor familiar, um embaixador, um conselheiro, conciliador, patrocinador, promotor, um advogado, Juiz, magistrado. Padrinho, médico, idosos, mentor. Pode também representar um membro da família ou um parente distante se vem acompanhada com a carta O Navio.

- Os Lírios + A Árvore: médico/a especialista ou pessoal de enfermagem. Mentor ou guru. Holístico.

Carta 31: O Sol

Na maioria das vezes, representa um líder ou uma pessoa muito influente. Uma pessoa conhecida. Reikiano, Eletricista.

Carta 32: A Lua

Poeta, celebridade. Alguém conhecido, muito popular. Vigia noturno.

Carta 33: A Chave

Representa uma pessoa chave na vida do/a consulente. Segurador/a, guarda carcereiro, serralheiro. Intérprete, programador (técnico) de informática.

Carta 34: Os Peixes

Uma pessoa madura e influente que construiu a sua fortuna passo a passo com empenho e inteligência. Pode representar uma pessoa que viaja muito por questões de negócios. Bancário/a, acionista, empresário/a, comerciante, vendedor/a (online), pescador, nadador.

Carta 35: A Âncora

Vizinha de uma carta que representa o/a Consulente pode ser: um colega, chefe de trabalho, superior, companheiro/a.

Carta 36: A Cruz

Clero, religioso/a, missionário/a. Acusado (réu), condenado, doente. Uma pessoa que precisa de ajuda e apoio em todos os sentidos.

AS CARTAS PARA PERSONALIDADE, CARÁTER E ATITUDE

Carta 1: O Cavaleiro

Decidido, corajoso, ativo, dinâmico, animado, independente e inteligente. Cheio de ideias e iniciativas, tem uma mente aberta, com grande capacidade de se adaptar, ama a aventura, gosta de viajar, respeitando sempre fielmente as leis, sejam elas governamentais ou pessoais. De caráter impulsivo e intuitivo, age prontamente em seu próprio interesse, sem deixar escapar qualquer oportunidade que apareça, obrigado por isso a conviver com situações de risco para a própria existência. Tem o olhar voltado para o futuro e os seus objetivos são bem definidos. Conquista com lealdade os próprios objetivos e é seguro de si mesmo, conduz suas reuniões e encontros profissionais ou pessoais com diplomacia, sempre muito direto, sem pretextos e subterfúgios.

Carta 2: O Trevo

É uma pessoa desejada e admirada por muitos. É alegre, otimista, demonstra bom humor e boa disposição com a vida. Esta pessoa tem qualidades muito raras e especiais, colocando-se ao serviço dos outros, abrindo portas, transmitindo motivação para seguir em frente na realização de projetos. Inspira confiança, está sempre disponível e sem segundas intenções. É uma pessoa afortunada, generosa, mas tímida e modesta. É uma pessoa que sabe aproveitar as pequenas oportunidades que a vida apresenta e desfruta-as realizando grandes feitos. Adota sempre uma atitude positiva e otimista, quando tem de enfrentar uma questão. É alguém que não tem medo de correr riscos na vida.

Carta 3: O Navio

Pessoa de mentalidade aberta e de personalidade curiosa, que procura novos desafios e objetivos. Ama viajar, entrar em contato com culturas e lugares diferentes que contribuem para o seu próprio crescimento pessoal e espiritual. Tem espírito de aventura e ama explorar todos os espaços/locais que o levem a viver momentos de liberdade e que acrescentem algo de novo à sua experiência de vida. É possível que estas "viagens" de exploração interna ou externa levem o/a Consulente não só a mudar o seu modo de ver, sentir e viver a vida, como também a modificar o próprio estilo de vida a nível cultural, alimentar, religioso, musical e também no modo de vestir. Na fase atual da sua vida, o/a Consulente está de olhos postos no futuro. Está "em alto mar" e como tal, durante a "travessia" entre o sonho, projeto, construção e realização, viverá tempestades e marés calmas. Por vezes é emotivo e nostálgico.

Carta 4: A Casa

Esta carta representa uma pessoa agradável, amiga, anfitriã, acolhedora, confiável, útil e responsável. Uma personalidade caseira e sedentária.

Ama o aconchego que recebe na própria casa, gosta de passar o seu tempo com os que ama ou num espaço ambiental onde possa exprimir- se livremente e sentir-se "em casa". Agarrado às suas raízes, pátria, família, sente a necessidade de manter as suas tradições culturais e religiosas. Estes são os valores pelos quais vale a pena lutar, para que se mantenham vivos na sua família e vida. Seja qual for a situação que a pessoa representada por esta carta esteja vivendo no momento da leitura, ela tem de se sentir confortada e segura para garantir um bom equilíbrio mental e emocional.

Carta 5: A Árvore

Geralmente representa uma pessoa sólida e resistente perante as adversidades da vida. Tranquila, paciente, acolhedora, tende a ser preguiçosa e aborrecida (chata).

Carta 6: As Nuvens

Possui uma personalidade facilmente irritável, com tendência para alterações contínuas de humor. Muitas vezes, o seu estado mental e as suas emoções resultam de preocupações, medos infundados e banais ou da situação do momento. É instável, pouco confiável, muda de opinião rapidamente. Não tolera críticas e tem uma visão distorcida da vida. Pode ser que ande com a cabeça nas nuvens e distraído/a no que diz respeito ao cumprimento de algumas obrigações importantes da vida. Não é uma pessoa confiável. Se a parte escura da carta As Nuvens estiver em contato com uma das cartas que representam o/a consulente, confirma-se a existência de um lado obscuro, ambíguo, impenetrável. Pode deixar-se levar por crenças ou ideias até o estado de fanatismo. As cartas circundantes darão mais detalhes sobre a questão.

Carta 7: A Serpente

A carta A Serpente identifica uma pessoa de caráter magnético, cativante, sedutor, atrativo, diplomático, esperto, inteligente, calculista, falso, mentiroso, hostil, hipócrita, traiçoeiro, venenoso e perigoso. Obstinado e vingativo. Autoconfiante. Uma pessoa que está desejando a infelicidade do/a consulente. Quando é guiada pela inveja e ciúmes, a pessoa age de maneira fria e atinge a reputação do seu rival com mentiras e calúnias. A Rainha de Nozes representa, na escola Alemã, uma mulher amarga e ácida, que pode vir ou que já está complicando a vida do/a consulente. Sábio, experiente e inteligente. Nada o apanha de surpresa.

Carta 8: O Caixão

Triste, exausto, deprimido, melancólico. Infeliz, insatisfeito, vazio, sozinho/a. Uma pessoa fechada em si mesma, com os seus tormentos e angústias. Está parada sem qualquer perspectiva de vida. Tem uma visão negra da situação e tem atitudes pessimistas na sua vida. Por vezes,

O Caixão representa uma pessoa solitária, que está atravessando uma fase de profunda dor. As suas motivações encontrar-se-ão retratadas nas cartas vizinhas. Trata-se de uma pessoa misteriosa e impenetrável.

Carta 9: O Ramo de Flores

Elegante, amável, encantador, agradável, cordial, com boas maneiras, otimista. Sensível, fascinante, sensual, bonito, simpático e feliz. Tem sentido de oportunidade e diplomacia quando necessário. Seja qual for a situação que esteja incomodando o/a Consulente num determinado momento, ele enfrenta-a com um comportamento educado e civilizado. Boa companhia.

Carta 10: A Foice

É assim que os outros o vêm: imprevisível, agressivo/a, violento/a e língua afiada. É assim que ele/ela é: decidido, radical, seguro de si, age no momento certo e não recua nas suas decisões.

Carta 11: A Vassoura e O Chicote

Dominador/a, autoritário/a e prepotente. Polêmico/a, conflituoso/a, agressivo/a, nervoso/a, agitado/a. Alguém com quem é impossível conviver.

Carta 12: As Corujas

Esta interpretação é muito pessoal. Tradicionalmente a interpretação da carta n.º 12, do Petit Lenormand leva os significados dos Pássaros.

- As Corujas: sabedoria, conhecimento superior, discrição, calma, discreto/a, calado/a. Prende-se aos detalhes.
- Os Pássaros: irrequieto/a, apressado/a, nervoso/a, excitado/a. Tímido/a e medroso/a. Tem grande energia física, uma ferocidade e coragem notáveis, quando tem de defender seu território e sua própria comida. Grande falador/a. Não se prende aos detalhes.

Carta 13: A Criança

Ingênuo/a, infantil, inexperiente, imaturo/a, suscetível, espontâneo/a, brincalhão, sorridente, animado/a e curioso/a, é inconstante, distraído/a. Não leva as questões da vida a sério ou com responsabilidade.

Carta 14: A Raposa

Foco e determinação é o lema da pessoa representada pela carta A Raposa. É um ser que se adapta às condições de vida; é prático/a e veloz no que diz respeito ao raciocínio e à capacidade de colocar em prática os seus próprios planos. Sabe contornar magistralmente os obstáculos que a vida lhe apresenta pela frente. De fato, usa toda a sua inteligência, astúcia, criatividade, habilidade e engenhosidade para sair das armadilhas ou complicações da vida.

É metódico/a, estratégico/a, paciente e oportunista. Segue, seduz a vítima antes de mostrar a sua verdadeira intenção, atacando e "matando" sem qualquer sentimento de piedade ou remorso. Trata-se de uma pessoa que usará todos os recursos ao seu dispor ou, caso eles não existam, será capaz de "criá-los" para conseguir alcançar o seu objetivo. É a lei da sobrevivência que o torna num feroz predador, caçador. É ágil, encantador/a e usa todo o seu charme para conseguir o que quer. Tem uma personalidade forte, corajoso/a e determinado/a. É inteligente, analítico, resistente e confia no seu poder intuitivo, colocando-o em prática sempre que necessita de lidar com situações difíceis. Não segue a multidão, o ritmo dos outros.

A pessoa Raposa caracteriza-se pela sua individualidade, por ser diferente dos outros, age por conta própria e não se deixa levar pelos outros. Tem pleno controle sobre si mesma. Se a carta A Raposa está rodeada ou em contato com cartas negativas, como a carta Os Ratos ou A Serpente, pode vir a utilizar recursos ilegais para alcançar um determinado objetivo. É um hábil manipulador e usa a seu favor as fraquezas dos outros.

São pessoas que conversam sobre tudo, mas são superficiais em vários assuntos, porque se informaram só o suficiente para uso em benefício próprio. Conhece o suficiente para encantar, enganar e obter o que deseja. É incapaz de ser fiel e não gosta de receber ordens. Vive de aparências. Mostra-se despercebido, escapa velozmente às situações em que não se sente confortável e fica observando de longe o desenrolar da questão, esperando o momento oportuno para voltar a atacar.

Carta 15: O Urso

Personalidade e caráter forte, corajoso/a, protetor/a, maduro/a, paternal ou maternal, por vezes rude, frio/a, possessivo/a, ciumento/a. Movimentos lentos, mas decisivos. Defensor/a da lei e da pátria. Representa uma pessoa conservadora.

Carta 16: As Estrelas

Pessoa serena, positiva, inteligente, clara nos seus propósitos, espiritual, artisticamente talentosa. Esotérica.

Carta 17: As Cegonhas

Trata-se de uma pessoa com caráter meigo/a, agradável, bondoso/a, amoroso/a, carinhoso/a e fiel. De postura correta, responsável e confiante. Ativo/a e flexível. Detentor de entusiasmo mutável e adaptável às circunstâncias da vida. Tem espírito nômade, desagrada-lhe a monotonia ou provavelmente a vida lhe exige constantes deslocamentos para outros destinos. É modesto/a e tímido/a e não procura a fama.

Pessoa de mente e corpo puros. Mesmo assumindo todas as características apresentadas anteriormente, é importante não esquecer que esta carta está associada a uma mudança e, por essa razão, aconselha-se uma observação cuidadosa das cartas vizinhas, para melhor compreender o que está chegando. Se o/a Consulente se encontra numa fase emocionalmente e psicologicamente nervosa, incerta, triste, a carta As Cegonhas anuncia uma mudança desse estado para melhor. Caso contrário, se o estado emocional, psicológico do momento é de alegria, otimismo, confiança, generosidade, a carta traz uma modificação desse estado para pior.

Carta 18: O Cão

É equilibrado/a e mantém-se fiel aos seus amores e amigos. Goza da confiança dos outros. Honesto/a, entusiasta, é impossível resistir aos seus encantos. Confiável, afável. Alguém com quem se pode contar incondicionalmente. Franco/a, leal e firme nas suas convicções. É intuitivo/a, segue o próprio instinto na escolha das suas amizades. É popular e querido/a entre os amigos. Sincero/a, disponível, de caráter adaptável, mas pode sentir a necessidade de ter a aprovação dos outros na sua vida. É tranquilo/a e preguiçoso/a.

Carta 19: A Torre

É tradicionalista, conservador/a, não gosta de mudanças e quer manter as coisas tal e qual como estão. Pessoa que não consegue esquecer o passado. Esta carta costuma ser apelidada de pessoa velha, por representar uma postura de disciplina, correção e maturidade. Tenacidade, resistência, força e determinação, mas também rigidez, prepotência, frieza, orgulho, arrogância, insensibilidade, egoísmo e autoridade. Gosta da estabilidade e, por isso, representa uma pessoa com hábitos regulares.

Carta 20: O Parque

Gosta de transmitir boa impressão de si mesmo, sente necessidade da aprovação dos outros e também de estar no centro das atenções. Gosta de ser apreciado/a e elogiado/a. Pessoa que adora compartilhar com os outros os próprios interesses.

Carta 21: A Montanha

Frio/a, duro/a, implacável. Forte sentido de responsabilidade. Leva muito a sério os seus deveres. É severo/a, dominador/a, arrogante, hostil. Impetuoso/a, ama desafios e riscos. Firmeza de caráter. Despreza a opinião dos outros, não recebe ordens: impõe, dita, ordena e pretende que se cumpra. Tem paciência e coragem necessárias para empreender projetos a longo prazo. Controla as próprias emoções e detesta perder tempo. Dureza no comportamento, preciso, previdente, calculista, necessita de equilíbrio em tudo. Este seu comportamento protege-o/a de armadilhas futuras. Ama a solidão. A sua presença transmite medo aos outros. É fascinante, ama a montanha e lugares tranquilos.

Carta 22: Os Caminhos

O/A Consulente está sem pontos de referência, perturbado/a, desorientado/a. Evasivo, ainda não sabe o que quer. Pensa muito e é inquieto/a. Tem a mente repleta de pensamentos e não consegue concentrar-se ou direcionar o pensamento com objetividade para um projeto ou fazer escolhas.

Carta 23: Os Ratos

Representa uma pessoa que, no momento da consulta, se sente extremamente estressada, preocupado/a com a sua situação de vida (as cartas vizinhas fornecerão mais informações sobre o problema). Não é capaz de libertar-se das suas próprias angústias, deixando-se devorar pela raiva ou situações que o/a fazem sentir-se culpado/a. Foge das situações negativas ou das próprias responsabilidades. Procura o caminho mais fácil para resolver os problemas. Uma pessoa mal-educada, complexada, medrosa, tímida, com baixa autoestima, ignorante.

Carta 24: O Coração

Honesto/a, leal, generoso/a, afetuoso/a, amoroso/a, doce, agradável, feliz e sorridente. É emotivo/a, sensível e confia nos próprios sentimentos. Aconchegante, hospitaleiro/a, atencioso/a, compreensivo/a e humano/a. harmonioso/a, gracioso/a e cativante. Uma pessoa que difunde amor por onde passa. É guiado/a pelo amor, pela paixão e pelo desejo. Sente necessidade de se relacionar com os outros de forma harmoniosa. Esse contato com os outros traz-lhe muita felicidade. Valoriza-se, ama-se muito. Com cartas negativas na vizinhança, pode expressar sentimentos de uma forma intensa: rancor, ciúmes, raiva, agressividade, obsessão, luxúria, erotismo.

Carta 25: O Anel

Personalidade íntegra, correta, responsável e que honra compromissos assumidos. Retrata alguém que sente a necessidade de obedecer às regras impostas e de respeitar a instituição a que pertence. Mas é inflexível, moralista e rígido/a.

Carta 26: O Livro

Intelectual, culto/a, inteligente, mas de personalidade fechada, misteriosa. Pessoa que tem muitos segredos ou que se revela pouco. É discreto/a, reservado/a, mas observador/a e analítico/a. Reúne características de professor/a, está bem-informado/a das coisas, é metódico/a nas suas explicações ou nas suas conversas. Pessoa curiosa, que gosta de aprender e está sempre ansiosa por novas aprendizagens.

Carta 27: A Carta

Comunicativo/a, informado/a e sociável, mas por vezes superficial, inconstante e mutável. Geralmente tem muitos contatos (internet e não só). Sente-se mais à vontade em expressar o que pensa e sente através da escrita do que verbalmente.

Carta 30: Os Lírios

Pessoa que deixou os vícios e a ambição. Escolheu viver uma vida serena, em plena paz e harmonia junto dos seus familiares, respeitando os valores essenciais da vida. Possui senso diplomático, humano e é pacífico/a. Paciente, harmonioso/a, maduro/a, preparado/a. De alma nobre e gentil. Pessoa bem-intencionada.

Carta 31: O Sol

Ama a vida e respeita-a. É uma pessoa aberta, otimista, equilibrada, realizada e tem o dom de iluminar tudo e todos com sua presença por onde quer que passe. É alegre, sorridente, carismático/a, sincero/a, leal e correto/a. Consegue alcançar os seus objetivos graças à confiança que deposita nas suas próprias capacidades e em si mesmo. Gosta de brilhar, de estar no centro das atenções (egocêntrico), podendo transformar-se num ser egoísta, autoritário/a, arrogante e presunçoso/a, caso não se sinta admirado/a ou não obedeçam aos seus desígnios. Tem coragem, vontade e poder para enfrentar qualquer adversidade na vida. Dificilmente alguém consegue apagar a sua autoconfiança. Representa uma pessoa que traz consigo a ambição de alcançar glória e sucesso. A sua generosidade dificilmente é esquecida por quem a recebe.

Carta 32: A Lua

Ama a noite, é romântico/a, grande sonhador/a, intuitivo/a, sensível e sujeito/a a alterações de humor. Têm uma personalidade contagiante e fascinante. É um encanto de pessoa.

Carta 33: A Chave

Cria as próprias condições de vida. Tem uma mente aberta e ágil. Seguro/a de si, autônomo/a e confiável.

Carta 34: Os Peixes

O dinheiro é muito importante para o/a Consulente. Ele/ela é ambicioso/a e tem um grande apego aos bens materiais, ao luxo, mas é uma pessoa paciente e trabalhadora. Os contatos que estabelece dependem exclusivamente dos seus próprios interesses. Um/a empreendedor/a que gosta de sucesso e adora viajar. Não gosta de monotonia ou estar ao lado de pessoas que não têm brilho ou algum sucesso de que se possa aproveitar. É ganancioso/a. Representa um bom negociante e conquistador/a de grande fortuna econômica. Um/a empreendedor/a que gosta de sucesso e adora viajar.

Carta 35: A Âncora

Com os pés no chão, conservador/a, fiel, mas dependente da própria rotina e dos outros.

Carta 36: A Cruz

Religioso/a, crente. Uma pessoa cheia de fé e força para suportar o calvário que está ou deve vir a passar. Séria, disciplinada. Apoio, suporte humanitário a quem necessita. Mas também cansada, deprimida, triste e cheia de dor (da vida).

As Figuras da Corte

As 12 figuras da corte, presentes no baralho (os Reis, as Damas e os Valetes), podem representar pessoas reais que irão desenvolver um papel determinante na vida do/a Consulente ou na questão objeto da leitura.

São poucos os cartomantes que optam por considerar as figuras da corte como pessoas numa leitura; não é uma regra. Pessoalmente, considero-as em qualquer leitura, sempre que elas se encontram na vizinhança da carta que representa o/a consulente ou de uma carta tema.

Os Reis

Os Reis representam homens maduros, competentes, experientes e responsáveis (segundo o naipe que representam). Eles ocupam uma posição de líder e de autoridade na vida do/a Consulente.

Portanto considere:

- Rei de Corações: Patriarca, pai, marido, padrinho, parente próximo (tio, avô), amigo, líder, embaixador, religioso, conselheiro, artista, terapeuta, clero;
- Rei de Folhas: Homem de poder, superior, chefe, parente (tio, avô), velho amigo;
- Rei de Sinos: Estrangeiro, sócio, colega, empreendedor, executivo, político, banqueiro, financeiro, patrocinador, negociante, homem de negócios, parente distante ou vindo de uma união (cunhado, sogro);
- Rei de Nozes: Padrasto, ex-(marido/companheiro), homem do passado, oficial militar, advogado, delegado, militar ou polícia, consulente legal, bruxo, feiticeiro.

As Rainhas

As Rainhas representam mulheres maduras, experientes e responsáveis (de acordo com o naipe que representam). Elas ocupam uma posição de autoridade na vida do/a Consulente.

Portanto considere:

- Rainha de Corações: Matriarca, mãe, esposa, madrinha, parente próxima (tia), amiga, sensitiva (cartomante), obstetra, ginecologista, pediatra, terapeuta.
- Rainha de Folhas: Parente (tia, avó), amiga, colega, namorada, noiva.
- Rainha de Sinos: Estrangeira, empresária, sócia, mulher de negócios, colega, parente distante ou provinda de uma união (cunhada, sogra).
- Rainha de Nozes: Viúva, divorciada, ex-(mulher/companheira), rival, amante, sogra, madrasta, advogada, delegada, militar ou polícia, consulente legal, bruxa, feiticeira.

Os Valetes

Os Valetes representam jovens de ambos os sexos, que não têm experiência de vida. São ingênuos, impulsivos, sensíveis e imaturos, mas também aventureiros e com uma boa dose de energia (de acordo com o naipe que representam).

Portanto considere:

- Valete de Corações: Amante, pretendente, afilhado/a, jovem artista, amigo;
- Valete de Folhas: Filho/a, adolescente, jovem parente de sangue (irmã ou irmão, neta ou neto, sobrinha ou sobrinho, prima ou primo);
- Valete de Sinos: Jovem parente, mas não de sangue, colaborador, aprendiz, operário, empregado, jovem colega;
- Valete de Nozes: Jovem rival, servente, empregado, auxiliar (da justiça, advocacia, polícia), soldado.

Em Conclusão, cada uma das figuras da corte encarna o temperamento do naipe a que pertence:

Naipe de Corações

Emocionais, sensíveis, temperamento solar, alegre e feliz. São carinhosos, gentis, simpáticos, protetores e agem por instinto. O código ético é a sinceridade, lealdade e a honestidade. Durante a vida, dedicam-se ao amor e à realização dos seus desejos mais íntimos. Podem disponibilizar bons conselhos e ajudar o/a Consulente a solucionar problemas de forma desinteressada. São bons ouvintes.

Naipe de Folhas

Maduros, experientes, responsáveis, delicados, código ético e moral. Tem qualidades sólidas.

Naipe de Sinos

Inteligentes, racionais, focados, práticos e realizadores. Concentrados em criar a sua própria segurança na vida, trabalham arduamente para conseguir atingir os seus próprios objetivos.

São indivíduos que não se prendem a ninguém, quando é tempo de ir, cortam e seguem em frente. Este tipo de atitude pode levar a acreditar que sejam indivíduos egoístas, materialistas, insensíveis e frios.

Naipe de Nozes

Desagradáveis, perturbadores, interesseiros, ambíguos, confusos, inquietos, vingativos. Com tendência a assumirem uma postura prepotente, e impor a sua própria vontade aos outros. Impulsivos e pouco racionais. Criticam injustamente e adoram um bom mexerico.

Provocam dificuldades e ações brutais com intenção de criar graves danos na vida dos outros. São inimigos temíveis. Algumas vezes são agentes purificadores.

Quando se opta por envolver na própria leitura as figuras da corte, é necessário considerar os seguintes pontos:

1. O símbolo da carta, no qual se encontra a figura da corte, não é considerado durante a leitura;
2. A figura representa: a pessoa que influencia naquele momento a vida do/a Consulente (as figuras da corte identificam pessoas que estão envolvidas numa situação na área definida pela carta tema);
3. Identidade da pessoa.

Portanto, se considerar a Rainha de Corações na leitura em representação de uma pessoa, ela vai ser uma mulher muito chegada ao Consulente, como uma mãe, uma esposa, uma parente. Os outros significados trazidos pela simbologia desta carta (As Cegonhas) – Movimento, mudanças, alterações, gravidez, nascimento etc. – não serão considerados neste caso.

A carta ao lado da figura da corte indica a que área da vida do/a consulente essa pessoa pertence e dará informações detalhadas sobre ela.

Exemplo:

- Rainha de Nozes combinada com a carta A Casa identifica uma mulher madura que faz parte das relações pessoais do/a consulente (parente, vizinha) e que age de má fé ou com maldade para com ele;
- Rei de Folhas combinado com a carta A Torre identifica uma pessoa do sexo masculino ligada aos assuntos da lei (advogado, polícia), burocracia e instituições ou que estamos perante um chefe;
- Rei de Folhas combinado com A Árvore representa um médico, um especialista que vai intervir numa questão de saúde.

Nota importante:

Quando uma figura da corte se encontra em contato com a carta do/a Consulente, assinala que o/a consulente está sendo influenciado (para bem ou mal de acordo com o naipe da carta vizinha) por essa pessoa ou que essa figura tem um peso determinante na vida do/a consulente (observe se ela se encontra na posição passado, presente ou futuro).

GRUPO 2
CARTA SIGNIFICADORA – TEMAS

CARTA TEMA PARA AMOR, SENTIMENTOS, EMOÇÕES E RELACIONAMENTOS

Numa leitura é importante saber diferenciar a carta O Coração da carta O Anel.

- A carta O Coração mostra os sentimentos, o amor, a paixão que se sente por algo ou por alguém, seja no bem ou no mal.
- A carta O Anel é a carta tema que representa uma relação oficial, um compromisso que não envolve algum tipo de sentimento. Portanto, representa todos os tipos de relacionamentos. São as cartas vizinhas que irão indicar o tipo de relacionamento.

Carta n.º 24
O Coração

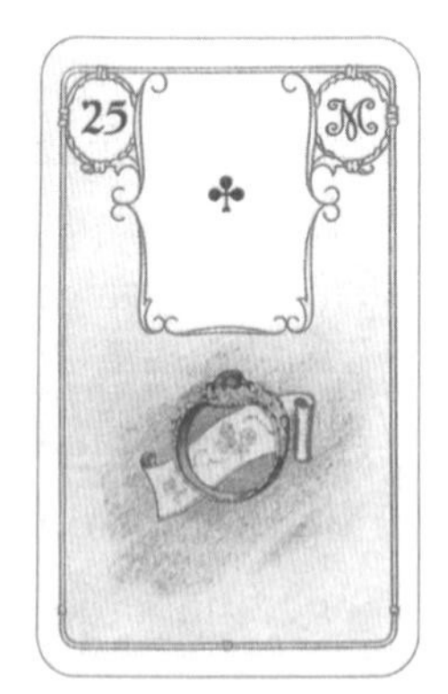

Carta n.º 25
O Anel

Quando estas duas cartas (O Coração e O Anel) estão juntas pode- se falar de uma relação sentimental e as cartas vizinhas ou ao redor darão uma melhor informação sobre as condições da relação.

SIGNIFICADO DAS CARTAS NO TEMA AMOR E RELACIONAMENTOS

Carta 1: O Cavaleiro

Para quem anseia viver uma relação efervescente e intensa, esta carta indica a aproximação de uma pessoa com quem viverá uma paixão inesquecível. O Cavaleiro representa sempre sentimentos sérios e profundos, que muito frequentemente são mal compreendidos, dada a sua frequente ausência por motivos de compromissos (trabalho, estudos, família).

- O Cavaleiro + O Coração: prevê a possível chegada rápida de um novo amor. Esta pessoa pode chegar através de deslocamentos frequentes, ou locais que frequenta habitualmente ou de contatos por internet (e-mail, chat, Skype, WhatsApp etc.).

Carta 2: O Trevo

Uma relação que surge instantaneamente como uma nova oportunidade (com algum risco). Depois de um momento difícil do casal, provavelmente é possível uma tentativa de reconciliação. Um novo amor que chega de forma inesperada, trazendo novas esperanças à vida sentimental do/a Consulente. Felicidade de curta duração. A carta aconselha a aproveitar a oportunidade.

Carta 3: O Navio

Numa leitura referente ao setor sentimental, a carta O Navio anuncia uma mudança que está acontecendo no interior de uma relação. É necessário prestar atenção à posição desta carta numa leitura no que se refere a uma relação (de qualquer tipo), pois pode indicar que o casal ou as pessoas envolvidas estão fisicamente ou emocionalmente distantes. A carta que se encontra à frente da carta O Navio fornecerá mais informações.

O Navio

- O Cavaleiro: veremos chegar alguém vindo de longe; provavelmente através da internet (relação à distância); desejos de viver um grande amor;
- O Anel: casamento ou uma relação estável com uma pessoa estrangeira; casamento ou uma relação estável com uma pessoa que reside distante do/a Consulente; pessoa com quem está se envolvendo lentamente numa relação. Desejo de união, casamento;
- Os Peixes: em busca de uma pessoa com boa situação econômica para uma união definitiva; desejo de relações sem compromissos.

Carta 4: A Casa

Representa relações estáveis. Já constatei que, numa situação sentimental, esta carta pode assinalar que o/a Consulente irá encontrar a pessoa amada no próprio bairro ou cidade onde reside (isto em combinação com a carta O Coração e a carta O Cavaleiro).

Carta 5: A Árvore

Relacionamento de longa data que pode ser sentimental ou de amizade, dependendo da carta vizinha. Amor clandestino.

Carta 6: As Nuvens

Crise na relação ou com uma pessoa chegada. Às vezes, esta carta pode assinalar que o/a consulente vive uma relação em que reina a incompreensão e a dúvida, pouco clara, onde não existem certezas, falta de clareza que dá origem a discussões acesas ou de mau humor;

As Nuvens

- O Coração: anuncia abuso emocional;
- O Anel: pouca clareza na relação; aborrecimentos e problemas entre o casal; mal-entendidos e desilusão no relacionamento.

Carta 7: A Serpente

Quando esta carta está presente numa leitura para um casal, ela representa um/a rival (amante). Também representa crise no casal devido a mentiras e traições (a traição não deve ser atribuída unicamente a uma relação extraconjugal). Estas traições podem ter várias origens, tais como: vícios (fumar às escondidas), segredos (pessoais ou de família). Já verifiquei em algumas leituras que A Serpente insinua relações complicadas, destrutíveis e, muitas vezes, um parceiro que não corresponde aos sentimentos do outro. Muita atenção à carta que estiver em contato com A serpente, porque assinala uma traição nos afetos. Por exemplo:

A Serpente

- A Casa: um parente ou familiar traidor;
- O Cão: um amigo infiel, que está enganando o/a consulente;
- O Coração: amante, um caso;
- O Anel: um/a rival, concorrente; pode representar um relacionamento baseado em sexo;
- O Livro: amante secreto. É possível que represente alguém com atração por pessoas do mesmo sexo.

Carta 8: O Caixão

Representa o fim de um relacionamento (as cartas vizinhas descrevem a motivação desse fim). A pessoa vive uma relação sem qualquer futuro ou é forçada a estar com alguém com quem não se sente feliz. Relação que não tem qualquer estímulo, entusiasmo e provoca dor. Pode representar uma velha relação que ainda vive dentro do/a consulente, impedindo- o/a de viver novas emoções e relações.

Carta 9: O Ramo de Flores

Surgem momentos especiais na vida amorosa e nos relacionamentos em geral. Será amado/a, respeitado/a, admirado/a. Encontra-se numa fase inicial de um relacionamento ou sente um interesse especial por alguém que lhe traz felicidade. Em caso de crise conjugal ou mesmo de separação, a carta O Ramo de Flores prevê uma tentativa de reconciliação. Amor e atenção por parte da pessoa amada. Namorico ou flerte. O Ramo de Flores aparece numa leitura quando alguém está interessado no/a Consulente.

- O Ramo de Flores + O Coração + O Anel: celebração de noivado, casamento.

Carta 10: A Foice

Relacionamento em risco. Possível separação inesperada. A Foice

- O Coração: ferir os sentimentos de quem se ama; partir o coraçãode alguém;
- O Anel: violência no casamento ou na união; ruptura; separação.

Carta 11: A Vassoura e O Chicote

Conflitos no casal ou entre as pessoas mais chegadas.

Carta 12: As Corujas

Sentimentos delicados, a necessidade de proteção, amor. Numa relação pode apontar para namoro de verão. Flerte. Sentimentos instáveis. Preocupações ou agitação de curta duração. Vários amores (interesses) virtuais (do gênero dos que se vivem no Facebook). Quando se encontra combinada com a carta O Anel, representa uma troca de casais (sexual).

Carta 13: A Criança

Sentimento recém-nascido; amor pelos filhos; o começo de um novo sentimento ou relação, mas também joia, amor puro, honesto e sincero.

A Criança

- O Coração: novo amor; sentimentos puros;
- O Anel: um novo recomeço numa relação; nova relação.

Carta 14: A Raposa

Traição, infidelidade, mentira na relação. Ilusão. Superficialidade no relacionamento e sentimentos.

- A Raposa + O Coração: pessoa que dissimula bem os seus sentimentos.

Carta 15: O Urso

Amor e proteção, muitas vezes de forma exagerada e que levam à posse e ciúmes obsessivos. Companheiro/a confiável. Relação ou paixão por uma pessoa mais velha.

Carta 16: As Estrelas

Amor profundo. Grande sorte no amor. Sentimentos expressos abertamente.

Carta 17: As Cegonhas

Quando a leitura se refere à vida sentimental do/a consulente, este pode esperar o regresso ou o encontro com uma pessoa do passado. Os sentimentos são correspondidos e entre o casal reina harmonia, solidariedade e cumplicidade. Não aguenta uma relação monótona. Há a necessidade de algo novo no casal (comunicação, libido) ou necessidade de mais autonomia nas ações. Para quem está solteiro/a, a sua condição está prestes a mudar, um novo amor está chegando.

Carta 18: O Cão

Ternura e carinho entre familiares e amigos. É possível que uma amizade se transforme em amor. Amor platônico. Companheiro/a fiel, terno, sério. Relacionamento construído na confiança e no respeito mútuo.

Carta 19: A Torre

A Torre pode representar uma relação sufocante e com limitações. Parceiro/a que não exprime devidamente os seus sentimentos e que dificilmente se entrega, criando situações de tensão e frieza no casal. Isolamento e pouca comunicação entre as pessoas. Necessidade do próprio espaço.

Carta 20: O Parque

Cônjuge escolhido/a no seio de relações de amizade, cliente ou que encontrou em manifestações públicas. Uma família harmoniosa e grande. Algumas vezes pode assinalar relacionamento aberto.

Carta 21: A Montanha

Para estabelecer uma relação com um indivíduo (Montanha) é necessário tempo. Assinala uma relação bloqueada ou fria. As cartas vizinhas darão mais detalhes sobre a situação em análise.

Carta 22: Os Caminhos

Relação que não encontra uma saída. Incapacidade de decidir entre duas relações. Não oferece segurança nem certezas. A carta Os Caminhos, no setor sentimental, pode anunciar uma relação extraconjugal. O/A consulente é comprometido/a e mantém relação extraconjugal ou mantém relação com uma pessoa comprometida. É possível a existência de uma relação paralela, adultério, bigamia. Separação.

- Os Caminhos + As Corujas + O Anel: decisão de manter um relacionamento paralelo. Os Caminhos representam a escolha, a decisão (As Corujas representam o número dois; e O Anel simboliza o relacionamento).

Carta 23: Os Ratos

Sentimentos não correspondidos, desencanto. Aventura extraconjugal sem qualquer cuidado. Promessas que não são mantidas. Parceiro/a perigoso/a.

- Os Ratos + O Coração: o amor (sentimentos) que deixa de ter interesse.

Carta 24: O Coração

A carta O Coração é a carta tema para os sentimentos, emoções. Numa leitura com o Grand Tableau, é importante prestar maior atenção às cartas que circundam a carta O Coração, porque estas vão expressar com mais clareza o estado emocional, darão indicações sobre os sentimentos e paixões do/a consulente ou da pessoa amada. Carta dos sentimentos correspondidos. Mostra que há compatibilidade, afinidade no casal. Designa alguém que ama sem reservas e se entrega por completo a outra pessoa. Amor, harmonia entre os membros da família ou com os amigos. Possível encontro com uma pessoa pela qual o/a consulente vai se apaixonar perdidamente.

O Coração

- O Cavaleiro: pensamento direcionado para a pessoa amada; novo amor;
- A Raposa: autoengano, ilusão; infidelidade; fingimento;

- As Cegonhas: mudanças nos sentimentos;
- A Montanha: dificuldades em expressar os próprios sentimentos;
- O Anel: anuncia um vínculo emocional;
- O Livro: amor secreto; amor platônico;
- A Âncora: vínculo emocional muito forte; dependência emocional.

Carta 25: O Anel

Uma relação que é legalizada de forma tradicional: namoro, noivado, casamento. Lealdade, fidelidade.

O Anel

- O Navio: casal que está se distanciando (a carta à direita do Navio dará detalhes sobre o destino da relação); uma relação que está se transformando, mudando; desejo de se afastar de uma relação; uma relação à distância;
- A Árvore: união estável, mas aborrecida; união de longa duração;
- A Raposa: infidelidade;
- A Torre: relação que limita; separação, divórcio;
- O Parque: relação aberta;
- Os Caminhos: avaliação de uma relação. Uma decisão tem de ser tomada num relacionamento. Numa das minhas leituras, onde o meu consulente (homem) tinha uma relação extraconjugal e estava indeciso sobre o futuro da situação, observei as seguintes cartas: O Anel + Os Caminhos + A Casa: a decisão de escolha de uma das duas relações, levou o Consulente a optar pela família;
- O Coração: ligação afetuosa; relacionamento de amor; cumplicidade no casal; parceiro/a que se entrega por completo;
- O Coração + O Trevo: anuncia romance de curto prazo, flerte.

Carta 26: O Livro

Uma relação mantida em segredo ou às escondidas dos próprios familiares. Parceiro ou companheira que esconde algo.

Carta 27: A Carta

Importante novidade no campo emocional. É possível que se receba uma proposta ou uma declaração por escrito. As cartas circundantes informam a identidade do emissor. Pode assinalar uma relação por correspondência (carta, e-mail, chat, Facebook, WhatsApp etc.). Superficialidade nas relações.

- A Carta + O Coração: uma proposta; declaração de amor.

Carta 30: Os Lírios

O/A consulente tem uma ligação harmoniosa com a família e com o/a próprio(a) companheiro/a. Representa um relacionamento maduro, com ausência de contato sexual. Em caso de crise ou separação, Os Lírios garantem uma reconciliação.

Carta 31: O Sol

Harmonia e felicidade na família ou no casal. Carinho, calor e conforto recebido da pessoa que se ama. Fortalecimento de uma relação ou uma reconciliação, caso exista uma crise ou separação no casal. Intensidade e paixão na relação (também sexual). Possível encontro importante no verão, para quem está sozinho.

Carta 32: A Lua

Romantismo, sentimentalismo, paixão. Um encontro romântico inesquecível.

Carta 33: A Chave

A pessoa sente-se pronta e disponível para amar ou para assumir uma relação. É protetor/a, gosta de dar segurança a quem ama. Amor correspondido.

Carta 34: Os Peixes

Representa alguém difícil de prender. Provavelmente essa pessoa não tem qualquer intenção de assumir uma relação séria no momento. Procura uma relação amorosa de curta duração ou de pouca importância (flerte). Na maioria das vezes, as suas relações sentimentais são motivadas por interesses de ordem pessoal, relações por conveniência.

Carta 35: A Âncora

Amor estável, mas com uma certa dependência do outro. Amor obsessivo. Pode indicar uma relação ou que está apaixonado por um colega no local de trabalho.

Carta 36: A Cruz

Sofrimento emocional. O amor ligado a muitos sofrimentos. Crise.

A Saber:

- As cartas, A Árvore, O Cão, A Torre ou A Âncora, posicionadas perto da carta O Anel, indicam uma RELAÇÃO DE LONGO PRAZO; RELACIONAMENTO DURADOURO;
- A carta O Anel, vizinha da carta do/a Consulente ou com uma carta qualquer que represente uma pessoa (figuras da corte), anuncia uma PESSOA COMPROMETIDA OU CASADA;
- Cartas que representam – SENTIMENTOS: O Coração;
- Cartas que representam – EMOÇÕES, SENTIMENTALISMO: O Trevo, O Ramo de Flores, O Coração, O Sol, A Lua;
- Cartas que representam – FELICIDADE, ALEGRIA, SATISFAÇÃO: O Trevo e O Ramo de Flores, O Sol, GRANDE FELICIDADE E SATISFAÇÃO;
- Cartas que representam – INFELICIDADE, TRISTEZA, ANGÚSTIA: O Caixão e A Cruz;
- Cartas que representam – ANSIEDADE, NERVOSISMO, ESTRESSE: As Nuvens, As Corujas, Os Ratos;
- Cartas que representam – O FIM DE UMA RELAÇÃO: O Caixão anuncia uma ruptura definitiva numa relação; O Caixão e A Torre são as duas cartas que, posicionadas vizinhas com a carta O Anel, anunciam divórcio; A Foice e a carta Os Caminhos, perto da carta O Anel, anunciam separaçao do casal;
- Cartas que representam – RECONCILIAÇÃO: O Ramo de Flores e a carta Os Lírios. Ambas anunciam uma reconciliação, isto se estiverem acompanhadas por uma das seguintes cartas: O Cavaleiro e As Cegonhas que são as cartas que levam e trazem algo;

- Cartas que representam – FIDELIDADE, HONESTIDADE, LEALDADE: a carta O Cão;
- Cartas que representam – TRAIÇÃO, INFIDELIDADE: As Nuvens, A Serpente, A Raposa, Os Ratos e O Livro.
- Cartas que representam – RELAÇÃO EXTRACONJUGAL, AMANTE: a indicação de uma relação extraconjugal, com as seguintes combinações:
  - As Nuvens + O Anel A Serpente + O Anel
  - A Serpente + O Coração O Anel + O Livro
- Cartas que representam – PROBLEMAS NUMA RELAÇÃO: As Nuvens, A Serpente, A Vassoura e O Chicote e, A Montanha.

CARTA TEMA PARA COMUNICAÇÃO E NOTÍCIAS

Afinal, o que é a comunicação?

Respondendo de maneira simplificada, a comunicação é o ato de transmitir a outro ser, informações que para nós são importantes: pensamentos, ideias, humor, conceitos, etc. Desde que o mundo tem vida, cada ser na Terra (plantas, animais, seres humanos) conseguiu comunicar-se com o outro e ser compreendido, criando na própria comunidade uma linguagem que se distingue de uma outra. Temos povos que se exprimem através de tatuagens, danças, costumes culturais, vestuário, deuses. Então, a comunicação pode se manifestar de vários modos:

- Por palavras;
- Gestos;
- Mímicas;
- Por escrito (símbolos, desenhos, pinturas).

Algumas cartas do baralho têm mais relevância do que outras para representar a comunicação, notícia. É muito importante saber diferenciar o que cada uma dessas cartas tem durante uma leitura referente à comunicação, notícia. Mas quais são essas cartas? (Irei apresentar em seguida as cartas em ordem numérica representadas no baralho). As cartas são: O Cavaleiro, As Corujas e A Carta.

Carta 1: O Cavaleiro

Pode representar um "veículo", entre o remetente e o destinatário, para dar a notícia (computador, correios, Sedex, "delivery" ou uma pessoa). Comunica que algo está chegando, provavelmente um portador de notícia. As cartas que a acompanham vão definir o tipo de notícia e a comunicação que está chegando.

O Cavaleiro

- A Casa: notícias de casa ou de um imóvel;
- A Árvore + Os Lírios: notícias de parentes, família;
- As Nuvens: mensagens, notícias ou comunicação pouco clara;
- A Serpente: notícias sobre uma traição;
- A Foice: telegrama;
- A Vassoura e O Chicote: solicitação, chegada de uma mensagem escrita;
- As Corujas: comunicação por telefone ou por Skype, videoconferência;
- A Carta: comunicação escrita, correio eletrônico, chat ou uma carta. Também podem estar anunciando uma notificação, um aviso importante.

Carta 12: As Corujas

Esta carta representa todas aquelas notícias que podem chegar via comunicação social: rádio, TV, jornal, revista, música e a comunicação que se pode dar ou receber pela voz: troca de informações (é feita de conversação, como bate-papo, fofoca ou como dizem: "gossip" (mexerico); obter ou espalhar informação e, também, entrevista, reunião. Via telefone (celular, WhatsApp, Messenger, Skype). Barulho, voz, canto.

As Corujas

- O Navio: língua estrangeira. Sotaque estrangeiro. Conexão telepática;
- A Casa: falar dialeto;
- A Árvore: língua nacional;
- A Serpente: telefonemas anônimos. Usar conversas para prejudicar (caluniar, difamar). Mentiras. Sabem convencer com a palavra;
- O Caixão: comunicação com os mortos. Tendência a falar do passado ou de pessoas que estão ausentes ou mortas. Fim da conversação. Não existe contato. Deixar de falar com alguém;
- O Caixão + A Montanha: mudez;
- O Ramo de Flores + A Raposa: tendência a elogiar para agradar ou fazer boa impressão;
- A Vassoura e O Chicote: defeito na fala (gaguez) ou tom de voz alta, dominadora e autoritária. A maioria das vezes, a carta A Vassoura e O Chicote fala de comunicação agressiva (gritos, críticas), autoritária, despótica, intimidatória (ameaçador) e ofensiva;
- A Raposa: o modo de comunicar não é adequado. Erros ao falar (não fala bem a língua). A pessoa ao expressar-se tende a imitar a fala de alguém (ator ou uma pessoa conhecida). Bajulação;
- As Estrelas: tendência em se comunicar de modo claro. Telefone, celular, TV;
- A Torre: a pessoa tem vocação para falar sozinha;
- O Parque: publicar anúncio na comunicação social, de modo que a informação chegue ao grande público. Rede social. "Lavar a roupa suja" em público. A pessoa tem tendência em falar com qualquer pessoa e em qualquer lugar;
- A Montanha: comunicação bloqueada. Pode também indicar problemas na comunicação, como telefone ou celular que não funciona, não se consegue ter acesso ao WhatsApp, Skype, e-mail;
- Os Ratos: palavrões. Defeito ao falar;
- O Coração: palavras que servem de bálsamo, calmante, conforto. Fala o que sente, é espontâneo/a;

- O Livro: intérprete, tradutor. Conversa confidencial;
- O Livro + A Montanha: dislexia;
- A Carta: comunicação via chat, Skype. Duas ou várias mensagens, e-mails. Troca de mensagens. Falar, conversar sobre uma notícia;
- O Homem: voz grave/forte, masculina;
- A Mulher: voz dócil, meiga, feminina;
- A Cruz: oração. Coro da igreja. Missa cantada. Também,
- A Vassoura e O Chicote + As Corujas: ameaças por telefone ou gravação, abuso verbal;
- A Foice + As Corujas: interrupção da comunicação; discurso breve, objetivo e curto; corte da linha telefônica.

Carta 27: A Carta

Aqui encontramos todos os tipos de comunicações que vêm efetuadas por escrito, como correspondência dos correios, e-mail, SMS, fax, revista, jornal, anúncio, publicidade.

A Carta

- O Navio: correio internacional; notícias que vêm de longe;
- O Caixão: bilhete de pêsames; uma resposta que não vai chegar; fim de contato;
- O Ramo de Flores: convite; um bilhete agradável;
- A Vassoura e O Chicote: correio ou comunicação da parte da lei, autoridade ou que será motivo de discussões, contencioso, multa, reclamação; correio eletrônico, mensagem, carta cheia de raiva, fúria; ameaças no chat ou por mensagem escrita;
- A Vassoura e O Chicote + A Raposa: assinatura ou caligrafia falsificada;
- As Corujas: contato por chat; mensagem registrada;
- A Raposa: erros de ortografia; conteúdo da carta é falso;
- As Estrelas: comunicação através da internet (redes sociais);

- A Torre: notícias sobre uma separação. Correspondência da parte de uma instituição (estadual, governamental ou corporação);
- A Torre + As Corujas: correspondência de uma companhia telefônica;
- O Parque: comunicação pública; notícia endereçada a muitas pessoas; rede social;
- Os Ratos: spam;
- O Livro: notícias ou mensagens confidenciais; correio pessoal, confidencial;
- O Livro + A Vassoura e O Chicote: tendência a corrigir os outros na fala;
- O Livro + As Corujas: registro de chamadas;
- Os Peixes: extrato bancário; conversas sobre dinheiro.

Nota importante:
Obviamente, nenhuma dessas três cartas são levadas em consideração singularmente numa "leitura". É necessário observar a carta que se encontra próxima das cartas mencionadas (O Cavaleiro, As Corujas, A Carta), até porque estas darão não só uma confirmação de que se está perante uma notícia real, mas também do conteúdo dessa notícia.

CARTA TEMA PARA TRABALHO E EMPREGO

Carta 35: A Âncora (Imagem)

A carta A Âncora representa a solidez, a estabilidade e transmite segurança. Esta carta foi escolhida como carta significadora (tema) para representar o trabalho principal (com contrato), aquele que proporciona uma renda fixa.

Carta 14: A Raposa
Um dos significados da carta A Raposa é a sobrevivência. Nas minhas leituras, utilizo esta carta como significadora quando o/a Consulente já tem um trabalho fixo, mas – por necessidade – faz alguns trabalhos para aumentar o seu salário (como faxinas, tomar conta de uma criança ou idoso, cartomancia etc.).

Carta 19: A Torre e A Carta 32: A Lua
Estas duas cartas representam a carreira. A Lua diz-nos o quanto se é conhecido e a reputação profissional.

As condições profissionais (sucessos e insucessos, promoção, mudanças, carreira) estão descritas pelas cartas que se encontram em contato ou rodeada da carta significadora.

SIGNIFICADO DAS CARTAS NO TEMA: TRABALHO, EMPREGO

Carta 1: O Cavaleiro
Identifica um indivíduo concentrado, motivado para fazer crescer a sua própria carreira profissional. Procura contatos, ligações que permitam expandir e realizar a própria ideia e projeto. Tem uma visão aberta e predisposição à comunicação. Hábil na comunicação e se adapta facilmente às várias situações que surgem. É um ótimo mediador entre o cliente e a empresa que representa. É uma pessoa muito eficiente para realizar as próprias tarefas. Novas oportunidades chegam através das novidades trazidas por meios de comunicação ou por forasteiros. Provável resposta a um pedido de emprego. Para quem, neste momento, está atravessando um período de desemprego, a aparição desta carta anuncia importantes novidades para o setor profissional. Também significa não ficar parado, mover-se na busca de um emprego. Anuncia progresso ou a chegada de novas tarefas profissionais. Trabalho em movimento, frequentemente associado a viagens. Gastar em excesso.

O Cavaleiro

- O Ramo de Flores: proposta de trabalho;

- O Ramo de Flores + O Anel + A Âncora: proposta de cooperação profissional;
- A Vassoura e O Chicote: atleta profissional;
- A Âncora: notícias sobre um novo trabalho, novo encargo profissional, notícias seguras sobre o trabalho.

Carta 2: O Trevo

É possível que surja um trabalho extra ou temporário, que traz alívio num momento difícil. Promoção. Pequenas satisfações no setor profissional. Representa uma fase de sucesso para o/a consulente. Não é de excluir a possibilidade de aparecer alguém que venha em auxílio do/a Consulente e lhe traga uma excelente e afortunada oportunidade profissional. Caso esteja à procura de um emprego, O Trevo posicionado na vizinhança da carta A Âncora anuncia uma proposta profissional, mas de curta duração.

Carta 3: O Navio

A carta O Navio traz novas descobertas (pessoas, produtos, espaços), que abrirão novos horizontes profissionais. Atualmente, temos a internet disponível como meio de navegação e onde podemos lançar os próprios produtos, adquirir novidades, procurar novos contatos de trabalho ou de parceria etc. A presença desta carta numa leitura relativa a uma situação profissional, caso o/a Consulente já tenha uma atividade profissional, anuncia que algo está mudando na empresa ou no local de trabalho. Poderá também significar que, para chegar ao local de trabalho, o/a Consulente tenha necessidade de percorrer uma longa distância.

Caso o/a consulente ainda não tenha atividade profissional e esteja à procura de uma oportunidade de trabalho, significa que ainda terá de esperar algum tempo até que ela surja. Uma negociação ou a realização de um projeto será desenvolvida de forma lenta. Esta é a carta do comércio, das negociações com outros países ou cidades distantes. Pode ser também que haja necessidade de fazer muitas viagens por motivos de trabalho, de efetuar muitos contatos (telefônicos ou por internet) com países estrangeiros ou com localidades distantes da cidade onde se trabalha. Algumas vezes a carta representa uma pessoa que trabalha longe do seu país (emigrante). Contrariamente à carta da Cegonha, a emigração representada pelo Navio pode ser longa.

Carta 4: A Casa

A pessoa tende a transformar o seu espaço de trabalho num ambiente familiar e preocupa-se com os colegas, zelando pelo bem-estar deles e tratando-os como membros da família. Numa leitura relativa ao trabalho, esta carta aconselha o/a Consulente a ser mais disponível, compreensivo e amável tanto com os colegas como com o seu chefe. Deverá fazer tudo o que estiver ao seu alcance para zelar pela boa imagem da empresa e pelo seu posto de trabalho. Esta carta garante uma posição profissional estável ou de um trabalho seguro. Os projetos têm bases sólidas para se realizarem e perdurarem. Por experiência, também já constatei que esta carta incentiva a transformação de um hobby numa profissão, talvez algo herdado da própria família. Pode ainda referir-se à possibilidade de exercer a sua atividade profissional em casa.

A Casa

- A Vassoura e O Chicote: doméstica, limpezas;
- A Âncora: o trabalho localiza-se na vizinhança da habitação; estabilidade no local de trabalho.

Carta 5: A Árvore

É necessário tempo para desenvolver um projeto.

Carta 6: As Nuvens

Mal ambiente profissional, sobrecarga, inconstante nas tarefas.

Carta 7: A Serpente

Problemas muito sérios em relação ao trabalho, que necessitam de maior atenção por parte do/a consulente. Cuidado com sócios, concorrência, clientes ou colegas. Sérias complicações nos negócios. Atenção às ajudas vindas por parte de terceiros ou por parte de algum colega. Esta pessoa envenena o ambiente de trabalho colocando uns contra os outros. Recomenda-se o uso do próprio charme para atrair clientes ou conquistar os colegas de trabalho. Não divulgar abertamente os seus planos profissionais.

Carta 8: O Caixão

A situação profissional é motivo de grave preocupação. Os negócios estão parados e a crise é muito forte. Fim profissional (aposentadoria ou licença). Desemprego, de longa duração. É provável que ocorra uma mudança radical na área profissional (novo ofício). Um trabalho está prestes a ser concluído. Fim de um contrato ou de uma obra. Desemprego, falência, demissão, suspensão no trabalho. Desemprego. Nenhum progresso no trabalho. Uma obra que fica parada. Reforma.

Carta 9: O Ramo de Flores

Recompensa, gratificação merecida (promoção, bônus). Também é possível que receba uma oferta de trabalho (é importante observar a carta que acompanha O Ramo de Flores para ter certeza se essa oferta é favorável ou não).

- O Ramo de Flores + A Lua + A Âncora: reconhecimento das próprias obras (trabalhos), celebridade profissional.

Carta 10: A Foice

Brusca interrupção ou o fim de um contrato profissional. Um trabalho que tem uma data de entrega. Possível mudança de emprego.

Carta 11: A Vassoura e O Chicote

Negociação. Problemas no ambiente de trabalho (discussões, críticas, queixas). Estresse.

- A Vassoura e O Chicote + O Anel: assinatura de um contrato profissional.

Carta 12: As Corujas

Turno. Breves deslocamentos por motivos profissionais. Nervosismo no ambiente de trabalho ou local de trabalho barulhento. Possivelmente acumula dois trabalhos. Telefonema de trabalho.

Carta 13: A Criança
Nova ocupação profissional. Por vezes representa falta de experiência no desempenho das suas funções profissionais.

Carta 14: A Raposa
Esta carta pode assinalar uma forte concorrência no setor profissional, ou que esteja enfrentando uma batalha contra colegas desleais. Hostilidade, inimizade e intriga no local de trabalho. Assédio moral. Trapaceiro/a, impostor/a, malandro/a e esperto/a. Acordo, apoio, promessas ou contratos que não são mantidos. Sócio/a desonesto/a. Habilidade em conduzir negociações e tratar os clientes. Autonomia no trabalho ou trabalho autônomo. Por vezes pode indicar que o/a Consulente está no setor profissional errado ou que o trabalho que está fazendo tem algo de errado. É necessário prestar mais atenção. Já constatei também nas minhas leituras que A Raposa pode representar trabalho sem contrato ou atividade ilegal ou criminal.

Carta 15: O Urso
Metas ambiciosas.

Carta 16: As Estrelas
Realização profissional.

Carta 17: As Cegonhas
Ocupação profissional por uma temporada que vai de três, seis ou noves meses. Possível emigração. Uma promoção profissional ou mudança de área. Novas tarefas. Contrato renovável. Desejo de fazer algo diferente.

Carta 18: O Cão
Um digno companheiro/a para trabalhar em equipe. Boa relação entre os colegas. Ambiente de trabalho amigável e tranquilo. Um/a sócio/a confiável e leal.

Carta 19: A Torre
Projetos ambiciosos de longo prazo. Carreira. Prefere trabalhar sozinho/a do que em equipe. É disciplinado/a, responsável e sério/a no seu trabalho.

Carta 20: O Parque

Evolução profissional com harmonia. Sucessos comerciais, artísticos. Bons contatos e novos clientes. Anúncio publicitário para ficar conhecido/a e ampliar a clientela. Estes contatos podem ser procurados nas redes sociais.

Carta 21: A Montanha

Grande desafio que irá dificultar o prosseguimento do próprio trabalho. Desemprego. Excesso de trabalho e fadiga.

Carta 22: Os Caminhos

Trabalho em tempo parcial. Candidato em avaliação. Alternativa profissional. Uma proposta ou questão que tem de ser avaliada com cautela. Escolha entre dois empregos.

Carta 23: Os Ratos

Pouca seriedade no desempenho das suas funções profissionais. Pouca vontade de trabalhar (preguiça). Redução da atividade profissional (diminuição das horas de trabalho) e possível desemprego (falta de trabalho). Representa trabalhos precários, mal pagos ou uma situação pouco clara. Abusos. Empregados ilegais, clandestinos.

Os Ratos

- A Raposa: plágio;
- O Anel: contrato que está chegando ao fim;
- A Âncora: perda de emprego, nenhuma promoção.

Carta 24: O Coração

Amor e paixão pelo próprio trabalho.

Carta 25: O Anel

Posição profissional garantida. Ocupação. Assinatura de um contrato de trabalho. Renovação de contrato. Proposta e oferta de trabalho. Cláusula contratual. O Anel pode também referir-se a uma colaboração profissional, que pode ser produtiva. O/A Consulente está trabalhando ou faz parte de um grupo numa equipe de trabalho. Organização e disciplina são importantes para levar avante e com sucesso um determinado projeto.

O Anel

- O Caixão: rescisão de contratos, dissolução de um contrato, ruptura com um/a parceiro/a de negócio;
- A Raposa: acordo ou contrato que não é mantido; acordo ou associação com pessoas ou grupos criminosos, sociedade fictícia;
- O Parque: contratar pessoal para trabalho.

Carta 26: O Livro

Requalificação ou formação profissional. Estágio. Algumas vezes a carta aparece na leitura para evidenciar a necessidade de preencher as lacunas no conhecimento do próprio trabalho. O livro representa uma nova técnica que é introduzida no ambiente profissional, impondo a necessidade de disponibilizar ações de formação para melhor compreensão da mesma. Essa formação permitirá uma melhor compreensão técnica e a execução do trabalho de uma forma mais autônoma. Pessoa qualificada para o trabalho que faz. Manter sigilo sobre informações relativas a um projeto de trabalho. Segredos referentes à profissão.

O Livro

- O Cavaleiro: em busca de novos produtos; em busca de novo emprego;
- O Navio: formação ou curso profissional a distância (internet);
- A Âncora: formação profissional documentos profissionais.

Carta 27: A Carta

Indica a possibilidade de estabelecer contatos para trabalhar. É possível que se receba uma proposta ou que a mesma se concretize através de um e-mail, artigos, publicidade referentes ao trabalho.

A Carta

- O Anel: contrato;
- O Livro: diploma, certificado, atestado.

Carta 30: Os Lírios

O ambiente de trabalho é harmonioso. O/A Consulente demonstra competência e experiência no trabalho que faz. Reforma. Lentidão nos negócios. Encontrar emprego somente no inverno.

Carta 31: O Sol

O/A consulente está chegando ao topo da sua carreira. Uma nova descoberta pode trazer-lhe mais visibilidade, admiração e prestígio no campo profissional. Reconhecimento e notoriedade pelo trabalho feito.

Eficiência profissional. Realização pessoal e gosto pelo trabalho que faz. Progressão nos projetos, promoção na carreira, cargo de liderança num grupo ou empresa. Caso esteja à procura de emprego, uma resposta positiva está prestes a chegar.

Carta 32: A Lua

Reconhecimento pelo trabalho feito. Estimado pelos colegas de trabalho. Possível promoção. Turno da noite.

Carta 33: A Chave

Novas ideias trazem soluções a uma situação preocupante. Desenvolve iniciativa e transforma as próprias ideias em projetos reais. É autônomo/a, independente no que respeita às suas próprias ações. Possui capacidade para desenvolver autonomamente os próprios projetos. Um trabalho seguro.

A Chave

- O Anel: contrato;
- A Âncora: encontrar trabalho.

Carta 34: Os Peixes

Trabalho autônomo.

Carta 36: A Cruz

As tarefas desempenhadas são um peso. Em prova no emprego. Horas extras. Estresse. Possível período sem trabalho.

A Saber:

- A carta que representa – trabalho fixo é: A Âncora;
- A carta que representa – um segundo trabalho é: A Raposa;
- As cartas que representam – procura de trabalho são: O Cavaleiro, O Livro;
- As cartas que representam – encontrar trabalho fixo são: O Anel, A Âncora;
- A carta que representa – contrato é: O Anel;
- As cartas que representam – encontrar trabalho temporário são: O Trevo, O Ramo de Flores;
- As cartas que representam – estar em prova num trabalho são: O Livro, A Cruz;
- A carta que representa – diminuição ou pouco trabalho é: Os Ratos;
- As cartas que representam – interrupção, demissão, fim de um contrato são: A Foice, O Caixão
- As cartas que representam – desemprego são: O Caixão, A Montanha, Os Ratos;
- As cartas que representam – falência de uma empresa ou negócios são: O Caixão, Os Ratos;
- As cartas que representam – concorrentes, adversários profissionais são: A Serpente, A Raposa, A Montanha, Os Ratos;
- As cartas que representam – promoção são: O Trevo, O Ramo de Flores, As Estrelas;
- As cartas que representam – alto cargo são: O Urso, A Torre, A Lua;
- As cartas que representam – aposentadoria são: O Caixão, A Torre, Os Lírios;
- As cartas que representam – emigração são: O Navio, As Cegonhas.

SIGNIFICADO DAS CARTAS NO TEMA: PROFISSÕES

Carta 1: O Cavaleiro

Representa todas aquelas profissões que permitam liberdade de ação, independência, em que se contate diretamente com os clientes, ou que estejam relacionados com a comunicação ou transmissão de informações, como carteiro, trabalhos relacionados com a entrega direta de documentos, tais como correio etc., serviços de entrega em domicílio. Representante de uma empresa (medicamentos, produtos alimentares etc.), consultor, condutor (ônibus), motorista, piloto, taxista, transportador, carregador, funcionário dos correios, vendedor/a (ambulante), garçom, programador/a, técnico/a, guia, atleta profissional, militar, correspondente especial, emissário/a (porta voz, embaixador, mediador).

Carta 2: O Trevo

Apostador (corrida de carros, de moto, de cavalos, de camelos, de combate de animais etc.), funcionário para a sala de jogos (crupiê), ilusionista, trabalhar no mercado de ações, jogadores profissionais em apostas ou cassino, venda de bilhetes de loteria, fitoterapia, botânica, cultivador de plantas raras.

Carta 3: O Navio

Profissões relacionadas com o mar/lagos/ rios, importação, exportação, expedição para países estrangeiros (empresas internacionais), compra e venda (também online - eBay, Etsy), comerciante, negociante. Trabalhos relacionados com viagens e turismo tais como marinheiro, cruzeiros, marinha mercantil, pesca etc. Transportes internacionais.

Carta 4: A Casa

Doméstica, arquiteto/a, setor imobiliário (corretor de imóveis), arrendamento interno e externo, empresa de gestão familiar ou pequenas empresas, artesanato, construção civil, trabalho em casa. Assistência doméstica.

Carta 5: A Árvore

Funcionário/a, todas as profissões ligadas à saúde, como enfermeiro/a, médico/a, auxiliar, farmacêutico/a etc. e ambulâncias. Método de relaxamento (meditação, Yoga). Conselheiro/a. Profissões ligadas a árvores e madeira, como carpinteiro, silvicultor. Arquiteto paisagista

Carta 6: As Nuvens

Meteorologista, laboratório, produtos químicos, farmacêutico, indústria, operário fabril, funcionário de uma tabacaria.

Carta 7: A Serpente

Campo farmacêutico/médico, anestesista bailarino/a, contorcionista, prostituto/a, cartomante, bruxa/o, feiticeira/o, curandeiro/a.

- A Serpente + As Estrelas: profissão esotérica ou espiritual.

Carta 8: O Caixão

Todas as profissões que estejam relacionadas com a morte: funerária, coveiro, polícia de homicídios, patologistas, necrologista, adeptos do esoterismo, ocultismo ou espiritismo.Profissões ligadas à psicologia humana: psicólogo/a, psiquiatra, analista, profissões que exigem sigilo absoluto. Já verifiquei nas minhas leituras que esta carta representa profissões que lidam com doentes terminais e pacientes em coma vegetativo ou farmacológico. Representa também profissionais de transplante de órgãos.

Carta 9: O Ramo De Flores

Botânico, florista, jardineiro/a. Profissões relacionadas com a beleza (estética, estilista, cabeleireiros, designer de moda, modelo, decoração, arte decorativa, pintor, área da moda, perfumaria), trabalho criativo ou artístico. Hobby que se transforma numa profissão.

Carta 10: A Foice

Profissões ligadas a armas, dentista, técnico de ortodontia, tatuador, costureira/alfaiate, agricultor, trabalhar com ferramentas perigosas, ferramenteiro.

- A Foice + O Parque: agricultor.

Carta 11: A Vassoura e O Chicote

Empresa de limpeza, atleta. Oficial de justiça.

- A Vassoura e O Chicote + A Serpente: dançarino, da dança do ventre, samba, kuduro, merengue, kizomba etc.

Carta 12: As Corujas

Operador telefônico, operador de telemarketing, publicitário, mídia, locutor/a, colunista, repórter, músico, corista. Recepcionista, guia turístico.

Carta 13: A Criança

Pedagogo/a, trabalho com crianças ou jovens.

Carta 14: A Raposa

Vendedor/a, empresário/a, engenheiro/a, negociante, polícia, investigador/a, assassino/a, serial killer, mafioso/a, criminoso/a, caçador/a, falsificador/a, ator/ atriz. Político. Profissional independente.

Carta 15: O Urso

Contador/a, contabilista, fiscal, economista, banqueiro/a, cozinheiro/a, oficial de justiça (advogado/a, magistrado/a, polícia etc.), político, chefe, patrão, gerente.

Carta 16: As Estrelas

Cientista, matemático, trabalho no campo televisivo, cinema (efeitos especiais, cenografia), teatro, programador/a de informática, no campo esotérico (numerólogo/a, astrólogo/a, cartomante etc.), espiritual, trabalho com medicinas.

- As Estrelas + Os Caminhos: quiromante.

Carta 17: As Cegonhas

Obstetra, aeroporto internacional, piloto de avião, paraquedista, hospedeira de avião, emigrante, profissões que exigem muitas deslocações por via aérea.

Carta 18: O Cão

Guarda, organizações de segurança (agente de segurança, guarda-costas), instrutor de animais, veterinário/a, unidade canina antidroga, assistente (médico ou enfermeiro), conselheiro(a), voluntários da proteção de animais, todas as profissões que lidam com animais. Advogado defensor.

Carta 19: A Torre

Profissões onde é necessária paciência, disciplina, análise profunda e detalhada: cientista, médico/a especialista, torre de controle, guardas prisionais ou do Vaticano, gestor de bens patrimoniais. Profissões ligadas ao estudo do passado: arqueologia, história, línguas antigas (mortas), museus. Trabalhos autônomos, de chefia. Funcionário do estado. Empresário, fisco. Uma pessoa qualificada para a posição que exerce. Grandes empresas ou instituições governais ou estaduais.

A Torre

- A Vassoura e O Chicote: advogado;
- A Montanha: advogado de acusação;
- Os Lírios + A Vassoura e O Chicote: juiz.

Carta 20: O Parque

Profissões que lidam com muitas pessoas: relações públicas, organização de eventos, vendedor/a, balconista, feirante, operário, leiloeiro, empregado/a de banco, animador/a, jogadores (futebol), jardineiro/a, agricultor/a, viticultor.

Carta 21: A Montanha

Profissões ligadas às pedras (cristais, pedras preciosas), mármore, pedreiro, mineiro. Alpinista.

Carta 22: Os Caminhos

Quiromante, operário, ecologista, sapateiro, setor de especialização, de pesquisa. Com a carta Os Ratos, varredor de rua.

Carta 23: Os Ratos

Trabalho em equipe (operários), contrabando de mercadoria ilegal ou de segunda mão, fábrica, oficina, coletor de lixo, varredor, mineiros.

Carta 24: O Coração

Profissões ligadas à beleza e à criatividade: música, arte, pintura. Também considerando todas as profissões de ajuda humanitária, assistência médica, Cardiologista.

Carta 25: O Anel

Todos os trabalhos que necessitam de grupo, contratado (empregado/a), relojoeiro. Pode também representar uma pessoa que volta a trabalhar com uma profissão do passado ou emprego do passado.

Carta 26: O Livro

Profissões ligadas a livros, escritura e documentos: estudante, professor/a, educador/a, monitor, instrutor, livreiro, bibliotecário/a, editor, escritor/a, romancista, novelista, jornalista, historiador, tipógrafo, notário, arquivista.

Profissões ligadas ao segredo profissional ou a ações secretas: investigador/a, criminalista, agente secreto, pesquisador/a. Ocultista. Profissões ligadas ao estudo da mente ou ao cérebro: psicólogo/a, psicoterapeuta, neurologista. Cientista, especialista.

O Anel

- As Estrelas: cientistas;
- O Parque: editor;
- Os Ratos: sem algum conhecimento ou experiência.

> **Nota importante:**
> Esta carta tem duas interpretações de acordo com as cartas que entram em contato com ela. Por exemplo: Os Lírios + O Livro indica alguém que tem conhecimento acumulado; já A Criança + O Livro, que a pessoa não tem muita experiência profissional.

Carta 27: A Carta

Profissões ligadas à área de informações ou comunicação escrita: carteiro, mensageiro/a, entregador/a, tradutor/a, intérprete, trabalho no escritório (secretária).

- A Carta + O Parque: publicitário ou jornalista.

Carta 30: Os Lírios

Profissões ligadas a pessoas idosas, serviços sociais (assistência social), trabalho numa empresa familiar.

Carta 31: O Sol

Trabalho ligado à energia: eletricista, salão de bronzeamento, reiki, pranoterapia. Oftalmologista. Vulcanólogo. Emprego de verão. Turno de dia.

Carta 32: A Lua

Artista, intérprete dos sonhos. Turno da noite.

Carta 33: A Chave

Artesão, promotor/a de novos produtos, intérprete, serviço de segurança, detetive, trabalhar com metal (serralheiro), técnico informático.

Carta 34: Os Peixes

Profissões relacionadas diretamente com dinheiro: banqueiro/a, consultor financeiro, corretor/a da bolsa, contabilista, caixeiro/a. Profissões ligadas aos números: matemático, físico, numerólogo/a. Profissões ligadas ao mar ou à água, marinheiro, pescador, guarda costeiro, salva-vidas, biólogo marinho, mergulhador subaquático, nadador/a. Trabalho na importação e exportação de mercadorias, comerciante. Fisco, impostos.

Carta 35: A Âncora

Técnico de prótese dentária, fisioterapia, construção naval.

Carta 36: A Cruz

Teólogo, missionário/a, padre, freira, voluntário/a religioso/a.

CARTA TEMA PARA FINANÇAS E DINHEIRO

A carta temática para questões financeiras é a carta n.º 34, Os Peixes. Os Peixes são o símbolo da fertilidade, da prosperidade, da abundância, da fartura. Portanto, no baralho Petit Lenormand Os Peixes representam: dinheiro, salário, o bem-estar financeiro, ganhos e lucros proveniente de negócios.

Os recursos, as posses, os bens, os haveres, os pertences, o patrimônio, a economia e poupança do/a Consulente encontram-se na carta n.º 15, O Urso. A carta O Urso numa questão financeira fala de uma pessoa avarenta, que não gasta o que tem. É um acumulador nato e protetor dos próprios bens. Portanto, O Urso representa os recursos próprios da pessoa.

SIGNIFICADOS DAS CARTAS NO TEMA: FINANÇAS

Carta 1: O Cavaleiro

Chegada de notícias referentes a uma questão financeira, positiva ou negativa, sendo que as cartas vizinhas irão confirmá-la. Com cartas positivas – principalmente com O Cão, Os Lírios e Os Peixes – indica provável empréstimo ou ajuda financeira. Anuncia ingresso financeiro, envio (transferência), o receber dinheiro (Westerunion ou outros meios similares), reembolso, dinheiro extra, retribuição financeira.

O Cavaleiro

- O Navio: dinheiro vindo de longe, transportes de valores;

- O Navio + O Caixão: notícias referentes a uma herança;
- O Caixão: não como resposta a um crédito;
- A Raposa: entrada de dinheiro extra ganho desonestamente ou com um segundo trabalho;
- O Urso: depositar dinheiro;
- A Montanha: o dinheiro chega atrasado;
- Os Ratos: dívidas, mais despesas;
- O Anel: entrada regular de dinheiro;
- A Carta: ordem de pagamento, formulários de rede bancária para pagamento de valores;
- O Livro: informações reservadas sobre um investimento ou empréstimo;
- Os Peixes: vale postal, novidades em relação a investimentos, entrada de dinheiro.

Carta 2: O Trevo

Significa novas oportunidades e ocasiões que darão uma reviravolta inesperada dos eventos, neste caso, nas questões financeiras. Na maioria das vezes, assinala a entrada extra de pequenas quantias que podem ter origem em várias fontes: um bônus, um trabalho extra, pequeno aumento do salário, um jogo de loteria ou vindo como presente. O Trevo representa todos os tipos de jogos de apostas existentes, como loteria, corrida de cavalos. Os grandes ganhos através do jogo são confirmados se a carta Os Peixes e O Sol estiverem posicionadas uma ao lado da outra e perto da carta O Trevo.

O Trevo

- As Estrelas: grande fortuna;
- Os Ratos: perda de pequenas somas de dinheiro no jogo;
- O Sol: sorte no jogo;
- Os Peixes: bônus em dinheiro, o momento é ótimo para aqueles que jogam: a sorte vai certamente estar ao seu lado;
- Os Peixes + O Sol: jackpot (prêmio acumulado).

Carta 3: O Navio

Possível vantagem financeira através de negócios com países distantes (ou através da internet – venda online, como eBay), transferência ou dinheiro que vêm do exterior, fluxo de dinheiro, câmbio de moeda estrangeira, dinheiro estrangeiro, investimento financeiro, compra ou venda de imóvel, despesas, transações referentes a itens valiosos, mercado de ações, herança.

O Navio

- O Caixão + Os Peixes: herança;
- O Urso: depositar dinheiro no estrangeiro;
- Os Peixes: negócios lucrativos;
- Os Peixes + O Cavaleiro: compra de um automóvel, moto ou bicicleta;
- Os Peixes + Os Ratos: viagem que vai trazer perdas financeiras;
- Os Peixes + A Casa: compra de imóvel.

Carta 4: A Casa

Situação financeira estável. Responsável pelo sustento da própria família, dedicando-se de corpo e alma para que em sua casa haja estabilidade e conforto financeiro. Adquirir ou vender imóveis (casa, apartamento, terreno, loja).

- A Casa + Os Peixes + O Navio: venda de imóvel.

Carta 5: A Árvore

Renda estável e segura, crescimento financeiro estável, poupança, muito dinheiro na poupança resultando de longos anos de economia, seguro de vida.

Carta 6: As Nuvens

Preocupações financeiras, incertezas financeiras, algo pouco claro, período de altos e baixos financeiros.

Nota importante:
Se a parte escura da carta "As Nuvens" estiver cobrindo a carta Os Peixes, significa que não se tem uma visão geral sobre as próprias finanças, proveniência pouco clara das finanças, contratempos financeiros de curta duração.

Carta 7: A Serpente

Complicações financeiras, ilegalidade financeira, ganância. Habilidade em enganar os outros financeiramente.

Carta 8: O Caixão

A carta do Caixão perto de uma das duas cartas tema Os Peixes ou O Urso anuncia falência, pobreza, graves problemas financeiros, perda de dinheiro, sem dinheiro, sem lucro, ruína financeira, um empréstimo (crédito) que não será devolvido ou impossível de se pagar. Porém, se a carta O Caixão estiver posicionada depois de uma carta que representa dívida, como O Anel ou Os Ratos, anuncia a conclusão da dívida.

Carta 9: O Ramo de Flores

Pode anunciar presente, recompensa ou prêmio em forma de dinheiro ou presente valioso, generosidade, aumento do salário. Suborno.

Carta 10: A Foice

Corte financeiro, divisão dos bens em caso de herança ou separação. Dinheiro do/a ex.

A Foice

- O Urso: fechar uma conta;
- Os Ratos: cancelamento de dívidas;
- Os Peixes: perda imprevista, interrupção de apoio financeiro, empréstimo que vem negado, divisão de dinheiro, perda da principal fonte de subsistência.

Carta 11: A Vassoura e O Chicote
Dinheiro contestado, questões econômicas são motivo de discussão, multa, penalização.

Carta 12: As Corujas
Estresse por questões financeiras, falar de dinheiro, negociações financeiras.

Carta 13: A Criança
Pequena quantidade de dinheiro, pouco dinheiro, pouco lucro, primeiros ganhos, pensão alimentícia dos filhos, novas entradas de dinheiro, mesada, inexperiência em questões financeiras, irresponsabilidade financeira, brincar com o dinheiro, gastar dinheiro com os filhos ou um jovem.

A Criança

- O Urso: início da poupança;
- Os Peixes: gorjeta, incapacidade de lidar com o dinheiro, início de novos investimentos, novos investimentos.

Carta 14: A Raposa
Luta pela sobrevivência, ganância, fraude e desonestidade financeira, enriquecimento à custa dos outros, mau uso de dinheiro, más decisões financeiras, usar o dinheiro para pressionar os outros, suborno. A parte positiva desta carta está na habilidade de resolver as questões financeiras.

Nota importante:
A presença da carta A Raposa, pede cautela sobre qualquer tipo de assuntos financeiros!

Carta 15: O Urso
Poder econômico, poupança, finanças pessoais, renda, investimento, recursos, acumular riqueza, administração do próprio dinheiro com sabedoria, autossuficiência financeira, contas a pagar e a receber. Conta bancária, boa administração financeira, acumulação de dinheiro,

empréstimo, financiamento, patrocínio, apoio ou ajuda financeira, riqueza, corretor, banqueiro, patrocinador.

O Urso

- A Casa: economia doméstica, dinheiro guardado em casa;
- O Caixão: nenhuma poupança;
- O Anel: conta compartilhada;
- Os Peixes: boa gestão do dinheiro, fundo financeiro, dinheiro depositado ou investido na área representada pela carta que estiver por perto. Por exemplo com A Casa fala de investimento em imóveis, terrenos ou edifícios; empréstimo;
- Os Peixes + O Caixão: falência, sem algum dinheiro, pobreza.

Carta 16: As Estrelas

Aumento das finanças, ganhos, fluxo constante de dinheiro, sucesso financeiro, planos ou desejos financeiros para o futuro, lucros financeiros, expectativas financeiras, ideias para ganhar mais dinheiro. Esclarecimento de uma questão financeira.

Carta 17: As Cegonhas

Mudança da situação financeira. Com a carta Os Peixes indica, reembolso, devolução de dinheiro, pagar uma dívida, atitude que melhora a situação financeira. Dinheiro que entra e sai.

Carta 18: O Cão

Apoio ou assistência financeira por parte de amigos, colegas ou irmãos, empréstimo, honestidade e lealdade.

Carta 19: A Torre

Cofre, banco, poupança, impostos, dinheiro de uma instituição, instituição de créditos. Poupança.

A Torre

- Os Peixes: instituições financeiras (finanças, impostos, taxas, banco);
- Os Peixes + O Trevo: cassino;
- Os Peixes + O Urso: fisco, alto funcionário bancário.

Carta 20: O Parque

Finanças públicas, gastos públicos ou para passeios (concertos, etc.), investimento financeiro no jardim (casa) ou em um parque, coleta, leilão, mercado de ações, cassino, sala de jogos, clientes, círculo social onde o dinheiro desempenha um papel importante. Com a carta O Cavaleiro ou Os Ratos, feira da bagageira (artigos em 2ª mão, velharias).

Carta 21: A Montanha

Dinheiro bloqueado, atraso nos pagamentos ou remuneração de dinheiro, sérios problemas financeiros, dificuldades de reembolso de um empréstimo, empréstimo arriscado, sem renda, limitações econômicas.

Carta 22: Os Caminhos

Decisões relacionadas com as finanças, considerar todos os prós e contras num investimento financeiro, duas ou mais opções, dinheiro proveniente de várias fontes, vários empréstimos, muitas despesas. Com a carta Os Peixes, indica vários rendimentos.

Carta 23: Os Ratos

Dívidas, despesas (excessivas ou em coisas desnecessárias), roubo, perdas ou grandes preocupações financeiras, dívidas, escassez, miséria, pobreza, viver financeiramente a custa dos outros, redução do preço, aquisição de coisas em segunda mão.

Os Ratos

- A Raposa: anuncia deterioração lenta das finanças, apropriação injusta;
- O Urso: gasto da poupança, não tem interesse em poupar o dinheiro;
- Os Peixes: se recebe menos dinheiro que o esperado, perda constante de dinheiro, atenção aos ladrões, alguém subtrai dinheiro do/a Consulente; má gestão do próprio dinheiro, condições financeiras são precárias; pagamento.

Nota importante:

A presença dos Ratos numa leitura, para questões financeiras, recomenda ponderação nas despesas e gastos. É aconselhável mudar os próprios hábitos e ter mais cuidado.

Carta 24: O Coração

Caridade, generosidade, doação em dinheiro, amor pelo dinheiro. Perto das cartas com valor negativo pode indicar materialismo.

Carta 25: O Anel

Renda regular, dinheiro fixo, dívidas, dinheiro compartilhado, economia do parceiro/a (marido, mulher, noivo/a, sócio/a), crédito, empréstimos (contínuos), acordo financeiro, contrato financeiro, retribuição econômica, pensão alimentícia, obrigações financeiras, pagamento repartido, quota, taxa, união (casamento) por conveniência, dinheiro de uma associação, parceria ou do parceiro/a (marido, mulher, namorado/a, sócio/a).

O Anel

- A Casa: pagamento do aluguel;
- Os Peixes: acordo financeiro, empréstimo.

Carta 26: O Livro

Contabilidade, caderneta de poupança, documentos da contabilidade, dinheiro escondido, necessidade de aprofundar a proveniência do dinheiro, fonte desconhecida da renda, departamento fiscal. Despesas para estudos, cursos ou formações.

Carta 27: A Carta

Ações, cheque, recibo, extrato de conta, transferência de dinheiro, receber ou enviar dinheiro, pagamento.

A Carta

- O Trevo: bilhete de loteria;
- O Urso: conta bancária, extrato de conta, cheque;
- Os Peixes: extrato de conta, correspondência bancária, notificação de uma compra ou venda online.

Carta 28: O Homem e A Carta 29: A Mulher

É importante observar a lei do olhar para uma correta interpretação.

- A carta Os Peixes, na direção do olhar, indica foco nas questões financeiras, determinação em criar independência e estabilidade econômica futura, capacidade de ganhar dinheiro;

- A carta Os Peixes nas costas do/a consulente (atrás) indica que ele/a não está dando muita importância às questões financeiras ou eventos relacionados com as finanças são motivo de preocupação no presente.

De qualquer forma, observem as cartas vizinhas que irão dar maiores detalhes sobre a questão.

Carta 30: Os Lírios

Os Lírios indicam recursos financeiros provenientes da família, o dinheiro desempenha um papel importante na família, dinheiro que se receberá no inverno ou que vai levar tempo a chegar, obter um empréstimo ou apoio financeiro. Com a carta Os Peixes, bens (propriedades) da família, aposentadoria, herança, sexo mediante pagamento.

Carta 31: O Sol

Sucesso e melhoria financeira. Muito dinheiro.

Carta 32: A Lua

Alcançam poder financeiro, recompensa ou prêmio financeiro, alto status social pela disponibilidade.

Carta 33: A Chave

Segurança financeira, investimento. A Chave com a carta Os Peixes, busca de solução financeira, abrir uma conta bancária. Código do multibanco.

Carta 34: Os Peixes

Salário, sustento, dinheiro, abundância, acumulação, ganhos, lucro, compras.

Os Peixes

- A Casa: comprar uma casa, investimento em imóveis, gastos para a casa;
- A Árvore: gastos com a saúde;
- A Foice: dinheiro inesperado, sucesso financeiro;
- As Estrelas: aumento salarial;

- O Parque: dinheiro público, muitos clientes;
- A Montanha: atraso no pagamento ou em receber dinheiro, conta bloqueada;
- Os Ratos: desinteresse pelas questões financeiras, a pessoa ama o dinheiro, mas não tem interesse em trabalhar para o obter, incapacidade de lidar com o dinheiro, insuficiência financeira;
- Os Ratos + A Montanha: problemas financeiros que estão chegando ao fim;
- O Anel: renda fixa, salário;
- O Anel + A Casa: pagamento do aluguel, hipoteca da casa;
- O Livro: sigilo financeiro, financiamento para os estudos, cursos ou formações;
- O Sol: muito dinheiro;
- A Âncora: segurança financeira através de um emprego ou de uma entrada fixa que garante um rendimento mensal, como salário, pensão alimentícia, poupança.

Carta 35: A Âncora

Estabilidade financeira (as cartas por perto irão dar maiores detalhes sobre a fonte dessa segurança), renda regular, dependência do dinheiro, fonte permanente de renda, investimento de longo prazo, poupança.

Carta 36: A Cruz

Encargos financeiros, dívida, tormento por problemas econômicos, dinheiro da igreja.

A Saber:

- As cartas que anunciam estabilidade financeira são: A Casa, A Árvore, A Torre, A Âncora; estas mesmas cartas também podem anunciar que as finanças permanecem tal e qual como estão neste momento, portanto não existe alguma alteração das condições atuais. Por consequência, é importante observar as cartas envolvidas na leitura;

- As cartas que indicam DINHEIRO QUE ENTRA OU SAI são: O Cavaleiro (entrada e saída), O Trevo (renda extra), O Navio (entrada e saída), O Ramo de Flores (renda extra), A Raposa (roubo, fraude), As Cegonhas (entrada e saída), Os Ratos (perda, para fazer pagamento);
- As cartas que anunciam SÉRIOS PROBLEMAS FINANCEIROS são: As Nuvens, O Caixão, A Foice, A Montanha, Os Ratos, A Cruz. Estas cartas, quando aparecem, aconselham a tomar providências para remediar a própria situação;
- As cartas que indicam EMPREGO QUE PAGA MAL, OFERECE BAIXO SALÁRIO são: A Criança, Os Ratos;
- As cartas que representam COBRANÇA são: O Cavaleiro, A Carta;
- As cartas que indicam DÍVIDAS são: O Caixão, Os Caminhos, O Anel, Os Ratos, A Cruz;
- As cartas que indicam AJUDA, APOIO OU ASSISTÊNCIA FINANCEIRA: O Urso, O Cão, Os Lírios. A ajuda, apoio ou assistência - aqui representada - pode ser em forma de subsídio, bolsa de estudos, crédito. A combinação da carta O Urso com a carta Os Lírios anuncia que recebe aconselhamento sobre questões financeiras e também ajuda financeira por parte de uma instituição ou familiar;
- As cartas que representam QUANTIDADE são: A Vassoura e O Chicote, As Corujas (dois de quantidade), A Foice (metade), As Estrelas e Os Peixes (muito, expansão, multiplicação e aumento nas finanças), Os Caminhos (vários. Por exemplo: várias fontes de renda), A Criança e Os Ratos (redução, pouco);
- As cartas que indicam ATRASOS NO RECEBIMENTO DE DINHEIRO são: As Nuvens (curta duração), A Montanha (longa duração) e as cartas paradas, quando perto da carta os Peixes, como A Torre, A Montanha e A Âncora;
- Os Peixes ou O Urso com as cartas As Nuvens, A Serpente, A Raposa, Os Ratos e O Livro, anuncia DINHEIRO COM PROVENIÊNCIA OBSCURA ou da FONTE ILÍCITA;
- Os Ratos por cima da carta Os Peixes, indica que a PESSOA GASTA TODO O SEU ORDENADO; ROUBO CONCRETIZADO; TENHA CUIDADO

COM O SEU ORDENADO E VEJA SE O SEU CHEFE OU ALGUÉM NÃO ESTÁ LHE ROUBANDO;

- Os Ratos, por cima da carta O Urso, diz-nos que a PESSOA GASTA AS SUAS ECONOMIAS, DILAPIDAÇÃO DAS ECONOMIAS.

CARTA TEMA PARA VIAGEM, DESLOCAMENTO, FÉRIAS

São cinco as cartas que representam, viagens, deslocamentos e férias:

- O Cavaleiro
- O Navio
- As Corujas
- As Cegonhas
- Os Caminhos

Estas cinco cartas estão divididas em dois grupos:

GRUPO 1

Carta n.º 1
O Cavaleiro

Carta n.º 12
As Corujas

Carta n.º 22
Os Caminhos

Viagens e deslocamentos breves ou por um curto período, que estão representadas pelas cartas O Cavaleiro, As Corujas e Os Caminhos. Estas três cartas descrevem viagens ou deslocamentos breves, tais como: passeios (tour), excursões, visitas (educativas, culturais, pessoais ou questões de trabalho).

Geralmente são realizadas a pé ou de bicicleta (Os Caminhos); carro, moto, ou a cavalo (O Cavaleiro); em alguns casos por via aérea, mas com voos domésticos ou locais, como em helicópteros, aeroplano, balão de ar quente ou um parapente (As Corujas). A Carta Os Caminhos, caso venha acompanhada pela carta O Navio, também pode referir-se a uma viagem ou deslocamento distante.

GRUPO 2

Carta n.º 3
O Navio

Carta n.º 17
As Cegonhas

Viagens ou deslocamentos distantes para o exterior ou por um período grande estão representadas pelas seguintes cartas: O Navio e As Cegonhas. As duas cartas sugerem viagens de longa distância, tais como viagens para o estrangeiro, ou localidades distantes.

É interessante notar que a maioria dos Consulentes tiveram que deixar a própria terra natal para viverem num outro país (para trabalho, por amor, para fugir da guerra) tendo a carta O Navio na posição do passado. O mesmo acontece com os emigrantes onde a carta O Navio mais As Cegonhas se encontram também em posição do passado.

O Navio e As Cegonhas, representam viagens efetuadas por comboio, ônibus, navio (O Navio) ou via aérea (As Cegonhas). O Navio, também pode se referir a uma viagem mental, espiritual, astral ou a transição de uma vida para outra (até mesmo a morte).

Nota importante:
Se uma das cinco cartas estiver posicionada perto do/a Consulente e a questão investigada for sobre viagens ou deslocamentos, ela indicará o tipo de viagem. Já as cartas perto da que representa a viagem darão informações sobre o desenvolvimento desse deslocamento.

CARTAS QUE REPRESENTAM: FÉRIAS

Há quatro cartas que podem representar férias. Embora aqui eu as apresente separadamente, perante uma leitura elas devem aparecer juntas:

- O Navio indica uma saída, muitas vezes a encontramos numa leitura que sinaliza férias grandes, viagem de estudo ou de trabalho no estrangeiro ou numa cidade distante;
- A Árvore indica férias grandes, relaxamento, descanso, tranquilidade, paz, a natureza, um passeio nos campos ou em matas;
- As Corujas indicam fim de semana, feriado ou dia de folga; excursões, passeios, visitas (museu); viajar ou deslocamento de curta duração;
- O Parque indica férias, mas também folga ou fim de semana; entretenimento, distração, passatempos, lazer, ar livre, piqueniques, shows, o cuidar de si, afastando-se do estresse.

CARTA TEMA PARA SAÚDE

Apesar de saber que qualquer tema proposto pelo/a Consulente é delicado, este merece, da parte do/a Cartomante, a máxima atenção. Na minha opinião, a saúde é uma área da vida que, pela sua importância e delicadeza, deve ter especial atenção durante uma leitura.

É um fato comprovado que a Cartomancia é capaz de prever e confirmar uma determinada doença que está em curso ou está prestes a revelar-se. Seria incoerente da minha parte não aceitar isto, pois acredito que o baralho é uma ferramenta séria à qual podemos recorrer sempre que necessitamos de orientação, seja qual for o tema que nos preocupa. Um verdadeiro profissional da cartomancia traz consigo uma bagagem repleta de conhecimento e experiência resultante de longos anos de estudo e de prática. Um Cartomante, que trabalha com seriedade e profissionalismo, conhece profundamente o seu próprio baralho de cartas; está, deste modo, ciente de que uma determinada carta, posicionada ao lado de outra específica, pode confirmar que uma determinada doença em curso pode agravar-se, ou que estão previstas melhoras para o/a Consulente. Esta é uma realidade que deve ser aceita. Rejeitá-la seria o mesmo que não aceitar, não acreditar nas previsões sobre as outras áreas das nossas vidas.

Em virtude de se tratar de um tema muito sensível e de abordagem delicada, aconselho todos os cartomantes, que não sejam detentores de conhecimentos médicos e que não tenham experiência sólida na utilização do baralho, que se abstenham de dar diagnósticos médicos, limitando-se unicamente a aconselhar o/a Consulente a consultar um médico.

Deve limitar-se unicamente a responder as perguntas relacionadas com a evolução de uma doença, caso o/a consulente solicite essas informações. A Cartomancia pode ser de grande ajuda na manutenção de um bom estado de saúde.

- A carta A Árvore é a carta tema para as questões de saúde. Esta carta tem como função mostrar o estado de vitalidade e saúde do/a Consulente.
- A carta tema para doença é a carta O Caixão.

Carta n.º 5
A Árvore

Carta n.º 8
O Caixão

Portanto, numa leitura, é importante observar se a carta A Árvore se encontra posicionada perto ou distante da carta do Consulente. Quanto mais perto A Árvore estiver da carta do Consulente e se estiver acompanhada por cartas negativas, a saúde está comprometida. Posicionada distante da carta do Consulente, não oferece preocupação.

SIGNIFICADO DAS CARTAS NO TEMA: SAÚDE

Carta 1: O Cavaleiro

Em geral, anuncia a chegada de algo importante relacionado com a saúde. É importante observar a carta perto d'O Cavaleiro, porque irá fornecer informações sobre o que está chegando.

- Órgãos e partes do corpo: pernas, joelhos (menisco), pés, tornozelos, tendões, articulações.
- Veículo: cadeira de rodas, muletas.
- Conselho: a carta recomenda que se mova mais, praticar esportes.

O Cavaleiro

- O Trevo: recuperação;
- A Árvore: informações sobre a própria saúde;
- A Serpente: agravamento do estado de saúde;
- O Ramo de Flores: anuncia a recuperação de uma doença ou que um medicamento vai dar bom resultado;
- A Carta: anuncia o resultado das análises ou uma receita para um novo medicamento.

Carta 2: O Trevo

Recuperação rápida da vitalidade ou de uma doença caso se esteja doente. Doença de curta duração.

- Tratamento: curahomeopática, medicina alternativa, ervas (chinesas); chás.

Carta 3: O Navio

Algumas vezes, esta carta pode representar deslocamento para um hospital ou uma cidade distante (estrangeiro) para tratamento ou fazer exames. Representa o campo da Medicina alternativa.

- Órgãos e partes do corpo: neste setor, a carta representa os órgãos de desintoxicação: fígado, rins, pâncreas, vesícula biliar, bexiga etc.
- Veículo: ambulância.
- Conselho: a carta aconselha a ter maior cuidado com o corpo e a alma.

O Navio

- A Árvore: ambulância;
- A Serpente: gastroenterite;
- A Criança + O Caixão: parto natural;
- A Montanha: pedras nos rins;
- Os Peixes: alcoolismo.

Carta 4: A Casa

Representa o corpo, esqueleto e alma; reabilitação, convalescença.

- Órgãos e partes do corpo: o corpo, esqueleto e alma.
- Conselho da carta: repouso.

A Casa

- A Torre: braços, dedos; quarto do hospital;
- As Nuvens: pulmões.

Nota importante:
A carta em contato com a carta A Casa identifica um órgão ou uma parte do corpo que se deve prestar atenção.

Carta 5: A Árvore

A Árvore é a carta tema da saúde.

- Órgãos e partes do corpo: pulmões, vias respiratórias, esqueleto, ossos. DNA, genes. Gengivas.
- Doença: doença hereditária ou de longa duração.
- Conselho da carta: pode ser necessário um período de repouso, de regeneração para poder obter o equilíbrio da saúde ou de si mesmo.

A Árvore

- A Casa: clínica, repouso;
- As Nuvens + Os Ratos: depressão, infecção;
- O Caixão + A Cruz: doença grave;
- A Torre + A Foice: internação com urgência no hospital;
- As Montanhas: doença prolongada.

Nota importante:
Quando a questão é a saúde, se a carta As Nuvens está presente na leitura, avisa que o/a Consulente não está no seu estado normal (psíquico, emocional ou físico). Nesta situação, é muito importante observar com atenção, a ou as cartas que se encontram posicionadas ao lado das nuvens escuras, porque darão indicações sobre a causa do distúrbio. É importante recorrer a uma consulta médica para fazer um check-up. A carta As Nuvens muitas vezes esconde, encobre uma doença que, se não for descoberta a tempo, pode originar uma doença preocupante. Em caso de doença, há perigo de a mesma se arrastar devido a descuidos do/a próprio/a Consulente.

Carta 6: As Nuvens

- Órgãos e partes do corpo: pulmões, vias aéreas, tórax.
- Doenças: mal-estar, náuseas, tonturas, desmaio, instabilidade emocional ou psicológica, desequilíbrio. Depressão, risco de infecção, inchaço, hematoma, manchas, asma, bronquite, gripe, constipação, pneumonia, tabagismo, gases, doença intestinal,

catarata nos olhos, miopia. Doenças causadas por sobrecarga da vida (trabalho, problemas sentimentais, econômicos etc.). Transpiração excessiva (suor). Vício de fumar. Cancro nos pulmões quando combinada com a carta Os Ratos.

As Nuvens

- O Navio: bolhas, enjoo;
- O Ramo de Flores: alergia;
- O Caixão: desmaio, perda de consciência, depressão, problemas psíquicos;
- O Caixão + A Foice: tendências suicidas;
- O Ramo De Flores: alergias;
- A Vassoura e O Chicote: tosse;
- Os Ratos + O Parque: vírus;
- Os Ratos + Os Peixes: inflamação da bexiga (cistite);
- O Livro: doenças desconhecidas;
- Os Lírios: pneumonia;
- Os Peixes: alcoolismo, abuso de substâncias químicas (medicamentos ou drogas). O/A Consulente está sob a influência de medicamentos, drogas ou álcool. Tonturas. Diarreia. Problemas no metabolismo.

Carta 7: A Serpente

Podem surgir complicações nas áreas mencionadas ou na doença. Aparecimento de lombrigas, vermes e outros parasitas intestinais. Anestesia, comprimido para dormir. Perigo relacionado à picada de insetos ou de répteis.

- Órgãos e partes do corpo: veias, intestino, cólon, sistema digestivo, cordão umbilical, feto.
- Tratamento: medicamento à base de veneno (antídoto), quimioterapia, antibiótico, terapia intensiva.

- Conselho da carta: é preciso um controle mais profundo no que diz respeito à saúde, dedicando maior atenção aos intestinos e à parte dorsal da coluna.

A Serpente

- O Navio ou Os Peixes: canal urinário, disenteria, diarreia;
- A Foice: picadas de insetos venenosos ou mordidas de animais.

Carta 8: O Caixão

Carta tema para doença. A carta O Caixão, quando vizinha da carta A Árvore, indica uma doença. Prestem atenção às cartas posicionadas na vizinhança, porque estas vão fornecer mais detalhes sobre a situação de saúde do/a Consulente. Quanto mais negativas forem as cartas, mais a saúde do/a Consulente é preocupante.

- Órgãos e partes do corpo: ânus, reto, cegueira. O Caixão também indica a remoção de órgãos.
- Doenças: indica graves problemas de saúde que necessitam de intervenção médica. As doenças relacionadas a esta carta são: depressão, dor de cabeça ou enxaqueca, deficiência neurológica, e, se a carta está acompanhada com cartas negativas, anuncia doença crônica, grave ou terminal. Sempre com cartas negativas, pode anunciar coma, paralisia ou invalidez. Estado de esgotamento ou exaustão, cansaço psíquico, emocional e físico que necessita de repouso para se restabelecer. Prevê doenças características da velhice ou do envelhecimento precoce se a carta O Caixão estiver em contato com a carta O Trevo. A carta O Caixão, acompanhada de cartas positivas, anuncia mudanças do próprio estado para o melhor. Menopausa.
- Objetos: cama, caixinha dos remédios, caixão.
- Conselho da carta: aconselha a um descanso forçado.

O Caixão

- A Árvore: doença hereditária;
- A Serpente: doença prolongada, complicações na saúde;

- A Foice: doença repentina, morte súbita;
- A Vassoura e O Chicote: febre alta;
- A Raposa: mentir sobre uma doença ou sintomas falsos;
- O Anel: recaída de uma doença;
- O Sol: recuperação, reanimação;
- Os Peixes: bexiga;
- A Âncora: doença incurável.

Carta 9: O Ramo de Flores

Se existir uma doença, pode se esperar uma melhora rápida. Representa a cura que é encontrada. Recuperação.

- Órgãos e partes do corpo: rosto, cabelos. Doenças: Alergia, herpes, acne.
- Tratamento: terapias alternativas: (óleos, cremes, pomadas, homeopatia, florais de Bach, essências).

Carta 10: A Foice

Emergência médica, fratura, lesão. Amputação de um órgão ou raspagem (útero).

- Órgãos e partes do corpo: unhas.
- Doenças: febre, ferida, fratura, mordidelas, picada de um animal ou inseto (mosquito, abelha), lesões, trauma, dor dilacerante, grave infortúnio, incidente. Tétano, inflamação.
- Tratamento: cirurgia, cesariana, transplante, tratamento injetável. Acupuntura.
- Conselho da carta: investigar a questão; biopsia.

A Foice

- O Navio + A Criança: cesariana;
- O Ramo de Flores: cirurgia estética;
- A Montanha: extração de dente.

CARTA 11: A Vassoura e O Chicote

- Órgãos e partes do corpo: garganta, tendões, músculos, mãos.
- Doenças: cólicas, cãibras, lesão, febre, nervos, problemas na fala; dores pós-operatório; doenças crônicas.
- Tratamento: fisioterapia.
  - A Vassoura e O Chicote + O SOL: febre alta.

Carta 12: As Corujas

- Órgãos e partes do corpo: olhos, pernas, veias, nervos.
- Doenças: doenças oculares, distúrbio do sono, sistema nervoso, tensão arterial alta.

Carta 13: A Criança

Progresso no tratamento em caso de doença. Dentição.

- Doenças: doenças infantis, uma doença em fase inicial; deficiência.

  A Criança

  - O Navio: gravidez;
  - O Navio + A Foice: parto prematuro;
  - O Caixão + A Foice: aborto;
  - As Corujas: gêmeos;
  - As Cegonhas: gravidez.

Carta 14: A Raposa

Aconselha a adotar bons hábitos alimentares, comendo pequenas quantidades várias vezes ao dia. Possíveis problemas nos ouvidos (audição), nariz e garganta. Em caso de distúrbios na saúde, esta carta mostra a área a que o/a Consulente deve prestar mais atenção e aconselha a visitar um médico especialista. Os sintomas apresentados não são o que parecem. Representa uma doença imaginária ou, na pior das hipóteses, alguém que finge uma doença.

- Órgãos e partes do corpo: nariz, orelhas, garganta, pescoço.
- Doença: doença imaginária. Diagnóstico errado.
- Conselho da carta: pedir um segundo exame médico.

Carta 15: O Urso

- Órgãos e partes do corpo: cabelos, pelos, estômago, barriga.
- Doenças: Obesidade, doenças geriátricas, tumor.

Carta 16: As Estrelas

Em caso de doença, indica melhora, recuperação.

- Órgãos e partes do corpo: pele, células. Couro cabeludo. Marca de nascença, verrugas.
- Doenças: doenças dermatológicas, doenças a nível celular. Borbulhas.
- Tratamento: quimioterapia, radioterapia, laser. Medicamentos. Fisioterapia. Atenção: Overdose de medicamentos.

Carta 17: As Cegonhas

Órgãos e partes do corpo: pernas, útero.

- Doenças: poderá acontecer que uma doença se apresente novamente ou haja melhora do estado de saúde caso se esteja doente.
- Conselho da carta: é aconselhável uma mudança de hábitos e de vida, evitando o tabagismo, a má alimentação e o sedentarismo.
  - As Cegonhas + A Montanha: mudanças irreversíveis na doença.

Carta 18: O Cão

- Órgãos e partes do corpo: cordas vocais, boca, nariz.
- Doenças: doenças crônicas.

Carta 19: A Torre

- Órgãos e partes do corpo: coluna vertebral, discos vertebrais, pescoço, dedos, pernas, joelhos.
- Doenças: tendência para a artrite, reumatismo, doenças nos ossos, perturbações circulatórias. Doenças que obrigam a isolar-se ou ficar em quarentena. Internação no hospital.

  A Torre

  - As Cegonhas: muletas;
  - Os Peixes + A Criança: fecundação, inseminação.

Carta 20: O Parque

- Doenças: sistema imunológico, alergia, vírus.
- Tratamento: terapia de grupo, retiro para tratamento.
- Conselho da carta: retirar-se para repousar, descansar.

Carta 21: A Montanha

Início de uma doença prolongada.

- Órgãos e partes do corpo: cabeça, crânio, ossos, dentes.
- Doenças: rins ou cálculos biliares, coágulos sanguíneos, nódulo (no seio), cistos e tumores benignos, prisão de ventre. Doença difícil de se tratar, possíveis complicações. Engessado. Inchaço.

  A Montanha
  - O Trevo: dente provisório;
  - As Estrelas: metástases;
  - A Âncora: denteira (dentuça).

Carta 22: Os Caminhos

- Órgãos e partes do corpo: sistema circulatório, veias, artérias, tendão, ligamentos.
- Doenças: estrabismo, colesterol alto.
- Conselho da carta: é necessário aconselhamento de um especialista. Opção de tratamento, exames clínicos.
  - Os Caminhos + O Coração + A Montanha: artérias obstruídas.

Carta 23: Os Ratos

- Órgãos e partes do corpo: órgãos digestivos, estômago, fígado, aparelho digestivo. Deformação física, falta de um membro, as cartas circundantes darão mais detalhes:
  - As Cegonhas + Os Ratos: falta de uma perna;
  - A Carta + Os Ratos: falta de uma mão;
  - A Torre + Os Ratos: falta de dedos.

- Doenças: doenças contagiosas e infecciosas, vírus, sistema nervoso (tique nervoso), dor no estômago e intestinos (úlceras), problemas digestivos ou gástricos. Intolerância alimentar, vômito, envenenamento. Perda da memória (amnésia). Doenças devido à falta de higiene, cárie dentária. Cancro. Ânsia, cansaço, estresse, depressão. Anorexia. Fezes. Um órgão começa a falhar no seu funcionamento. Artrose.
- Tratamento: a carta Os Ratos também representa um centro de cura para emagrecimento ou desintoxicação (droga, álcool etc.).
- Em algumas das minhas leituras, já vi confirmada a relação desta carta com a rejeição de um medicamento e, em outro âmbito, com a existência de parasitas e piolhos.

Os Ratos

- A Árvore: atrofia óssea;
- A Serpente: bactérias intestinais;
- O Caixão: recuperação lenta de uma doença, um tratamento eficaz que leva à cura definitiva de uma doença grave. (Os Ratos têm a função de eliminar, diminuir, tirar, roer a carta que se encontra a sua frente);
- O Parque: doença infecciosa;
- A Montanha: osteoporose, cárie dental;
- O Sol: perda da visão, perda de energia, apatia;
- Os Peixes: inflamação da bexiga (cistite).

Nota importante:
A carta Os Ratos, numa leitura relacionada com a saúde, principalmente quando ela se encontra em contato com a carta A Árvore, isto é, Os Ratos + A Árvore, informa que estamos perante uma pessoa doente ou enfraquecida (observe as cartas vizinhas para esclarecer os motivos do problema). A carta à direita da Árvore, vai mostrar o diagnóstico da doença ou o mal que está afetando o/a Consulente.

Carta 24: O Coração

- Órgãos e partes do corpo: coração.
- Doenças: problemas cardíacos (cardiopatias), circulação sanguínea, sangue. Pressão arterial, vasos sanguíneos. Problemas emocionais.
- Conselho da carta: é necessário monitorar o coração e as válvulas cardíacas.

Carta 25: O Anel

- Doenças: tendência a recaídas, relativamente a uma doença ou a vícios. Patologias crônicas. Circulação.
- Conselho da carta: a vigilância contínua e regular de uma doença ou da saúde é necessária.

Carta 26: O Livro

- Órgãos e partes do corpo: cabeça, cérebro, umbigo.
- Doenças: estado de saúde mantido em segredo. Doenças Mentais, problema de visão. Doenças ocultas.
- Conselho da carta: é necessário fazer exames para o seu diagnóstico.
- Documentos: documentos referentes à saúde: ficha clínica, exames de laboratório.

  O Livro

  - O Caixão: doença mantida em segredo ou de difícil diagnóstico, perda de memória, amnésia.

Carta 27: A Carta

A presença da carta na leitura traz notícias sobre a condição de saúde do/a Consulente.

- Órgãos e partes do corpo: mãos.
- Doenças: ânsia, agitação, dores de cabeça.
- Documentos: Receitas médicas, resultados laboratoriais.

A Carta

- A Árvore: prescrição médica, licença médica, marcar uma consulta;
- O Caixão + A Árvore: certificado de doença;
- As Estrelas: ultrassonografia, radiografia.

Carta 28: O Homem

- Órgãos e partes do corpo: órgãos masculinos.
- Doenças: todas as doenças relacionadas aos órgãos masculinos.

Carta 29: A Mulher

- Órgãos e partes do corpo: órgãos femininos.
- Doenças: todas as doenças relacionadas aos órgãos femininos.

Carta 30: Os Lírios

- Órgãos e partes do corpo: genitais.
- Doenças: doenças associadas ao frio (constipação, gripe etc.), doenças do sistema urogenital, hormonais, venéreas. Problemas devido à idade.
- Tratamento: desintoxicação; lenta recuperação após um longo período de doença.
- Conselho da carta: repouso.

Carta 31: O Sol

Estado de boa saúde. Bem-estar, regeneração da energia vital. Caso esteja doente, esta carta anuncia uma recuperação.

- Órgãos e partes do corpo: olhos.
- Doenças: insolação, queimaduras, contusões. Problemas devido ao calor. Doenças causadas por radiação nociva.
- Lado negativo: Insolação, queimaduras, pele seca, desidratação.
- Tratamento: Seguro e eficaz para uma doença.
  - O Sol + O Caixão: cegueira, desmaio.

Carta 32: A Lua

- Órgãos e partes do corpo: útero, seios, genitais femininos.
- Doenças: distúrbios hormonais, sistema reprodutivo. Menstruação.

Carta 33: A Chave

- Órgãos e partes do corpo: clavícula.
- Tratamento: Sais minerais, vitaminas. Foi encontrado um novo tratamento.

Carta 34: Os Peixes

- Órgãos e partes do corpo: rins, bexiga.
- Doenças: problemas renais e bexiga. Retenção de líquidos no corpo, intoxicação com água. Problemas de fertilização, esperma. Representa dependência química (Álcool, droga) quando está na presença da carta O Anel ou A Âncora. Constipação, gripe.
- Tratamento: medicação líquida (soro, ampolas, gotas, xarope).

Carta 35: A Âncora

Condição estável sem alguma alteração.

- Órgãos e partes do corpo: pélvis, quadril, bacia.
- Doenças: doenças profissionais ou crônicas.
- Tratamento: no momento, não existe nenhum progresso na cura ou na recuperação.

Carta 36: A Cruz

- Órgãos e partes do corpo: discos vertebrais, coluna vertebral, medula, braços, pulsos.
- Doenças: doença hereditária, crônica, infortúnio, incidente, doença por erros do passado (vícios- fumar, beber). Cancro. Dor e sofrimento devido à doença.
- Conselho da carta: hospitalização.

A Saber:

- Cartas que representam – doenças: as cartas vizinhas à carta A Árvore irão informar as condições de saúde do/a Consulente. Se perto da carta A Árvore estiver presente a carta O Caixão ou Os Ratos, anuncia a perda da saúde, uma doença;
- Cartas que representam – doenças crônicas: A Vassoura e O Chicote, O Anel, A Cruz, O Cão
- Cartas que representam – recaída de uma doença: A Vassoura e O Chicote, O Anel;
- Cartas que representam – doenças incuráveis: O Caixão, A Cruz;
- Carta que representa – doença terminal: O Caixão;
- Cartas que representam – tratamentos: A Serpente, As Estrelas;
- Cartas que representam – reabilitação: A Vassoura e O Chicote (fisioterapia);
- Cartas que representam – recuperação: O Trevo, O Ramo de flores, As Estrelas, O Parque, O Sol;
- Carta que representa – complicações na doença: A Serpente;
- Cartas que representam – análises: Os Caminhos, O Livro;
- Cartas que representam – resultados laboratoriais: O Cavaleiro, A Carta;
- Carta que representa – cirurgia: A Foice;
- Cartas que representam – hospitais, clínicas e consultórios médicos: a carta A Torre identifica um hospital, instituto de saúde, universidade de medicina; a carta A Casa, uma clínica ou um consultório médico, isto se estiverem acompanhadas pela carta A Árvore.

CARTA TEMA PARA MORTE FÍSICA

A vida e a morte são nossas companheiras desde que nascemos. Durante um certo período das nossas vidas não a sentimos e talvez nem percebemos que a morte caminha tão perto de nós. Quando perdemos alguém ou temos que conviver com uma doença grave, é que sentimos a presença dessa divindade, o senhor da morte que nos faz perceber o quanto é importante saborear os poucos momentos que ainda nos é permitido viver. Não é uma convivência fácil, mas é um processo com o qual podemos aprender a conviver.

É raro que uma leitura tenha como contexto uma questão de morte, mas é possível que venha assinalada uma morte ou a participação em um funeral. O não preferir "ver" a morte numa leitura, não quer dizer que este argumento não deva ser abordado. Quero relembrá-los de que, as cartas "falam" de qualquer argumento que queiramos investigar, mas nem todas as pessoas querem receber essa informação.

Caso decidam abordar esse tema, é importante usar tato e prudência e é necessário experiência e domínio com as cartas para afirmar, com a máxima certeza, o falecimento de alguém.

A carta O Caixão, quando presente numa leitura, anuncia o fim de algo. Sozinha não anuncia morte física. É necessário que esteja acompanhada de outras cartas para assinalar ou anunciar uma morte física. Então, quais são as cartas que posicionadas vizinhas à carta O Caixão, irão anunciar uma possível morte:

- O Navio
- A Árvore
- A Foice
- A Torre
- Os Caminhos
- Os Lírios
- A Cruz

Algumas combinações que anunciam morte física:

- O Caixão + O Navio: morte física;
- O Caixão + A Foice: anuncia uma morte prematura. Os motivos podem ser por suicídio, assassinato ou doença terminal;
- A Casa ou Os Lírios + O Caixão + A Foice: perda inesperada de um ente querido (morte prematura ou traumática);
- A Foice + A Torre + O Caixão: falecimento por doença no hospital;
- A Cruz + A Árvore + O Caixão: falecimento depois de uma doença;
- A Cruz + Os Caminhos + O Caixão: esta combinação saiu-me alguns dias antes da morte do meu irmão que, faleceu com uma doença terminal. Os caminhos, aqui, têm a mesma função que a carta O Navio que representa a passagem de uma vida para a outra.

As cartas circundantes irão descrever as motivações e a causa da morte:

- O Navio: morte longe de casa;
- A Serpente: morte por envenenamento ou enforcamento;
- O Caixão + A Torre: morte por asfixia, sufocamento;
- A Foice + A Âncora: acidente de trabalho;
- A Vassoura e O Chicote + A Foice: morte por violência física;
- A Torre: morte por velhice;
- Os Lírios: morte por congelamento;
- Os Peixes + A Âncora: morte por afogamento;
- O Navio ou Os Peixes: podem indicar morte na água, por líquidos ou hemorragia;
- O Cavaleiro com cartas que anunciam morte: anuncia uma morte iminente;
- A Casa ou Os Lírios: o falecimento de um parente próximo;

- O Ramo De Flores, O Parque ou A Carta: anuncia que o/a Consulente participará de um funeral;
- O Cavaleiro, O Navio, As Cegonhas ou Os Caminhos: anuncia a "passagem" desta vida para a outra (morte).

CARTA TEMA PARA MAGIA

Durante os 38 anos de trabalho como Cartomante, nas inúmeras leituras que efetuei, foram pouquíssimas as pessoas a quem diagnostiquei ataques de magia. Constatei que o problema, da maioria das pessoas que me procuraram com suspeitas de ataques de magia, prendia-se, afinal, com assuntos comuns tais como estarem:

- Atravessando períodos de insatisfação com a vida, decepções, falta de coragem e atitude para enfrentar ou lutar pelos próprios objetivos;
- Sujeitas a influências religiosas, emocionais, psicológicas promovidas por familiares, amigos ou até pela comunidade em que viviam, provocando interferências nas suas escolhas e liberdade de expressão;
- Sofrendo o peso da falta de ocupação, da carência econômica que acarretava angústia, noites mal dormidas, fome etc.;
- Atravessando problemas pessoais, divórcio, incompatibilidade de caráter no casal ou na família, filhos com problemas de adolescência, de drogas, sofrendo as consequências de decisões erradas, dívidas, falências profissionais ou familiares, depressão ou até doenças graves;
- Sendo alvos de inveja, má-língua e maldades alheias;
- E assim por diante.

Estas e muitas outras situações, podem levar a desgastes emocionais e psíquicos e quando se prolongam no tempo, é fácil acreditar que está sendo alvo de alguma magia. Por isso, é importante que sejamos capazes de diagnosticar se uma pessoa está ou não sendo afetada por um ritual de magia antes de condenar uma pessoa inocente.

Quando se acusa alguém inocente de ter praticado um ato de maldade, estamos atirando para a nossa própria vida energias muito fortes e negativas que lentamente vão nos destruir e, com certeza, também aos nossos entes queridos (marido, filhos etc.)!

O baralho Petit Lenormand contém algumas cartas que podem detectar se uma pessoa está sob o efeito de magia, de que tipo de magia se trata, quem foi o autor da mesma e que tipo de "trabalho" deve ser feito para dissolver essa magia.

A carta principal identificadora de magia é a carta A Vassoura e O Chicote, que deve estar sempre acompanhada por uma ou mais cartas que são as seguintes:

- As Nuvens
- A Serpente
- O Caixão
- As Corujas
- A Torre
- Os Ratos
- O Livro
- A Cruz

SIGNIFICADO DAS CARTAS NO TEMA: MAGIA E ESOTERISMO

Carta 1: O Cavaleiro

Mensageiro do além, mensageiro divino. A presença da carta numa leitura anuncia a chegada de algo que vem identificado pela carta vizinha.

O Cavaleiro

- As Nuvens + A Vassoura e O Chicote: magia;
- O Sol: receber Reiki.

Carta 2: O Trevo

Ervas, amuleto.

Carta 3: O Navio

Mar, água (magia da água). Magia que vem enviada de longe ou magia de uma cultura estrangeira. Telepatia, viagem astral (projeção astral).

- O Navio + O Caixão: Médium.

Carta 4: A Casa

Proteção, talismã. Representa magia ou rituais tradicionais da família.

A Casa

- O Caixão: campa, túmulo;
- Os Ratos: sem proteção.

Carta 5: A Árvore

Magia das árvores, rituais associados à natureza, terreiro. Runas (magia rúnica), chakras. Na maioria das vezes, a presença da carta A Árvore numa leitura, pode indicar que o/a Consulente tem uma ligação cármica com o passado ou karmas familiares ou karmas ancestrais.

Carta 6: As Nuvens

Magia. Espíritos. Incensos, pós, cigarros, charutos (leitura com charuto). Mau olhado.

As Nuvens

- O Caixão: alerta a presença de espíritos perturbadores (encosto);
- O Caixão + As Estrelas: magia negra;
- O Sol + As Estrelas: magia branca.

Carta 7: A Serpente

Hipnose. Feitiço, curandeirismo. Trabalhos de magia com demônios. Satanismo, adoração ao diabo. Trabalhar com cordas, fios, linhas, fitas. O motivo do ato de magia enviado para o/a Consulente é por motivo de vingança. Os inimigos ocultos representados pela carta A Serpente são fortes e poderosos. Pode estar representando uma Ex ou a sogra. A combinação entre A Serpente + As Nuvens pode indicar que o atual companheiro da Ex ou o sogro está fazendo algum ato de magia ou maledicência contra o/a Consulente. Contrariamente, a combinação da carta As Nuvens (que está indicando o Ex ou o sogro) + A Serpente, irá indicar que a atual mulher do Ex ou a sogra, está fazendo algum ato de magia ou maledicência contra o/a Consulente.

A Serpente

- A Raposa: charlatão;
- O Anel: várias pessoas que trabalham contra o/a Consulente; ritual satânico;
- A Cruz: missa satânica.

Carta 8: O Caixão

Necromancia, magia negra, efeito mágico destrutivo. Mortos, defuntos. Representa objetos como uma caixa ou caixão.

O Caixão

- A SERPENTE: magia, feitiço;
- OS RATOS: alerta a presença de espíritos perturbadores;
- A CRUZ: trabalho de magia feito ou enterrado no cemitério.

Carta 9: O Ramo De Flores

Plantas, ervas, óleos aromáticos.

- O Ramo de Flores + As Estrelas + As Corujas + O Caixão: pintura mediúnica.

Carta 10: A Foice

Rituais que utilizam facas, tesouras, agulhas, alfinetes, lâminas. Sacrifícios de animais ou humano. Carma. No caso em que, estejam fazendo algum "trabalho" para desfazer algo de negativo, a presença da carta A Foice anuncia o êxito contra o inimigo. Como bem sabemos, esta carta tem a função de eliminar e cortar.

Carta 11: A Vassoura e O Chicote

Magia, feiticeira. Pêndulo. A Vassoura e O Chicote

- O Caixão: magia negra;
- A Lua: magia da lua;
- A Cruz: magia com orações.

Carta 12: As Corujas

Visões. Maldições.

As Corujas

- A Serpente: mau-olhado. Curandeira ou cartomante;
- O Caixão: invocar os mortos;
- As Estrelas: a pessoa tem o dom da clarividência;
- As Estrelas + A Lua: astróloga;
- O Livro: cartomante;
- A Lua: Visões, médium;
- A Cruz: orações.

Carta 13: A Criança

Anjos. Bonecas mágicas.

Carta 14: A Raposa

Charlatões, falsos profetas.

Carta 15: O Urso

Guardião, xamanismo, guru. Protetor. Poder e força.

- O Urso + As Estrelas: guia espiritual.

Carta 16: As Estrelas

Clarividência,médium, magia. Espiritualidade. Geomancia, numerologia. Símbolos.

Carta 17: As Cegonhas

Atenção! Na maioria das vezes, a presença da carta As Cegonhas posicionada do lado do Chicote anuncia o retorno da magia.

Carta 18: O Cão

Anjo da guarda, protetor, guardião. Proteção. O Cão

- A Árvore: proteção rúnica;
- As Estrelas: proteção divina.

Carta 19: A Torre

Tao, magia, feiticeira, ocultismo, eremita.

- A Torre + A Cruz: igreja, mesquita, sinagoga.

Carta 20: O Parque

Terreiro.

- O Parque + O Caixão: Trabalho de magia feito no cemitério.

Carta 21: A Montanha

Cristais (cristaloterapia). Se algum trabalho estiver sendo feito ou foi enviado, vai ser bloqueado ou não vai ser fácil de atingir o/a Consulente. A Montanha funciona como uma barreira de proteção se ela estiver posicionada na parte da Vassoura (Método de leitura cuja técnica descreverei posteriormente).

Carta 22: Os Caminhos

Trabalhos feitos em encruzilhadas, na estrada. A escolha de qual tipo de "trabalho" a ser feito para limpar os caminhos do/a Consulente.

Carta 23: Os Ratos

Influências negativas, magias. Espíritos perturbadores.

Carta 24: O Coração

Magia com o sangue. Órgãos humanos.

Carta 25: O Anel

Rituais, amarração. Repetição de tarefas não aprendidas.

O Anel

- A Foice: conexões cármicas;
- As Estrelas: mandalas;
- O Livro: seitas, comunidades ocultas ou esotéricas;
- A Cruz: rituais de magia cerimonial.

Carta 26: O Livro
Ensinamento secreto, estudos das ciências ocultas. Ocultismo. Registros akáshicos. Baralho de cartas. Mapa astral.

O Livro

- O Caixão: necromancia;
- As Estrelas + A Lua: estudos de astrologia;
- Os Caminhos: estudos da Quirologia.

Carta 27: A Carta
Talismã, amuleto (Tawiz). Fotografia, papel.

Para se proteger do inimigo, os guerreiros islâmicos confeccionaram amuletos com trechos do Corão escritos em árabe, como "Ajude-nos contra aqueles que rejeitam a fé!" e "Resgatai-nos desta cidade cujo povo é opressor!", em pedacinhos de papel guardados em bolsas de couro costuradas à mão. Cada talismã, acreditavam, "protegia" de uma arma: os "laya" contra flechas e os "maganin karfe" contra facas.

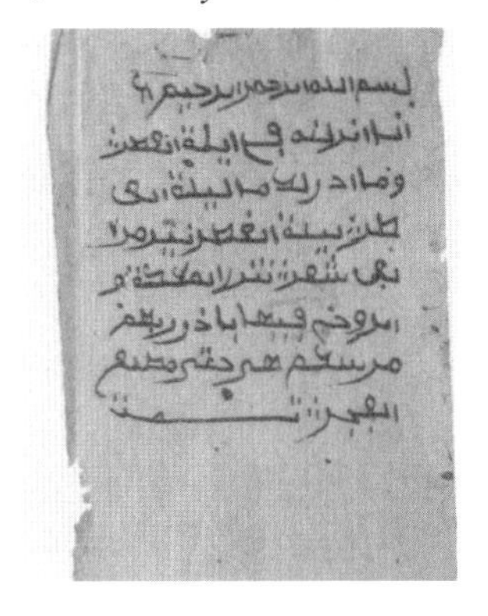

O fragmento em Árabe encontrado dentro de um amuleto malê (Tawiz) em 1835, da figura aqui trazida como exemplo diz: "A vitória vem de Alá!"

A Carta

- O Caixão: receber mensagens dos mortos;
- A Vassoura e O Chicote + As Estrelas + O Sol: mesa radiônica;
- As Corujas + As Estrelas + O Caixão: psicografia mediúnica;
- As Chaves + O Caixão: mesa Ouija.

Carta 28: O Homem E A Carta 29: A Mulher
Pode acontecer que a carta que representa o/a Consulente esteja posicionada na área do Chicote, portanto é necessário observar com atenção as outras cartas presentes, porque pode acontecer que o/a Consulente seja a causa do próprio mal.

Carta 30: Os Lírios
Rituais sexuais. Práticas orientais (yoga etc.).

Carta 31: O Sol
Magia do fogo, magia das velas. Práticas energéticas como o Reiki.

Carta 32: A Lua
Bola de cristal. Magia lunar.

Carta 33: A Chave
Contatos, conexão. Interpretação ou leitura, revelação. Na entrada da casa.

As Chave

- O Navio: Interpretação dos sonhos;
- As Estrelas + O Navio: cafeomância (leitura da borra do café);
- As Estrelas + Os Caminhos: Quiromancia (leitura das mãos);
- A Lua: Forte intuição.

Carta 34: Os Peixes
Mar, água, rio, lagoa.

Carta 35: A Âncora
Proteção.

Carta 36: A Cruz
Rituais com utilização de objetos e ícones religiosos, (estátuas de santos, crucifixo etc.). Ritos religiosos, lugar de culto, templo. Orações, rezas.

A presença de várias cartas que representam animais e aves na leitura anuncia o uso de animais no ritual. Também representam animais Totem.

As cartas que representam a área da vida do/a Consulente, que vai ser ou que já foi atingida pelo ato de magia, e que precisa de limpeza (ritual) são:

- O Cavaleiro: veículo (carro, moto etc.);
- O Trevo: a sorte;

- O Navio: viagens;
- A Casa: o ambiente doméstico;
- A Árvore: a saúde, o corpo, a vida em geral;
- As Estrelas: a espiritualidade;
- O Cão: animal de estimação, amizades;
- Os Caminhos: para perder a orientação da vida;
- O Anel: um relacionamento, casamento, namoro;
- O Livro: os estudos;
- Os Peixes: os negócios, as finanças;
- A Âncora: o trabalho;
- A Cruz: a fé.

Nota
Eu criei uma tiragem para detectar magia ou qualquer energia negativa que esteja perturbando o/a Consulente ou o ambiente onde vive. Está no Capítulo 6 – Os métodos de leitura (página 445)

OUTROS TEMAS: LOCALIDADES E LUGARES NAS CARTAS

Carta 1: O Cavaleiro

Representa todas as localidades na vizinhança onde vive o/a Consulente (cidade de domicílio ou país próximo. Pode também representar: ginásio, campo de treino (desporto), hipódromo, estábulos, empresas de entrega. Concessionária de carros e motos. Na estrada.

O Cavaleiro

- A Casa: garagem;
- A Torre: fronteira;
- O Parque: campo de futebol, golfe.

Carta 2: O Trevo

Localidades ou edifícios onde se pratica o jogo de azar, como um cassino ou onde se vendem bilhetes de loteria. Terreno com relva, jardins.

Carta 3: O Navio

Representa uma localidade, cidade ou país geograficamente distante da própria casa. Exterior. Estação de trem ou de ônibus, zona naval ou turística. Localidades em contato com água, canais, pântanos, mar, lagoas, rios, oceano e Continentes. Zona onde estão as instalações hidráulicas, lavanderia, banheiro. Como edifício indica uma embaixada, ou uma empresa internacional. Bazar, loja de especiarias (temperos, condimentos etc.).

O Navio

- A Casa: casa no exterior ou casa de férias;
- A Torre: fronteira, alfândega.

Carta 4: A Casa

Refere-se à própria casa, habitação, apartamento. A carta da Casa também pode representar uma área onde o/a Consulente vive ou passa a maior parte do seu tempo. Representa uma loja, clínica (com a carta da Árvore), bairro, cidade onde se vive. Zona perto de casa, na vizinhança. A carta A Casa acompanhada pela carta O Navio e As Estrelas representa uma página de website (Facebook, Instagram, eBay etc.).

A Casa

- O Trevo: casa de apostas;
- O Navio: apartamento ou habitação no exterior;
- A Árvore: casa da família, casa onde se nasceu, loja de móveis;
- As Nuvens: loja de tabaco, sauna;
- A Serpente: farmácia;
- A Vassoura e O Chicote: lavanderia;
- A Criança: creche, escola do 1º ciclo;
- O Urso: cozinha;
- O Parque: sala de visita, jardim, quintal;

- O Livro + O Parque: escola do 1º ciclo, colégio;
- A Carta: correios;
- A Mulher: abrigo de mulheres;
- Os Lírios: casa dos avós ou casa de repouso;
- Os Lírios + Os Peixes: bordel;
- Os Peixes + O Parque: restaurante, bar;
- A Cruz: capela, pequena igreja.

Carta 5: A Árvore

Representa florestas, bosques, pomares e terrenos. A Pátria (terra natal). Enquanto a carta A Casa representa a cidade ou o bairro onde moramos, a carta A Árvore representa a nossa pátria, o lugar onde nascemos, as nossas origens. Empresa agrícola ou florestal. Instituições médicas e de saúde. Terreiro.

A Árvore

- A Casa: clínica;
- A Serpente: farmácia;
- O Parque: pomar.

Carta 6: As Nuvens

Zonas úmidas ou enevoadas, zona industrial, fábricas. Tabacarias, área para fumantes. Sauna. Atrás das cortinas. Escondido. Londres.

Carta 7: A Serpente

Representa estradas, caminhos e ruas. Hospitais, farmácias ou localidades de cura. Lojas onde vendem mangueiras, canos, cordas, fios.

Carta 8: O Caixão

Pode indicar zonas frias, escuras e fechadas. Área catastrófica ou destruída por calamidades naturais. Túnel, cemitério, sepultura, necrotério, cavernas, ruínas. Descarga ou depósito de lixo, caixote do lixo. Banheiro, porão, sótão, garagem. Pode também representar armários, gavetas, prateleiras. No chão, enterrado, bem escondido.

O Caixão

- A Serpente: armário ou caixa de medicamentos;
- A Cruz + O Parque: cemitério.

Carta 9: O Ramo de Flores

Salão de cabeleireiro, esteticista. Lojas de vestuário, cosméticos e de acessórios. Jardim, florista. Perfumaria. Loja de plantas medicinais. Loja de produtos naturais, arte e artesanato. Holanda.

Carta 10: A Foice

Empresas agrícolas. Terrenos arados, cultivados. Loja de ferramentas para agricultura, mecânica. Zona de demolição de viaturas e automóveis. Arsenal ou zona para tiro autorizado. Sala de emergência e de cirurgia. Talho, oficina mecânica, dentista.

Carta 11: A Vassoura e O Chicote

Academia de artes marciais, boxe, judô. Tribunal, delegacia de polícia. Reformatório, instituição de correção.

A Vassoura e O Chicote

- As Estrelas: uma sala de música;
- As Estrelas + O Ramo de Flores: uma sala de pintura;
- O Parque: salão de dança.

Carta 12: As Corujas

Local que se frequenta diariamente. Zona associada aos pássaros, galinhas, ninho, gaiola, aviário, galinheiro. Estúdio de gravação, rádio. Loja de telefone, celulares, rádios, mp3. Pequenos aeroportos.

Carta 13: A Criança

Parque infantil, creche, espaço dedicado ao filho ou a um menor (quarto, sala de jogo etc.).

Carta 14: A Raposa

Zona de caça. Território com armadilhas. China.

Carta 15: O Urso

Bancos, bolsa de ações. Cofre. Jardim zoológico e parque nacional (com a carta O Parque). Cozinha, sala de jantar, restaurante.

Carta 16: As Estrelas

Zona fria, direção norte. Território Hebraico, Israel. Loja ou espaço esotérico. Observatório planetário. Cinema, teatro. Loja de venda e reparações de aparelhos eletrônicos, computadores.

As Estrelas

- O Parque: teatro, cinema, exposição de arte;
- A Montanha: loja de venda de pedras e cristais.

Carta 17: As Cegonhas

Escadas (rolantes), elevador, telhado, chaminé, átrio. Zona movimentada. A carta As Cegonhas representa o último andar de um prédio ou o andar superior. Caso esteja em busca de algo perdido, a carta aconselha a procurar em lugares altos (serão as cartas vizinhas que fornecerão mais detalhes).

Carta 18: O Cão

Loja de venda de produtos para animais. Clínica veterinária. Área reservada ao animal de estimação. Canil. Local de guarda.

Carta 19: A Torre

Metrópole, cidade grande (capital), estado. Empresa multinacional, edifícios históricos (monumentos, museus e castelos) e governamentais. Hospital, centro médico. Escola, universidade e instituto de formação profissional. Estações ferroviárias, rodoviárias, navio e aeroportos. Bancos. No alto, por cima (armários, prateleiras), nos pisos do prédio. Elevador. Vedação, muro. Lugar isolado ou área reservada. Prisões. Estátuas históricas.

A Torre

- A Árvore: hospital, centro de saúde, departamento de saúde;
- As Nuvens + A Torre: zona industrial, zona poluída da cidade;

- A Vassoura e O Chicote: departamento de polícia, tribunal;
- O Parque: edifício público (centro comercial, loja, hotel);
- O Parque + O Navio: estação ferroviária ou naval;
- O Parque + As Corujas: aeroporto nacional;
- O Parque + A Cegonhas: aeroporto internacional;
- A Montanha: prisão, fronteira, alfândega;
- A Montanha + A Vassoura e O Chicote: prisão;
- O Anel: cartório de registros;
- O Anel + As Corujas: companhia telefônica;
- A Carta: correios;
- O Livro + O Parque: biblioteca, universidade;
- Os Peixes: departamento das finanças, impostos;
- A Cruz: igreja, catedral, Vaticano, santuário, convento.

Carta 20: O Parque

Zonas ou áreas reservadas ao público, (na rua, praça, jardim). Mercados, centros comerciais, restaurantes, bar, estádio, cinema, teatro, estação (trem, barco, ônibus), aeroporto. Galeria de arte, exposição e feira, Sala de concerto e de conferências. Complexo residencial. Estacionamento. Ambiente que se frequenta. Sala de jantar e de visita.

O Parque

- A Árvore: parque da cidade, bosque;
- O Ramo de Flores: jardim.

Carta 21: A Montanha

Zona alta e destacada da cidade, morro. Zonas montanhosas, rochosas e distantes da costa oceânica. Países ou cidades onde existem montanhas (Alpes) ou vulcões. Lugar onde tem pedras ou acúmulo de algo (roupa, papéis etc.). Prisões. No alto, nas prateleiras.

Carta 22: Os Caminhos

Estrada, rua, via, caminho e percurso. Rota. Desvios, cruzamento, encruzilhada, bifurcação. Viaduto. Laboratório.

Os Caminhos

- A Serpente: estrada com muitas curvas, de viação;
- O Caixão: estrada sem saída.

Carta 23: Os Ratos

Zona pobre, precária ou com má fama (prostituição, tráfico de droga, mercadoria ilegal). Mercado, armazém, ou loja de artigos usados. Arrecadação, porão, adega, subterrâneo, garagem. Zona fétida, esgoto, lixeira, reciclagem. Chão.

Carta 24: O Coração

Área onde se gosta de estar. Clínica, serviço de cardiologia ou de doação de órgãos.

Carta 25: O Anel

Locais que o/a companheiro/a ou sócio/a frequenta. Comunidade, clubes, sociedades, empresas. Joalheria.

Carta 26: O Livro

Representam as escolas, livrarias, bibliotecas. Área de estudos e de arquivo. Escritório. Editora. Zona reservada ou secreta. Confessionário.

Carta 27: O Envelope

Escritório, correio, posto de correio, tipografia, bilheteira (cinema, ônibus, trem, etc.), recepção (hotel). Caixa de correio.

Carta 28: O Homem ou A Carta 29: A Mulher

Zona frequentada pelo/a consulente.

Carta 30: Os Lírios

Zona fria, gelada ou com neve. Polo Norte. Direção do Norte. Países ou localidades hindus.

Carta 31: O Sol

Países do Sul, tropicais. Deserto. Perto de um aquecedor, fogão, forno, caldeira ou lareira. Sauna, solário. Zona associada a eletricidade. Zona ensolarada ou iluminada. Japão.

Carta 32: A Lua

Países ou localidades muçulmanas. Mesquita. Zona iluminada.

Carta 33: A Chave

Zona fechada, porta de entrada. Área onde se depositam as chaves de casa, carro e também o controle da TV. Agência de seguros.

Carta 34: Os Peixes

Zona alagada, úmida. Oceanos, mar, lagos, rios. Piscinas. Banheira, hidromassagem, pia, lavatório e chuveiro. Zona de bancos ou casas de câmbio. Zona de pesca, mercado de peixe. Restaurante japonês.

Os Peixes

- O Parque: piscina, bar;
- A Âncora: ilha.

Carta 35: A Âncora

Local de trabalho, zona costeira, cidade portuária, ilhas.

Carta 36: A Cruz

Indica lugar de culto e religioso (igreja, convento, mosteiro, santuário). Território cristão. Cemitério.

EDIFÍCIOS NAS CARTAS

O Petit Lenormand contém duas cartas, a carta 4, A Casa, e a carta 19, A Torre, que identificam um edifício. Para saber um pouco mais e aprender a reconhecer as diferenças entre os edifícios representados nessas duas cartas, é importante saber o seguinte:

- **A Casa** representa estruturas pequenas privadas ou públicas. Tenha em mente que, numa leitura que exige a presença de uma carta temática, esta carta irá representar: uma residência, uma casa, um apartamento, um escritório, uma filial de uma grande empresa, um antro, um ninho, casinha do cão ou gato, uma gaiola para pássaros, um galinheiro, um celeiro, um aquário etc.

- **A Torre** identifica estruturas privadas ou públicas, de grandes dimensões. Durante uma leitura, A Torre representa: um edifício dos correios, escritórios administrativos, escritórios da companhia telefônica, escritórios da companhia de eletricidade, estações ferroviárias, aeroportos, laboratórios, organizações humanitárias (Cruz Vermelha, Caritas, ONU) e religiosos (mosteiros, igrejas, paróquias e catedrais). Bancos, hospitais, tribunais, postos de polícia, prisões, escolas, universidades, fábricas, edifícios, prédios de apartamentos, monumentos, museus, castelos, quartéis militares, etc.

Portanto, para identificar com maior precisão um edifício numa leitura, deve-se observar com cuidado as cartas que estão em contato com A Casa e A Torre. Em seguida, proponho alguns exemplos tirados das minhas consultas pessoais.

Combinações com a carta A Casa

- O Navio: agência de viagens, agência imobiliária (independente). Uma casa à beira-mar ou uma casa flutuante (com A Âncora). Casa no exterior. Habitação de uma pessoa estrangeira;
- A Árvore: refere-se à casa da família; esta mesma combinação pode também representar uma casa de madeira, como um chalé; se a "leitura" for centrada numa questão de trabalho, essas duas cartas juntas podem identificar um negócio de família; aquisição da casa própria. Uma casa na árvore, casa fora da cidade, casa no país de origem; ambulatório (consultório médico);
- A Árvore + O Navio: casa de férias; clínica, ambulatório, consultório médico, casa de repouso; plantação;
- A Árvore + O Cão: clínica veterinária;
- A Árvore + Os Lírios: casa de repouso;

- As Nuvens + O Caixão: casa assombrada pelos espíritos;
- A Serpente: farmácia; a casa do concorrente rival;
- O Ramo de Flores + O Parque: uma casa com um belo jardim; florista, cosméticos, acessórios para a casa ou produtos femininos, produtos de perfumaria, souvenirs; floricultura;
- O Caixão: sepultura, túmulo, depósito, caverna, gruta, adega, porão; casa funerária;
- A Vassoura e O Chicote: ginásio; empresa de limpeza;
- A Vassoura e O Chicote + A Casa: duas casas;
- A Criança: casa pequena; casa de duas assoalhadas; uma casa nova ou a construção de uma nova casa;
- A Criança + A Torre: orfanato;
- As Estrelas: casa de seus sonhos, casa esotérica; uma casa moderna (arquitetura moderna);
- As Cegonhas: casa móvel; mudança de casa; As Cegonhas + A Casa: reforma na casa;
- O Cão: casa de um amigo, casa do vizinho; canil; casinha do cão;
- A Torre: filial de uma grande empresa (a carta após A Torre vai indicar de qual empresa se trata); sede; vila; câmara Municipal;
- O Parque: pensão, hotel; loja;
- O Parque + Os Peixes: restaurante, pub, bar;
- A Montanha: casa nas montanhas, casa de rocha ou pedra; cabana alpina;
- Os Caminhos + O Parque: motel;
- Os Ratos: casebre; casa abandonada; Os Ratos + A Casa, uma casa em ruínas; danos na casa;
- O Livro + A Torre: escola privada (particular);
- O Livro + Os Ratos: livraria com livros de segunda mão;
- O Livro + O Parque: biblioteca de livros de segunda mão;
- O Sol: casa de férias num país tropical ou no Sul;

- Os Peixes: casa de câmbio (moeda estrangeira) ou de envio de dinheiro para o exterior ou localidades mais distantes; agência imobiliária;
- Os Peixes + A Criança: loja de acessórios para crianças (brinquedos);
- A Âncora: casa principal;
- A Cruz: paróquia, capela.
- O Cavaleiro (tendo em conta que a carta A Casa se encontra por trás O Cavaleiro): Caravana, roulotte. Parque de Campismo.

Combinações com a carta A Torre

- O Trevo: prédio pequeno; cassino;
- A Casa: apartamento num prédio, prefeitura. Se após a Carta A Casa estiver presente a carta Os Peixes: apartamento em um condomínio de luxo; se depois de A Casa encontramos a carta O Parque: centro comercial;
- A Casa + As Estrelas (ou As Cegonhas): apartamento no último andar de um edifício;
- A Árvore: ministério da Saúde;
- A Árvore + O Caixão: hospital;
- A Árvore + A Serpente: hospital psiquiátrico;
- A Árvore + As Cegonhas: maternidade;
- A Vassoura e O Chicote: posto de polícia;
- As Estrelas (ou A Lua) + O Parque: cinema, teatro;
- O Parque: centro comercial, edifício público, empresa, hotel;
- O Anel + O Navio: uma empresa multinacional;
- O Livro: escola, universidade ou Instituição para a formação profissional;
- O Livro + A Cruz: escola de teologia, religião;
- O Livro + As Estrelas: laboratórios científicos;
- O Livro + O Parque: Biblioteca;

- Os Peixes: banco, instituição bancária;
- Os Peixes + O Urso: departamento de finanças;
- A Cruz: Igreja, instituição religiosa (mosteiros, conventos etc.).

OBJETOS NAS CARTAS

Carta 1: O Cavaleiro

Carro, moto, bicicleta. Acessórios do carro, da moto, da bicicleta ou de outro veículo pessoal tal como patins, skate. Itens de comunicação (telefone, celular, computador, tablet etc.).

Carta 2: O Trevo

Jogos (bingo, loteria). Objeto que traz fortuna, sorte, proteção (talismã, amuleto).

Carta 3: O Navio

Vaso, copo, banheira. Eletrodomésticos. Moedas estrangeiras. Objetos tradicionais adquiridos durante as viagens. Réplicas de veleiros ou barcos. Equipamentos e acessórios náuticos e para piscinas. Barcos, canoas, caiaque, prancha de surfe.

Carta 4: A Casa

Pertences da casa em geral: móveis, enxoval etc.

Carta 5: A Árvore

Móveis feitos de madeira. Esculturas de pau-preto ou de outro material em madeira. Ferramentas dos carpinteiros ou escultores.

Carta 6: As Nuvens

Cortina, véu, manta, tampa. Máscara. Termômetro, aparelho para medir a tensão. Acessórios para cigarros e charutos. Aparelho vaporizador, ventoinha, aquecedor.

Carta 7: A Serpente

Cordas, fios, linhas, tubos, canalizações, sistema hidráulico, mangueiras, bambus, elásticos. Acessórios confeccionados com pele de animal (cintos, pulseiras, sapatos, carteiras etc.). Objetos da rival, amante.

Carta 8: O Caixão

Recipientes, caixas, caixotes, cama box, armário, cômoda, carteira, estojo. Objetos do/a falecido/a, do Ex, saco, mochila de desporto, caixa de medicamentos, caixa das joias, caixa redonda, caixa de documentos, cesto de roupa suja, caixote do lixo. Aquário. Caixão.

Carta 9: O Ramo de Flores

Produtos cosméticos de beleza, acessórios de beleza, tintas, ferramentas do artista, de artesanato, hobby, jardinagem. Enfeites (natal ou para festas), presentes.

Carta 10: A Foice

Representa todos os objetos cortantes e afiados: facas, garfos, agulhas, alfinetes, seringas, pregos, seta, vidros, lâminas. Instrumentos cirúrgicos e odontológicos, tesoura, secador, motosserra, armas de fogo, balestra(arma), espada, machado. Ferramenta agrícola, mecânica. Objetos em metal.

CARTA 11: A Vassoura e O Chicote

Canetas, lápis, pincel. Utensílio para limpeza (vassoura, esfregão etc.). Pau, bambu. Pêndulo. Itens do ginásio e de desporto. Itens sexuais (sadomasoquismo).

Carta 12: As Corujas

Aparelho auditivo, microfone, TV, rádio, MP3, CD, disco, telefone.

Carta 13: A Criança

Brinquedos, jogos infantis. Itens pessoais dos filhos.

Carta 14: A Raposa

Máscaras, postigo (janelinha em portas), peruca. Dentes postiços. Quadros e joias falsas. Bijuterias. Armadilhas.

Carta 15: O Urso

Carteira, caderneta de poupança. Itens para restaurantes. Itens pessoais dos pais.

Carta 16: As Estrelas

Objetos esotéricos, equipamentos e dispositivos eletrônicos. Mapa, navegador GPS. Telescópio. Itens cinematográficos. Distintivo da polícia.

Carta 17: As Cegonhas

Escadas, acessórios para avião.

Carta 18: O Cão

Objetos pessoais do melhor amigo(a). Casa e objetos do animal de estimação (escova, coleira etc.). Alarmes.

Carta 19: A Torre

Colete à prova de bala. Armário alto, armário dos brinquedos. Cofre. Itens relacionados ao estado ou organizações.

Carta 20: O Parque

Ferramentas de jardinagem para jardins e/ ou agricultura.

Carta 21: A Montanha

Meteorito, mármore, pedras, cristais. Halteres.

Carta 22: Os Caminhos

Sinais de trânsito, mapa geográfico. Sapatos.

Carta 23: Os Ratos

Objetos usados (gastos) ou de pouco valor. Objetos perdidos ou roubados. Bijuterias, Bugigangas.

Carta 24: O Coração

Objetos dos quais gostamos muito ou que têm um significado especial (recordação ou herdado).

Carta 25: O Anel

Joias, anel, pulseira, brincos. Relógio, algema, armação dos óculos. Objetos de forma redonda. Objetos pertencentes ao companheiro/a, marido, mulher, sócio/a ou a um grupo. Objetos de valor.

Carta 26: O Livro

Livros (romances, didáticos). Pen drive, CD, cadernos, agenda, manual, esboço, tablet, laptop, passaporte, álbum de fotografias, carta astrológica de nascimento, pacote, baralho de cartas. Impressora.

Carta 27: A Carta

Jornal, revistas. Envelope, correspondência, pequeno pacote, papéis, documentos, cartolina, cartão de identidade ou carteira de motorista, cartão de crédito, talão de cheques. Placas ou anúncios publicitários, cartão-de-visita, cartão do passe. Pasta de documentos (recibo, fatura, nota fiscal), bilhete (comboio, avião, autocarro, etc. Escrivaninha, balcão. Itens para escritório.

Carta 28: O Homem e A Carta 29: A Mulher

Objetos pessoais do/a consulente ou do/a companheiro/a (parceiros). Roupa e itens masculinos para o homem; roupas e itens femininos para a mulher.

Carta 30: Os Lírios

Frigorífico, congelador. Itens sexuais.

Carta 31: O Sol

Lâmpada, bateria, carga do telefone, fósforo, isqueiro, vela. Saco de água quente. Ferramentas de eletricista. Objetos em ouro.

Carta 32: A Lua
Objetos em prata. Medalhas.

Carta 33: A Chave
Pequenos objetos metálicos: chaves, instrumentos, ferramentas. Objetos que abrem e fecham: cadeado, controle da TV, telefone celular, torneira, interruptor.

Carta 34: Os Peixes
Objetos de valor, moedas. Gel para cabelo. Acessório para pesca ou para aquários.

Carta 35: A Âncora
Dentadura, ferro, máquinas, motor. Objetos, ferramentas do trabalho.

Carta 36: A Cruz
Objetos religiosos ou para rituais.

ANIMAIS NAS CARTAS

Carta 1: O Cavaleiro
Animais de transporte, tais como cavalos, burros, camelos, iaques, renas, husky, elefantes (cavaleiro com O Urso). Touros e vacas.

- O Cavaleiro + A Torre: girafa.

Carta 7: A Serpente
Répteis, escorpiões, minhocas, lagartos, camaleões e iguanas.

A Serpente

- A Casa: caracol;
- O Ramo de Flores: camaleão;
- Os Peixes + A Foice: crocodilo.

Carta 12: As Corujas
Pássaros, corujas, morcegos, corvos, pombas, galinhas, galos, papagaios, faisões e abelhas.

As Corujas

- O RAMO DE FLORES: borboletas, colibri;
- AS CEGONHAS: andorinhas;
- A CARTA: pombo-correio.

Carta 14: A Raposa

Gatos e cães de rua, lobos, raposas, tigres, leões, leopardos, javalis e outros animais selvagens (predadores).

Carta 15: O Urso

Ursos, coala, camurça, pala-pala, veado, búfalos, elefantes.

O Urso

- Os Lírios: urso polar;
- Os Peixes: Hipopótamo.

Carta 17: As Cegonhas

Aves (grandes) ou animais que migram para países mais quentes (ou a fim de se reproduzirem), avestruzes, pavões e cisnes.

Carta 18: O Cão

Animais de estimação, tais como cão e gato.

Carta 23: Os Ratos

Roedores, ratos, marmota, esquilos, coelhos, formigas. Nas minhas leituras, pude notar que a carta Os Ratos pode representar animais que servem de cobaias em laboratórios.

Carta 34: Os Peixes

Animais de microclima, peixes, baleias, lagostas, crustáceos, chocos, atum, rãs, focas, golfinhos, baleias, orcas e tubarões.

Os Peixes

- A Casa: caranguejo, tartaruga;
- A Foice: tubarão, orca.

NÚMEROS E QUANTIDADE NAS CARTAS

Os números

- Zero: O Caixão
- Um: A Torre
- Dois: A Vassoura e O Chicote ou As Corujas
- Três: Os Caminhos
- Quatro: O Trevo ou A Cruz
- Cinco: O Cavaleiro
- Seis: A Cobra
- Sete: A Foice
- Oito: As Estrelas
- Nove: Os Lírios

Quantidade

- Muito: As Estrelas
- Pouco: Os Ratos

Na matemática

- Divisão: A Foice
- Somar: As Estrelas
- Diminuir: Os Ratos
- Multiplicar: Os Peixes

AS CORES NAS CARTAS

- Branco: Os Lírios
- Preto: O Caixão
- Cinzento: As Nuvens, A Montanha, e Os Ratos
- Prata, Cinza: A Lua e A Chaves
- Ouro, Bronze, Cobre: A Cruz
- Amarelo: O Sol

- Azul: O Navio, Os Peixes e O Homem
- Rosa: A Mulher
- Verde: O Trevo e A Árvore
- Alaranjado, Avermelhado, Castanho: A Raposa
- Castanho: A Vassoura e O Chicote, O Urso
- Vermelho: O Coração
- Colorido: O Ramo de Flores

Algumas cartas descrevem a tonalidade das cores: claras e escuras. Por exemplo:

- O Sol: vai descrever cores com tonalidades mais claras;
- O Caixão: vai descrever cores com tonalidades mais escuras;
- As Estrelas: descrevem cores com tonalidades brilhantes, luminosa e metalizadas;
- Os Ratos: descrevem cores branqueadas, descoloradas pelo consumo do tempo;
- O Ramo de Flores: descreve várias tonalidades de cores;
- A Criança: vai descrever cores pastel.
- Por exemplo, O Trevo:
- O Caixão: verde escuro;
- O Sol: verde claro;
- As Estrelas: verde metalizado;
- O Ramo de Flores: várias tonalidades de verde.

ALIMENTAÇÃO, NUTRIÇÃO, BEBIDAS E DIETA NAS CARTAS

- O Cavaleiro: Carne bovina, carne de cavalo.
- O Trevo: Vegetariano.
- O Navio: Alimentos estrangeiros (frutas, legumes, especiarias e condimentos).
- A Árvore: Frutas, azeitonas, castanhas, nozes, tâmaras, côco, café.

- As Nuvens: Alimentos defumados.
- O Ramo de Flores: Chá.
- A Foice: Farinha, uvas.
- As Corujas: Galinha, pato e peru.
- A Raposa: Javali, lebre e coelho.
- O Urso: Alimentos gordos.
- O Parque: Legumes e frutas da estação. Comida vegetariana.
- Os Ratos: Todos os alimentos descartados, fora da data de validade, caducados ou com bolor. Os alimentos ou bebidas dietéticas.
- O Coração: Açúcar, chocolate, sorvete, doces, sobremesa (bolos e pudins).
- Os Lírios: Alimentos enlatados, conserva ou congelado, em óleo, picles, chouriços e queijo.
- O Sol: Os alimentos secos (carne, peixe, frutas).
- Os Peixes: Alimentos que vêm do mar – caranguejos, mariscos, lagosta, sardinha, atum, camarão, algas marinhas. Bebidas (álcool).

Tempo Prognóstico

Esta é uma matéria que oprime a maioria dos cartomantes: determinar, com precisão, o tempo de um acontecimento marcado numa leitura; responder à pergunta que todos os Consulentes fazem: "Quando encontro um emprego?", "Quando meu filho voltará para casa?", etc.

Cada profissional da cartomancia tem o próprio "segredo" para calcular o tempo prognóstico (estimado) do acontecimento de um evento e acredito que, com a prática constante com as cartas, todos vocês acabarão também encontrando uma metodologia própria. O que lhes passo, a seguir, são alguns pontos de orientação que possam servir como base para calcular um tempo.

Quais são as regras fundamentais para calcular o tempo numa leitura?

Para isso, é necessário ter o conhecimento dos seguintes 5 pontos:

1. Conhecimento das energias das cartas

Quais são as Cartas velozes?

Cartas com natureza dinâmica e velozes representam um tempo de acontecimento rápido, que podem acontecer no mesmo dia ou nos próximos dias.

- O Cavaleiro
- O Trevo
- As Nuvens
- O Ramo de Flores
- A Foice
- A Vassoura e O Chicote
- As Corujas
- As Cegonhas
- A Carta
- A Chave
- Os Peixes

Quais são as Cartas Lentas?

As cartas com natureza lenta representam um tempo de acontecimento longo, mas sempre em evolução:

- O Navio
- A Árvore
- A Criança
- O Urso
- As Estrelas
- O Cão
- O Livro

Quais as Cartas paradas?

As cartas paradas são todas aquelas que não têm algum movimento. Estas cartas prolongam o tempo, retardam, impedem a evolução imediata de um evento:

- A Casa
- O Caixão
- A Torre
- A Montanha
- Os Lírios
- A Âncora
- A Cruz

2. Cartas que representam a parte do dia

Estas cartas podem definir em qual parte do dia o evento vai acontecer:

- De dia: O Sol
- Amanhecer: O Caixão + O Sol
- À tarde: O Parque
- À noite: As Estrelas e A Lua

3. Estação do ano

Quais cartas representam uma estação do ano? Estas cartas podem definir qual época do ano em que o evento vai acontecer:

- Primavera: O Ramo de Flores
- Verão: O Sol
- Outono: As Nuvens
- Inverno: Os Lírios

4. As cartas que definem: início, metade e fim de uma estação

A Criança: início da estação do ano, dia, semana, mês ou ano.

A Criança

- O Ramo de Flores: início da primavera;
- O Sol: início do verão; de manhã cedo; amanhecer.

Os Ratos: metade da estação do ano, do dia, da semana, do mês ou do ano.

Os Ratos

- A Montanha: Os Ratos irão diminuir o tempo de atraso previsto pela carta A Montanha;
- Os Lírios: representa o meio da estação do inverno;
- O Sol: representa o meio da estação do verão.

O Caixão: fim da estação, dia, semana, mês ou ano.

O Caixão

- O Sol + O Caixão: fim do ano, mas também pode representar o fim do verão ou fim do dia (pôr-do-sol, fim da tarde);
- Os Lírios + O Sol: fim do inverno.

Nota importante:

A carta As Cegonhas sempre que está presente numa leitura direcionada no cálculo do tempo, têm o papel de trazer uma mudança de estação do ano, dia, semana, mês ou ano.

5. Cartas que podem aumentar

Estas cartas podem aumentar o número de dias, semanas e anos:

- A Vassoura e O Chicote
- As Corujas

As duas cartas apresentadas duplicam a quantidade de tempo da carta vizinha. Por exemplo:

A Vassoura e O Chicote

- A Árvore: anuncia 2 anos, isto porque a carta A Vassoura e O chicote representa o n.º 2 e a carta A Árvore 1 ano;
- O Ramo de Flores: 2 estações de primavera;
- O Sol: 2 estações de verões.

A mesma interpretação vale com a carta As Corujas: são sempre 2 de algo.

O TEMPO NAS CARTAS

Cada carta contém um tempo específico que é estabelecido pela energia e característica do símbolo representado. Em seguida, apresento-lhes a atribuição do tempo para as 36 cartas.

Carta 1: O Cavaleiro

- Tempo: entre um e 10 dias. Rápido, em breve. Fim de semana ou passeio de 1 ou 2 dias.
- Conselho: é momento de agir.

Nota importante:

É uma carta ativa e rápida. Anuncia que algo está para acontecer ou está se aproximando. É importante observar a carta que está perto para estabelecer com maior certeza o tempo. Isto é, com uma carta parada como, por exemplo, A Montanha ou A Âncora anuncia que um evento será possível, mais adiante do tempo que a carta O Cavaleiro anuncia.

Carta 2: O Trevo

- Tempo: curto período de tempo. Algo que ocorre de repente e apanha o/a Consulente de surpresa. Entre 2 e 4 dias.

Carta 3: O Navio

- Tempo: período longo de tempo que pode variar dos 3 meses a 3 anos. Mas se numa leitura de cálculo do tempo surgir a combinação O Navio + O Trevo, o tempo de espera é curto. Período de férias.
- Conselho: esperar o curso natural das coisas. Não tenha pressa! A paciência é necessária neste período de tempo.

Carta 4: A Casa

- Tempo: algo que perdurará por um tempo considerado longo.
- Parte do dia: período de pausa ou descanso.

Carta 5: A Árvore

- Tempo: um longo período; 1 ano ou mais.
- Conselho: é uma carta lenta, com desenvolvimento lento e gradual, portanto, é necessário ter paciência.

Carta 6: As Nuvens

- Tempo: alguns contratempos podem originar atrasos no cumprimento de um programa ou projeto. Portanto, a data é incerta ou ainda não foi estabelecida. Rápido, veloz, passageiro.
- Estação do ano: época de chuva; Outono.
- Clima e temperatura: úmido, nublado, instável.

Carta 7: A Serpente

- Tempo: nas minhas leituras, pude observar que a carta A Serpente tem como previsão um longo período de tempo, devido às graves complicações geradas por terceiros. Atrasos.

Carta 8: O Caixão

- Tempo: eterno, para sempre.
- Estação do ano: fim da estação do ano.
- Clima e temperatura: frio.
- Conselho: algo que nunca vai acontecer, portanto aconselha-se a não persistir numa situação que já está morta.

Nota importante:
A carta O Caixão posicionada depois de uma carta que representa uma estação do ano ou parte do dia, está anunciando o fim do dia ou estação do ano.

Carta 9: O Ramo de Flores

- Tempo: período de curta duração. Pode também anunciar uma data de uma celebração importante.
- Estação do ano: primavera.

Carta 10: A Foice

- Tempo: prazo de validade. De repente. Inesperadamente. Súbito. Um evento que se desenrola rapidamente.
- Estação do ano: outono.

Carta 11: A Vassoura e O Chicote

- Tempo: muito veloz. Um evento que ocorrerá repetidamente.

Carta 12: As Corujas

- Tempo: breve e rápido.
- Parte do dia: crepúsculo. De noite.

Carta 13: A Criança

- Tempo: no presente, mas apontando para o futuro.

Carta 14: A Raposa

- Tempo: dia ou hora errada.
- Conselho: não tome atitudes neste momento. Espere! Observe! Tenha paciência! Finja-se de morto e espere o momento para atacar quando tiver um plano infalível. Faça de conta que não percebeu, que está tudo bem. Seja diplomata. Iluda o seu adversário com a esperteza, com a astúcia da raposa e ataque quando ele menos esperar. Não é o momento certo para qualquer evento.

Carta 15: O Urso

- Tempo: longo período de tempo que pode ir de semanas a anos (10 a 20 anos).
- Conselho: abrande e acalme-se.

Carta 16: As Estrelas

- Tempo: no futuro.
- Parte do dia: à noite.
- Estação do ano: outono ou inverno.
- Clima e temperatura: clima frio, fresco.

Carta 17: As Cegonhas

- Tempo: de três, seis ou nove meses.
- Estação do ano: mudança de estação ou no próximo período.
- Conselho: chegou o momento de fazer algumas mudanças na própria vida.

Nota importante:
A carta mostra sempre uma mudança de estação do ano ou parte do dia.

Carta 18: O Cão

- Tempo: muito tempo. Algo que durará por muito tempo.
- Conselho: necessário esperar e confiar nos eventos.

Carta 19: A Torre

- Tempo: Longo prazo.
- Conselho: É tempo de fazer uma pausa para refletir sobre os acontecimentos presentes. Recomenda-se esperar todo o tempo que for necessário.

Carta 20: O Parque

- Tempo: 3 meses. Uma data na qual ocorrerá uma manifestação, festival, congresso, passeio (piquenique, excursão).
- Parte do dia: meio-dia, hora do almoço.

Carta 21: A Montanha

- Tempo: A Montanha representa o atraso ou a não realização de algo no momento. Um bloqueio, uma parada. Possível adiamento de um evento.
- Conselho: Aconselha-se paciência e perseverança.

Carta 22: Os Caminhos

- Tempo: o tempo para a realização de algo ainda não é possível, pois está em processo de avaliação.

Carta 23: Os Ratos

- Tempo: a questão vai ser muito cansativa e não vai levar a lugar algum, a não ser a desgastes e tempo perdido. Atraso na realização de algo.

> **Nota importante:**
> É importante considerar que, em questões de tempo, esta carta tem a capacidade de reduzir o tempo previsto pela carta que estiver posicionada à sua direita (à sua frente).

Carta 24: O Coração

- Tempo: longo tempo.

Carta 25: O Anel

- Tempo: uma data comemorativa recorrente ou uma data estabelecida (contrato por exemplo). Data fixa.

Carta 26: O Livro

- Tempo: no futuro. Data ainda desconhecida.

Carta 27: A Carta

- Tempo: em breve, de 1 a 15 dias.

Carta 28: O Homem e A Carta: A Mulher

- Tempo: já notei, em minhas leituras, que quando a carta do/a Consulente está presente numa leitura para a predição de um tempo, é importante observar as cartas vizinhas, porque elas irão indicar o que o/a Consulente está fazendo de favorável ou não para a realização do seu projeto. Com cartas de movimento, indica que o/a consulente é ativo e que a possibilidade de realização é breve. Mas ao contrário, se cartas paradas ou lentas estão na sua vizinhança, pode indicar que o/a Consulente não está ativo, dá pouca importância ao seu projeto ou o seu projeto está sofrendo alguns impedimentos na sua realização.

Carta 30: Os Lírios

- Tempo: período de festas cristãs (Natal, Páscoa, etc.). Muito tempo.
- Estação do ano: Inverno.
- Clima e temperatura: frio, gelado.
    - As Nuvens + Os Lírios: anunciam neve.

Carta 31: O Sol

- Tempo: 24 horas (durante o dia). 365 dias
- Parte do dia: ao nascer do sol ao meio dia. De dia.
- Estação do ano: verão.
- Clima e temperatura: calor, quente, abafado.

Carta 32: A Lua

- Tempo: ciclo lunar, 28 dias.
- Parte do dia: ao entardecer ou à noite.
    - Lua cheia: A Lua + O Sol
    - Lua quarto minguante: Os Ratos + O Sol + Lua
    - Lua nova: O Sol + A Lua
    - Lua quarto crescente: Os Ratos + A Lua + O Sol

Carta 33: A Chave

- Tempo: será o/a Consulente que estabelecerá a data.

Carta 34: Os Peixes

- Estaçao do ano: época de chuvas.
- Clima e temperatura: chuvoso e úmido.

Carta 35: A Âncora

- Tempo: longo período de tempo.

Carta 36: A Cruz

- Tempo: Pode levar de 2 a 3 semanas, mas algumas vezes pode levar muito tempo; tudo dependerá do evento ou questão tratada e também das cartas vizinhas.

Pessoalmente optei por dois tipos de procedimentos para determinar o tempo em minhas consultas.

1º Procedimento

Consiste em definir, antes de qualquer leitura, um prazo de tempo para o lançamento, 10 dias, um, dois a três meses por exemplo, tudo vai depender da questão apresentada pelo/a consulente. Por exemplo, quando trabalho com o Grand Tableau programo para três meses (consulta em geral) e para um mês, caso seja uma pergunta específica. Esta forma de proceder oferece a vantagem de ter uma visão evolutiva da situação dentro do tempo que foi determinado.

Exemplo comprovado:

No ano passado, comprei pela internet alguns baralhos de cartas russos para a minha coleção. Já tinha passado um mês da compra e ainda não tinha recebido a minha encomenda. Decidi apelar às minhas cartas para entender o que estava acontecendo com ela e se iria recebê-la em breve. A pergunta que fiz foi: "Receberei no prazo de 10 dias a encomenda vinda da Rússia?"

- Método usado para a leitura: O método dos Três
- O corte do baralho foi: O Cavaleiro + O Navio
- Palavra chaves das duas cartas:
  - O Cavaleiro: notícias, movimento, entrega, representa o correio;
  - O Navio: indica algo do exterior, terra estrangeira, longa viagem, distância.
- Minha interpretação: A encomenda foi enviada; está a caminho.
- As três cartas extraídas, para a leitura: A Torre + O Cavaleiro + A Montanha

- Palavra chaves das três cartas:
  - A Torre: autoridade, governo, prisão, instituição pública, estatal ou escritório, repartição, departamento, controle, alfândega, fronteira;
  - O Cavaleiro: movimento, notícias, informações a receber ou a dar;
  - A Montanha: estagnação, regra, barreira, obstáculos, grande atraso ou problema, paciência.
- Combinação das cartas:
  - A Torre + A Montanha: polícia, autoridade, leis, regulamentos, retido segundo a lei de um país, estar parada, prisão;
  - A Torre + O Cavaleiro: comunicação das autoridades, nas mãos da autoridade;
  - O Cavaleiro + A Montanha: bloqueado, retido, alfândega, atraso.
- Minha interpretação: A encomenda ainda vai levar muito tempo para chegar, porque está retida na alfândega de um país ou de um estado estrangeiro. Portanto, não receberei a minha encomenda dentro dos 10 dias.

É meu costume também levar em conta a última carta presente no lançamento, porque ajuda-me a determinar se a execução do evento se realiza dentro do prazo que foi estabelecido ou se existirá um atraso.

Neste caso, acima citado como exemplo, encontramos a carta A Montanha como carta parada, o que leva a pensar num atraso.

- Feedback: Depois de 20 dias desta consulta, comecei a fazer alguns telefonemas (O Cavaleiro também representa busca através de telefonemas, e-mails, isto com a ajuda da revendedora russa) e descobrimos que a encomenda estava retida na alfândega suiça (estado alemão, Zurique). Foi necessário provar que o produto contido na encomenda era uma compra pessoal e não para revenda e também pagar uma taxa para o levantamento. Enfim!... Uma grande dor de cabeça.

2º Procedimento

O segundo procedimento é aquele de fazer uma pergunta direta e extrair do baralho uma única carta. Esta é a maneira mais fácil para determinar tempo para um evento.

Por exemplo, suponhamos que o/a consulente pergunte: "Vou receber o resultado do exame médico ainda esta semana?"

- Carta extraída: carta O Urso
- Resposta: não. Vai levar ainda um longo tempo para receber o resultado médico. Esta é uma carta lenta.
- Outro exemplo:
- Pergunta: "Quando Paula entrará em contato com Chiara?"
- Carta Extraída: carta O Cavaleiro
- Resposta: muito cedo. De fato, a carta O Cavaleiro representa uma questão ou evento já em ação, que está para entrar na vida da consulente.

Um outro exemplo:

- Pergunta: "Quando é que Cláudia encontrará um emprego estável?"
- Carta Extraída: Carta Os Lírios
- Resposta: ainda vai levar um certo tempo. Os Lírios representam o inverno, provavelmente no próximo inverno.

— CAPÍTULO 4 —

OS CÓDIGOS LOPES MAZZA

O Petit Lenormand não é só baseado em significados, símbolos e métodos de leitura, ele vai muito além disso (como qualquer outro tipo de instrumento divinatório – Tarot, Sibilla, Kipper, Belline, Geomancia, Astrologia, Numerologia etc.).

Para uma utilização correta é necessário interiorizar, de forma clara e inequívoca, as suas regras fundamentais. Cada uma das cartas do baralho desempenha um papel específico dentro de uma leitura. Algumas destas cartas assumem um papel determinante na interpretação, dependendo do seu posicionamento relativamente a outras cartas em "jogo". É importante analisar a direção do "olhar" de algumas cartas e o posicionamento de determinadas outras à esquerda e à direita delas e também acima e abaixo da carta em análise no caso das leituras com o Grand Tableau.

No começo, aos seus olhos, tudo parecerá um pouco frio, calculista, matemático e sistemático. Mas com o passar do tempo, encontrarão, nestas técnicas, um bom suporte e motivação para continuar entendendo, cada vez melhor, os temas abordados nas leituras efetuadas.

Precisarão de muita prática antes de se sentirem completamente à vontade para entender verdadeiramente o baralho Petit Lenormand, por isso jamais ignorem esta etapa, mesmo cheia de desafios. Asseguro que vai valer a pena, porque – graças a essas técnicas – as leituras serão mais detalhadas e ricas no seu conteúdo.

Os meus códigos são a união de algumas técnicas já existentes no baralho (folha de instrução do Philippe Lenormand), a técnica do olhar (escola alemã) e outros que, ao longo do tempo, fui descobrindo através das minhas consultas e estudos. Este hábito de observar as cartas nasceu desde quando aprendi a ler as cartas tradicionais (1970) que, para a sua correta interpretação, é necessário observar o movimento das figuras da corte. Essa mesma técnica apliquei no baralho La Vera Sibilla Italiana, no Tarô, no Lenormand e Kipper.

Em 2010, comecei a reunir todas as minhas técnicas de maneira ordenada para que todos os meus alunos pudessem compreender cada uma delas de maneira clara. Acredito ter feito um bom trabalho, porque tenho notado os meus alunos usando os meus códigos, seja nas próprias consultas, em palestras que participam, nos cursos que dão e nos livros que escrevem. São o meu orgulho.

O nome Códigos Lopes Mazza nasceu dos meus alunos Suíços, Italianos e Brasileiros que carinhosamente batizaram, com esse nome, as técnicas que lhes tenho ensinado ao longo dos anos.

Os códigos aqui apresentados não estão completos. Os que aqui apresento são os necessários para o início dos estudos do baralho. Eles são Cinco:

- A lei do Philippe Lenormand
- A lei do olhar
- A lei da posição
- A lei da predominância
- A lei do movimento

A Lei do Philippe Lenormand

Baseia-se na leitura da técnica tradicional do baralho Petit Lenormand, chamado por nós aqui, na Suíça, pelo nome Método Philippe Lenormand e pelos tradicionalistas nos Estados Unidos e Inglaterra como o Método perto/distante.

Baseia-se em respeitar as três regras estabelecidas na folha de instrução, escrita pelo fictício herdeiro de Mlle Lenormand, em 1846, quando foi apresentado – pela primeira vez – o baralho Petit Lenormand.

INTRODUCTION.

THE reputation achieved by Mlle. Le Normand as a successful foreteller of future events is historically authentic. Her system of prognostication was based upon a series of thirty-six cards, the designs of which fell into the hands of her heirs after her death.

With these oracular cards she was enabled to foretell the greatness of Napoleon Bonaparte, and the fate of other contemporaneous prominent persons. In her lifetime she was consulted by thousands, who bore witness to the truth and accuracy of her prophecies. The cards now offered, and the method given for their use are substantially the same as those employed by Mlle. Le Normand, and are so arranged that all who consult them can read unaided their own fortunes.

DIRECTIONS FOR USE.

First shuffle the cards, and cut them with the left hand. Proceed to deal them out, one by one, in four successive rows of eight cards each, the cards in each row being laid from left to right; the remaining four cards are then laid in the same manner, under the middle of the other rows, as shown in the diagram:

SIGNIFICATION OF THE CARDS.

The cards are numbered from 1 to 36, and will be described in their regular order.

The Person consulting the cards is represented by No. 29, if it be a lady; or by No. 28, if a gentleman. The signification of the Personal card depends largely on the position it assumes in dealing the cards in the rows, and the meaning and force of all the other cards are modified by their distance from or contiguity to the Personal card.

EXAMPLE.

PHILIPPE,
Heirs of Mlle. LeNormand.

As três regras são:

1. A função das duas cartas Consulentes;
2. A lei do perto/distante;
3. Códigos de leitura de quatro cartas.

Regra 1

Um trecho da folha de instruções diz:

> *"A pessoa que deseja conhecer o seu futuro é apresentada pela carta 29, se é uma mulher ou o número 28, se for um homem."*

A carta 28, O Homem, e a carta 29, A Mulher, têm a única função de representar fisicamente o/a Consulente durante a leitura.

Regra 2

O seguinte trecho afirma:

> *"Devemos centrar-nos e ter uma grande atenção nestas duas cartas, 28 e 29. O seu posicionamento (na distribuição) indica a felicidade futura ou o infortúnio da pessoa; todas as outras cartas adquirem o seu significado a partir destas duas e, de uma maneira geral, o seu posicionamento, desde a maior proximidade ou máximo afastamento das duas cartas citadas, determina a mensagem do destino."*

Compreendemos, aqui, que o primeiro passo a ser dado numa leitura é concentrar-se nas duas cartas que representam os Consulentes (O Homem e A Mulher), porque é através delas que toda a leitura se desenvolve. As 34 cartas restantes do baralho ganham importância na leitura, segundo a posição perto ou distante da carta dos Consulentes (Grand Tableau).

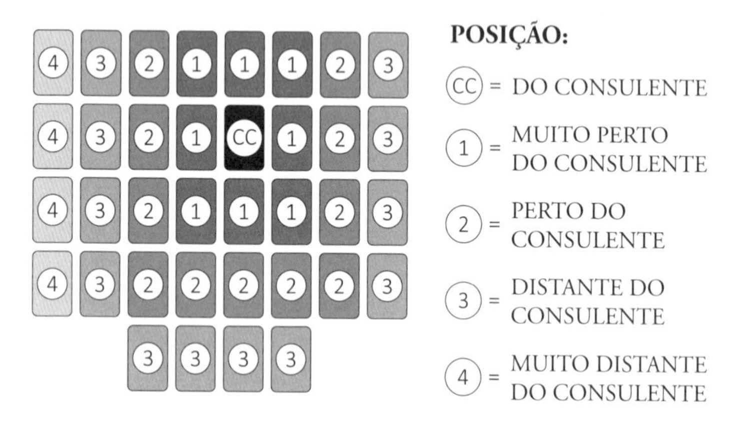

Quanto mais as cartas estiverem em contato com a carta do/a Consulente ou com uma carta tema, mais o valor dessas é intensificado; quanto mais as cartas estiverem afastadas, distantes da carta do/a Consulente ou de uma carta tema, menos intensidade elas têm na vida da pessoa.

Portanto, a nossa atenção, primeiramente numa leitura, deve ser dirigida às cartas que se encontram posicionadas próximas da carta do/a Consulente, isto é, nas posições 1 e 2. As posições 1 e 2 têm força, portanto têm uma influência muito maior na vida do/a Consulente.

As cartas que ocupam a posição 3 têm influência débil na vida do/a Consulente, portanto o impacto delas é fraco, mas se essas cartas têm um valor altamente negativo, como a carta O Caixão, o/a Consulente receberá um impacto forte. Na posição 4 (dependendo de onde se encontra posicionada a carta do/a Consulente, as posições de distância podem ir além de 4 posições aqui trazidas como exemplo, as forças das cartas não são sentidas pelo/a Consulente. Assim sendo, compreendemos que o valor de uma carta é intenso quando está perto e enfraquece o seu valor quando está distante da carta do/a Consulente.

Tomemos como exemplo a carta O Caixão. Obviamente aqui não iremos aprofundar os significados, a técnica de leitura e o contexto como ocorre numa leitura; centremo-nos na carta O Caixão de modo isolado, segundo o significado do Philippe Lenormand.

> *"8. O CAIXÃO, muito próximo da carta da pessoa, significa, sem a menor dúvida, doenças graves, morte, ou uma ausência total de sorte. Mais afastado da pessoa, a carta oferece menos perigo."*

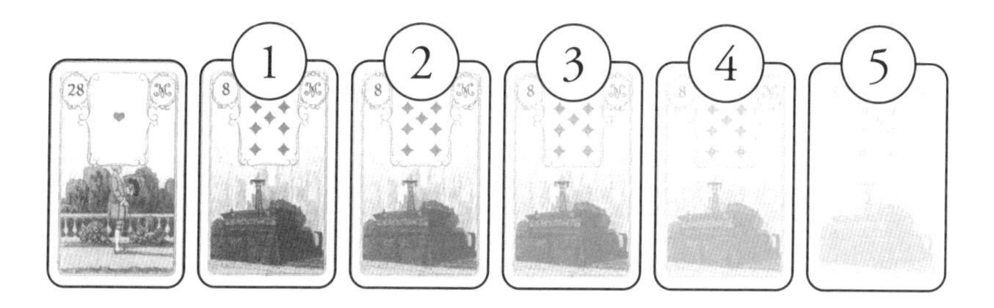

Como podem observar, partindo da carta Consulente (O Homem), a carta O Caixão está com a cor mais intensa nas posições 1 e 2 e a partir da posição 3 em diante começa a perder a nitidez.

Regra 3

É necessário prestar atenção à leitura das seguintes quatro cartas:

Carta N.º 4, A Casa

> *"4. A CASA é um sinal garantido de sucesso e prosperidade em todas as áreas e embora, a posição atual da pessoa não seja favorável, o futuro será brilhante e feliz. Se a carta aparece no centro do jogo, debaixo da carta da pessoa, este é um indicativo para tomar cuidado com aqueles que o/a rodeiam."*

Carta N.º 6, As Nuvens

> *"6. AS NUVENS, se o lado claro das mesmas é direcionado para a carta da pessoa a previsão é positiva, mas com o lado escuro na direção da pessoa, algo desagradável irá acontecer brevemente."*

Carta N.º 25, O Anel

> *"25. O ANEL, posicionada à direita da pessoa, indica um casamento próspero e feliz. Quando posicionada à esquerda e distante, revela uma discussão com a pessoa da sua afeição e o fim de um casamento."*

Carta N.º 30, Os Lírios

> *"30. OS LÍRIOS são indicadores de uma vida feliz. Com as nuvens por perto assinalam uma decepção familiar. Se esta carta aparece em cima da pessoa, indica que a mesma é virtuosa; se posicionada abaixo da pessoa, os princípios morais da mesma são dúbios."*

O Método Philippe Lenormand é uma técnica muito interessante. Este será aprofundado no Capítulo 7 deste manuscrito onde estudaremos o método de leitura Grand Tableau.

A Lei do Olhar

Fundamenta-se na leitura da direção para a qual as figuras estão olhando.

AS CARTAS CONSULENTES: O HOMEM E A MULHER

As cartas consulentes desempenham um papel importante numa leitura. Esta é a primeira lição que aprendemos da folha de instrução do Philippe Lenormand:

> *"Devemos centrar-nos e ter uma grande atenção nestas duas cartas, 28 e 29. O seu posicionamento (na distribuição) indica a felicidade futura ou o infortúnio da pessoa; todas as outras cartas adquirem o seu significado a partir destas duas e de uma maneira geral, o seu posicionamento, conforme a sua maior proximidade ou o máximo afastamento, das duas cartas citadas, determina a mensagem do destino."*

O método Philippe, conhecido também como método tradicional, não contempla a lei do olhar. Como vem definido o passado e futuro pelos tradicionalistas? As cartas encontradas à esquerda da carta do/a Consulente representam o passado e as cartas encontradas à direita representam o futuro, como o exemplo da figura aqui ao lado.

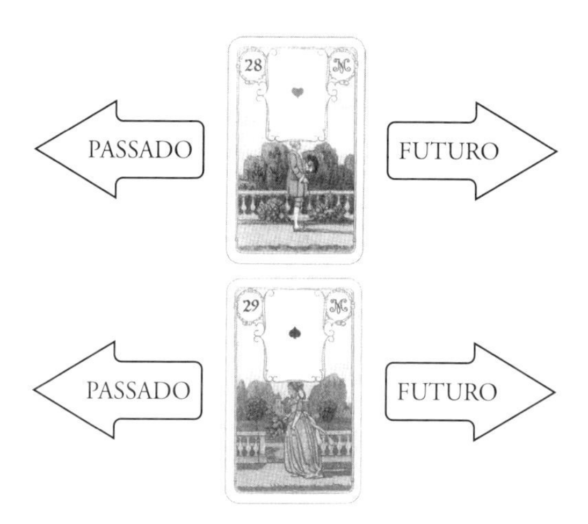

Como acabamos de ver, não é importante para que lado a figura representada na carta esteja olhando. Todas as cartas posicionadas à direita, partindo da carta do/a consulente, irão representar o futuro; as posicionadas à esquerda, sempre partindo da carta do/a consulente, irão representar o passado.

Este método difere bastante do método alemão que, além de observar as cartas que representam o/a consulente, também averigua para que lado está direcionado o "vulto" das figuras. No método alemão, esta técnica chama-se "a lei do olhar". Esta preciosa técnica ajuda na orientação e na localização dos acontecimentos do passado, do presente e do futuro relativamente ao assunto em estudo. Trata-se de uma técnica de elevada importância que devem reter, caso tenham intenções de "trabalhar" com o método do Grand ou Petit Tableau Lenormand.

"A lei do olhar" é uma técnica que tem as suas origens nos séculos passados. Uma testemunha da utilização da técnica está no baralho "Tarocchino Bolognese", criado por volta do ano 1420, um baralho de Tarô composto por 22 arcanos maiores e 40 arcanos menores (10 por cada naipe – são eliminados o 2, 3, 4 e 5 de cada naipe) e o 1 - O Coringa. Numa leitura, vêm utilizadas 50 cartas, formando 10 linhas horizontais compostas por 5 cartas (hoje conhecido com o nome de O Método do Mestre, O Tabuleiro ou de Grand Tableau). A leitura começa com a localização da carta consulente (o Rei de Paus para o homem e a Rainha de Paus para a mulher), logo após observa-se a direção do olhar da figura (o que está à frente representa o futuro e o que está nas suas costas, o passado).

Nas minhas pesquisas, ao longo destes anos, não encontrei nenhum registro escrito que demonstre as origens e o autor da técnica, mas acredito que, como aconteceu comigo, todos os segredos da cartomancia foram transmitidos oralmente, de geração em geração, e a existência dos poucos registros escritos sobre o tema da cartomancia deve-se ao fato de que, naquela época, o povo não era alfabetizado.

COMO INTERPRETAR A CARTA CONSULENTE NUMA LEITURA

A ou as cartas que estão em frente (direção do olhar) do/a Consulente representam o futuro do/a consulente.

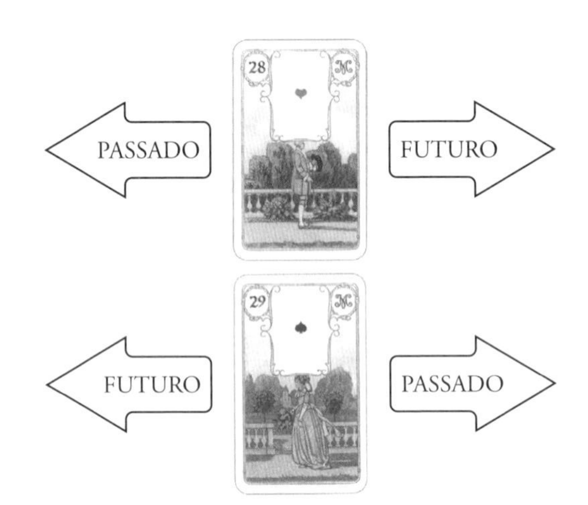

Representar também o seguinte:

- A direção que está tomando;
- Em qual evento está concentrado ou interessado;
- O que ainda tem a aprender, saber, descobrir;
- Pessoas que ainda não conhece ou que irão fazer parte dos eventos futuros, isto se estiverem presentes as figuras da corte ou uma outra carta que represente uma pessoa.

Cartas no sentido contrário à direção do olhar, isto é, posicionadas nas costas irão representar o passado da pessoa. Esta mesma posição representa o seguinte:

- De onde a pessoa saiu;
- O que deixa para trás (afasta-se);
- São as suas experiências e conhecimentos adquiridos;
- Pessoas que conhece ou que fizeram parte dos eventos passados, isto se estiverem presentes as figuras da corte ou uma outra carta que represente uma pessoa.

Pode acontecer que as duas cartas Consulente se encontrem uma ao lado da outra. Isso tem alguma importância na leitura? Sim, tem. E muita importância! Principalmente quando o tema se refere a um relacionamento de qualquer gênero (amizade, amor, casamento, sócio etc.).

SIGNIFICADO DA POSIÇÃO DAS CARTAS CONSULENTES ENTRE SI

Quando as duas cartas Consulentes se encontram frente a frente, significa que:

- Existe comunicação ou interesses em comum;
- Algo os une;
- Estão concentrados no mesmo objetivo;
- São cooperativos;
- Existe uma aproximação entre eles.

As cartas que circundam as cartas consulentes ou que se encontram entre elas revelam:

- O que os une;
- O que têm em comum;
- O assunto sobre o qual estão tratando.

Tomemos como exemplo uma leitura para uma questão profissional entre Miguel, meu consulente, e Vera, sua patroa. As cartas, aqui presentes como exemplo, fazem parte de um pedaço de uma leitura do Grand Tableau. Como podem notar, entre as duas cartas consulentes encontram-se posicionadas três cartas: A Chave, As Cegonhas e A Âncora que irão mostrar o assunto que está sendo tratado naquele momento.

A interpretação seria a seguinte:
Miguel tem a estima e a confiança por parte da sua chefe (A Mulher + A Âncora) pela sua prestação profissional (A Chave + A Âncora). Como consequência, é dado a Miguel um cargo de maior responsabilidade no trabalho (O Homem + A Chave + As Cegonhas + A Âncora).

QUANDO AS DUAS CARTAS CONSULENTES ESTÃO DE COSTAS UMA PARA A OUTRA

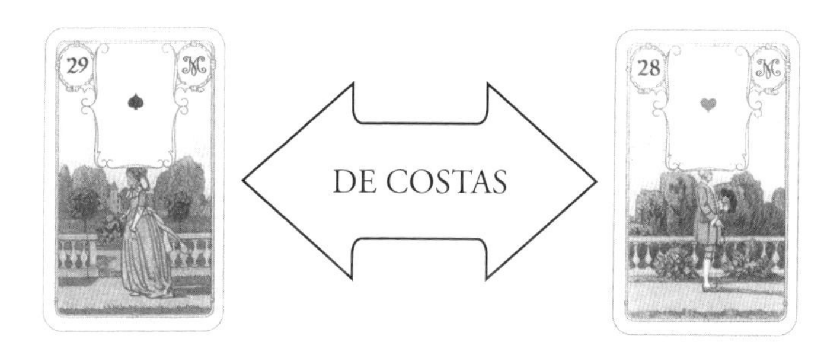

Para quem não está familiarizado com a técnica aqui apresentada, é possível que incorra em erros de avaliação tirando conclusões precipitadas tais como:

- O casal está separado;
- O casal está se separando.

A não ser que tenha visto no jogo cartas que confirmem que este casal esteja em fase de um rompimento, separação ou divórcio, a interpretação que deverá ser dada a estas duas cartas é a seguinte:

- Provavelmente o casal está passando por um momento de crise;
- Algo de muito sério ou outras questões os distanciam;
- Têm interesses, expectativas, desejos diferentes que os distanciam. Portanto, não têm projetos em comum;
- Vivem uma incompatibilidade de caráter;
- Estão se evitando;
- Não cooperam um com o outro;
- O casal está distraído ou nao se interessa pelo que acontece na vida um do outro.

Neste caso, é muito importante observar as cartas que as circundam ou que se encontram entre elas para entender a razão deste afastamento ou incompreensão.

Por exemplo:

- A Mulher + A Árvore + Os Ratos + O Homem: uma doença é o motivo do distanciamento entre os dois;
- A Mulher + O Navio + A Âncora + O Homem: poderá representar que uma viagem de trabalho é motivo do distanciamento entre os dois;
- A Mulher + O Coração + A Serpente + O Homem: uma traição é motivo do afastamento entre os dois.

> **Nota importante:**
> A técnica explicada deve ser considerada tanto nos casos em que encontramos as cartas dos Consulentes na horizontal, vertical e diagonal no Grand Tableau.

A Lei da Posição

Esta lei consiste em respeitar o posicionamento de algumas cartas quando presentes numa leitura. A lei da posição inclui 8 leis.

1. A LEI DO ANTES E DEPOIS

Esta lei baseia-se na atenção que se deve ter com algumas cartas quando essas se encontram posicionadas antes ou depois de outra carta.

Essas cartas são:

- O Cavaleiro, O Navio, A Árvore, O Caixão, A Foice, A Montanha, Os Ratos, O Livro, A Carta, A Chave, A Âncora, A Cruz.

2. A LEI DA INFLUÊNCIA

Baseia-se na observação das cartas segundo a sua posição - em cima ou embaixo - em relação a outras cartas.

A técnica pode ser aplicada em todas as 36 cartas, mas existem algumas cartas em que é necessário prestar mais atenção quando presentes numa leitura:

- O Cavaleiro, A Árvore, As Nuvens, A Foice, A Raposa, As Cegonhas, A Montanha, Os Ratos, O Livro, O Homem, A Mulher, Os Lírios, A Âncora e A Cruz.

A técnica é utilizada exclusivamente em "jogos" grandes, como o Grand Tableau, o Método da Vovó etc., onde estão envolvidas várias cartas.

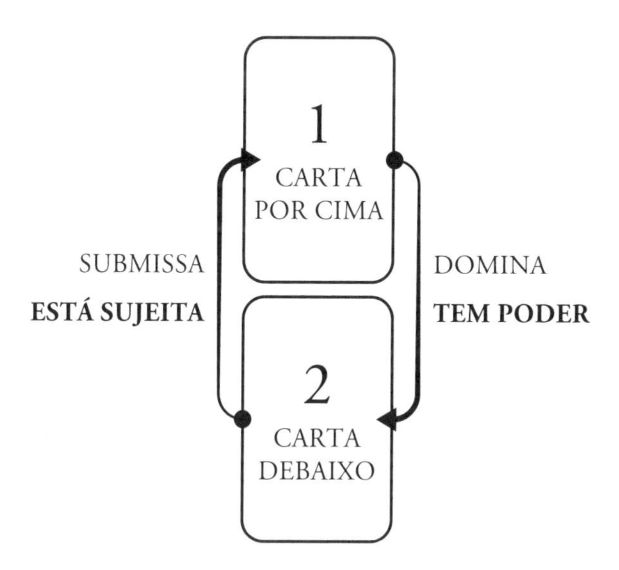

Posição 1 – carta por cima:

Tem o controle sobre a carta que está posicionada abaixo. Diz também que tem peso, força, poder e domínio sobre a carta que está embaixo.

Se a carta do/a Consulente está nesta posição, indica que está mantendo o controle sobre o evento, sobre a área da vida ou sobre a pessoa representada pela carta que está posicionada abaixo.

Posição 2 – carta debaixo:

É submissa, está sob o controle da carta que está em cima dela. Portanto, a carta aqui posicionada está sob controle do evento, da área da vida ou da pessoa representada pela carta posicionada acima. Mas atenção! Algumas cartas podem atuar com toda a sua energia nesta posição.

Cartas paradas, por exemplo, quando localizadas acima da carta que representa o/a Consulente ou de uma área (sentimental, profissional etc.) irão indicar que a vida do/a Consulente está parada, não evolui ou que o/a Consulente não está ativo.

Nota importante:
A técnica acima explicada deve ser considerada tanto nos casos em que encontramos as cartas dos Consulentes na horizontal, vertical e diagonal no Grand Tableau.

3. A LEI DA ORIENTAÇÃO

Esta lei respeita a direção na qual alguns símbolos (animais e objetos) se dirigem.

As cartas são:

- A Serpente, A Foice, A Raposa, O Cão.

4. A LEI DA RELEVÂNCIA

A lei da relevância baseia-se no fato de algumas cartas terem o poder de eliminar ou cancelar o efeito de outras cartas, principalmente as cartas paradas ou com valor negativo. Estas são as cartas eliminadoras, como carinhosamente as chamo.

Essas cartas são:

- O Caixão, A Foice e Os Ratos.

A carta O Caixão, posicionada depois de outra carta, tem a função de terminar, acabar, dar um fim à carta posicionada antes. Por exemplo:

- O Navio + O Caixão: fim de uma viagem ou o cancelamento de uma viagem;
- A Serpente + O Caixão: fim da traição, uma relação extraconjugal acabou;

- A Vassoura E O Chicote + O Caixão: fim das discussões, fim dos conflitos;
- As Estrelas + O Caixão: sem expectativas;
- As Cegonhas + O Caixão: uma mudança que não acontecerá, fim de uma mudança;
- A Montanha + O Caixão: não existirão atrasos; fim dos obstáculos;
- A Âncora + O Caixão: uma tarefa profissional que chega ao fim;
- A Cruz + O Caixão: fim de uma missão ou de um cargo importante.

A carta A Foice, posicionada antes de outra carta, tem a função de eliminar, de cortar, de romper, de separar a carta que está posicionada na sua frente, isto no bem ou no mal. Exemplos:

- A Foice + A Serpente: eliminação de um rival;
- A Foice + O Caixão: nenhum fim acontecerá;
- A Foice + O Urso: ruptura ou separação com um dos pais;
- A Foice + A Montanha: o obstáculo ou problema representado pela carta A Montanha, será eliminado;
- A Foice + Os Ratos: cortar algumas despesas;
- A Foice + O Livro: revelação de um segredo;
- A Foice + A Carta: cortar o contato com alguém.

A carta Os Ratos, posicionada antes de outra carta, tem a função de reduzir, de diminuir, de enfraquecer, de tirar a potência da carta que está posicionada na sua frente. Enquanto a eliminação – representada pela carta A Foice – é imediata, a eliminação – representada pela carta Os Ratos – é lenta, porém contínua. Exemplos:

- Os Ratos + O Caixão: alívio; um final lento; uma mágoa ou tristeza que se desvanece lentamente;
- Os Ratos + A Vassoura E O Chicote: a tensão diminui lentamente;
- Os Ratos + A Montanha: superação de um obstáculo lentamente, isto é, os obstáculos serão eliminados pouco a pouco;
- Os Ratos + A Cruz: alívio; diminuição de um peso.

5. A LEI DA REPETIÇÃO

Algumas cartas, posicionadas depois de outra carta qualquer, anunciam a repetição dos eventos representados pela ou pelas cartas anteriores.

Essas cartas são:

- A Vassoura e O Chicote e O Anel.

A carta A Vassoura e O Chicote são instrumentos de bater (chicote) e sacudir (vassoura) e o seu movimento é frenético e repetitivo.

A carta O Anel representa algo que gira sempre em círculo, criando um vínculo que se repete continuamente, até que o/a Consulente decida romper essa dependência. Por exemplo:

- O Caixão + O Anel: doença crônica;
- A Vassoura e O Chicote + O Anel: discussões sempre sobre o mesmo assunto;
- As Corujas + A Vassoura E O Chicote: sempre as mesmas conversas; repetir sempre a mesma coisa;
- A Raposa + O Anel: repetir os mesmos erros de sempre; atos continuados de criminalidade;
- A Âncora + O Anel: repetir sempre as mesmas tarefas no trabalho ou renovação de um contrato;

6. A LEI DA PONTE

Algumas cartas do baralho tem a função de servir de conexão entre duas cartas e quando estão presentes numa leitura, é necessário observar atentamente as cartas que estão posicionadas antes e depois.

Essas cartas são:

- O Cavaleiro, O Navio, As Cegonhas, Os Caminhos e A Chave.

Vejamos um exemplo onde estão presentes as seguintes cartas: A Âncora + Os Caminhos + As Estrelas.

A minha interpretação seria: o meu Consulente está considerando a possibilidade de fazer uma pausa para decidir se deve deixar o emprego (A Âncora + Os Caminhos) para seguir um trabalho relacionado com a área espiritual (A Âncora + As Estrelas).

Se numa leitura estiver presente a carta Os Caminhos, significa uma decisão a ser tomada, uma escolha entre várias alternativas. Para entendermos melhor do que se trata, é necessário observar a carta que está antes, pois ela irá indicar o que levou a uma decisão ou escolha e a carta depois indicará o que se deseja alcançar ou o resultado dessa decisão ou escolha.

Nota importante:
É importante frisar que as cartas Pontes são cartas que representam uma passagem de um lugar para o outro, tanto que, em casos raros, estas mesmas cartas aparecem quando vêm anunciar o falecimento de alguém ou a modificação de um estado para outro!

7. A LEI DO DUPLO

São as cartas que contêm dois símbolos principais na mesma carta. Essas cartas são:

- As Nuvens e A Vassoura e O Chicote.

A carta As Nuvens contém nuvens claras que significam clareamento e alívio, mesmo que deste lado esteja posicionada uma carta de valor negativo; o lado escuro das nuvens traz aborrecimentos e problemas. A negatividade aumenta se ao lado estiver posicionada uma carta de valor negativo. Esta lei pertence a Philippe Lenormand, 1846.

A carta A Vassoura e O Chicote contém dois símbolos: a vassoura que tem a função de afastar, de limpar e de purificar espaços sujos ou energias negativas; o chicote – ao contrário – tem a função de punir e castigar, mas também serve como uma arma de defesa quando se é atacado. Na Índia, é costume ter sempre pendurada, atrás da porta, uma vassoura e um chicote para afastar energias malignas e pessoas indesejadas. Quando alguém ou algum evento negativo, ou mesmo quando se tem uma sensação de que algo de negativo está para acontecer em casa, pega-se o chicote e dá-se chicotadas no chão e no fim varre- se de dentro da casa para a rua, afastando qualquer evento que possa perturbar a família.

Foi através deste ritual que nasceu a minha técnica utilizada no Método da Magia, onde as cartas em contato com o Chicote mostram a energia atuante, no momento, na vida ou na casa do/a Consulente; já as cartas em contato com a Vassoura irão fornecer uma orientação de como solucionar a negatividade presente, caso seja confirmado pelo grupo de cartas da parte do Chicote.

8. A LEI DA ADIÇÃO

Baseia-se em acrescentar uma carta ao lado de outra que se encontra posicionada no fim de uma linha de cartas numa leitura. Isso acrescentará detalhes adicionais e profundidade à interpretação. Portanto, quando não houver cartas na frente das cartas Consulentes (Lei do olhar) ou na direção dos objetos e animais (lei da Orientação), ou de qualquer carta neutra, deve-se acrescentar uma outra carta.

Esta lei é aplicada em pequenos lançamentos como a linha dos três, cinco, sete e a Cruz Celta, e não em leituras como o Grand Tableau onde as 36 cartas estão envolvidas na leitura.

Se, por exemplo, numa leitura com o "Método dos três", para uma questão sentimental, o grupo das três cartas, que representam as intenções e como o marido da minha consulente vive a relação, for:

- O Anel + O Homem + A Serpente, assinala a presença de uma mulher (Rainha de Nozes) que está ligada a este homem (A Serpente + O Anel).

O marido da minha consulente parece estar focado nesta mulher (O Homem + A Serpente) ao ponto de ignorar as suas obrigações matrimoniais (O Anel). Neste ponto, é necessário saber mais sobre A Serpente. Como sabem, tudo que se encontra na direção para onde A Serpente se dirige, dará informações sobre os interesses dela. Por outro lado, o que está atrás informa-nos sobre as verdadeiras intenções ou objetivos da Serpente. Do baralho extraímos uma carta e colocamos ao lado da carta A Serpente: O Coração.

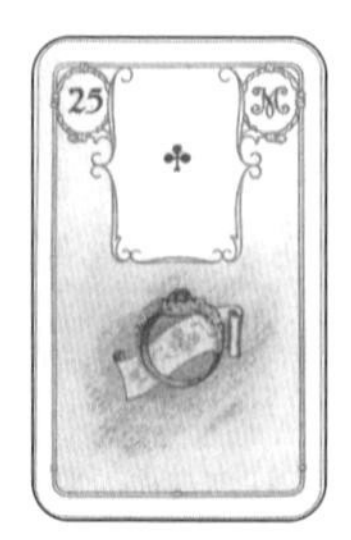

Com a carta O Coração, está confirmada uma relação extraconjugal da parte do marido da minha Consulente (O Anel + A Serpente + O Coração). A amante está apaixonada (A Serpente + O Coração) e tem intenções de levar a relação para algo de concreto, fixo (A Serpente + O Anel). Sendo assim, podemos concluir que o marido da minha Consulente não nutre nenhum interesse pela esposa e que está envolvido e atraído por uma outra mulher.

Leitura dos Códigos em Algumas Cartas – Lei da Posição

CARTA 1: O CAVALEIRO

Código de Leitura:

- Lei da posição: Orientação, Influência, Ponte, Adição

Nota importante:
Quando duas cartas que contêm técnicas se encontram uma ao lado da outra, é a técnica da primeira carta que deve ser considerada na leitura.

A leitura da carta O Cavaleiro é concentrada segundo a posição do focinho e da cauda do cavalo. Portanto, é necessário levar em consideração em que direção o cavalo galopa. Assim, quando a carta O Cavaleiro aparece numa leitura, é importante observar as seguintes quatro posições (observem o gráfico na página ao lado).

Posição 1 – A carta O Cavaleiro antes de outra carta (cauda) – de onde vem:

A ou as cartas que se encontram nessa posição (após a cauda do cavalo) indicam-nos de onde O Cavaleiro partiu, a razão do seu deslocamento, o que está chegando, o que transporta consigo e o que está a caminho (eventos, novidades, notícias, pessoas etc.). Estas são as informações que necessariamente devem ser transmitidas ou levadas ao conhecimento de alguém.

Por exemplo:

- O Cavaleiro + O Trevo: traz novas oportunidades que darão novos estímulos;

- O Cavaleiro + As Nuvens: é de esperar que a "bagagem" do Cavaleiro não seja das melhores. Com certeza trará algo desagradável que nos vai aborrecer;
- O Cavaleiro + O Caixão: é iminente o fim de algo ou que o/a Consulente agirá de modo diferente perante a questão investigada. Anuncia que as circunstâncias vão mudar drasticamente, uma resposta definitiva está chegando. Uma notícia vai ser fruto de imensa dor. Esta mesma combinação pode anunciar uma doença grave ou o falecimento de alguém, isto se estiver acompanhada por cartas que confirmem este prognóstico; a chegada de uma embalagem (porque a carta O Caixão pode representar uma caixa);
- O Cavaleiro + As Estrelas: anuncia a chegada de novas ideias ou inspirações, mas também algo que trará esclarecimento sobre uma questão que, até o momento, não estava clara. Anuncia também o despertar da espiritualidade, o desenvolvimento espiritual;
- O Cavaleiro + As Cegonhas: anuncia o retorno de alguém ou que estão chegando alterações ou mudanças importantes;
- O Cavaleiro + O Cão: anuncia a chegada de um amigo ou de novos amigos, pode também identificar a chegada imediata de um amigo ou irmão que usa uniforme. Algumas vezes, pode trazer notícias ou novidades provenientes do círculo de amizade;
- O Cavaleiro + A Âncora: uma proposta de um novo emprego ou que a estabilidade tão desejada está se aproximando.
- Sempre nesta posição, O Cavaleiro pode indicar uma saída, um afastamento, o distanciamento do evento ou da área da vida representada pela carta posicionada na cauda. Por exemplo:
- O Cavaleiro + O Anel: pode indicar uma pessoa que não deseja estabelecer alguma ligação ou compromisso neste momento. Portanto, foge de qualquer situação que possa comprometê-la ou "aprisioná-la". A carta O Anel é também uma carta de vícios e de escravidão, assim pode indicar que o/a Consulente está se distanciando de qualquer tipo de dependência.

Posição 2 – A carta O Cavaleiro depois de outra carta – Para onde está indo:

A carta que se encontra na frente do focinho do cavalo dará indicações do destino ou da localidade para onde está indo. A Carta que se encontra nesta posição é considerada como o "destinatário" ou onde deve ser entregue alguma coisa, o objetivo a ser alcançado. Por exemplo:

- A Casa + O Cavaleiro: retorno a casa;
- As Nuvens + O Cavaleiro: consequências desagradáveis (observar a carta posicionada antes d'O Cavaleiro para entender as origens do evento;
- O Caixão + O Cavaleiro: a notícia não chegará ao destino;
- Os Lírios + O Cavaleiro: reconciliação, retorno de alguém ou de algo que gera paz.

Tomemos como exemplo as 3 cartas aqui indicadas, O Livro + O Cavaleiro + A Âncora. O objetivo deste exercício é o de compreender o mecanismo técnico da carta O Cavaleiro quando se encontra perto de outras cartas.

A leitura inicia-se observando a carta que se encontra na posição atrás, que é a Âncora. A Âncora é a carta temática para o trabalho e o emprego (obviamente a carta a Âncora tem muitos outros significados, mas, para simplificar a explicação da técnica, decidi usar só estes). A carta que se encontra na frente da carta do Cavaleiro é a carta o Livro, que está representando estudos, aprendizagem, algo desconhecido etc.

A minha interpretação seria:
Em breve, o/a Consulente verá chegar (O Cavaleiro) uma nova tarefa profissional (A Âncora) que fará com que frequente um curso de aperfeiçoamento (O Livro).

Outros exemplos que tirei do caderno das minhas consultas:

- A Âncora + O Cavaleiro + A Lua: promoção (A Lua) profissional (A Âncora);
- A Montanha + O Cavaleiro + A Criança: novo projeto (A Criança) que encontrará grandes dificuldades (A Montanha) para se realizar;
- A Árvore + O Cavaleiro + O Sol: recuperação (O Sol) do estado de saúde (A Árvore).

Posição 3 – A carta O Cavaleiro acima de outra carta:

A carta que está abaixo do Cavaleiro, principalmente se esta é uma das cartas que representa o/a Consulente (a carta O Homem ou A Mulher), refere-se aos seus projetos e planos. Também anuncia que está à espera de notícias de alguém; a carta vizinha ou abaixo indicará de qual área da vida se trata.

Posição 4 – A carta O Cavaleiro abaixo de outra carta:

A carta que se encontra em cima do Cavaleiro é o que está sendo tratado neste momento, o que está sendo cumprido. Anuncia também que o/a Consulente já recebeu informações, e que tem conhecimento de algo que permite tomar uma atitude em relação à questão que o preocupa.

CARTA 3: O NAVIO

Código de leitura:

- Lei da posição: Antes e Depois

Posição 1 – A carta O Navio, posicionada antes de outra carta:

Indica recordar um evento, chegar (de visita ou para um evento), avanço, alcançar, realizar, conquistar, explorar. Portanto, a ou as cartas que se encontram depois da carta O Navio mostram o ponto de destino (para onde está se dirigindo ou o evento que vai encontrar).

Por exemplo:

- A Carta O Caixão: algo que chega ao fim, pode ser o fim de uma viagem, de um projeto ou o completar de uma tarefa; anuncia uma viagem para participar de um funeral;
- A Carta Vassoura e O Chicote: uma viagem ou uma ação que será motivo de discussões;
- A Carta A Criança: um novo começo; desejo de engravidar; gravidez;
- A Carta A Montanha: uma tarefa que não será fácil realizar; atraso de planos.

Posição 2 – A carta O Navio posicionada depois de outra carta:

Indica transição, mudança, partida, sair, ir embora, deixar para trás, afastamento, distanciamento, ausência, abandono. O Navio se afasta, deixa para trás o assunto trazido pela carta anterior. Portanto, a ou as cartas anteriores à carta O Navio informam qual a área da vida que está passando por uma mudança. Por exemplo:

- A Carta A Casa: sair da área de conforto ou de casa;
- A Carta O Caixão: anuncia que a pessoa se distancia dos eventos (dor, sofrimento, tristeza), hábitos, pessoas do passado. Também anuncia uma transformação profunda e tão desejada pelo/a Consulente (como, por exemplo, mudança de sexo). Numa leitura, para uma questão relacionada a uma doença, esta combinação indica que a doença passou para um novo nível, para uma nova fase; possivelmente, a progressão da doença. Uma recuperação vem anunciada se uma carta de valor positivo como O Ramo de Flores, Os Lírios ou a carta O Sol está posicionada depois da carta O Navio. Com cartas como A Cruz, por exemplo, esta combinação pode anunciar morte física;
- A Carta A Vassoura e O Chicote: anuncia o fugir ou o distanciar-se dos problemas, do estresse ou de alguém que é fonte de conflitos. Uma minha cliente italiana tem uma filha jornalista que se encontrava fazendo um serviço na guerra do Golfo em 1991. Depois de algum tempo, sem notícias da filha, a minha cliente pediu-me uma consulta para conhecer o paradeiro da sua filha. O corte do baralho foi A Vassoura e O Chicote + O Navio, que indicou que a pessoa em questão estava, naquele momento, saindo da zona de conflito. Naquele dia, a filha contatou-a, dizendo que tinha deixado Bagdad, por questões de segurança, e que se encontrava na Arábia Saudita;
- A Carta A Criança: anuncia fim da gestação, um parto, o nascimento de um filho. Mas também o afastamento de um jovem ou de um filho que saiu de casa para viver sozinho ou para estudar numa localidade distante;
- A Carta A Montanha: anuncia que um período de grande dificuldade é deixado para trás ou que soluções são encontradas para sair das dificuldades;
- A Carta O Coração: anuncia a tomada de distância do amor ou de uma situação emocional. Tomam-se decisões racionais e não emocionais na resolução de um assunto;

- A CARTA O ANEL: anuncia uma separação ou afastamento por parte do parceiro ou companheiro.

Nota importante:
Quando a carta O Navio se encontra posicionada como última carta numa leitura, anuncia eventos ou situações (indicados pelas cartas posicionadas antes d'O Navio) que se "carregarão" por algum tempo.

CARTA 5: A ÁRVORE

Código de leitura:

- Lei da posição: Antes e Depois, Influência

Posição 1 – A carta A Árvore posicionada antes de outra carta:

- Tipo de doença;
- Cuidados, tratamentos, cirurgias;
- Vencer ou não a doença;
- Unidade de saúde (posto médico, hospital, clínica).

Por exemplo:

- A Árvore + A Raposa: diagnóstico errado; fingimento de uma doença, isto se a carta O Caixão também estiver por perto;
- A Árvore + A Torre: prevê internação num hospital.

Posição 2 – A carta A Árvore posicionada depois de outra carta:

- O pessoal de saúde (médico, enfermeiros etc.);
- As condições de saúde e de vida do/a consulente;
- Consultas;
- Exames clínicos

Por exemplo:

- As Nuvens + A Árvore: mal-estar, indisposição;
- O Cão + A Árvore: pessoal médico;
- A Carta + A Árvore: resultados médicos; receita médica; marcar uma consulta;
- O Livro + A Árvore: exames médicos.

Posição 3 – A carta A Árvore posicionada acima de outra carta:

É o que está bem enraizado na vida do/a Consulente. Por exemplo, A Árvore posicionada em cima da carta:

- O Caixão: uma doença crônica ou séria;

- A CRIANÇA: uma pessoa que não quer crescer;
- O CÃO: amizade para toda a vida; lealdade duradoura;
- A TORRE: hospital; muito tempo isolado;
- O CORAÇÃO: sentimentos fortes equilibrados;
- O ANEL: um relacionamento ou associação sólida e séria; um contrato a longo prazo;
- O LIVRO: pode representar duas coisas distintas:
  - o Segredos que não serão revelados ou que uma família carrega; segredos de longo tempo;
  - o Conhecimentos transmitidos por gerações ou que a pessoa tem grandes conhecimentos sobre o assunto tratado na leitura; herança.
- Os PEIXES: poupança ou dinheiro pertencente à família;
- A CRUZ: carma familiar.

Posição 4 – A carta A Árvore posicionada abaixo de outra carta:

Representa o que cresce e se expande. No caso de doenças, a carta que estiver posicionada em cima da carta A Árvore, a exemplo da carta As Estrelas, pode indicar a expansão da enfermidade.

Por exemplo:

- O NAVIO + A ÁRVORE: viagem para descansar ou por razões médicas; férias;
- A CARTA POSICIONADA EM CIMA DA CARTA A ÁRVORE: vários certificados de doença ou receitas médicas;
- Os RATOS POSICIONADOS EM CIMA DA CARTA A ÁRVORE: enfraquecimento;
- O HOMEM OU A MULHER POSICIONADAS EM CIMA DA CARTA A ÁRVORE: a pessoa tem que ter mais cuidados consigo e com a sua saúde;
- Os PEIXES POSICIONADOS EM CIMA DA CARTA A ÁRVORE: crescimento financeiro; gastos na saúde se a carta O Caixão estiver perto.

CARTA 6: AS NUVENS

Código de leitura:

- Lei: Philippe Lenormand
- Lei da posição: Dupla e Influência

> *"AS NUVENS, se o lado claro das mesmas é direcionado para a carta da pessoa, a previsão é positiva; com o lado enegrecido na direção da pessoa, algo desagradável irá acontecer brevemente."*
>
> *Philippe Lenormand, 1846*

Como aprendemos com Philippe Lenormand, a leitura desta carta depende do seu posicionamento relativamente a outras cartas. Trata-se de uma carta dupla em que os principais elementos a serem considerados são as nuvens claras e as escuras.

Posição 1 – Nuvens Escuras:

A carta que está em contato com As Nuvens escuras receberá a sua influência negativa, seja ela de valor positivo ou negativo. As nuvens escuras também ofuscam, escurecem a carta que se encontra nesta posição. É possível existir um segredo ou omissão de algo. Tomemos o exemplo do par As Nuvens + A Raposa: A Raposa anuncia algo de errado, uma fraude ou mentiras e As Nuvens estão encobrindo, escondendo essa fraude e mentira, fazendo com que não se veja a verdade diante de si. Um outro exemplo é a combinação As Nuvens + O Anel. O Anel está representando uma união, uma parceria ou um relacionamento de qualquer tipo.

As duas cartas juntas falam de traição, engano, mas também de uma associação, um acordo, uma união mantida em segredo. Outra combinação interessante é As Nuvens + Os Lírios - um dos significados da carta Os Lírios é a sexualidade, portanto esta combinação assinala o ocultar da verdadeira tendência sexual do/a Consulente.

Se a carta ao lado das nuvens escuras é uma carta tema, isto indica onde estão as preocupações e problemas do/a Consulente. Se, nesta posição, estiver a carta do/a Consulente, pode assinalar obscuridades, segredos ou algo de pouco claro na vida do/a Consulente.

Posição 2 – Nuvens Claras:

Trazem um sossego e paz num momento difícil; dão um entendimento a uma situação ambígua. Se observarmos atentamente as nuvens claras na carta, encontramos um rastro das nuvens escuras nelas. Esta é uma mensagem muito clara que a carta traz: o de se proteger de uma possível "tempestade", sinal este de que os problemas ainda estão presentes e que têm que serem resolvidos de uma vez por todas. Lembre-se de que as nuvens estão sempre em movimento, vão e voltam dependendo do clima e do momento.

Cartas de valor negativo nesta posição são suavizadas pelas nuvens claras. O problema existe, mas o/a Consulente está consciente e o enfrenta de uma maneira segura.

Posição 3 – As Nuvens posicionadas acima de outra carta:

Ela vem como aviso e ameaça à carta posicionada por baixo. É uma posição perigosa. Quando a carta As Nuvens se encontra em cima da carta consulente, anuncia que o/a Consulente está emocionalmente alterado, sob pressão psicológica, preocupado e nervoso.

Os problemas não se resolvem, tornando-se necessária a procura de outras alternativas para solucionar a questão, mas o/a Consulente está sem capacidade de concentração porque tem uma visão obscura, distorcida ou confusa da situação. Está amedrontado, angustiado e nervoso. Trata-se de um momento difícil de pressão psicológica. Algumas vezes pode anunciar bipolaridade.

Posicionada por cima de uma carta tema, a área da vida representada é gravemente preocupante. Aconselha-se manter a calma e aprofundar- se bem no assunto, porque algo não está claro ou certo.

Posição 4 – As Nuvens posicionadas abaixo de outra carta:

A carta As Nuvens posicionada embaixo da carta do/a consulente ou da carta tema, anuncia vida caótica, desorganizada e incerta. Assinala um estilo de vida pouco saudável, por exemplo, alguém que faz uso excessivo de medicamentos, cigarros, álcool, drogas ou alimentos. Também anuncia instabilidade ou infortúnio. A instabilidade é propensa a conflitos.

> **Nota importante:**
> Numa leitura direcionada para um adolescente ou para uma pessoa problemática, é importante observar as cartas que acompanham As Nuvens, tais como A Foice e O Caixão que podem assinalar pensamentos sombrios ou tendência ao suicídio. A pessoa não está no seu estado normal.

CARTA 7: A SERPENTE

Código de leitura:

- Lei da posição: Orientação

A carta que se encontra na direção da cabeça da Serpente:

Revela a área onde ela irá atuar, atacar. Pode também indicar a área de vida ou evento onde o/a Consulente deve ser cauteloso e prestar atenção ao agir.

Alguns exemplos:

- O Parque + A Serpente: traição nas redes sociais;
- O Coração + A Serpente: manipulação emocional;
- O Anel + A Serpente: traição num relacionamento.

A CAUDA

A Carta que está na "Cauda" da Serpente:

Revela o que esconde.

Alguns exemplos:

- A Serpente + A Raposa: engano;
- A Serpente + As Estrelas: capacidade ou conhecimento esotérico;
- A Serpente + O Coração: amante;
- A Serpente + O Livro: informações que poderá usar quando necessário; conhecimentos esotéricos; um/a Cartomante.

CARTA 8: O CAIXÃO

Código de Leitura:

- Lei da posição: Antes e Depois, Influência, Relevância

Posição 1 – A carta O Caixão posicionada antes de outra carta:

- Novo recomeço;
- A ressurreição;
- Refazer o futuro.

Se a carta O Caixão surge como a primeira carta numa leitura, informa sobre a existência de uma situação antiga que ainda atormenta, aflige e atira a pessoa para uma profunda escuridão mental e emocional. Isto se a carta depois do Caixão também carregar um valor negativo ou se outra carta mantiver o evento inalterável como A Torre, A Montanha e A Âncora. Por exemplo, O Caixão:

- O Trevo: um trauma que passa rapidamente;
- A Criança: novas empreitadas;
- A Torre: são duas cartas frias, paradas, isoladas que prolongam um estado de completa solidão. Uma pessoa completamente só. Fala também de uma doença séria, que necessita de uma internação

hospitalar (possível isolamento por questão de uma doença infecciosa ou por imunidade). Em alguns casos, esta combinação também pode anunciar uma morte se tivermos presentes uma ou mais cartas como A Cruz, A Árvore, Os Lírios, entre outros.

O Caixão

- O Anel: uma doença crônica ou que volta;
- A Mulher: uma experiência traumática;
- Os Peixes: herança;
- A Cruz: uma profunda dor, sofrimento; apego ao passado.

Posição 2 – A carta O Caixão posicionada depois de Outra Carta:

Algo chegará ao fim, terminará, acabará, será concluído. Mas também pode significar libertação de um fardo; desprendimento do passado ou dos vícios; descoberta de algo.

Por exemplo:

- A Serpente + O Caixão: eliminação dos inimigos ou rivais;
- A Foice + O Caixão: passado que vem à tona, de maneira devastadora; um segredo bem guardado que será revelado e chocará pessoas próximas do/a Consulente;
- A Vassoura e O Chicote + O Caixão: fim de um período de conflitos; terminar uma discussão ou agressão; não existe competição; como a carta A Vassoura e O Chicote representa também um processo e uma punição, a carta O Caixão posicionada, depois, anuncia o fim desse;
- A Torre + O Caixão: como bem sabemos, a carta A Torre representa isolamento, pausa, separação ou afastamento (físico) do mundo exterior, que muitas vezes pode representar uma prisão para a própria pessoa. A carta O Caixão, nesta posição, vem encerrar esse período de isolamento;
- O Anel + O Caixão: o fechamento de um ciclo (vicioso); terminar um relacionamento amoroso para iniciar um novo, caso depois da carta O Caixão esteja presente a carta A Criança;
- O Homem + O Caixão: uma experiência traumática;
- Os Peixes + O Caixão: grande perda financeira; falência;
- A Âncora + O Caixão: sem alguma esperança; desemprego.

Posição 3 – A carta O Caixão posicionada acima de outra carta:

Irá intensificar a sua força sobre a carta que estiver embaixo. Aqui O Caixão atua sobre outra carta.

O Caixão posicionado em cima da carta:

- A Árvore: anuncia exaustão física, mas também doença;

- Ramo de Flores: funeral;
- O Anel: se o contexto da leitura é direcionado para uma questão de saúde, esta combinação anuncia a presença de uma doença crônica; por outro lado, se o contexto da leitura é para o andamento de uma relação (qualquer que seja), indica uma ruptura definitiva;
- Os Peixes: grandes danos financeiros levam à pobreza.

Posição 4 – A carta O Caixão posicionada abaixo de outra carta:

Aqui qualquer carta atua sobre a carta O Caixão.

- O Cavaleiro posicionado em cima da carta O Caixão: uma notícia que não chega ao seu destino; encontrar alguém do passado;
- O Navio posicionado em cima da carta O Caixão: anuncia o falecimento de alguém se antes da carta O Caixão estiver posicionada a carta A Árvore e depois A Cruz ou A Torre; desejo de morrer; contato com os mortos;
- A Árvore posicionada em cima da carta O Caixão: anuncia uma doença grave;
- A Montanha (ou qualquer carta parada) posicionada em cima da carta O Caixão: algo que permanece escondido ou um longo período de tristeza; pessoa acamada;
- Os Ratos posicionados em cima da carta O Caixão: anuncia a perda de energia.
- A Carta posicionada em cima da carta O Caixão: diagnóstico de uma doença; atestado de óbito; aviso de morte;
- O Livro posicionado em cima da carta O Caixão: documentos da herança; manter segredo sobre uma doença ou de um término;
- O Homem posicionado em cima da carta O Caixão: anuncia uma transformação radical na vida do/a Consulente;
- A Cruz posicionada em cima da carta O Caixão e perto da carta A Casa e Os Lírios: indica a sepultura de uma pessoa da família.

CARTA 10: A FOICE

Código de Leitura:

- Lei da posição: Orientação, Influência

A carta A Foice assume um significado diferente, dependendo da posição que se apresenta na leitura com respeito às outras cartas, principalmente com a carta do/a Consulente.

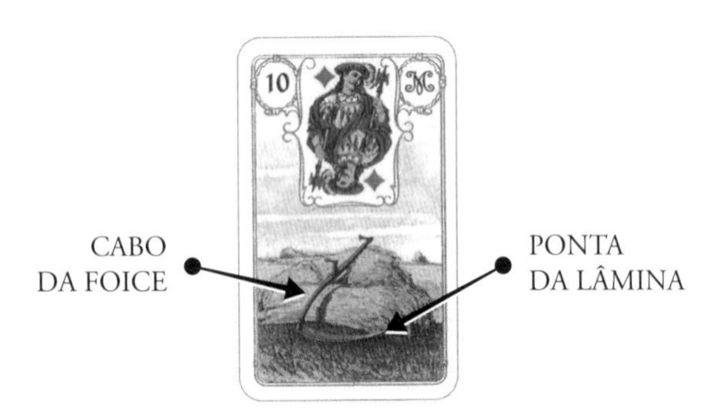

Posição 1 – ponta da lâmina:

A carta que se encontra posicionada na direção da ponta da lâmina da foice receberá um corte, uma eliminação, (tanto no bem como no mal). A ponta da lâmina também aponta para a área ou evento que o/a Consulente tem que prestar maior atenção, porque está em risco ou está ameaçado por algo.

Por exemplo:

- A Foice + O Cavaleiro: encontro ou entrevista que não acontecerá; acidente com carro, moto, bicicleta, patins, patinete; perigo de lesão nas pernas, tendões, ligamentos; um contato que é interrompido; perigo de acidente durante a prática desportiva;
- A Foice + A Montanha: remoção das restrições e obstáculos;
- A Foice + O Livro: indica a interrupção dos estudos ou que segredos serão revelados;
- A Foice + A Carta: interrupção de um contato;
- A Foice + A Âncora: conclusão de um trabalho ou demissão.

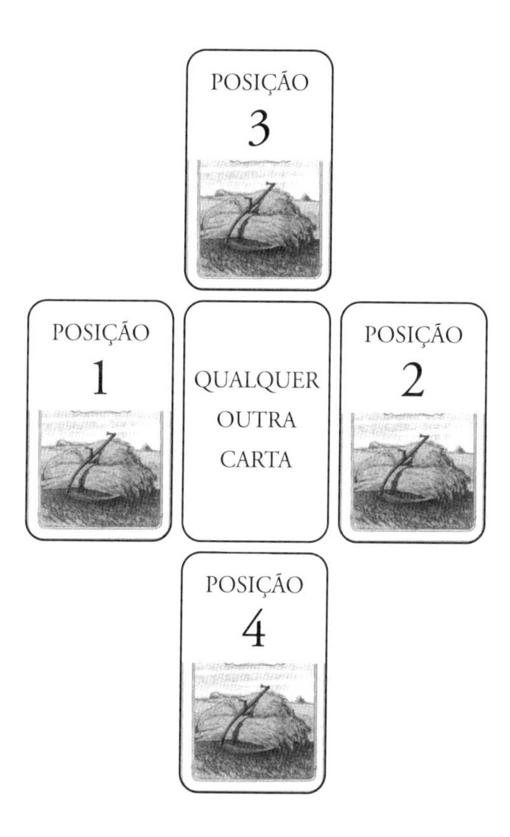

Posição 2 – no cabo da foice:

É importante observar, com atenção, a carta que se encontra à esquerda da carta A Foice, porque é através dela que se poderá obter ajuda para calcular, de forma precisa, a rapidez de um evento. Caso nesta posição esteja a carta A Âncora, o tempo é mais longo, mas sempre menor do que o previsto pela Âncora que é de um ano. A Foice impõe velocidade, rapidez aos eventos representados pela carta anterior. Normalmente os acontecimentos previstos nesta posição acontecem no espaço de 72 horas. Outro ponto a observar é que a Foice, nesta posição, traz – de uma maneira não esperada – um evento representado pela carta anterior. Sendo assim, com cartas de valor positivo, A Foice intensifica a sua positividade e, com cartas de valor negativo, ela pode intensificar a sua negatividade. Por exemplo:

- O Caixão + A Foice: anuncia o fim repentino e de maneira trágica de algo; doençagrave que surge de forma repentina e inesperada; morte repentina (ataque cardíaco ou acidente mortal); perigo grave como, por exemplo, um incidente ou a vivência de um evento traumático (terremoto ou a morte de alguém tanto amado). Certo dia minha cachorrinha Dolly começou a não se sentir muito bem; pensei ser algo passageiro. No entanto, ao fazer uma tiragem, tive como cartas O Caixão + A Foice + O Cão. As cartas foram muito claras ao anunciar a sua morte que se deu um dia depois da minha leitura;
- A Cegonha + A Foice: anuncia a alteração ou uma mudança inesperada, repentina;
- A Montanha + A Foice: um obstáculo que surge de uma maneira imprevista e irá atrasar a realização de um projeto;
- A Carta + A Foice: telegrama, resposta imediata ou uma mensagem inesperada.

Posição 3 – acima:

Anuncia um perigo, uma ameaça, a eliminação de algo (representado pela carta em posição abaixo). É uma posição muito perigosa numa leitura direcionada a um/a Consulente adolescente ou a um adulto problemático. Posicionada por cima de uma carta que representa uma pessoa, pode representar pensamentos negativos como, por exemplo, desejo de suicídio ou de cometer algum ato violento. Noutros casos, a Foice, nesta posição, representa pensamentos de divisão, de separação, de reformar a vida. A pessoa chegou ao limite de aguentar e a maneira de estar na vida requer uma limpeza, eliminando o que não faz mais sentido continuar. Por exemplo, A Foice por cima da carta:

- O Anel: o/a Consulente ou o/a parceiro/a deseja uma ruptura num relacionamento;
- O Livro + O Anel: indica a incapacidade de continuar a esconder um relacionamento secreto.

Posição 4 – Abaixo da carta do/a consulente

Anuncia que o processo de eliminação está em andamento. Já observei nas minhas leituras que a Foice, nesta mesma posição, indicava que o/a Consulente, naquele momento, era muito seletivo e que estava num processo de crescimento pessoal. Aparentemente parecia uma pessoa egoísta, fria e dura nas suas palavras e ações, mas, na realidade, estava focado em melhorar a própria existência ou em realizar um projeto importante. A Foice, por exemplo, por debaixo da carta O Anel, pode indicar que é hora de livrar-se de tudo o que é desnecessário numa relação. Com cartas que confirmam uma separação, pode ser efetiva.

CARTA 14: A RAPOSA

Código de Leitura:

- Lei da posição: Antes e Depois, Influência, Adição

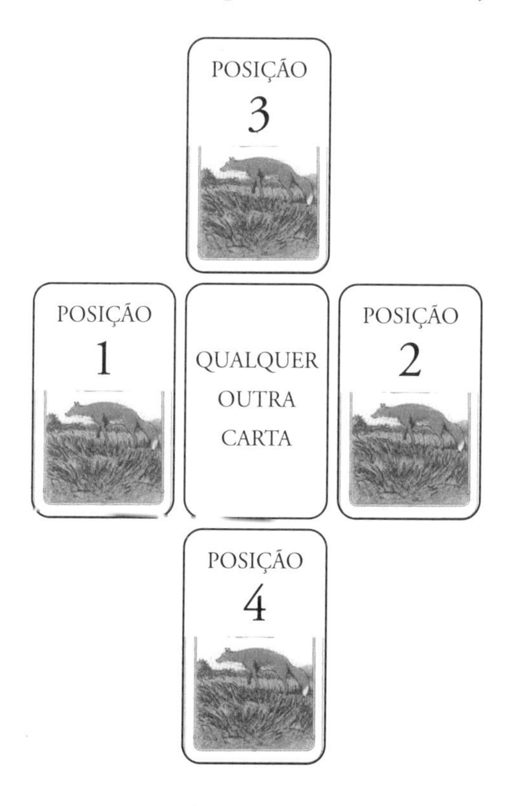

Posição 1 – A carta A Raposa posicionada antes de outra carta:

Quando a carta A Raposa está presente numa leitura, é de extrema importância observar a direção do "focinho" dela. A direção para onde ela olha indica o que não está correto, o que é falso, simulado, camuflado, escondido, o que corre perigo de ser sabotado, enganado e defraudado.

Especialmente quando se trabalha com a Grand Tableau, é de extrema importância observar o seu posicionamento relativamente à carta do/a Consulente ou à Carta Temática. Em outras palavras: verifique sempre se ela se encontra à frente ou atrás, acima ou abaixo da carta de referência. Por exemplo, A Raposa + O Homem:

- O Consulente é inteligente, astuto, esperto e analítico;
- Ele pondera cuidadosamente os seus passos;
- É calado, silencioso e paciente;
- Não revela as suas verdadeiras intenções;
- O Consulente ou o Homem em questão esconde as suas motivações ou ações;
- O Consulente é discreto e reservado;
- O Consulente é desconfiado, suspeito e dúvida de algo;
- O Consulente esconde algo;
- O homem executa o seu projeto pela calada;
- Esta pessoa pode ser de grande ajuda, pessoa estrategista.

Outros exemplos, A Raposa:

- Os Caminhos: levar uma vida dupla;
- O Anel: continuar a dizer mentiras. Uma relação extraconjugal; uma pessoa que esconde ser casado ou que tem uma conexão com um inimigo do/a Consulente;
- O Livro: esconde conhecimento ou segredos importantes.

Posição 2 – A carta A Raposa posicionada depois de outra carta:

Indica o que está errado, o que é falso, artificial, ilusório, enganador, o que não é original, onde o/a Consulente vai ser atingido, sabotado, espiado (a área da sua vida), a mentira que vai ser contada, direção errada.

Por exemplo, O Homem + A Raposa:

- O homem usa o seu charme para alcançar o que deseja;
- O homem tem segundas intenções. Não se aproximou com intenções sérias;
- Este homem é falso, desonesto, mentiroso;
- O homem tem tendência a cometer exageros na descrição de uma situação, distorcendo ou aumentando a verdade dos fatos;
- Estamos perante um "golpista";
- Fala muito e não cumpre com a sua palavra.
- Desonesto; ambíguo.

Outros exemplos:

- O Navio + A Raposa: mentiras sobre uma viagem;
- A Serpente + A Raposa: psicopata;
- A Foice + A Raposa: desmascarar um charlatão ou mentiroso; descobrir a tempo uma fraude;
- O Coração + A Raposa: sentimentos dissimulados;
- O Anel + A Raposa: atenção com contratos e acordos, algo errado;
- A Carta + A Raposa: documento falso, falsificado ou com informações não corretas;
- O Livro + A Raposa: não se tem o conhecimento que se diz ter; plágio; falsidade bem dissimulada;
- Os Lírios + A Raposa: atitude errada com a família;
- A Chave + A Raposa: mentiras; soluções que chegam através de um plano bem-preparado;
- Os Peixes + A Raposa: uso impróprio do dinheiro; danos financeiros, possível engano, fraude.

Posição 3 – A carta A Raposa posicionada acima de outra carta:

Indica algo de insidioso, errado, falso. Nas minhas leituras, tive oportunidade de constatar que, quando A Raposa se encontra em cima da carta do/a Consulente, demonstra que a pessoa em questão:

- Está desconfiada e num estado de alerta tornando-se cautelosa;
- É provável que esteja investigando mais a fundo um determinado assunto, analisando os seus prós e contras. Portanto, usa todos os atributos da Raposa: astúcia, esperteza e estratégia.

Sendo assim, podemos concluir que:

- As expectativas são erradas, ilusórias;
- Está se tirando conclusões erradas sobre alguém numa determinada situação;
- Desenvolvem-se planos perversos, caso A Serpente esteja em contato com a carta A Raposa;
- A pessoa está concentrada na preparação de uma estratégia para resolver uma questão. Sendo A Raposa uma carta que comunica situações de falsidade, ilusão, engano e planos danosos, é necessário alertar o/a Consulente para a necessidade de rever cuidadosamente os seus atos e projetos, porque algo pode vir a dar errado.
- Algumas vezes, A Raposa posicionada em cima da carta do/a Consulente indica que ele está sendo enganado/a ou manipulado/a por alguém.

Outros exemplos da carta A Raposa posicionada em cima de uma carta:

- O Navio: astúcia nos negócios;
- A Árvore: estilo de vida errado; falsa identidade;
- O Caixão e perto da carta A Árvore: doença imaginária ou que se finge uma doença; diagnóstico errado de uma doença, consultar outro médico;
- O Ramo de Flores: falsa felicidade;

- As Cegonhas: indica uma mudança errada ou que é necessário fingir que está ocorrendo uma mudança;
- Os Caminhos: indica que está rodeado de mentiras.

Posição 4 – A carta A Raposa posicionada abaixo de outra carta:

Quando aprendi a trabalhar com a técnica das direções dos olhares, ensinaram-me que a Raposa – quando se encontra embaixo de uma carta Consulente – indica que esta pessoa é honesta, odeia mentiras e que é realista. Mas, na prática, comecei a observar que a verdadeira mensagem que a carta A Raposa estava me enviando, nessa posição, não era de honestidade, mas, sim, as seguintes mensagens:

- O/a Consulente "caminha", "vive" numa situação ilusória, baseada na mentira;
- O/a Consulente está sendo vítima de uma fraude. Ou então:
- O/a Consulente está agindo de forma desonesta, fazendo jogo sujo, dando um golpe. A vítima do golpe será identificada na carta que se encontra em frente à carta da Raposa;
- O/a Consulente mente, por necessidade, para sobreviver;
- Neste momento, a pessoa está agindo como uma autêntica Raposa.

Exemplo de combinações:

- A carta O Navio, perto da carta O Caixão e Os Peixes, posicionada em cima da carta A Raposa: falsidades relacionadas com uma herança;
- A carta A Vassoura e O Chicote posicionada em cima da carta A Raposa: discussões causadas por mentiras;
- A carta As Corujas posicionada em cima da carta A Raposa: difamação; contar mentiras;
- A carta A Montanha posicionada em cima da carta A Raposa: engano difícil de descobrir.

A Raposa e a Lei da Adição

Se as cartas extraídas forem O Ramo de Flores + A Raposa, está indicando um convite com segundas intenções; é necessário, portanto, acrescentar uma carta atrás da Raposa para compreender as verdadeiras intenções do convite.

Se a carta extraída do baralho é O Parque, ela nos diz que as intenções da pessoa é entrar no círculo de amizades do/a Consulente. O meu desejo de saber mais levou-me a extrair uma segunda carta do baralho que depositei ao lado da carta O Parque: A Âncora. Sendo assim, a interpretação seria que a pessoa cobre o/a Consulente de gentilezas e de convites com a finalidade de obter dele ou dela vantagens dos conhecimentos profissionais.

CARTA 17: AS CEGONHAS

Código de Leitura:

- Lei da posição: Antes e Depois, Ponte, Influência, Adição

Posição 1 – A carta posicionada antes da carta As Cegonhas descreve:

- A motivação da mudança;
- Mudança de posição;
- De onde provém a mudança;
- Onde a mudança está acontecendo (em qual setor da vida);
- O que deve ser mudado;

- O que o/a consulente, está querendo modificar na sua situação;
- De onde chega.

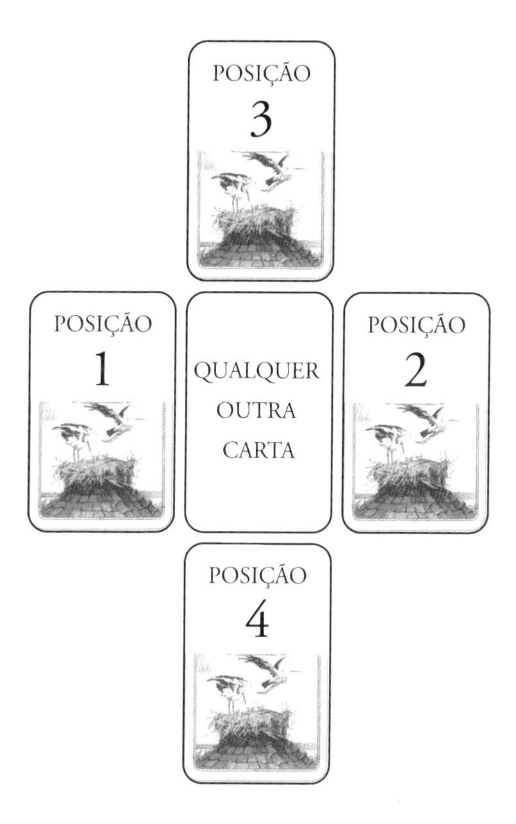

Por exemplo:

- O Trevo + As Cegonhas: pequenas mudanças;
- A Árvore + As Cegonhas: mudanças no estado de saúde. Prestem atenção à carta posicionada depois da carta As Cegonhas, porque ela informará se essa mudança vai levar a uma melhoria ou a um agravamento da saúde. Se, por exemplo, a carta seguinte for O Sol ou O Ramo de Flores, temos a recuperação ou melhoria do estado de saúde; por outro lado, com A Serpente, indica que existem graves complicações que irão piorar a saúde. As Estrelas podem mostrar que a doença irá alastrar-se e será necessário um tratamento químico para vencer a doença;

- As Nuvens + As Cegonhas: inquietação numa mudança; medo de mudar algo;
- O Cão + As Cegonhas: mudanças importantes para um amigo; mudanças na amizade, ou que a lealdade ou honestidade vai mudar;
- A Torre + As Cegonhas: sair de um retiro ou de um estado de reclusão;
- O Anel + As Cegonhas: ocorrerão mudanças no casamento ou numa associação, ou que uma união traz mudanças na própria vida; alterações num contrato;
- A Âncora + As Cegonhas: mudanças no trabalho ou nas tarefas profissionais.

Portanto, a carta As Cegonhas tem a função de alterar ou modificar a carta que está posicionada à sua esquerda (antes). Quando ela se apresenta como última carta numa fila de cartas, informa que a questão tomará outros rumos ou pede uma mudança. É necessário acrescentar outra carta ao lado direito da carta As Cegonhas (lei da Adição) que irá indicar o resultado que essa mudança irá trazer. Por exemplo:

- O Cão + As Cegonhas + O Coração: uma amizade (O Cão) transforma-se (As Cegonhas) em amor (O Coração).

Um outro exemplo:

- A Âncora + As Cegonhas: mudanças no estilo de vida estável e bem estruturada;

Posição 2 – A carta posicionada depois da carta As Cegonhas descreve:

- As consequências da motivação;
- Para onde essa mudança vai se encaminhar;
- A direção escolhida;
- O que traz de volta.

Por exemplo:

- As Cegonhas + O Caixão: o fim de uma mudança ou alteração do assunto trazido pela carta anterior; mudança que não vai dar em nada;
- As Cegonhas + A Criança: Mudanças que levam a um crescimento;
- As Cegonhas + O Cão: uma mudança que traz nova confiança na vida; chegada de uma pessoa amiga e digna de confiança; reconciliação, volta de uma velha amizade; adoção de um animal;
- As Cegonhas + O Livro: as mudanças serão efetuadas de maneira secreta ou em sigilo.

Para maior compreensão da técnica da lei da Ponte, proponho um exemplo com três cartas: O Homem + As Cegonhas + O Ramo de Flores.

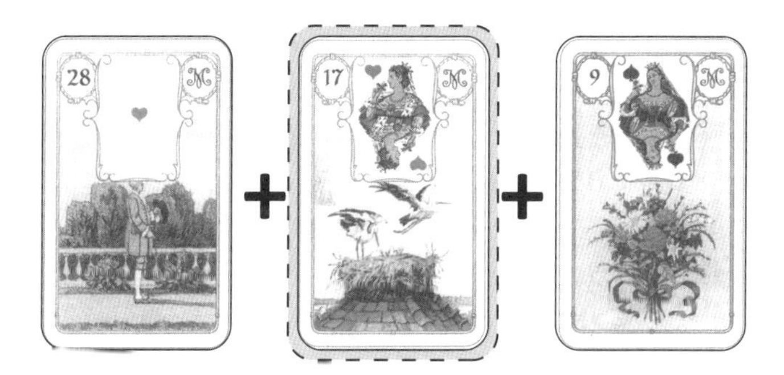

A minha interpretação:

Um homem planeja uma mudança (O Homem + As Cegonhas) na sua aparência física ou comportamental (O Ramo de Flores). Sabemos que O Ramo de Flores, além de significar a estética e beleza, representa também o bom comportamento, as boas maneiras, gentileza e etiqueta.

As duas seguintes técnicas, posição 3 e 4, são empregadas em "jogos" maiores onde estão envolvidas mais cartas como, por exemplo, O Método da Vovó, O Grand ou o Petit.

Posição 3 – As Cegonhas posicionadas acima de outra carta:

Quando a carta As Cegonhas se encontra posicionada em cima de outra carta, ela domina a carta que se encontra posicionada abaixo, portanto irá exercer toda a sua influência nessa carta. Significa o que está sendo mudado, alterado ou modificado.

Por exemplo, As Cegonhas em cima da carta:

- A Casa: indica sair da rotina, afastar-se ou distanciar-se da própria casa ou cidade. A carta posicionada na frente da carta As Cegonhas indica o destino ou a meta que se deseja alcançar como, por exemplo, a carta O Navio indicará viajar para um país estrangeiro para vivenciar novas experiências culturais, estudar ou trabalhar;
- A Vassoura E O Chicote: mudanças contínuas; afastar-se da zona de conflito;
- A Montanha: sair de uma situação difícil;
- O Homem ou A Mulher: anuncia que a pessoa está fazendo uma autoavaliação da própria vida ou que está repensando uma decisão. As cartas posicionadas ao lado da carta As Cegonhas dirão do que se trata como, por exemplo, com O Livro + A Âncora, a pessoa está avaliando a possibilidade de fazer uma formação profissional para melhorar as próprias prestações profissionais;
- A Âncora: indica uma pessoa que foge da sua realidade, refugiando- se no álcool, caso à frente da carta As Cegonhas esteja posicionada As Nuvens + Os Peixes; ou que a pessoa usa substâncias químicas – medicamentos ou drogas – com As Nuvens + Estrelas. Esta mesma combinação As Cegonhas em cima da carta A Âncora pode também indicar uma mudança de uma posição estável para outra.

Posição 4 – As Cegonhas posicionadas abaixo de outra carta:

Descreve o que leva, obriga a efetuar a mudança.

No meu arquivo de leituras com o Grand Tableau, encontrei uma leitura que efetuei para uma senhora, cujo trecho do jogo utilizarei aqui como exemplo técnico.

A Âncora + As Cegonhas + A Foice com A Cruz em cima da carta As Cegonhas e com Os Lírios embaixo da carta As Cegonhas, nos permite dizer que na vida da Consulente ocorrerão mudanças na sua rotina (A Âncora + As Cegonhas) que se apresentarão de modo brusco e inesperado (As Cegonhas + A Foice), trazendo grandes cargos (A Cruz + As Cegonhas) e sofrimentos na família (A Cruz + As Cegonhas + Os Lírios).

É importante observar a carta que se encontra posicionada antes da carta A Cruz, pois é ela que irá trazer informações sobre o que leva a consulente a viver esta mudança e sofrimento na família. A carta ali posicionada é a carta O Caixão. Sendo assim, O Caixão posicionado em cima da carta A Âncora irá indicar a perda de emprego; a causa do momento difícil que a família deverá enfrentar.

CARTA 18: O CÃO

Código de Leitura:

- Lei da posição: Orientação

A carta que se encontra na direção do focinho do Cão

Mostra o evento, a área de vida ou a pessoa que o/a Consulente pode confiar. Representa o que se é devoto e leal.

Pude também observar, nas minhas leituras, que a carta O Cão – quando posicionada antes de uma carta como, por exemplo, A Serpente, A Raposa ou Os Ratos – desmascara as traições, falsidades e mentiras trazidas pelas cartas.

Alguns exemplos, O Cão:

- A Árvore: cura confiável; um amigo fiel;
- As Estrelas: confiar na própria intuição;
- Os Lírios: devoção à própria família.

A carta que está na "Cauda" do Cão

Mostra o que se protege. Alguns exemplos:

- A Criança + O Cão: proteger os próprios filhos;
- O Livro + O Cão: proteger os próprios conhecimentos ou um segredo;
- Os Lírios + O Cão: proteger a própria paz e serenidade.

CARTA 21: A MONTANHA

Código de Leitura:

- Lei da posição: Antes e Depois, Influência

Posição 1 – A carta A Montanha posicionada antes de outra carta:

A carta à direita da Montanha anuncia a superação de uma situação difícil, isto se a carta nesta posição não tiver um valor negativo como, por exemplo, a carta A Foice que vem anunciar um grave perigo ou fortes oposições imprevistas que vão bloquear a evolução positiva da questão. O Caixão, nesta posição, vem garantir o fim destes obstáculos (lei da Relevância).

Se a carta A Âncora – carta parada – se encontrar posicionada à direita da Montanha, é anúncio de um obstáculo que se manterá por longo período de tempo. É possível prever ainda o que será estagnado através da carta posicionada à esquerda da carta A Montanha.

Por exemplo:

- A Montanha + O Trevo: pequenos problemas; bloqueio de curto prazo;
- A Montanha + A Serpente: um problema que se complica;
- A Montanha + O Anel: obstáculos que persistem;
- A Montanha + A Chaves: superação das dificuldades graças à iniciativa do/a Consulente.

Posição 2 – A carta A Montanha posicionada depois de outra carta:

- Atrasos e dificuldades de grandes proporções;
- Um projeto fica bloqueado, parado, não terá continuidade;
- Impossibilidade de prosseguir em frente;
- Impossibilidade de solucionar o assunto representado pela carta anterior;
- Situação sem solução;
- O que vai ficar parado.

As cartas à esquerda da carta A Montanha vão encontrar dificuldades para a sua realização. De fato, A Montanha serve de barreira, de impedimento, de bloqueio à evolução de qualquer tipo de situação apresentada pela carta anterior.

A carta Os Ratos e a carta A Foice (lei da Relevância) são as únicas que não sofrem com os efeitos produzidos pela carta A Montanha. Os Ratos, por exemplo, diminuem as dificuldades de um processo lento e muitas vezes desgastante. A Foice corta as barreiras, elimina-as do caminho com rapidez. Por exemplo:

- O Caixão + A Montanha: acamado; uma doença que não progride;
- O Ramo De Flores + A Montanha: uma visita que será adiada;
- A Criança + A Montanha: um novo início bloqueado;
- Os Caminhos + A Montanha: dificuldade de tomar uma decisão no momento;
- O Anel + A Montanha: um contrato que vai levar muito tempo para ser concretizado;
- O Livro + A Montanha: bloqueado nos estudos; conhecimento que se mantêm em silêncio; analfabeta;
- O Envelope + A Montanha: notícias que não chegam, que estão atrasadas.

Posição 3 – A carta A Montanha posicionada acima de outra carta:

Pressiona, traz um fardo, um peso. Por exemplo, A Montanha posicionada em cima da carta:

- A Casa: um fardo para a família; não se tem acesso a uma casa ou a um aplicativo ou a uma conta (Facebook, Instagram etc.);
- O Homem ou A Mulher: esta pessoa não aprecia mudanças na sua vida; tendência ao isolamento, à solidão; um problema que preocupa;
- A Chave: problemas inevitáveis.

Posição 4 – A carta A Montanha posicionada abaixo de outra carta:

Bloqueio para a carta que está posicionada em cima. Por exemplo:

- O urso posicionado em cima da carta A Montanha: relação bloqueada com os pais;
- As Estrelas posicionadas em cima da carta A Montanha: falta de objetividade; espiritualidade bloqueada;
- A Torre posicionada em cima da carta A Montanha: reclusão, prisão; uma pessoa só;
- O Homem ou A Mulher posicionada em cima da carta A Montanha: anuncia que esta pessoa está parada na sua vida; nada acontece na sua vida;
- Os Peixes posicionados em cima da carta A Montanha: renda limitada;
- A Âncora posicionada em cima da carta A Montanha: prefere viver na estabilidade; teimosia.

CARTA 22: OS CAMINHOS

Código de Leitura:

- Lei da posição: Antes e Depois, Ponte, Adição

POSIÇÃO 1

POSIÇÃO 2

Posição 1 – A carta posicionada antes da carta Os Caminhos:

Descreve:

- A motivação da escolha;
- A razão do afastamento;
- A decisão a tomar;
- O que está em avaliação;
- Ainda não foi dada a última palavra;
- Nada foi decidido ainda.

Quando a carta Os Caminhos surge como última carta numa linha de leitura, representa uma situação sem solução no momento, ou seja, uma situação para a qual ainda não se encontrou uma saída.

Por exemplo, vamos supor que a leitura tem por objetivo saber se o Consulente conseguirá um determinado contrato de trabalho. Se as cartas retiradas do baralho fossem O Anel + Os Caminhos:

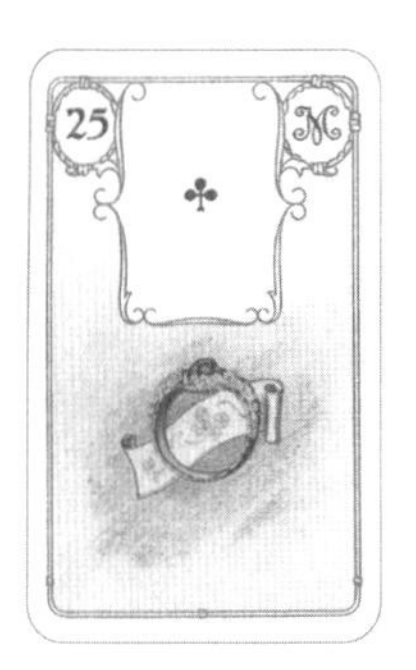

A resposta seria a seguinte:

A proposta ainda está em avaliação juntamente com a de outros candidatos. Com a carta Os Caminhos, na última posição de leitura, não é possível obter respostas, tanto positivas como negativas. A resposta à pergunta será INCERTA (ainda não se sabe). Neste caso, é aconselhável acrescentar mais uma carta à leitura (a Lei da Adição) que deverá ser colocada à direita da carta Os Caminhos, obtendo, assim, informações mais concretas sobre a questão em análise.

Outros exemplos:

- O Navio + Os Caminhos: decisão sobre uma viagem de negócios; a decisão de uma viagem de negócios que ainda não foi tomada;
- A Árvore ou uma carta parada qualquer + Os Caminhos: uma decisão ou escolha que vai levar muito tempo para ser tomada; no caso em que a leitura tenha como contexto a saúde, esta combinação indica que não se sabe o que se tem e serão necessários vários exames para descobrir;
- O Caixão + Os Caminhos: a procura de tratamento para uma doença; decisão de terminar algo;
- A Criança + Os Caminhos: decisões sobre um novo caminho de vida a ser tomado;
- As Estrelas + Os Caminhos: várias decisões a serem tomadas;
- O Parque + Os Caminhos: decisões que dependem de várias pessoas.

Posição 2 – A carta posicionada depois da carta Os Caminhos:

Descreve o "caminho" que a escolha feita vai tomar, isto é, as consequências das próprias escolhas. Por exemplo, se encontrar nesta posição a carta O Caixão, indica um beco sem saída ou, caso a leitura tenha como tema uma mudança, esse acontecimento não ocorrerá, será cancelado.

Por exemplo, Os Caminhos + O Anel:

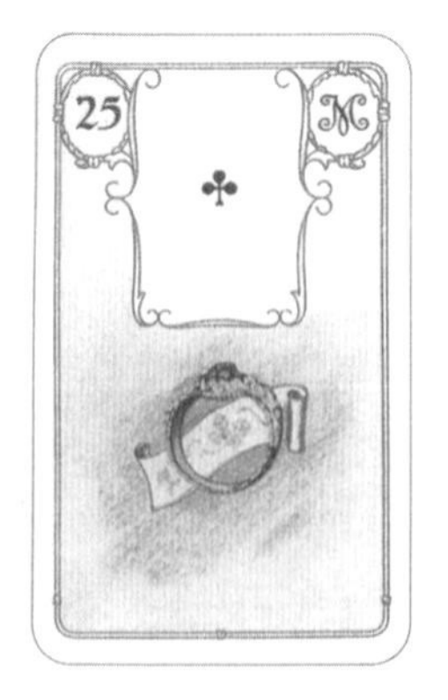

A resposta seria:
Depois de uma atenta avaliação, o Consulente vai ser escolhido entre vários candidatos. O seu contrato vai ser assinado com sucesso. A resposta é um SIM.

Outros exemplos:

- Os Caminhos + A Criança: uma decisão vai levar a uma nova situação;
- Os Caminhos + O Parque: decisões que serão de conhecimento público;
- Os Caminhos + Os Ratos: não é mais necessário tomar uma decisão sobre algo;
- Os Caminhos + O Livro: decisões ainda desconhecidas.

A Lei da Ponte com a carta Os Caminhos

Por exemplo:

A minha interpretação:
A presença das cartas A Âncora + Os Caminhos + A Árvore indica que o Consulente está decidindo entre dois trabalhos (A Âncora + Os Caminhos) e optará pelo emprego que lhe oferece uma estabilidade por longo tempo (Os Caminhos + A Árvore).

CARTA 23: OS RATOS

Código de Leitura:

- Lei da posição: Antes e Depois, Influência

Posição 1 – A carta Os Ratos posicionada antes de outra carta:

- Algo que pode ser perdido;
- Sofre uma perda gradual ou o seu valor é diminuído;
- O que corre o risco de desaparecer de nossas vidas.

Os Ratos enfraquecem as cartas que estão na sua frente. Por Exemplo, Os Ratos + Os Peixes. Nesta posição, temos Os Ratos "roendo" e "consumindo" tudo que aparece pela sua frente. O consumo será gradual. Numa "leitura" sobre as finanças, por exemplo, poderíamos dizer que o/a Consulente está gastando imprudentemente ou está dilapidando o seu patrimônio. Esta combinação também identificaria dívidas.

Outros exemplos:

- Os Ratos + O Anel: uma união que, aos poucos, enfraquece; uma união ou juramento que se dissolve aos poucos;
- Os Ratos + O Livro: um segredo que vem revelando parcialmente ou aos poucos;
- Os Ratos + A Carta: aos poucos, perde-se contato com alguém; roubo de informações ou de documentos;
- Os Ratos + A Âncora: redução de trabalho; trabalho a tempo parcial.

Posição 2 – A carta Os Ratos posicionada depois de outra carta:

- Algo que já se perdeu;
- Perdeu-se o interesse;
- Não tem qualquer valor;
- Foi consumido;
- Foi usado;
- Foi destruído;
- Está danificado;
- Nada a fazer, sem solução;
- Deve ser ignorado;
- É rejeitado.

Por exemplo, Os Peixes + Os Ratos:

Neste exemplo, temos a carta Os Ratos como última carta da leitura. O que quer dizer isto? A carta Os Peixes representa abundância, bem-estar, finanças entre outros significados. Os Ratos, nessa posição, destroem, danificam, desvalorizam a carta anterior. Numa pergunta sobre a própria situação econômica, esta dupla anuncia um colapso financeiro ou pode indicar que o/a Consulente é uma pessoa que não dá valor algum aos bens materiais.

Outros exemplos:

- O Ramo De Flores + Os Ratos: pessoa mal-educada; pessoa sem princípios;
- O Coração + Os Ratos: falta de amor; nenhum interesse para as questões sentimentais;
- O Anel + Os Ratos: pessoa solteira ou divorciada; uma pessoa não quer uma ligação séria;
- A Carta + Os Ratos: uma mensagem ou correspondência que se perde; spam; ignorar uma informação ou correspondência;
- Os Lírios + Os Ratos: sem harmonia ou tranquilidade; impotência sexual; muito tempo sem sexo;
- Os Peixes + Os Ratos: desinteresse pelo dinheiro; perda de apoio financeiro;
- A Âncora + Os Ratos: desemprego; desinteresse em trabalhar.

Posição 3 – A carta Os Ratos posicionada acima de outra carta:

Contamina, deposita a sua negatividade, traz danos e graves perdas à carta abaixo.

Por exemplo, Os Ratos posicionados em cima da carta:

- O Navio: perda da herança; comércio ilegal ou mercadoria de segunda mão;
- A Casa: dano na habitação; praga em casa;
- O Anel: um contrato que se dissolve;
- O Homem ou A Mulher: tormento destrutivo; preocupado/a, ansioso/a; baixa autoestima; encosto; pessoa suja que cheira mal;
- Os Lírios: perda de valores, moralidade e dignidade;

- Os Peixes: despesas excessivas; preocupações financeiras (dívidas); menos dinheiro do que esperado; roubo;
- A Cruz: tarefas e responsabilidades que diminuem.

Posição 4 – A carta Os Ratos posicionada abaixo de outra carta:

O que já não tem algum interesse.

Exemplo:

- A Árvore posicionada em cima da carta Os Ratos: uma pessoa com alguma deficiência; sem saúde; sem energia;
- As Nuvens posicionadas em cima da carta Os Ratos: preocupações sem importância;
- A carta posicionada em cima da carta Os Ratos: contatos ou correspondência sem valor algum ou importância;
- O Homem ou A Mulher posicionada em cima da carta Os Ratos: impureza; sem força.

CARTA 26: O LIVRO

Código de Leitura:

- Lei da posição: Antes e Depois, Influência

Posição 1 – A carta O Livro posicionada antes de outra carta:

Revelação e conhecimento de algo relevante que pode ser divulgado ou usado para resolver a questão que se está investigando. Por exemplo:

O Livro

- O Trevo: obter uma informação ou segredo de maneira casual;
- As Corujas: divulgação de segredos ou de assuntos confidenciais; revelação de várias informações; confissão; compartilhar conhecimento;

- A Raposa: fingir conhecimento ou capacidade sobre um assunto;
- As Estrelas: estudos esotéricos; ensinamento espiritual;
- O Anel + A Casa: documentos ou escritura de uma casa ou loja.

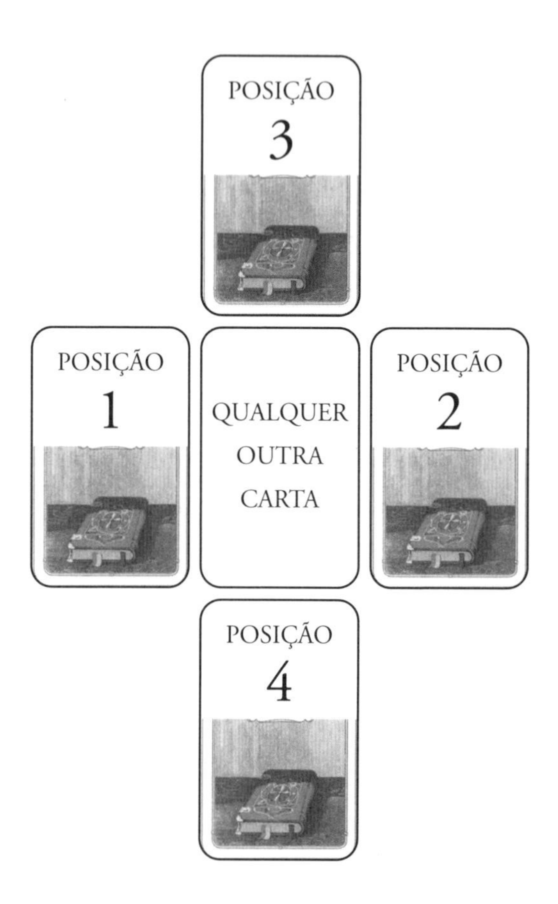

Nota importante:

O segredo ou a resposta a uma questão permanecerá oculta na presença das seguintes cartas: A Árvore, O Caixão, A Torre, A Montanha e A Âncora!

Posição 2 – A carta O Livro posicionada depois de outra carta

Indica informações confidenciais ou algo que deve ser mantido em sigilo, que deve ser ocultado ou que o/a Consulente não está bem-informado. Algo que, neste momento, não é muito claro. O Desconhecido!

Por exemplo:

- O Cavaleiro + O Livro: encontro mantido em segredo;
- As Nuvens + O Livro: uma ameaça desconhecida;
- A Serpente + O Livro: inimigos secretos;
- As Corujas + O Livro: informações sigilosas; conversas confidenciais; dois segredos, confidências; várias pessoas conhecem um segredo; uma conversa em que não é dito tudo;
- A Criança + O Livro: filho ilegítimo;
- O Urso + O Livro: pai desconhecido;
- As Cegonhas + O Livro: algo que muda em silêncio total;
- O Cão + O Livro: manter um segredo entre amigos; esconder a verdade de alguém;
- Os Caminhos + O Livro: caminhos desconhecidos ou que nunca foram percorridos pelo/a Consulente; não se sabe aonde ir ou o que fazer;
- O Coração + O Livro: amante; amor platônico; pessoa que não revela o que sente; alguém que não revela as próprias emoções;
- O Homem + O Livro: um homem desconhecido ou que é reservado.

Nota importante:
As cartas A Foice, Os Ratos e A Chave são as únicas cartas que, estando posicionadas antes do Livro, podem abri-lo!

Posição 3 – A carta O Livro posicionada acima de outra carta:

- Encobrir algo;
- O que não se quer revelar ou que saibam.
- O que é necessário aprender;
- O que se deve saber;
- O que está oculto, escondido, desconhecido e deve-se explorar, investigar mais;
- Mistério.

Por exemplo, O Livro posicionado em cima da carta:

- O Navio: uma viagem que não se conhece o destino;
- O Anel: uma relação extraconjugal ou um acordo mantido em segredo;
- Os Lírios: esconder a própria orientação sexual;
- Os Peixes: pagamento ou dinheiro com origens obscuras;
- A Âncora: um trabalho ou uma tarefa que exige sigilo.

Posição 4 – A carta O Livro posicionada abaixo de outra carta:

Revela o que já se sabe. Por exemplo:

- O Navio posicionado em cima da carta O Livro: viagem para estudos ou uma formação;
- A Casa posicionada em cima da carta O Livro: revelação de um segredo de família;
- A Árvore posicionada em cima da carta O Livro: educação sólida;
- As Nuvens posicionadas em cima da carta O Livro: confusão mental; desatenção;
- O Caixão posicionado em cima da carta O Livro: fim do ano escolar; fim de uma formação ou de um curso.

CARTA 27: A CARTA

Código de Leitura:

- Lei da posição: Antes e Depois, Ponte, Adição

A Carta posicionada antes de outra carta

Indica:

- Quem é o destinatário;
- O efeito que o conteúdo da carta vai criar.

QUALQUER OUTRA CARTA

Por exemplo, A Carta:

- O Ramo De Flores: uma notícia feliz, provável promoção ou agradecimento por um trabalho bem-feito;
- O Livro: notícias ou correio confidencial ou uma comunicação anônima.

A Carta posicionada depois de outra carta

Indica:

- Quem é o remetente;
- O conteúdo.

Por exemplo:

- O Navio + A Carta: notícias de longe ou dos negócios; um postal;
- O Caixão + A Carta: uma comunicação do falecimento de alguém ou uma notícia que o deixará triste;
- As Estrelas + A Carta: notícias que chegam através da internet;
- Os Ratos + A Carta: correio que traz uma fatura para pagar.

A Lei da Ponte

A minha interpretação:
Anúncio (A Carta) de uma oferta de trabalho (O Ramo de Flores + A Âncora) que vai despertar felicidade (O Ramo de Flores + O Sol) no/a Consulente.

CARTA 33: A CHAVE

Código de Leitura:

- Lei da posição: Antes e Depois, Adição

Posição 1 – A carta A Chave posicionada antes de outra carta:

- Abre;
- Aponta para uma solução;
- Agir por vontade própria.

Por exemplo, A Chave:

- A Árvore: recuperação da saúde;
- O Caixão: conclusão de um projeto ou de um trabalho; algumas vezes esta mesma combinação indica velhas feridas que se reabrem;
- A Âncora + A Lua: sucesso no trabalho.

Posição 2 – A Carta A Chave posicionada depois de outra carta:

- Fecha;
- Protege, ampara.

Por exemplo:

- A Casa + A Chave: o/a Consulente sente-se amparado pela família;
- O Anel + A Chave: uma união que dá segurança ao Consulente;
- Os Peixes + A Chave: segurança financeira.

CARTA 35: A ÂNCORA

Código de Leitura:

- Lei da posição: Antes e Depois

Posição 1 – A carta A Âncora posicionada antes de outra carta:

- A profissão do/a Consulente;
- Qual é a profissão mais indicada;
- Onde encontrar trabalho.

Por Exemplo, A Âncora + O Ramo de Flores

- Profissão ligada a um hobby;
- Florista ou jardineiro;
- Estilista.

Posição 2 – A carta A Âncora posicionada depois de outra carta:

- Informações sobre a situação profissional do/a Consulente;
- As condições profissionais do/a Consulente.

Por exemplo, O Ramo de Flores + A Âncora

- Oferta ou convite profissional;
- Felicitações por um trabalho bem-feito;
- Um trabalho que dá muitas satisfações;
- Ambiente profissional feliz.

CARTA 36: A CRUZ

Código de Leitura:

- Lei da posição: Antes e Depois, Influência

Posição 1 – A carta A Cruz posicionada antes de outra carta:

É necessário prestar atenção à carta que se encontra depois da carta A Cruz, porque vai modificar ou acentuar a energia trazida pela Cruz. Por exemplo, as cartas A Árvore, A Torre, A Montanha e A Âncora (cartas paradas) vão intensificar o valor da Cruz. Alguns exemplos:

A Cruz

- O Trevo: pequenos sacrifícios; momentos difíceis, mas de breve duração; alívio;
- O Caixão: grave doença; fim de uma fase deprimente; algo que faz sofrer profundamente o/a Consulente; situação irreversível, dolorosa; depressão; morte, luto;
- A Montanha: a dor por uma renúncia ou um fracasso; período caracterizado por grandes obstáculos; vive-se preso a uma dor do passado; bloqueio cármico; religião que limita.

Posição 2 – A carta A Cruz posicionada depois de outra carta:

As cartas antes da Cruz sofrem o impacto trazido pela carta, exceto A Foice e Os Ratos que podem cortar, eliminar, diminuir o valor negativo da Cruz (a lei da Relevância).

Alguns exemplos:

- Os Ratos + A Cruz: crise religiosa; perda da fé; preocupações ou cargo que diminui;
- O Coração + A Cruz: o amor vem sacrificado; fanatismo; inquietação; desgosto; insatisfação na vida sentimental; autos sacrifício;
- O Anel + A Cruz: um relacionamento fatídico; uma promessa ou juramento em nome de Deus; em conexão com Deus.

Posição 3 – A carta A Cruz posicionada acima de outra carta:

Pode indicar uma situação difícil ou um fardo pesado, difícil de suportar, sobrecarga, carga excessiva, eventos fatídicos ou herdados.

Por exemplo, A Cruz posicionada em cima da carta:

- A Casa: muita responsabilidade familiar;
- A Árvore ou O Caixão: doença herdada;
- O Anel: relação Cármica; um contrato fatídico; obrigações contratuais; aprovações e tribulações no relacionamento;
- O Livro: muita carga mental;
- O Homem: um fardo; algo fatal; um cargo pesado; tormento;
- A Âncora: muita responsabilidade no trabalho.

Posição 4 – A carta A Cruz posicionada abaixo de outra carta:

A Cruz, pela sua potencialidade, vem influenciada pela carta que se encontra posicionada em cima.

Por exemplo:

- O Anel em cima da carta A Cruz: união religiosa;
- O Homem em cima da carta A Cruz: uma prova que vai ser superada.

Cláudia – uma mãe preocupada pela tristeza que seu filho, Sérgio, demonstrava nos últimos tempos – pediu-me uma consulta para identificar o que estava perturbando o seu filho. O exemplo aqui trazido (grupo de cartas aqui ao lado) faz parte de um trecho da leitura que fiz com o Grand Tableau em 2009 para o Sérgio.

Depois de ter localizado a carta que representa o Sérgio (O Homem), que se encontra sem carta alguma posicionada em baixo, obtive a primeira informação. Sérgio sente-se desanimado, oprimido e frustrado sem saber o que fazer. Quando a carta Consulente se encontra nesta posição, numa leitura com o Grand Tableau, diz-se que o/a Consulente está sem chão. As cartas que se encontram posicionadas em cima da cabeça da carta do Consulente Sérgio, estão representando os seus pensamentos.

As cartas centrais estão indicando o foco dos pensamentos do Sérgio (O Livro, A Cruz e Os Lírios). Ao observar as três, concentrei-me imediatamente na carta A Cruz que mostra sofrimento, angústia e sobrecarga mental sobre a carta que se posiciona embaixo (O Livro). Aqui pude ver que Sérgio sente-se pressionado em relação aos estudos (A Cruz + O Livro), pressão essa vinda da família (Os Lírios).

Observando as cartas que se encontram posicionadas ao lado das cartas foco, cheguei à conclusão de que Sérgio está sacrificando a própria vontade, interesses e paixões (O Coração + A Cruz) e isso o leva a viver triste e deprimido (A Cruz + O Caixão), ao ponto de querer acabar com esse sofrimento (O Coração + O Caixão). A sua família (Os Lírios), uma família tradicional (A Árvore + Os Lírios), é reconhecida no campo da medicina (A Árvore + Os Lírios + A Lua), precisamente no campo da cirurgia (cartas espelho A Árvore + A Lua + A Foice) e exige que a tradição seja mantida. As três cartas (A Foice + O Livro + As Estrelas) indicam o desejo de não continuar os estudos (O Coração posicionado em cima da carta A Foice que corta a carta O Livro confirma isso) e seguir a própria vocação (O Livro + As Estrelas), algo ligado à morte (A Cruz + O Caixão) ou à investigação científica (O Livro + As Estrelas). No ano de 2019, Sérgio passou a trabalhar no departamento da polícia de investigação científica Italiana (RIS).

A Lei da Predominância

A lei da predominância baseia-se na observação dos grupos de cartas que predominam na leitura. O baralho está dividido em energias distintas (positiva e negativa), em categorias (cartas de movimento, lentas e paradas) e naipes que podem nos auxiliar durante uma leitura. Cada grupo de cartas vai gerar uma determinada energia na leitura. Esta técnica permite recolher as primeiras impressões acerca da questão investigada, antes de começar a concentrar-se nos significados individuais de cada carta e nas combinações que irão acrescentar mais informações.

Tome nota dos seguintes pontos:

- É importante considerar a quantidade de grupos presentes numa leitura e em qual posição se encontram no "jogo". Estão posicionados no passado? No presente? No futuro? Qual grupo predomina no passado e no presente? Por exemplo: se no passado existe uma predominância do grupo de cartas paradas e no presente o grupo de cartas de movimento, sabe-se que, no passado, o/a Consulente viveu momentos de inatividade ou que foi impossibilitado de agir (as cartas presentes na posição do passado darão maiores informações do que o levou a parar) e que agora, no presente, encontra-se ativo realizando ou levando em frente os seus propósitos.

- Observar se o grupo predominante se encontra posicionado perto da carta do/a Consulente ou de uma carta tema. Isso irá dizer qual é a energia predominante naquela determinada área da vida ou mostrará o estado emocional e comportamental do/a Consulente. Por exemplo: uma predominância de cartas de movimento, perto da carta do/a Consulente, anuncia que este está num processo de mudanças na sua vida. O contexto da leitura e as cartas vizinhas irão informar o tipo de mudança. Por exemplo: se a pergunta for sobre uma questão de negócios, a presença do grupo de cartas de movimento anuncia que é necessário preparar-se para uma eventual mudança importante nessa área. E a presença de cartas de naipes de Nozes anuncia que essas mudanças irão criar grandes dificuldades no que diz respeito às finanças.
- A ausência ou o domínio de alguns grupos também deve ser considerada na análise inicial da leitura. Por exemplo: uma quantidade maior de cartas de movimento numa leitura, na posição futuro, anuncia que o/a Consulente está entrando num período de grandes mudanças. Na área de negócios, por exemplo, é possível que enfrentará mudanças no mercado econômico. De outro modo, a ausência de cartas de movimento, na posição do futuro, indica a inexistência de mobilidade, de evolução nesse período de tempo. Neste ponto, é necessário observar qual o grupo de cartas predominante nesta posição para orientar o/a consulente sobre as consequências dos seus atos atuais.

SIGNIFICADO DA PREDOMINÂNCIA DOS GRUPOS NUMA LEITURA

Predominância do grupo de cartas positivas:

A presença de várias cartas positivas, numa leitura, anuncia que todas as dificuldades serão superadas com sucesso, satisfação, alegria, felicidade, bem-estar, boa saúde, energia vital, ganho de forças.

Predominância do grupo de cartas neutras:

Este grupo de cartas aparece com bastante frequência nas leituras onde uma questão ou situação ainda não está estável, ainda está em mutação ou quando devemos mudar algo para que as coisas possam progredir.

Predominância do grupo de cartas negativas:

A apresentação de várias cartas negativas, numa leitura, geralmente é indicadora de eventos desagradáveis e nefastos ou de negatividade. Uma quantidade maior de cartas negativas afeta fortemente qualquer carta com valor positivo. Exemplificando: uma ou mais cartas negativas, posicionadas depois de uma ou mais cartas de movimento, anuncia uma mudança ou ação que poderá ter consequências catastróficas ou que uma mudança chega finalmente ao fim.

Predominância do grupo de cartas de movimento:

A visão de várias cartas de movimento, numa leitura, significa que o/a consulente está entrando num período de mudanças; que irão surgir algumas alterações e modificações nos projetos e planos.

Predominância do grupo de cartas lentas:

O aparecimento de várias cartas lentas, numa leitura, anuncia que algo será atrasado na sua realização.

Predominância do grupo de cartas paradas:

A aparição de várias cartas paradas, numa leitura, anuncia a ausência de ação, de progresso ou de desenvolvimento numa questão. É provável que o/a Consulente esteja preso a algo (vícios, recordações etc.) e não consegue se desapegar.

> **Nota importante:**
> Os atrasos, vindos pelas cartas lentas, são menores que os atrasos representados pelas cartas paradas que têm um efeito mais longo!

Predominância do grupo do naipe corações:

A aparição de várias cartas do naipe de Corações, numa leitura, anuncia que o tema predominante da leitura é aquele das questões emocionais, sentimentais, de amizade e vida doméstica; de tudo aquilo que dá felicidade ao Consulente.

Predominância do grupo do naipe folhas:

A aparição de várias cartas do naipe de Folhas, numa leitura, anuncia uma vida social ativa, muita comunicação e intercâmbio (comunicação e negócios). O/A Consulente está concentrado em aproveitar todas as oportunidades que se apresentam na vida.

Predominância do grupo do naipe sinos:

A aparição de várias cartas do naipe de Sinos, numa leitura, anuncia questões ligadas à materialidade, a ganhos e perdas de dinheiro. O/A Consulente está concentrado na parte material da vida.

Predominância do grupo do naipe nozes:

O surgimento de várias cartas do naipe de Nozes, numa leitura, anuncia dor, sofrimentos, sacrifícios e muitos desafios a serem enfrentados. O/A Consulente está enfrentando momentos difíceis que requerem muita coragem, determinação e força para superar.

A Lei da Movimentação

CARTAS DE MOVIMENTO

Palavras-chave das cartas de movimento: Mudança, alteração, movimento, atividade, ação, impulso, dinâmica, energia, mobilidade, deslocamento, andamento.

Em geral: As cartas que representam movimento aparecem com bastante frequência nas leituras onde existe um processo de mutação, alteração, modificação, transformação, ação ou onde uma situação ainda não alcançou a sua estabilidade. Portanto, a função destas cartas, numa leitura, é de anunciar sempre um processo de mudanças, de desenvolvimento, de progresso, de evolução, de expansão, de crescimento, de renovação de uma questão no bem ou no mal, dependendo da ou das cartas vizinhas.

As 18 cartas de movimento são:

- O Cavaleiro, O Trevo, O Navio, As Nuvens, A Serpente, O Caixão, A Foice, A Vassoura e O Chicote, As Corujas, A Criança, A Raposa, As Cegonhas, Os Caminhos, Os Ratos, O Anel, A Carta, A Chave e Os Peixes.

Como podem notar, incluí a carta O Caixão na lista das cartas de movimento pelo simples fato de que a carta traz consigo a conclusão de algo já "morto", que não tem algum sentido "alimentar", dando assim um impulso novo na própria existência. Esses novos eventos irão mudar completamente a própria vida.

Nota importante:

As cartas As Nuvens, A Serpente, O Caixão, A Foice, A Raposa e Os Ratos assinalam mudanças que estão fora do nosso controle, isto é, por uma calamidade natural (O Caixão: terremoto, inundação, acidentes, infortúnios, morte etc.) ou por mãos de uma outra pessoa (As Nuvens, A Serpente, A Foice, A Raposa e Os Ratos). As alterações trazidas por estas cartas são guiadas por forças externas, algumas vezes por forças ocultas; mudanças e alterações indesejadas.

CARTAS PARADAS

Palavras-chave das cartas paradas: Parada, nada acontece, pausa, esperar, atraso, barreira, obstáculo, bloqueio, prisão, isolamento, limitação, restrição, monotonia, falta de motivação, estagnação, insatisfação, frustração, medo, vícios, hábitos, deficiência, doença, resistência, persistência, agarrado, preso, paralisado, sofrimento, pessimismo, teimosia, egoísmo, orgulho, falta de interesse.

E ainda: Equilíbrio, estabilidade, perseverança, segurança, proteção, calma, paciência.

Em geral: Quando uma ou mais cartas paradas estão presentes numa leitura, indicam que o/a Consulente está "preso" a algo (hábitos, vícios, dependência, apego, vínculo), que está parado, que não consegue avançar e progredir na vida. Anunciam um período da vida onde nada acontece, onde não existe evolução alguma ou avanço de qualquer tipo; os problemas não se resolvem, o/a Consulente resiste em mudar algo ou não tem objetivo algum na vida. As razões do bloqueio vêm indicadas pelas cartas vizinhas.

As cartas são:

- A Casa, O Caixão, A Torre, A Montanha, Os Lírios e A Âncora.

Nota importante:
A diferença entre as cartas lentas e as paradas é que as cartas lentas representam um atraso mais curto do que as cartas paradas. Nas cartas lentas, a progressão de algo evolui lentamente, enquanto nas cartas paradas não existe progressão, tudo fica da mesma maneira como está.

CARTAS LENTAS

Palavras-chave das cartas lentas: Demorado, devagar, atrasado, tardio.

Em geral: quando presentes numa leitura, anunciam que uma questão evolui mais lentamente e que será necessário algum tempo a mais para a sua realização.

As cartas são:

- O Navio, A Árvore, A Criança, O Urso, As Estrelas, As Cegonhas, O Cão e O Livro.

4

— CAPÍTULO 5 —

TÉCNICA DAS COMBINAÇÕES

Como já dito, quando tratamos do significado das 36 cartas, uma leitura com o baralho Petit Lenormand funciona melhor com duas ou mais cartas. Tentar realizar uma leitura com apenas uma carta não permite colher a verdadeira mensagem do assunto trazido como objeto da leitura. É na combinação entre as cartas que irão ao fundo da questão e uma história pode ser contada. Um dos pontos que tenho insistido muito, nos meus cursos, é o de incentivar meus alunos a se exercitarem cotidianamente na prática de leituras, porque esta é a única via para aprender a linguagem interpretativa. Não concordo com a memorização de combinações por duas simples razões:

- Não é possível memorizar todas as combinações das cartas pela vasta possibilidade que duas cartas juntas podem ter como interpretação segundo o contexto e pergunta apresentada;
- Utilizar "colas" de combinações encontradas em livros ou na internet não nos permite entrar em contato com a verdadeira essência das cartas e a desenvolver a própria linguagem interpretativa. Também ao usar as tais "colas", as leituras acabam por ter um tom frio e sem algum sentido. Portanto, as combinações propostas nos livros e blogs da internet devem ser consideradas como sugestões e não como combinações definitivas.

A capacidade de ler de modo fluído as cartas dependerá da capacidade de conhecimento das 36 cartas, que compreendem também as suas técnicas. Sem esse conhecimento será fácil encontrar-se num momento de bloqueio, por alguns chamado também de "falta de visão" ou "não consigo ver nada". O processo de aprendizagem da leitura das cartas, qualquer que seja, leva o seu tempo. E deve existir um compromisso consigo mesmo em estudar de maneira aprofundada todas as matérias relacionadas com o baralho e praticar constantemente com as cartas.

Realizar uma combinação de cartas

O segredo para realizar, com sucesso, uma combinação de cartas baseia-se na união de vários componentes. Se leram todos os argumentos por mim apresentados neste livro, sabem que, antes de aventurar-se em qualquer leitura com as cartas, é necessário considerar alguns pontos:

1. Conhecer intimamente as 36 cartas. Isto é:
   - A cartomancia tradicional alemã;
   - Definir de uma vez o significado das 36 cartas;
   - Conhecer o papel que cada uma das cartas desempenha numa leitura e nas várias áreas da vida: sentimentos, relação, trabalho, finanças, saúde etc.
2. Conhecer a natureza ou polaridade das cartas, ou seja, quais cartas são positivas, neutras e negativas e suas energias, isto é, o grupo de cartas de movimento (aquelas que colocam em movimento uma determinada situação), o grupo de cartas lentas (aquelas que trazem atrasos à questão mesmo estando em andamento) e o grupo de cartas paradas (aquelas que trazem estagnação, bloqueiam a evolução de uma questão);
3. Conhecer o código de leitura das cartas;
4. Conhecer as cartas significadoras.

Passos a serem considerados

O resultado de uma combinação depende destes três pontos: o contexto, a pergunta e a interpretação.

O CONTEXTO: DEFINE O TEMA DA LEITURA

É muito importante ter uma visão clara do assunto sobre o qual pretendem questionar as cartas. Neste propósito, a conversa preliminar com o/a Consulente representa uma fase determinante da consulta, porque é nesse momento que será definida a motivação da consulta e o que se deseja saber. Portanto, quando se conhece o contexto da leitura, pode-se definir com segurança:

- O objetivo que se quer obter na leitura;
- A pergunta clara e objetiva à questão;
- A escolha do método de leitura;
- Uma leitura objetiva e clara.

A PERGUNTA: PERMITE OBTER UMA RESPOSTA CLARA E OBJETIVA

Se estamos mentalmente confusos, inconformados com o que está acontecendo nas nossas vidas, então não seremos capazes de sermos objetivos nos nossos pensamentos e ações. Tudo parece escuro, confuso, incerto, indecifrável. Não é assim? Bem, o mesmo acontece quando enviamos às cartas uma questão insuficientemente clara e objetiva. As cartas respondem, porém não conseguimos interpretar a mensagem de forma clara e objetiva e, por consequência, ficamos confusos com a resposta. Portanto, se quiserem obter respostas claras e diretas em suas leituras, é fundamental aprender a formular boas perguntas às cartas, sempre de forma clara e objetiva. Não esqueçam que a forma como é feita a pergunta às cartas tem uma enorme influência na resposta. Sendo assim, mantenham-se concentrados na questão. Não se esqueçam disso.

Quando se formula uma pergunta, é necessário recordar que:

- A QUESTÃO APRESENTADA ÀS CARTAS É SEMPRE FEITA DE FORMA AFIRMATIVA.
  Por exemplo: "Glória terá sucesso no exame de matemática?" e nunca "Glória não vai passar no exame de matemática?".
- EVITAR PERGUNTAS DUPLAS:
  Uma pergunta dupla consiste numa questão que pede duas respostas sobre dois temas diferentes. Por exemplo: "Clara vai entrar de férias ou não? Se sim, quando?", "Devo sair com João ou Cláudio?", "Paulo vai me telefonar hoje ou não?", "Simone resolverá a sua situação econômica e encontrará brevemente um trabalho?", e assim por diante. Estes tipos de questões certamente não ajudarão a encontrar as respostas claras e objetivas nas cartas. Perguntas como estas só servirão para complicar. Então, como deve ser feita uma pergunta?

  Proponho, a seguir, algumas perguntas que podem usar como exemplo:

  - "Quais são as verdadeiras intenções de (nome da pessoa) em relação a (nome do consulente)?"
  - "O que deve fazer (nome do consulente) para resolver a questão com (nome da outra pessoa)?"
  - "Como é que a situação financeira de (nome do consulente) irá evoluir nos próximos meses?"
  - "Como (nome do consulente) e (nome da outra pessoa) poderão superar as dificuldades conjugais?"
  - "(Nome da pessoa) concederá o empréstimo que (nome da consulente) pediu?"
  - "Qual a evolução dos negócios de (nome do consulente) nos próximos três meses?"
  - "Em que área (nome do consulente) tem mais possibilidades de encontrar um emprego?"
  - "(Nome do consulente) venderá o seu imóvel pelo preço que estabeleceu?"

- "O que está impedindo (nome do consulente) de atingir o objetivo de algo?"
- "(Nome do consulente) encontrará as chaves que perdeu?"
- "Como pode (nome do consulente) ajudar seu filho (nome do filho) a superar a situação que está vivendo?"
- E assim por diante...

- NÃO SE INTERROGAM AS CARTAS COM FATOS NÃO REALÍSTICOS
Também não devemos questionar as cartas sobre assuntos abstratos. Por exemplo, seria pouco perceptível e surreal perguntar às cartas se seremos campeões de natação olímpica sem que ao menos soubéssemos nadar ou tivéssemos intenções de algum dia vir a frequentar aulas de natação, não acham? As cartas trabalham em função de uma situação já em ação nas nossas vidas e do futuro, que tem raízes profundas no nosso passado e presente. Pratiquem sempre com situações reais. Esta é a única forma que permite ajudá-los a entender melhor qual a matéria que ficou bem assimilada e onde é necessário aprofundar os estudos.

- LER AS CARTAS PARA SI MESMO
A minha avozinha dizia-me sempre: "Tens que sentir, ver e viver as coisas dentro de ti mesmo antes de as transmitir a outras pessoas" e "A maturidade só ocorre depois de praticarmos com os assuntos das nossas vidas". Levo sempre comigo estes e outros sábios conselhos e coloco-os em prática, tanto na minha vida pessoal como profissional. É possível consultar as cartas para si mesmo? Certamente que sim! E eu não sou a única a afirmá-lo. Durante a fase de aprendizagem, é muito comum que o cartomante pratique recorrendo a situações pessoais como objeto de estudo. Perguntamos: "É possível aprender alguma coisa na vida, sem antes ter experimentado pessoalmente?" Mesmo que conheça de cor e salteado tudo o que diz respeito à técnica de natação, isso não vai fazer de você um bom nadador se não praticar as técnicas que retém na memória, não é verdade? O mesmo acontece no que diz respeito às cartas. Quanto mais trabalhar com elas,

colocando em prática as teorias interiorizadas através dos cursos e das suas pesquisas, mais as sentirá e as conhecerá, levando- o/a entender a sua linguagem. Portanto, as leituras pessoais são uma prática instrutiva e benéfica, principalmente para quem se prepara para se tornar um/a cartomante profissional. Nos meus cursos, noto que os que estudam as cartas utilizando assuntos pessoais como objeto de leitura, são mais desenvoltos do que os que não o fazem. Fazer uma consulta para si mesmo traz má sorte ou pode causar um bloqueio? Sobre esta questão, existem opiniões controversas e algumas delas são resultado de superstição ou de "regras" impostas por alguns cartomantes que afirmam que fazer as leituras de cartas para si traz azar, que as cartas não respondem ou até que é possível vir a perder o dom de cartomante. Eu acho que é hora de desmistificar estas crenças muito antigas, que não fazem sentido nos dias de hoje. Por isso reafirmo: não se nasce cartomante! É necessário percorrer um longo caminho repleto de muito trabalho e estudo teórico e prático. O cartomante não possui qualquer poder paranormal, com exceção da sua intuição que se desenvolve com o tempo.

Ainda sobre a afirmação que diz que ler as cartas para si mesmo causa um bloqueio na leitura, não existe qualquer fundamento. As cartas respondem sempre que são questionadas. A razão deste bloqueio está no/a cartomante, não no baralho de cartas. Esses bloqueios podem ser de várias ordens: cansaço, doença, preocupações pessoais etc., não permitindo ao cartomante encontrar a concentração necessária para realizar uma leitura.

- Não se interrogam as cartas repetidamente com as mesmas perguntas

O interrogar repetidamente as cartas com a mesma questão é prejudicial tanto para a saúde mental como para o crescimento intelectual nos estudos das cartas. Este procedimento é um dos fatores que contribuem para a dependência e para a aquisição de insegurança com o baralho. O argumento dependência tem que ser considerado como algo de muito sério e são necessários todos os cuidados, quer seja quando a leitura é efetuada para nós mesmos, quer seja quando ela é feita para os outros. Um/a cartomante aprendiz ou profissional tem que ter o controle sobre si mesmo e também não deve induzir ou alimentar as pessoas que o/a procuram a buscar obsessivamente, através das cartas, as respostas que mais os convém. O baralho responde sempre na primeira pergunta. Essa resposta é compreensível e é necessário deixar passar alguns dias para voltar a interrogar sobre o mesmo assunto.

Neste ponto, é também importante relembrar que a função de um/a cartomante – ou de qualquer um que possua um instrumento divinatório, de desenvolvimento pessoal ou terapêutico – é o de contribuir para o bem-estar da pessoa que o/a procura e de incentivá-la, caso seja necessário, a usar o seu livre-arbítrio. Isto baseia-se também na minha experiência de longos anos de profissional nesta área. O/A cartomante deve educar as pessoas que o/a procuram, estabelecendo regra do limite e que nenhuma das duas partes (Cartomante e Consulente) devem desrespeitar. Isto se chama ética profissional.

- O TEMPO PROGNÓSTICO

É habitual que o/a consulente, depois de qualquer questão respondida, pergunte: Quando? A interrogação sobre um quando pede uma data. Portanto, quando a ocasião exigir, defina um período de tempo dentro da pergunta. Por exemplo: "Alberto encontrará trabalho dentro de um mês?", "Vera sairá de férias no mês de agosto de 2015?", "Verônica receberá o resultado médico no espaço de 10 dias?".

Caso se trabalhe com um determinado método de leitura, como o Grand Tableau, defina um tempo. Para uma leitura em geral, programo o Grand Tableau para três a seis meses. Para métodos com menos cartas ou específicos como o método "dos três" ou "dos cinco", defino o tempo de acordo com a necessidade do/a consulente. Este argumento já foi tratado e aconselho aprofundá-lo caso estejam com alguma dúvida.

A INTERPRETAÇÃO DAS CARTAS

Como regra geral, numa interpretação das cartas é necessário levar em conta o seguinte:

- As cartas não são interpretadas singularmente. É sempre bom lembrar que quando se fala de uma carta isolada, ela tem um comportamento diferente de quando se encontra dentro de um contexto e em relação a outra carta.

A interpretação das cartas baseia-se na leitura do grupo de cartas presentes na leitura. Pense em cada uma das 36 cartas como uma peça de um quebra-cabeça que, unida uma com as outras, compõe uma imagem. Eu gosto de dizer que uma carta tem uma personalidade e uma atitude individual que muda dentro de um contexto, diante da pergunta e perante a carta ou as cartas que a circundam ou que estão definidas. Tomemos como exemplo a carta O Coração para definir a atitude que uma mãe vai tomar com o filho, pelo fato de ter recebido notícias negativas comportamentais do menor na escola. O Coração é uma carta que transborda amor, emoções fortes, paixão, prazer, gosto, gentileza, caridade, não é? E se a carta seguinte for A Vassoura e O Chicote? Muda completamente a sua mensagem, certo? Vamos ver como:

A minha interpretação:

Contrariada e magoada, tenderá a ter uma atitude rígida e autoritária com o próprio filho. Provável punição, também é possível.

E se, em vez da carta A Vassoura e O Chicote, tivermos a carta n.º 30, Os Lírios?

A minha interpretação:
Tenderá a agir com calma e maturidade perante a situação, ajudando o próprio filho a responder pelos seus atos. Maturidade e responsabilidade.

Como puderam observar, nos exemplos propostos, todas as cartas presentes são subordinadas umas as outras. Isto é, estão sujeitas à modificação ou à influência da carta que se encontra vizinha. Portanto, recordem-se sempre: quando uma carta se encontra perto de outra, ocorre uma mudança provocada pela polaridade e pela aplicação das técnicas (códigos) das cartas envolvidas.

- As cartas são interpretadas segundo o tema, objeto da leitura. Isto é, o contexto e a pergunta. Por exemplo, se a combinação da carta O Ramo de flores + a carta Os Peixes se encontra num contexto sentimental, e a pergunta for "Quais são as reais intenções de Paulo em relação a Aline?", não falaremos sobre ganhos financeiros ou sobre salário; mas que Paulo tem um interesse e que investe na conquista cortejando Aline. Um outro exemplo está na combinação com a carta O Coração + a carta A Âncora numa questão sentimental. Se a pergunta for "Os sentimentos de Artur são sinceros?", não falaremos sobre dedicação ou entrega total ao trabalho, mas, sim, que Artur sustenta sentimentos sinceros e profundos pela Consulente. Mantenham o foco na questão principal, sem divagar noutras questões que não têm a ver com o tema em análise.
- Quando as cartas não estão respondendo:
  O que deve ficar claro, desde já, é que as cartas respondem sempre. Isso é um fato comprovado. Nunca se verifica erro, bloqueio ou

falta de resposta das cartas durante uma leitura. Então, o que leva alguns cartomantes a acreditarem neste fenômeno? De acordo com a minha experiência pessoal, o problema é de responsabilidade do/a próprio/a cartomante, não do baralho de cartas. As razões pelas quais acredito que se trata de um bloqueio do/a cartomante, durante uma leitura, encontram-se abaixo enumeradas.

- A principal razão é a falta de conhecimento da linguagem simbólica das cartas. O que aparece aos olhos de um/a cartomante, durante a leitura, são imagens simbólicas que ele/a, graças ao seu conhecimento, deve saber interpretar.

  Cada baralho contém a sua própria identidade, uma história que inclui também o autor que o criou. Para trabalhar com um baralho de cartas deve-se, antes de mais nada, reunir informações sobre ele, conhecer bem as suas origens e o significado simbólico de cada carta, de acordo com o seu autor.

  Não podemos interpretar uma determinada carta segundo a nossa superstição cultural ou, pior ainda, segundo uma ideia pessoal.

  Durante uma leitura, se um cartomante afirma que "não vê nada", na realidade o que acontece é que ele/a não consegue ler a mensagem transmitida pelas cartas, porque não conhece suficientemente bem a linguagem desse baralho.

  Para compreender melhor o meu conceito, proponho aqui um exemplo: quando chegamos a um país estrangeiro, são poucas as palavras que conhecemos do idioma usado nesse local que está nos recebendo, certo? Talvez, saibamos dizer: "olá", "bom dia", "muito obrigado", "por favor". Não é assim? Certamente não é conhecendo estas poucas palavras de uma língua que vamos conseguir ter uma conversa fluente com alguém daquele país. E quando as pessoas começam uma conversa conosco, vamos ter aquela sensação de que não estamos ouvindo nada. A mente fica parada, oca, vazia. É como se o cérebro estivesse desativado naquele momento. Quando a memória não reconhece algo, ela cria um vácuo, uma espécie de escuridão total. É exatamente isto que acontece na leitura das cartas. Se não aprendermos a reconhecer a sua linguagem, os nossos olhos e cérebro só verão uma escuridão total. Não conseguiremos ver nada.

- Pânico e insegurança também são fatores que podem bloquear. Esta situação prende-se com o que já foi falado anteriormente: a falta de uma preparação séria, o conhecimento insuficiente do seu baralho e falta de prática.
- As suas condições psíquicas, emocionais (problemas, agitação, preocupações, nervosismo) e físicas (febres, dor, doença, medicações) influenciam fortemente sobre a lucidez e a concentração, essenciais para concluir com êxito uma consulta. Portanto, não procure uma justificativa como interferência de espíritos malignos, feitiços ou qualquer outra coisa para os bloqueios numa leitura. Para resolver este tipo de problemas, dedique-se seriamente aos estudos do seu baralho.

- As cartas podem errar?
Não, absolutamente! Quem está convencido de que as cartas podem errar não está trabalhando corretamente com o seu baralho. O que surge diante dos nossos olhos quando fazemos uma leitura é real e verdadeiro. Só a falta de conhecimentos sólidos de um cartomante pode levá-lo acreditar que a mensagem trazida pelas cartas é errada. A falta de conhecimento profundo do baralho, resultante de uma preparação deficiente, leva à insegurança e à incapacidade de observar com clareza as mensagens emitidas pelas cartas. Só é possível alcançar um conhecimento profundo das cartas do baralho através de estudo e prática, feitos com muita dedicação e seriedade.
- As cartas "stalking"
São chamadas de cartas "stalking" (perseguição) aquelas cartas que saem repetidamente nos cortes, nas leituras ou até quando caem do baralho quando estamos embaralhando. Não é um fenômeno frequente, mas quando isso acontece é necessário prestar alguma atenção, porque o baralho está nos enviando uma mensagem

importante. Se ocorre durante uma consulta, a mensagem é direcionada para o/a consulente. Caso a consulta seja nossa, a mensagem é dirigida a nós.

Que interpretação deve-se dar às cartas "stalking"? A interpretação é feita de acordo com as suas palavras-chave. Se aparecerem juntas com outras cartas, assume como tema as cartas "stalking" e as restantes como detalhes desse tema.

- Alguns comportamentos podem também criar frustrações e fracasso numa leitura, que é aquela da escolha do método de leitura e o uso correto das regras desse método. É sempre aconselhável, principalmente para quem esteja no início dos estudos do baralho, optar por métodos pequenos e posicionais.

  O que é um método posicional? Imagine que a estrutura de um método seja comparável ao cenário de um teatro. Cada objeto (móveis, portas, janelas etc.) é colocado num local específico.

  Agora, suponhamos que as cartas representam os atores; que, uma vez entrando em cena, ocupam cada um à sua posição dentro do cenário. A interpretação das cartas seguirá o "roteiro" indicado pelas definições estreitamente relacionadas com cada uma das casas posicionais.

  Um método posicional inclui todos esses métodos de leitura e contém várias áreas chamadas casas; a cada uma das casas são atribuídas palavras-chave que assumem uma função específica durante uma leitura.

  Por exemplo: existe o Método energia do dia, onde a casa 1 representa a energia do dia e a casa 2 como gerir a energia trazida pela carta presente na casa 1. Há também o Método dos três, onde a casa 1 irá representar o passado da questão investigada; a casa 2, o presente ou a situação atual do/a Consulente e a casa 3, o futuro ou o desenvolvimento que a questão investigada tomará nos próximos dias.

  Quando uma carta está posicionada numa casa ela é interpretada segundo a energia representada pela palavra-chave da casa. Por exemplo, se a carta O Coração estiver posicionada numa casa que representa obstáculos, quer dizer que o/a Consulente é impedido de manifestar os próprios sentimentos ou que carrega um peso no coração que o está bloqueando no agir naturalmente numa situação. Porém se a carta O Coração estiver posicionada numa casa que representa o presente atual, podemos dizer que o/a Consulente está envolvido emocionalmente com os fatos presentes na sua vida. Ele/a está dando o seu máximo para que as coisas sigam os seus desejos.

Mas é assim tão importante trabalhar com um método posicional? Sim, é muito importante, principalmente quando se está no início dos estudos ou se pretende aprofundar os mínimos detalhes de uma determinada questão. Como já relatei, um bom método posicional contém casas ricas de propostas analíticas, que permitem obter o máximo de informação possível sobre um assunto.

- Lembrem-se de que cartas em posição A + B não têm a mesma interpretação quando se encontram na posição ao contrário, B + A.

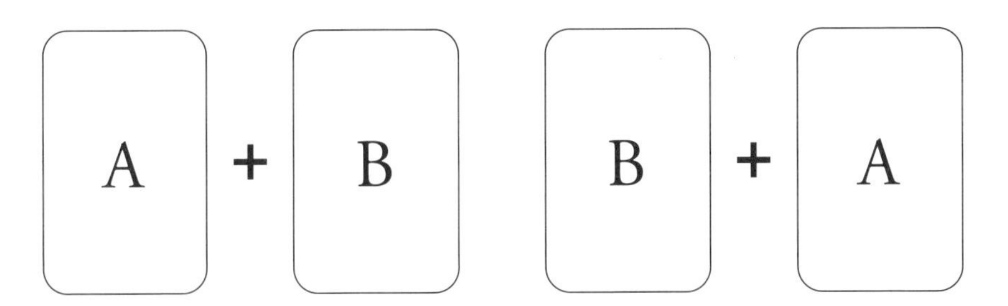

Por exemplo:

Posição A + B: O Navio + O Caixão

- Fim de uma viagem;
- Cancelamento de uma viagem;
- Última viagem;
- Ausência de movimento;
- Viagem por motivos de doença ou luto;
- Herança.

Posição B + A: O Caixão + O Navio

- Uma doença leva a procurar uma resolução no exterior;
- Náuseas;
- Depois de um momento de estagnação, as coisas começam a mover-se lentamente;
- Passagem para outra vida (morte possível);
- Distanciar-se do passado ou de uma dor.

Um outro exemplo:

Posição A + B: A Foice + O Navio

- Uma viagem está em risco de ser interrompida;
- Acidente numa viagem ao exterior ou longe de casa;
- A viagem é cancelada de repente.

Posição B + A: O Navio + A Foice

- Uma viagem decidida de repente;
- Uma viagem devido a uma emergência;
- Viagem rápida, veloz.

* Para quem está no início dos estudos, é normal ter dificuldades no momento da interpretação das cartas. Tenha calma e proceda da seguinte maneira: atribua a cada uma das cartas, três ou mais palavras-chave que sejam adequadas ao tema da leitura. Cada carta tem inúmeros significados, por isso é importante que se foque unicamente naqueles que mais se contextualizam com a questão em estudo. De acordo com o contexto da leitura, proceda à interpretação das cartas. Registrem todas as suas leituras, para assim verificar se o prognóstico confirma os acontecimentos reais e também para você criar um registro próprio de combinações.
* Numa leitura, é importante observar também a primeira e a última carta. A primeira carta mostra-nos a situação como está e a última o desfecho dela ou como se desenvolverá a situação investigada.

- Uma leitura de cartas conta com 50% do nosso conhecimento intelectual e técnico, que adquirimos com estudo e muita prática, e os outros 50%, com a nossa intuição. Todos temos este precioso dom da intuição.

Combinações com duas cartas

Iniciem o estudo das combinações com apenas duas cartas. Podem utilizar "o método dos "dois" ou simplesmente tirar ao acaso duas cartas do baralho dispondo-as da esquerda para a direita:

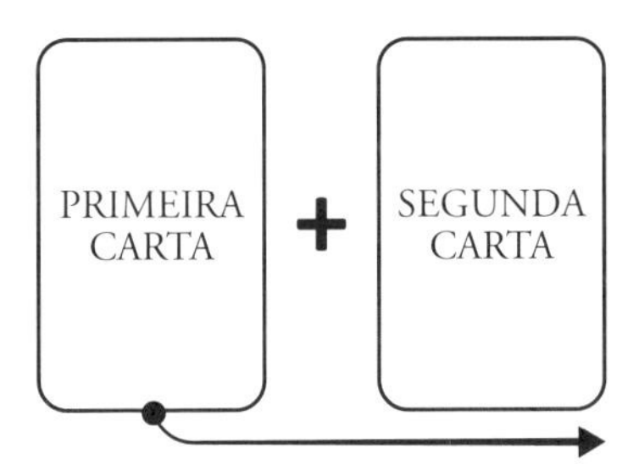

- A Primeira Carta Extraída representa o foco da leitura (a minha avó chamava-a de carta domínio). Esta carta tem como função definir o argumento principal, aquele que apresenta maior importância na questão em análise.
- A Segunda Carta Extraída oferece detalhes sobre a primeira carta, isto é, dá informações sobre o assunto trazido pela primeira carta. Esta carta também pode modificar o valor da carta anterior.

Por exemplo

Suponhamos que o tema da nossa leitura tenha como necessidade conhecer a razão pela qual uma determinada pessoa (jovem de 14 anos) tem um comportamento antissocial dentro da sua própria casa, com a própria família (leitura real). As cartas extraídas são A Vassoura e O Chicote + Os Lírios.

A Vassoura e O Chicote

- Palavra-chave: discórdias, conflitos, agressão, abusos, opressão, submissão, domínio, crítica.

A presença da carta A Vassoura e O chicote, como primeira carta, assinala existência de tensões e conflitos. Portanto, a questão principal está relacionada a uma agressão, a uma punição com a qual a pessoa está convivendo.

A segunda carta, Os Lírios, dá-nos informações e detalhes sobre a carta A Vassoura e O Chicote.

Os Lírios

- Palavra-chave: paz, harmonia, calma, honra, família, tradição, sexo, moralidade, apoio, suporte.

Interpretação das duas cartas: A carta "A Vassoura e O Chicote" mostra que o jovem está enfrentando um conflito que lhe tira a paz interior (Os Lírios). A minha intuição imediata ao ver estas duas cartas levou-me a concluir, com certeza, que o jovem em questão está vivendo um conflito com a própria sexualidade (A Vassoura e O Chicote + Os Lírios) e está com receio de conversar com a família sobre o assunto que o aflige. A mãe do rapaz teve uma conversa amigável com ele, falando sobre sexualidade e conquistando a sua confiança. O rapaz confessou ser homossexual e que sofria muito por dar esse desgosto aos pais. Após uma conversa entre todos, esse problema deixou de existir, porque tanto a mãe como o pai aceitaram o filho de braços abertos, apoiando-o nesta matéria.

Exemplo de outra leitura

Nome do Consulente: Giancarlo

- Passo 1 – Contexto da leitura: Trabalho
- Passo 2 – Pergunta: Qual será a evolução profissional de Giancarlo no espaço de 1 mês?
- Passo 3 – Cartas extraídas: O Navio + Os Peixes

- Passo 4 – Palavra-chave de cada carta:
  - O Navio: comércio, compra e venda, intercâmbio, movimento, avanço, país estrangeiro, localidades distantes;
  - Os Peixes: abundância, dinheiro, negócios, comércio, ganho, fertilidade, aumento.
- Passo 5 – Interpretação das cartas:
  Vejo aqui a capacidade do consulente "nadar" nas águas tempestuosas das dificuldades apresentadas no seu trabalho, para concretizar e alcançar os seus próprios objetivos. Sente a necessidade de se expressar e expandir. Isso o leva a sair, afastar-se do conteúdo que o limita e ir em busca de novas possibilidades. O consulente já colocou em prática o seu projeto, está divulgando-o nas várias fontes que permitem tornar o seu trabalho conhecido (internet, por exemplo). Pode até ser que esteja negociando com produtos estrangeiros ou que tenha até de efetuar viagens de trabalho com frequência. Portanto, as cartas são uma promessa de progresso profissional, negócios bem geridos, entrada de novos clientes e de dinheiro.

Combinações com mais de duas cartas

Aplica-se o mesmo procedimento adotado no método das duas cartas. Combine as cartas duas a duas, começando pela combinação da primeira carta com a segunda, seguidamente a da segunda com a terceira, a da terceira com a quarta e, por fim, a da quarta com a quinta, conforme representado na imagem abaixo.

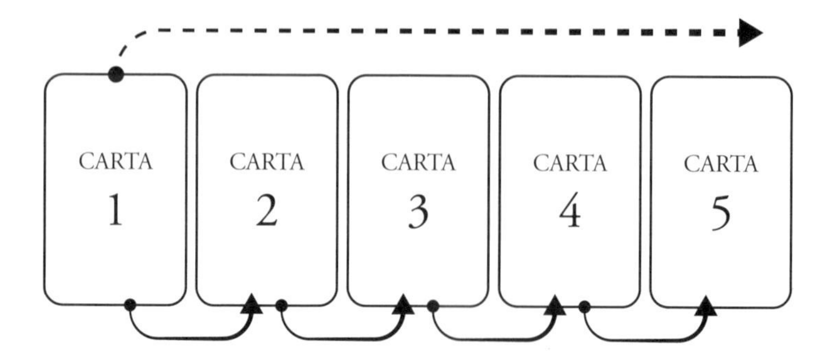

Exemplo demonstrativo:

Nome do Consulente: Giancarlo

- Passo 1 – Contexto da leitura: Trabalho
- Passo 2 – Pergunta: Qual será a evolução profissional de Giancarlo no espaço de 1 mês?
- Passo 3 – Cartas extraídas: O Navio + Os Peixes + Os Caminhos + O Anel + A Âncora

- Passo 4 – Palavra-chave de cada carta:
  - O Navio: comércio, compra e venda, viagem, estrangeira, novos horizontes;
  - Os Peixes: negócios, comércio, prosperidade, dinheiro, finanças;
  - Os Caminhos: escolha, decisão, pesquisa, maneiras diferentes, outras possibilidades, vários caminhos;
  - O Anel: união, contrato, assinatura, algo de regular e de concreto;
  - A Âncora: emprego, trabalho, firmeza, algo estável, vínculo, compromisso.

- Passo 5 – Combinação entre as cartas:
  - O Navio + Os Peixes: viagem de negócios, desejo de ganhos maiores;
  - Os Peixes + Os Caminhos: comercializar mercadoria, expandir o próprio negócio;
  - Os Caminhos + O Anel: escolha relativa a um contrato ou a uma união profissional;
  - O Anel + A Âncora: contrato de trabalho, emprego fixo, fazer uma ligação profissional estável.
- Passo 6 – Possibilidades de interpretação das cartas:
  - O consulente sai em busca de novos parceiros de trabalho;
  - O consulente está dando importância às várias possibilidades de ofertas;
  - O consulente está pesquisando as várias maneiras de poder estabilizar os seus negócios;
  - O consulente deseja obter maior lucro com o próprio negócio e está decidindo sobre os dois contratos que poderão lhe trazer uma certa estabilidade econômica;
  - O consulente procura comercializar os seus produtos em várias empresas;
  - Dada a crise do seu país, o consulente saiu em busca de trabalho no exterior.

Como puderam constatar, no exemplo acima, são imensas as possibilidades de interpretação que poderemos encontrar nas cartas presentes numa leitura. O importante é ter confiança nas cartas que estão diante dos seus olhos e em si mesmo; ter calma no momento da análise de cada carta isoladamente e quando estiver fazendo as combinações entre elas.

A este ponto dos estudos, começa a viagem prática de vocês com as cartas. Desejo-lhes, uma boa viagem e que, com o longo andar do tempo, possam receber grandes satisfações e que, através da sabedoria e do conhecimento sobre baralho, possam orientar a todos aqueles que chegam até vocês buscando por ajuda.

A Carta Oculta

A carta oculta é uma carta que tem como tarefa esclarecer, aconselhar ou, até mesmo, dar uma resposta final à questão colocada. Cabe a cada um de nós estabelecer o papel que a carta oculta vai desempenhar dentro da própria consulta. Estabeleci que a carta oculta, nas minhas leituras, tem o papel de orientar o/a consulente acerca das atitudes a tomar ou das formas de lidar com a situação em análise. Por exemplo, se a carta oculta de uma leitura é:

- A Árvore: quer dizer que a situação em análise está se desenvolvendo e que se deve esperar calmamente a evolução dos acontecimentos; deve-se continuar trabalhando nos projetos e seguir o programa previamente estabelecido.
- As Nuvens: diz-nos que a situação ainda está em avaliação, não sendo por isso o melhor momento para decidir e agir. O meu conselho perante esta carta é: esperar mais alguns dias e deixar as águas acalmarem e depois decidir o que fazer. Nada de precipitação ou agir impulsivamente.
- A Montanha: informa que a questão poderá ser resolvida, mas apenas à custa de enormes esforços.
- Os Ratos: quer dizer que vão ocorrer novos aborrecimentos e que poderá existir a possibilidade de não se obter o que se deseja à medida que o tempo passa. A situação em análise não vai dar em nada. Será uma perda de tempo.
- O Livro: comunica-nos que é importante aprofundar a questão até que se obtenham todas as informações sobre o assunto em análise; pode também nos dar o conhecimento de que o/a consulente não está suficientemente preparado para executar uma determinada tarefa.

É necessário determinar a carta oculta em todos os métodos de leitura? Não. Quando se escolhe um determinado método de leitura, é importante segui-lo fielmente e respeitando todas as suas regras.

COMO OBTER A CARTA OCULTA NUMA LEITURA?

Método 1:

Somando todos os algarismos correspondentes aos números das cartas da leitura. Por exemplo, se na leitura estiverem presentes as cartas O Cavaleiro (1) + A Foice (10) + O Navio (3), o número da carta oculta obtém-se com a soma: 1 + 1 + 0 + 3 = 5. Portanto a carta oculta será a Carta (5).

Método 2:

Somando todos os números das cartas na leitura. Usando as cartas do exemplo anterior: O Cavaleiro (1) + A Foice (10) + O Navio (3), o número da carta oculta obtém-se com a soma: 1 + 10 + 3 = 14. Neste caso, a carta oculta será a Raposa (14). Podemos ainda, para uma melhor avaliação do problema em análise, procurar outra carta oculta que depende diretamente da carta obtida através de qualquer um dos métodos anteriores.

DETERMINAR A SEGUNDA CARTA OCULTA NUMA LEITURA

O procedimento para a obtenção desta carta oculta é muito simples. Leia da direita para a esquerda o número obtido em qualquer um dos métodos anteriores. Como o baralho só tem 36 cartas, sempre que o número obtido for superior a 36 deverá efetuar a seguinte subtração: número obtido menos 36 = segunda carta oculta da leitura.

Para uma melhor compreensão, vamos tomar por base o resultado do segundo método, no qual obtivemos como carta oculta A Raposa (14). Lendo o número desta carta da direita para a esquerda, obtém-se o número 41 que é superior a 36. Por esse motivo, deverá subtrair-lhe ao número total de cartas (36) do baralho, obtendo como resultado o n. º5 (41 – 36 = 5). Está assim encontrada a segunda carta oculta da leitura: A Árvore (5)

As duas cartas ocultas – A Raposa (14) + A Árvore (5) – têm como tarefa revelar o que ainda está oculto no que diz respeito ao assunto em estudo, mas que está prestes a ocorrer na vida do/a consulente. Trata-se de uma informação valiosa que pode ajudá-lo/a preparar-se para o impacto do evento ou que pode levá-lo/a procura de soluções que lhe permitam superar o problema.

— CAPÍTULO 6 —

OS MÉTODOS DE LEITURA (LANÇAMENTOS)

É aqui que tudo que foi adquirido nos estudos dos cinco capítulos, apresentado neste manual, entra em ação. Saber escolher um método (lançamento) adequado não é uma tarefa simples, principalmente para quem está começando a trabalhar com o baralho pela primeira vez. Nessa fase, em que estamos entusiasmados por realizar uma leitura para demonstrarmos que somos capazes de fazê-la, é comum recorrer a métodos de leituras complexos como o Grand Tableau. Esse, no entanto, não é o caminho certo a seguir.

É essencial entender que, quando iniciamos qualquer coisa na nossa vida, temos que nos dar tempo para que esta coisa se interiorize dentro de nós. Esse mesmo conceito vem aplicado também aos estudos do baralho. Por isso, é essencial iniciar com métodos pequenos, que permitam manter a mente focada nas poucas cartas presentes para, assim, colher as mensagens de maneira mais clara.

Somente quando se sentirem prontos para realizar uma leitura onde estão presentes uma quantidade maior de cartas, poderão passar para métodos mais complexos, como o Método da Vovó (apresentado neste manual) e o Grand Tableau que será apresentado no capítulo 7 deste manual.

Antes de passarmos para a apresentação dos métodos de leitura, gostaria de responder algumas perguntas feitas por várias pessoas, principalmente por aquelas que estão iniciando o seu caminho no mundo da cartomancia.

LOCAL DE CONSULTA

Tradicionalmente, efetua-se a consulta num espaço da habitação própria, num lugar isolado, como a sala ou o próprio quarto, sempre distante de olhares indiscretos. Em países como África, Portugal e Brasil, por exemplo, o cartomante tem o seu próprio espaço (na sua casa), decorado com objetos, plantas e santos que fazem parte das suas crenças religiosas. Os tempos mudaram, o local de consulta tornou-se uma mesa no bar, num restaurante, discoteca, numa feira, num call center, na TV, na rádio e assim por diante. O cartomante tornou-se um "pendular" que viaja quilômetros para chegar aos seus clientes e realiza consultas em qualquer lugar. Há opiniões divergentes sobre as novas formas de fazer consulta de cartomancia nos dias de hoje. Pessoalmente, discordo de todos aqueles que julgam negativamente esses cartomantes, considerando-os pouco profissionais.

O cartomante pode muito bem fazer uma consulta de modo sério e profissional, mesmo estando em frente a uma câmera ou numa mesa de uma feira, por trás de um telefone ou de uma webcam. Eles são capazes de gerir o ambiente em que estão encontrando a tranquilidade necessária para efetuar com seriedade o seu trabalho. Não existem duas pessoas iguais e, por esse motivo, a capacidade de absorver e libertar muita energia varia de pessoa para pessoa. No entanto, é importante lembrar ao cartomante, que faz o seu trabalho em lugares como os referidos, que nunca se esqueça de defender e honrar a cartomancia, de seguir uma conduta transparente e honesta, de respeitar o próximo e a si mesmo. Mesmo estando à frente de uma câmera, de um microfone, de uma linha de telefone (call center) ou de um show, nunca se deve esquecer que é um cartomante.

Como deve ser o local da consulta?

O local escolhido para trabalhar deverá respeitar os seguintes itens:

- Sem ruído (TV, rádio, computador, telefone), porque pode prejudicar a concentração;
- Decorações de acordo com a personalidade do cartomante;
- Deve ser acolhedor e confortável.

O ambiente em que se trabalha influencia de alguma forma o cartomante. Por isso, é importante que ele tenha cuidados especiais com o seu espaço de trabalho. Nos países árabes e na Índia, a leitura das cartas ou da borra do café é efetuada na cozinha entre mulheres (a cozinha é um espaço onde os homens estão proibidos de entrar). Já em Moçambique e Angola, é habitual fazerem-se consultas sentados numa esteira, isto é, no chão.

Tanto nos países árabes como na Índia ou na África, ainda é tabu a consulta de cartas ou a utilização de qualquer outro meio de adivinhação. Tudo ainda é feito às escondidas, em segredo, longe dos olhos dos homens da casa. Como veem, o local de uma consulta depende das condições culturais e da vida de cada um. O importante é honrar e respeitar o próprio trabalho.

A MESA DE LEITURA

Sugiro que se deixe guiar pelas suas crenças religiosas ou pelas suas motivações pessoais. Tradicionalmente, a mesa do cartomante é coberta com uma toalha de mesa de algodão branco. Na mesa também se colocam utensílios que servirão para absorver os fluídos negativos:

- Incenso (do seu gosto);
- Vela branca;
- Um pires com sal marinho;
- Copo d'água (mineral sem gás);
- Cristais ou moedas.

Além disso, a caixa onde é guardado o baralho de cartas também deverá conter papel e uma caneta para anotar os dados do/a consulente e os lançamentos.

A DURAÇÃO DE UMA CONSULTA

Quanto tempo deve durar uma consulta? Isso vai depender muito do cartomante. Cada um segue uma linha própria baseada em rituais e na escolha de métodos de lançamento das cartas. Portanto, é de bom senso informar antecipadamente o/a consulente sobre o tempo que durará a sessão.

Quando uma pessoa entra em contato comigo, para marcar uma consulta, procuro sempre saber se ela pretende uma consulta geral na qual sejam abordados todos os temas da sua vida ou se pretende simplesmente uma consulta sobre um assunto específico. Alguns consulentes não pretendem que sejam tratados alguns assuntos da sua vida durante a consulta, assim essa vontade deve ser respeitada.

É com base neste primeiro contato, no qual o/a Consulente identifica as suas expectativas relativamente à consulta, que se decide qual o método de lançamento a ser usado e, consequentemente, essa escolha determinará o tempo de duração da consulta. Para uma consulta geral (Grand Tableau), estabeleço uma hora e meia a duas horas de leitura e para uma consulta focada num único tema, a consulta pode durar entre 45 e 50 minutos.

O INTERVALO DE TEMPO ENTRE UMA CONSULTA E OUTRA

O mais indicado é estabelecer uma data antes de cada lançamento, de acordo com o assunto trazido pelo/a consulente. Isso permitirá ao cartomante definir o próximo agendamento de uma nova consulta, de forma que possa seguir o desenvolvimento da situação em causa.

Pode acontecer que, no mesmo dia ou até nos dias seguintes à consulta, o/a Consulente estabeleça novo contato para refazer a consulta. O que fazer nesta situação? Tenho por hábito anotar no meu caderno diário as consultas que efetuo. Consultar essas anotações ajuda-me a esclarecer todas as lacunas apresentadas pelo/a Consulente sem ter que abrir uma nova consulta.

Caso o/a Consulente queira abordar um outro assunto, diferente do tratado anteriormente, não existe qualquer problema em marcar uma nova consulta. Por exemplo, como habitualmente trabalho com o Grand Tableau Lenormand, acontece-me por vezes ser contatada pelo/a Consulente dias depois, para aprofundar uma determinada área: finanças, trabalho, amizade etc. Neste caso, não existe qualquer problema em abrir uma nova consulta para aquele tema específico.

É fundamental "educar" o/a Consulente a saber esperar o desenvolvimento da situação e a não esperar de uma consulta cartomântica a solução dos seus próprios problemas. É nosso dever e responsabilidade comunicar-lhe quais os benefícios de uma consulta (ajudá-lo/a compreender a sua situação, indicar-lhe para onde essa situação o/a está levando, ajudá-lo/a no autoconhecimento, na sua evolução como ser humano etc.) e qual o papel de um cartomante (levar ao consulente a mensagem trazida pelas cartas sem interferir com opiniões pessoais e no seu livre arbítrio).

PAGAR OU NÃO PAGAR A CONSULTA?

"O cartomante tem um dom, por isso não deve receber qualquer compensação pelas suas consultas".

Muitas vezes ouvimos esta frase, quando alguém solicita uma consulta a um cartomante. Deve- se explicar a essas pessoas que ninguém nasce cartomante. Só através de um longo e árduo período de estudo, composto de teoria e prática, é que alguém se torna cartomante. Um cartomante sério frequenta inúmeros cursos profissionais, compra livros, faz pesquisas e tudo isso tem um custo, muitas vezes elevado.

Quando alguém escolhe um determinado cartomante, é porque, através de conhecidos, sabe quem ele é, sabe o seu verdadeiro valor e está ciente do seu profissionalismo. A pessoa que consulta um cartomante experiente e profissional sairá beneficiado, pois poderá usufruir da solidez dos seus conhecimentos, fruto de longos anos de estudos. Por tudo isso, creio que um cartomante merece ser compensado pelo serviço que presta a quem o procura.

CARTAS COBERTAS: SIM OU NÃO?

O que são "cartas cobertas" ou "ocultas"? Chamam-se "cartas cobertas" as cartas postas na mesa com a face voltada para baixo (sem mostrar a imagem), para que não seja possível identificá-las até o momento da leitura. Não é um procedimento obrigatório. Cada um é livre de optar por colocar as cartas na mesa cobertas ou não.

Dependendo do método que se escolhe para trabalhar, decidimos se manteremos as cartas cobertas ou não. Por exemplo, para o Grand Tableau, no método dos três ou dos cinco, as cartas estão abertas, isto é, com as imagens viradas para cima; já quando se trabalha com a cruz celta, com as 12 casas astrológicas (mandala), entre outros métodos, pode-se optar por manter as cartas cobertas nas suas posições até o momento da leitura das casas onde se encontram "hospedadas".

EMBARALHAR AS CARTAS

O ato de embaralhar as cartas faz parte do ritual da consulta e deve ser levado muito a sério, porque é neste preciso momento que a magia da consulta começa. Mas qual é a importância de embaralhar as cartas? É precisamente durante o ato de embaralhar as cartas, quando elas se cruzam entre si, que se colocam numa ordem diferente da anterior, o que fará com que assumam posicionamentos diferentes numa próxima leitura. Com este processo, garante-se que duas ou mais cartas, anteriormente tiradas numa leitura, não tenham a oportunidade de se encontrarem novamente, mas caso isso aconteça, será por "vontade divina".

O importante é que você embaralhe bem as suas cartas e que pare o embaralhamento quando sentir que deve. A minha avó pedia ao/a consulente para dizer "stop" quando quisesse parar o procedimento de embaralhar, herança que levo comigo para as minhas consultas. Há muitas maneiras de embaralhar as cartas: overhand, hindu e cascata. A escolha é pessoal. O que realmente importa é que se sinta à vontade enquanto embaralha as suas cartas e que, durante o ato de embaralhar, proceda com a máxima delicadeza, sem apertar ou bater violentamente as cartas umas contra as outras, para evitar danificar os seus cantos.

Se estiver com dificuldades em embaralhar as suas cartas, sugiro-lhes que coloquem um pouco de pó de talco. Isso irá facilitar a movimentação entre as cartas no momento do embaralhamento.

O consulente deve embaralhar as cartas?

O/A consulente deve ou não fazer o ritual de embaralhar as cartas? Fica ao critério do cartomante, que deverá agir de acordo com a sua própria crença. Eu não permito que o meu consulente embaralhe, corte e escolha as cartas pelo simples fato de considerar que, no momento da leitura, ele/a não se encontra em equilíbrio emocional e também porque acabaria por danificar o baralho durante o ato de embaralhá-lo, devido à sua falta de prática.

Quando as cartas caem do baralho?

É um evento muito comum e bastante frequente. Enquanto embaralhamos as cartas para fazer uma consulta, ou enquanto as estamos transportando de um local para outro, pode acontecer que as cartas caiam do baralho. O que fazer numa situação como esta? Qual o comportamento a adotar? Devemos recolher as cartas e ignorar ou levar em consideração as mensagens trazidas pelas cartas que caíram? Primeiro é preciso avaliar qual o tipo de relacionamento que se tem com o próprio baralho de cartas.

Se o cartomante tiver, como eu, um relacionamento íntimo com o seu baralho, então é natural que as cartas caídas sejam levadas em consideração. Elas estão trazendo uma mensagem e é importante escutá-las.

O que vocês devem saber sobre as cartas que caem do baralho?

Aqui vão alguns conselhos que irão ajudá-los nesta situação em particular:

1. Considerem unicamente as cartas que caem com as imagens para cima

2. Estas cartas sempre trazem um conselho, um alerta, uma sugestão, um aviso e vêm dizer nos algo muito importante ou podem trazer um esclarecimento, uma revelação ou ainda mais informações sobre algo que é realmente importante para nós.

3. Se estiver efetuando uma consulta, estas cartas trazem uma mensagem para o/a consulente, dizem respeito ao tema que estamos investigando naquele exato momento.

4. Se estiver movendo o baralho de cartas de um lugar para outro sem intenção de efetuar qualquer consulta ou se estiver simplesmente estudando, então a mensagem das cartas caídas é dirigida a você.

Baseada na minha longa experiência, sempre que esta situação ocorre durante uma consulta, estas cartas devem ser levadas em grande consideração.

OS MÉTODOS DE LEITURA (LANÇAMENTOS)

Método "Energia do Dia"

Eu tenho, numa "peneira", um velho baralho, colocado em cima de uma mesinha na sala. Todos os dias, pela manhã, é meu hábito tirar duas cartas para conhecer a energia do meu dia.

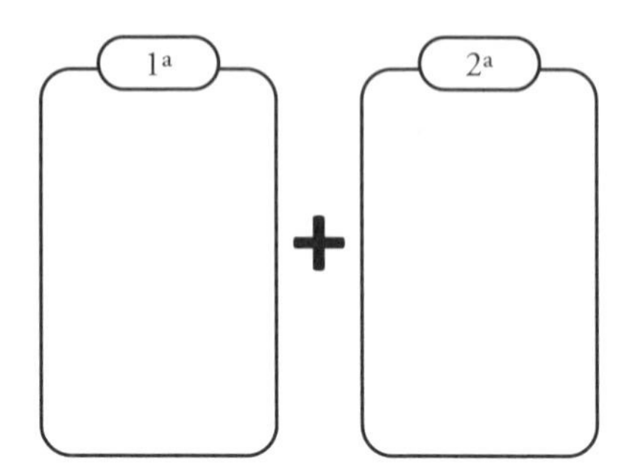

A primeira carta:

Representa a energia do dia. A carta aqui posicionada nos mostrará eventos e acontecimentos importantes que irão ocorrer nesse dia. A energia aqui presente pode ser trazida pelo/a próprio/a Consulente, por outras pessoas ou eventos não controlados pelo/a consulente.

A segunda carta:

Representa o como gerir a energia do dia. A carta aqui posicionada nos dá um conselho, um parecer de como lidar com a energia do dia.

Um exemplo de uma leitura com o presente método

Numa manhã de 2017, uma amiga minha, que por motivos de privacidade a chamaremos de Daniela, contatou-me pedindo para "tirar" algumas cartas para aquele dia, já que tinha tido um sonho assustador que a estava deixando agitada.

Nome da consulente: Daniela

Cartas extraídas: As Nuvens + A Âncora

1ª posição: As Nuvens

- Palavra-chave: incompreensão, pouca clareza nas coisas, dúvidas, incertezas, confusão, caos, ânsia.

O aparecimento da carta As Nuvens, numa leitura, geralmente assinala algo de desagradável que surge repentinamente, originando um momento de pânico e agitação. Na presença desta carta, pode surgir a necessidade de ir além, tentando compreender o que vai originar "algo" trazido pelas Nuvens. Assim extrai-se mais uma carta (estas cartas são chamadas de cartas complementares, que podem ser extraídas quantas forem necessárias; as cartas complementares servem para esclarecer uma carta que não se consegue compreender a sua mensagem) que será colocada por cima da carta As Nuvens.

Carta complementar extraída: As Corujas

- Palavras-chave: comunicação falada, conversas, diferenças de opinião, encontros, bisbilhotices, estresse, confusão, pequeno grupo de pessoas.

Sentindo-me insatisfeita, EXTRAÍ UMA SEGUNDA CARTA COMPLEMENTAR, A Serpente.

- Palavras-chave: engano, traição, mentiras, uma situação complicada e difícil de gerenciar.

Desta combinação, As Nuvens + As Corujas + A Serpente, compreendi que naquele dia Daniela iria envolver-se numa discussão com uma mulher. As Corujas + A Serpente, pode indicar que essa mulher poderia ser uma cartomante ou uma feiticeira.

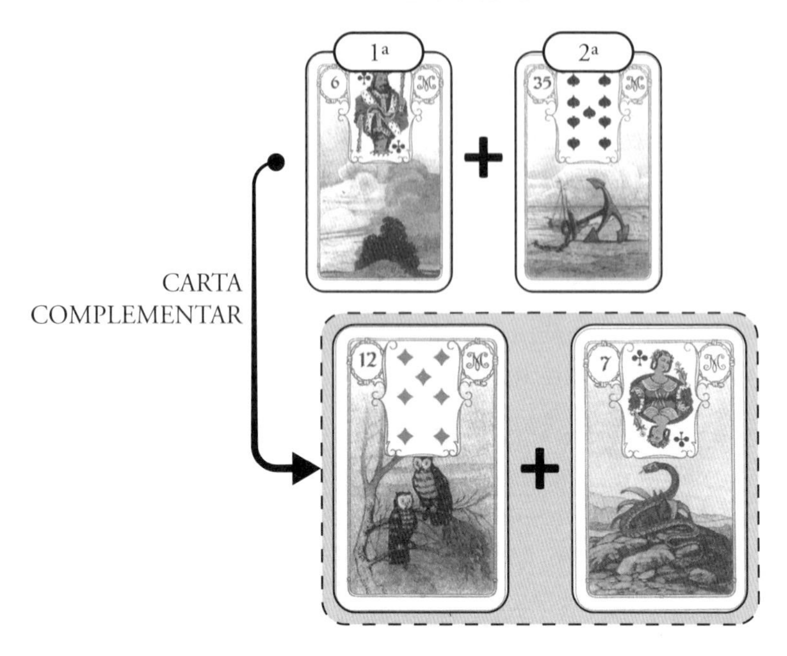

Por curiosidade EXTRAÍ UMA OUTRA CARTA PARA COMPREENDER onde este evento iria acontecer. Carta, O Parque.

- Palavras-chave: localidade pública, grupos de redes sociais.

Agora temos na 1ª posição as cartas, As Nuvens + As Corujas + A Serpente + O Parque

A minha interpretação:

A energia daquele dia para a minha amiga seria horrível, porque estaria envolvida num evento caótico (As Nuvens) gerado por uma mulher (Rainha de Paus), devido a diferenças de opinião, julgamentos e críticas pesadas (As Corujas + A Serpente) nas redes sociais (O Parque). Provavelmente num pequeno grupo (As Corujas) fechado (As Nuvens). A combinação As Corujas + A Serpente + O Parque, indicou-me que essa mesma mulher seria responsável de transmitir, nas redes sociais, calúnias e mentiras dando origem a comentários maliciosos por parte de muitas pessoas contra Daniela.

2ª posição: A Âncora

- Palavras-chave: estabilidade, firmeza, parar, não se mover.

A minha interpretação:
Deste modo, com a carta A Âncora, aconselhei Daniela a não agir. Aconselhei-a também que se focasse nos próprios deveres cotidianos ou profissionais, ignorando todo o tipo de comunicação por parte dessa mulher ou de pessoas que a procuravam para falar sobre o ocorrido. Como bem sabemos, qualquer tipo de evento trazido pela carta As Nuvens passa rapidamente.

Atualização

A minha amiga fazia parte de um pequeno grupo de cartomantes, onde todas as integrantes estudavam e trocavam conhecimentos vindos da experiência de cada uma. No dia da tiragem, a minha amiga descobriu que uma das colegas utilizava todo o material do grupo para dar cursos sem pedir autorização ao proprietário do material (neste caso, a minha amiga). Tudo isto gerou um confronto muito violento e palavras desagradáveis e muito ofensivas. A mesma mulher esteve em alguns grupos de cartomancia difamando Daniela. Foram 10 dias intensos de comentários maliciosos, mas, devido ao comportamento tomado pela Daniela, o de ficar quieta e de não contestar, a situação acalmou.

Obviamente, Daniela decidiu manter-se distante desta pessoa e dos grupos da rede social onde se tornou objeto de ofensas. Muitas vezes é melhor optar pela própria paz do que ter razão.

MÉTODO DAS "TRÊS CARTAS"

O método das "Três Cartas" é um método com múltiplas possibilidades de utilização. Pode ser levado em consideração para a "leitura" de qualquer tema que se deseje averiguar:

- Amor;
- Relação;
- Trabalho;
- Finanças;
- Estado de saúde;
- Para uma "leitura" do tempo;
- Para perguntas específicas a respeito do andamento de uma situação;
- Para uma pergunta com resposta direta, sim/não;
- Para um conselho diário;
- E assim por diante.

Como já mencionado na apresentação do método, ele pode ser escolhido para verificar qualquer tema da vida. Diferente do método dos "três tempos" (casa 1 para o passado; casa 2 para o presente; casa 3 para o futuro), a técnica do método das "três cartas "não apresenta nenhuma casa posicional, levando em conta palavras-chave que guiam e orientam o cartomante. Essa técnica é particularmente favorável para uma pessoa que está se aventurando, pela primeira vez, no estudo das cartas, pois ajuda a aprender as técnicas das combinações de um modo mais fácil, aumentando a confiança em si mesmo e nas próprias capacidades de cartomante. O presente método não se adapta para uma consulta do tipo generalizada. Por isso, limitem-se a seguir as leituras baseadas em perguntas claras e específicas, bem como a responder sempre dentro do contexto do tema tratado.

A estrutura física do método

O método compõe-se de três casas onde as cartas tiradas do leque são colocadas segundo a ordem de extração.

A técnica de Leitura

1. O primeiro passo é nos focarmos na carta central, ou seja, na casa 2.

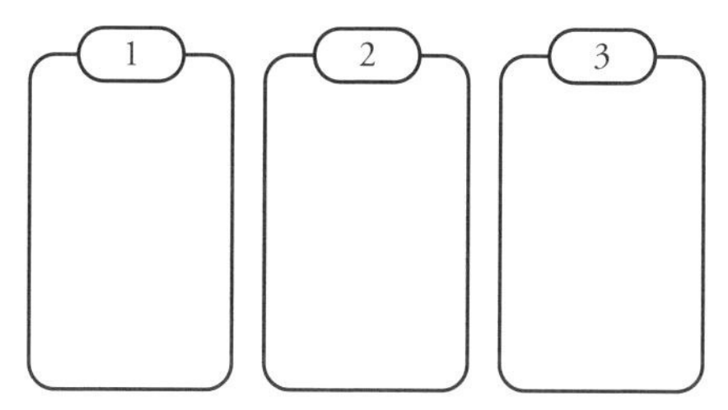

2. O segundo passo é observarmos a casa 2. A carta "hóspede" nessa casa tem uma grande importância, já que esta revelará informações que terão um peso enorme para a leitura.

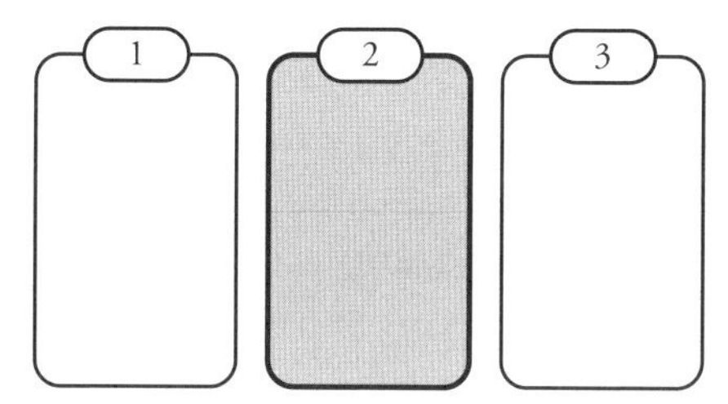

3. O terceiro passo consiste em unir primeiro as casas 1+3:

4. Depois as casas 1+2:

5. E por fim as casas 2+3:

A leitura das combinações é feita separadamente, ou seja, não se deve ler todas juntas. Em vez disso, deve-se ler um par de cartas de cada vez. Só no final é que se deve fazer um resumo da "leitura" inteira (a seguir, vamos experimentar esta leitura com um exemplo concreto para tornar mais clara esta técnica).

Nota importante:
Com este método, não é necessário fazer a soma das três casas para obter uma carta extra que sirva de conselho. Eventualmente, se sentir a necessidade de receber conselhos ou sugestões a respeito de uma situação que importa muito, então pode-se sempre optar por uma nova leitura.

Exemplo 1

(Os exemplos aqui apresentados são tirados do meu caderno pessoal)

Data da consulta: 4 de fevereiro de 2009 Nome da Consulente: Gabriella, 32 anos. Tema para verificar: Financeiro

Pergunta efetuada: "Durante os próximos três meses, a situação econômica da Gabriella irá melhorar?"

Corte do baralho: A Âncora + A Montanha

Obviamente estas duas cartas revelam uma situação que está parada por um longo período de tempo. De fato, a Gabriella confirmou-me que o seu trabalho (Gabriella é costureira) tinha sofrido, fazia cinco meses, contratempos e, por essa razão, encontrava-se numa situação financeira muito difícil. A Âncora é a carta temática para o trabalho e na frente dela temos a carta A Montanha, a qual se coloca como um obstáculo intransponível, o que não permitiu nenhum progresso profissional para Gabriella. Essas duas cartas fazem parte da minha categoria de cartas "paradas". As cartas "paradas" são aquelas que não permitem nenhum progresso, nenhuma novidade. Elas são estáticas, fixas sempre na mesma posição, causando longos atrasos na realização de projetos e, neste caso, não permitiram uma evolução econômica e financeiramente positiva no trabalho.

As três cartas extraídas:

- As Cegonhas + Os Peixes + A Âncora

Palavras-chave das três cartas:

(Eu tentei extrair as palavras-chave de cada uma das três cartas baseando-me no argumento da leitura, aquelas que me seriam mais úteis.)

- As Cegonhas: mudanças, ação, modificações, movimentos, transferência, alterações.
- Os Peixes: finanças, dinheiro, valores materiais, negócios, empresário.
- A Âncora: trabalho, esperança, constante, fixo, estabilidade.

Análise das três cartas:

A carta central, Os Peixes, é a carta temática das finanças, do dinheiro. Incrível, pois demonstra que o dinheiro é o tema central da leitura.

Agora passemos às combinações das três casas:

- As Cegonhas + A Âncora (casa 1 + casa 3): Haverá mudanças importantes no próprio trabalho. Provavelmente Gabriella vai tentar fazer alterações no modo de trabalhar.
- As Cegonhas + Os Peixes (casa 1 + casa 2): Retorno ou melhoria da própria condição econômica. Fertilidade.
- Os Peixes + A Âncora (casa 2 + casas 3): No meu ponto de vista, a carta Os Peixes indica aumento, incremento, multiplicação. Com A Âncora, faz-me pensar num aumento de trabalho e/ou vencimento, ou seja, garante uma certa estabilidade econômica.

A minha interpretação:

Gostei muito desse trio de cartas e estou certa de que vocês também gostaram. Disse à Gabriella que ela modificaria o seu trabalho de modo importante e que essa decisão lhe garantiria um salário fixo e consequentemente uma estabilidade financeira.

Gabriella perguntou-me, em seguida, como aconteceriam essas mudanças, porque ela não tinha nenhuma ideia por onde começar. Então, baseando-me na pergunta da Gabriella, embaralhei novamente as cartas, dispus na mesa em forma de leque e retirei as seguintes três cartas:

Palavras-chave das três cartas:

(Eu tentei extrair as palavras-chave de cada uma das três cartas baseando-me no argumento da leitura, aquelas que me seriam mais úteis.)

- Os Peixes: finanças, dinheiro, investimento, negócios, valores materiais, procriar.

- O Navio: viagem, mudança, exterior, internacional, import-export, coisas diversas.
- O Parque: o público, a multidão, publicidade, cliente, rede social, passarela (desfile), fazer-se notar.

Análise das três cartas:

A carta central é O Navio. Esta carta é um veículo de novas aventuras, de contato com coisas e situações diversas que podem enriquecer, seja intelectualmente ou culturalmente. Ela também é símbolo do comércio, da negociação, da conexão, do contato com países e pessoas distantes.

A presença do Navio na posição central da leitura é um convite para Gabriella alargar os próprios horizontes no trabalho e adaptar-se às várias possibilidades disponíveis no mercado, divulgando os seus próprios produtos. Por exemplo, aproveitando as imensas oportunidades oferecidas pela internet.

Agora passemos à combinação das casas:

- Os Peixes + O Parque (casa 1 + casa 3): A primeira palavra que me veio à mente quando eu vi essa combinação foi: cliente. Mas também pensei: oferecer os próprios produtos na internet.
- Os Peixes + O Navio (casa 1 + casa 2): Essa combinação já saiu algumas vezes e indicava negócios ou venda dos próprios produtos no exterior.
- O Navio + O Parque (casa 2 + casa 3): Países e pessoas estrangeiras. "Navegar" pela internet. Revela também que haverá um contrato com pessoas distantes, residentes no exterior.

A minha interpretação:

Aconselhei Gabriella a considerar a ideia de abandonar os seus velhos conceitos de trabalho e a procurar adaptar-se aos tempos modernos, onde tudo gira em torno da internet. Sugeri a navegação pelos blogs e sites, fazendo uma pesquisa sobre os produtos mais procurados (no caso dela, roupas e outras coisas ligadas ao corte e costura, visto que Gabriella é costureira profissional). Em seguida, poderia propor os seus próprios produtos para venda nesta grande rede, através da qual conseguiria, com certeza, atingir uma grande clientela internacional.

Atualização:
Gabriella rapidamente começou a trabalhar. Pediu a uma amiga experiente em internet e em redes sociais para ajudá-la a fazer pesquisas e a oferecer o seu trabalho. Apresentou os modelos das suas bolsas na net (até me ofereceu duas; é que eu sou louca por bolsas). Os seus produtos chamaram a atenção de um estilista israelita, que a convidou a fazer parte do seu staff de costureiras.

Recentemente (março de 2013), Gabriella veio me visitar, pois estava de passagem pela Suíça. Achei-a maravilhosamente bem e feliz. Hoje, trabalha para numerosos clientes fixos, espalhados pelo mundo. Tenho que admitir que estou muito feliz porque, através das minhas "francesinhas", consegui ajudar Gabriella a encontrar a sua estrada, levando-a a atingir o seu objetivo de realização profissional, de paz e de serenidade na sua vida. Que assim seja sempre!

Exemplo 2

DATA DA CONSULTA: 13 de dezembro de 2012

TEMA PARA VERIFICAR: Horóscopo do dia

PERGUNTA EFETUADA: Como será meu dia hoje?

CORTE DO BARALHO: A Foice + A Mulher

Naquele período, eu estava atravessando um momento muito difícil por causa da minha saúde. Podem, então, imaginar o que eu senti ao ver essas duas cartas! Porém, tentei deixar de lado aquele pensamento e anotei no meu caderno, com letras maiúsculas e cor vermelha "ESPERO UM GRANDE CHOQUE".

Em seguida, recolhi do meu leque três cartas e coloquei-as na minha frente: O Cavaleiro + A Serpente + A Carta.

Palavras-chave das três cartas:

(Eu tentei extrair as palavras-chave de cada uma das três cartas baseando-me no argumento da leitura, aquelas que me seriam mais úteis.)

- O Cavaleiro: chegada, novidade, o pensamento, transmissão veloz de informação, entrega, entrevista, contato direto.
- A Serpente: rival, inimigo/a, veneno, conspiração, grave complicação, desvio, traição, infidelidade.
- A Carta: comunicação escrita (MSN, e-mail, chat, carta, SMS), sinalização, aviso.

Análise das três cartas:

A carta central é A Serpente e isso deixou-me um pouco alarmada, dado que se trata de uma carta potencialmente negativa e seus efeitos podem ser irritantes por um longo tempo, quando não são mesmo fatais.

Passemos à combinação das casas:

- O Cavaleiro + A Carta (casa 1 + casa 3): Vão me enviar uma mensagem. Alguém quer me dizer alguma coisa de interesse pessoal.
- O Cavaleiro + A Serpente (casa 1 + casa 2): Esse gentil cavaleiro traz-me notícias a respeito de uma traição. Uma conspiração contra a minha pessoa. Preocupante!
- A Serpente + A Carta (casa 2 + casa 3): Vi essas duas cartas como um aviso, um alerta. O conteúdo da notícia é importante, contém

uma mensagem inquietante. Uma pessoa ligada ao ocultismo, ao mundo esotérico. Uma cartomante.

A minha interpretação:
O que me chamou mais atenção nessas três cartas foi ver O Cavaleiro como primeira carta. Por vezes (deixo-me guiar pelo instinto) trabalho com a técnica do olhar e da direção dos personagens, bem como do movimento dos objetos e instrumentos presentes nas cartas.

Aqui vemos claramente o Cavaleiro, que galopa veloz em direção ao seu destino, para seu objetivo, levando A Serpente e A Carta. Vendo isto, pensei que estava acontecendo alguma coisa de desagradável "nas minhas costas"; algo nada bom e que um "porta-voz" (já que o Cavaleiro é alguém enviado como portador de notícias) viria, por um meio veloz (telegrama, e-mail, chat), visto que a mensagem que vem é de máxima urgência. A notícia, com certeza, seria chocante e iria me provocar uma enorme dor (A Foice + A Mulher). Isso foi o que escrevi naquele dia no meu caderno diário.

Atualização:
Naquele mesmo dia, eu recebi, no meu perfil do Facebook, uma mensagem pessoal da parte de uma querida amiga da África do Sul (pela qual tenho uma grande admiração e estima pela grandiosa contribuição que dá à pesquisa e ao estudo do baralho Petit Lenormand; ela também é uma cartomante). Ela me comunicou que o meu segundo livro "L'Oracolo di Mademoisselle Lenormand" tinha sido plagiado.

Era a última coisa que imaginaria que pudesse me acontecer depois de uma longa batalha contra o cancro da mama (naquele mesmo dia, tinha acabado de fazer a quimioterapia). Podem imaginar as consequências de tudo aquilo, o que gerou em mim naquele período. Portanto, mais uma vez, as cartas foram claras na sua mensagem.

Métodos "dos Três" (Ampliado)

Autoria: Odete Lopes Mazza

PROPOSTA 1 – PARA UM RELACIONAMENTO

Este método pode ser escolhido para averiguar as condições e o andamento de qualquer tipo de relacionamento: amor, amizade, entre sócios, rivais, família etc.

Do baralho serão extraídas 9 cartas que serão depositadas na mesa de trabalho seguindo a ordem numérica apresentada na figura abaixo.

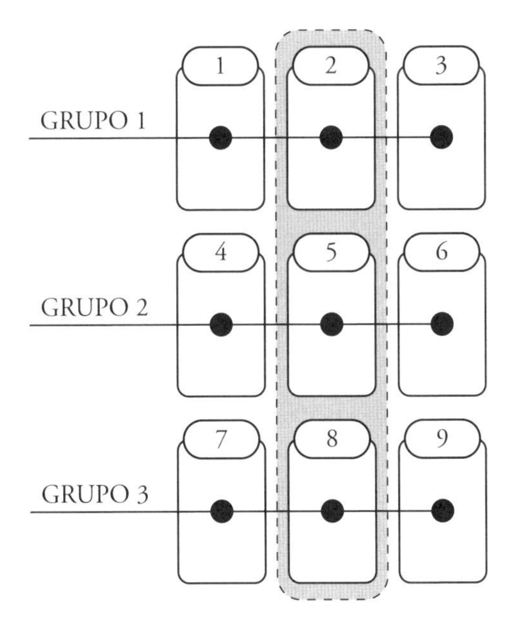

Definição das casas

- Cartas do Grupo 1: Indica o/a Consulente perante a sua situação. Como vive o relacionamento, as suas atitudes e objetivos sobre a relação e a outra pessoa.
- Cartas do Grupo 2: Estas cartas falam da outra pessoa (companheiro/a, amigo/a, familiar, rival). Aqui vem descrito como ela vive o relacionamento, as suas atitudes e objetivos sobre a relação

e para com o/a Consulente. Caso se esteja realizando uma leitura para um relacionamento sentimental e não exista nenhuma pessoa na vida do/a Consulente, este grupo de cartas irá descrever as condições atuais da vida amorosa.

- Cartas do Grupo 3: Estas cartas informarão sobre a real situação do casal objeto da leitura. Mas caso o/a Consulente não tenha ninguém na sua vida sentimental, estas cartas fornecerão informações sobre o desenvolvimento futuro da vida sentimental, ou sobre um relacionamento.
- Cartas do Grupo 4: A evolução futura obtém-se de duas maneiras:

  1. Somando o valor das cartas dos três grupos e subtraí-los até obter uma carta entre os números 1 e 36;

  2. Ou interpretando as cartas centrais (verticais) que se encontram destacadas em cinza na figura.

Tomemos como exemplo, uma leitura que fiz para uma senhora de nome Margherita, na Suíça francesa, no ano de 2014. Margherita conheceu Jean-Pierre em um aplicativo de namoro na internet e começaram a se conhecer. No início, parecia que as coisas estavam correndo bem, até chegaram a fazer projetos de viagens para a França. Algo, porém, aconteceu que levou Margherita a procurar-me para uma consulta com a intenção de entender as atitudes dele e a evolução que esta relação teria nos próximos 3 meses.

- O Grupo 1: Que representa a Margherita. Aqui encontramos as seguintes cartas: As Nuvens + A Vassoura e O Chicote + As Estrelas Margherita, no momento da consulta, encontrava-se confusa, agitada e chateada (As Nuvens + A Vassoura e O Chicote) pela falta de esclarecimento por parte do companheiro (As Nuvens + As Estrelas). Margherita começava a nutrir dúvidas sobre os sentimentos que Jean-Pierre dizia sentir por ela (As Nuvens posicionadas em cima da carta O Coração).

- O Grupo 2: Que representa o Jean-Pierre. Aqui temos: O Coração + A Raposa + Os Caminhos
  As dúvidas de Margherita são fundadas, visto que O Coração + A Raposa assinala que Jean-Pierre é ambíguo e falso nas suas intenções e sentimentos. Este homem, às escondidas (A Raposa + Os Caminhos), vai em busca de aventuras sentimentais (O Coração + Os Caminhos), possivelmente por internet (As Estrelas posicionadas em cima da carta Os Caminhos).
- O Grupo 3: Que representa a situação atual do casal. Aqui temos as seguintes cartas: As Corujas + A Carta + As Montanhas.
  Para não dar explicações e não esclarecer a própria posição já difícil, Jean-Pierre bloqueia o contato e a comunicação com Margherita (A Carta + As Montanhas) de maneira que ela também não possa controlá-lo quando está no WhatsApp (As Corujas + A Carta).

- O Grupo 4: (cartas centrais na vertical) que sugerem a possível evolução do casal. Aqui temos: A Vassoura e O Chicote + A Raposa + A Carta.

  A contínua pressão por parte de Margherita para descobrir a verdade (A Vassoura e O Chicote + A Raposa), levam-na a espiar os contatos do seu companheiro na busca de descobrir algo (A Raposa + A Carta + As Corujas). Portanto, Margherita continuará a não ter nenhum esclarecimento por parte de Jean-Pierre.

PROPOSTA 2 – PARA QUESTÕES PROFISSIONAIS OU FINANCEIRAS

Definição das casas

- Cartas do Grupo 1: Estas cartas trazem informações sobre o/a Consulente perante o trabalho ou perante as próprias finanças segundo o tema escolhido. Quais as suas atitudes perante a questão formulada? Qual a sua realidade perante as finanças ou trabalho?
- Cartas do Grupo 2: Indicam a situação atual. As cartas presentes neste grupo descrevem a real condição profissional ou financeira do/a Consulente.
- Cartas do Grupo 3: Estas cartas irão descrever a evolução futura profissional ou financeira.

Exemplo de Leitura – Questão Financeira

Consulta solicitada por Carlos Miguel, em janeiro de 2017, que deseja conhecer o andamento das suas questões financeiras nos próximos 3 meses. As cartas extraídas foram:

- Grupo 1: Os Ratos + O Urso + O Caixão
  Os Ratos + O Urso sugerem uma perda financeira muito grande por causa de uma situação dolorosa que se arrasta há algum tempo (O Caixão) e que esvaziou a conta bancária do Consulente. Esta saída de dinheiro foi inevitável.

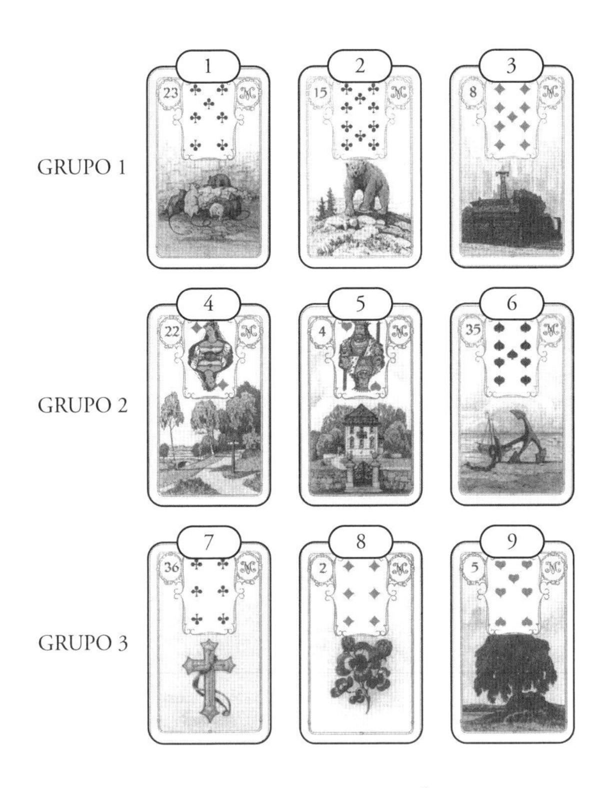

- Grupo 2: Os Caminhos + A Casa + A Âncora
  Na verdade, o Consulente teve que tirar todas as suas economias do banco, para resolver uma questão familiar importante.

Nota Importante:
Quando se trabalha com as técnicas do Grand Tableau, ou mesmo com os códigos Lopes Mazza, é natural observar algumas particularidades que se apresentam no "jogo", como as cartas dos ângulos e a carta central que podem acrescentar outras informações na leitura. No presente caso, sugerem a origem do problema e a motivação pelo qual o Consulente teve que desfazer-se das suas economias, foi por causa de uma doença (O Caixão + A Árvore + A Cruz + Os Ratos) de um familiar (A Casa).

- Grupo 3: A Cruz + O Trevo + A Árvore
  Graças à superação dos tempos difíceis (A Cruz + O Trevo), Carlos Miguel poderá iniciar as suas economias (O Trevo + A Árvore).

Exemplo de Leitura – Questões Profissionais

O Consulente, de nome Xavier, busca uma orientação para a sua situação profissional nos próximos 3 meses.

- Grupo 1: As Estrelas + A Raposa + O Cavaleiro
  As Estrelas + A Raposa indica-nos que Xavier teme que um projeto promissor seu (As Estrelas) não seja concretizado devido ao ambiente de trabalho não saudável e cheio de armadilhas e falsidades (A Raposa + O Cavaleiro).
- Grupo 2: A Serpente + A Montanha + O Urso
  De fato, Xavier está circundado de pessoas mentirosas e astutas que vivem conspirando e criando problemas (A Serpente + A Montanha), que exigem muito esforço (O Urso) e sacrifícios para serem resolvidos.

- Grupo 3: A Torre + O Anel + A Criança
  A Torre, além de representar um trabalho sério e de longo prazo, combinada com a carta O Anel, indica um acordo e um novo contrato empresarial (O Anel + A Criança) que dará impulso e entusiasmo ao Consulente. Observando os ângulos – A Torre + As Estrelas + O Cavaleiro + A Criança – percebemos uma empresa ou sociedade onde a criatividade, a fantasia, ideias inovadoras são importantes. Portanto, Xavier tem todas as capacidades de realizar- se profissionalmente na empresa onde trabalha.

MÉTODO "DEVO CONFIAR?"

AUTORIA: ODETE LOPES MAZZA

"A confiança é um bem frágil. Se você a ganhar, pode desfrutar de liberdade ilimitada; mas, uma vez perdida, pode ser quase impossível reconquistá-la. A verdade é que nós nunca saberemos em quem podemos confiar. Mesmo aqueles que vivem ao nosso redor podem trair-nos. Por isso, a maioria de nós decidiu confiar só em si mesmo; é a melhor forma de evitar a amarga decepção".

Mary Alice Young (Brenda Strong)
Desperate Housewives

Disposição das cartas

As cartas são colocadas na mesa de trabalho segundo a posição sugerida no seguinte gráfico.

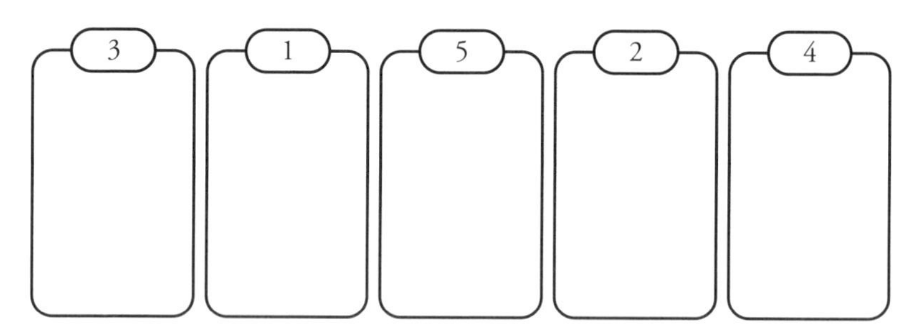

Definição das casas

- CASA 1: Representa o que a pessoa (o outro) mostra ao consulente. Esta carta reflete tudo o que essa pessoa mostra de si mesma. É o somatório do comportamento verbal e das atitudes dessa pessoa em relação ao consulente.
- CASA 2: Representa o que a pessoa não mostra ao consulente. Revela o lado oculto, o que não se conhece dessa pessoa. Podemos considerar dois motivos para esse comportamento por parte da pessoa em estudo:

- Pode acontecer que ela tenha criado uma barreira ou que não tenha realmente boas intenções em relação ao consulente.
- Pode acontecer que ela esteja alimentando as suas próprias dúvidas em relação ao consulente, na sequência das mesmas preocupações que levaram a investigá-la.

- Casa 3: Representa o que a pessoa pretende do/a consulente. Esta casa revela o que a pessoa realmente pretende do/a consulente. A carta "hóspede" desta casa trará a informação sobre as suas verdadeiras intenções e objetivos.
- Casa 4: Representa a evolução do relacionamento entre a pessoa e o/a consulente. Esta carta mostra não só como a relação sob investigação irá se desenvolver, como também dará informações relativamente à qualidade da mesma. Permite obter respostas para estas perguntas:
  - O que podemos esperar?
  - Romper ou continuar o relacionamento com essa pessoa?
- Casa 5: Representa a resposta à pergunta do/a consulente – Posso confiar? Esta casa carrega consigo a resposta final à questão colocada. É a sentença. Indica se a pessoa em questão é digna de nossa confiança ou não.

Vamos dar um exemplo utilizando uma consulta que fiz há algum tempo a uma pessoa que iremos chamar com o nome de Glória.

Nome da Consulente: Glória

Pergunta: Glória pode confiar no seu novo amigo Alberto?

Cartas Extraídas:

- Casa 1: isto é o que o Alberto mostra de si a Glória. Carta O Ramo de Flores.

  Palavras-chave: felicidade, cortesia, gentileza, apreciação, interesse.

  A minha interpretação: Alberto demonstra interesse na amizade com Glória. Ele é cordial, educado, generoso e muito atencioso.

- Casa 2: isto é o que o Alberto não mostra, é o que esconde de Glória. Carta A Raposa.

  Palavras-chave: mentiras, fraude, armadilha, roubo, premeditação, espiar, tirar proveito, sedução, manipulação.

  A minha interpretação: A carta A Raposa não é uma boa carta quando se deve definir o caráter ou a atitude de uma pessoa para com a Consulente. Alberto esconde algo, provavelmente as suas verdadeiras intenções ou os objetivos na amizade com Glória.

Nota importante:
A casa 2 está ligada à casa 3; e é na casa 3 que iremos adquirir mais detalhes sobre a carta A Raposa.

- Casa 3: as verdadeiras intenções de Alberto. Carta Os Ratos.

  Palavras-chave: traição, roubo, perda, tomar posse dos pertences de alguém, prejuízo.

Nota importante:
É importante observar se as cartas posicionadas na casa 2 e 3 são da mesma categoria, isto é, se possuem significados e energias similares. Neste "jogo", temos - nestas duas casas - as cartas A Raposa e Os Ratos, ambas negativas e que falam de traição, roubo, subtração de algo etc. E este é um sinal de alerta que recomenda prudência no relacionamento com este homem. Sugiro, assim, a extração de outra carta (carta complementar) com o objetivo de identificar o que a pessoa irá atingir ou até para ter mais detalhes sobre o roubo ou a armadilha que está sendo preparada para Glória.

- CARTA COMPLEMENTAR: carta O Livro.

Palavra-chave: um segredo, conhecimento intelectual, informações importantes, instrução, documentos importantes.

A minha interpretação: Portanto, A Raposa + Os Ratos + O Livro anunciam que há informações ou documentos ocultos. Para mim, isto foi uma campainha de alarme porque Glória é escritora. E, nesta combinação, está bem claro que a gentileza e cordialidade de Alberto para com a Glória tinha a finalidade de descobrir os detalhes sobre o novo livro da autora.

- CASA 4: a evolução do relacionamento de amizade entre Glória e Alberto. Carta O Caixão.

Palavras-chave: fim, término, conclusão, renúncia, sumir, desaparecer, adeus.

A minha interpretação: A relação entre os dois não tem futuro algum.

Nota importante:
As casas 4 e 5 são interpretadas juntas.

- CASA 5: Glória deve confiar? Carta O Navio.

Palavras-chave: ação, movimento lento, afastamento, distanciamento.

A minha interpretação: Glória não deve confiar em Alberto e, com a presença da carta O Navio, começará a distanciar-se até chegar ao fim do relacionamento (O Navio + O Caixão).

Atualização:

No dia da leitura, Glória - através de alguns conhecidos - soube de muitas coisas desagradáveis sobre Alberto que, no passado, já tinha feito um plágio de um outro escritor, confirmando o que as cartas tinham falado. Glória começou a manter distância de Alberto, não respondendo a mensagens e telefonemas. Já se passaram 3 anos e eles não têm mais contato.

MÉTODO PARA IDENTIFICAR MAGIA

AUTORIA: ODETE LOPES MAZZA

Esta tiragem serve para detectar magia ou qualquer energia negativa que esteja perturbando o/a Consulente ou o ambiente onde vive.

Como proceder:

1. Tire do baralho a carta A Vassoura e O Chicote e coloque-a no centro da mesa.
2. Embaralhe e corte o seu baralho como habitualmente.
3. As cartas obtidas no corte do baralho são muito importantes porque vão nos dar as primeiras informações ou mostrar as energias que estão na vida do/a nosso/a Consulente.
4. Coloque na sua frente as cartas em forma de leque e vá escolhendo oito cartas e distribua-as respeitando as posições identificadas no gráfico.

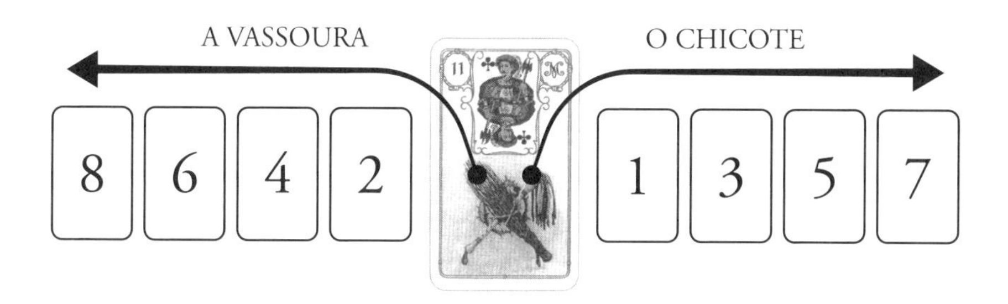

- As quatro cartas que estão em contato com o Chicote vão identificar magias, influências negativas que estão afetando ou perturbando o/a Consulente. As cartas que se encontram nesta posição podem identificar a origem (quem enviou), o tipo de magia e onde ela se encontra (se está dentro de casa, enterrada etc.).
- As quatro cartas que estão do lado da Vassoura, irão dar uma orientação ou aconselhamento sobre o que fazer para limpar as energias presentes no grupo de cartas do Chicote.

Nota:

Dois pontos são importantes de se observar na presença de cartas de figuras da corte na leitura:

1. Em qual dos dois grupos de cartas no método (ver o método para magia em seguida) as figuras da corte se encontram posicionadas, se no grupo do Chicote ou no grupo da Vassoura;
2. A qual naipe pertencem as figuras.

Portanto, uma ou mais figuras da corte do naipe de Nozes, posicionadas no grupo do Chicote, irão identificar pessoas malignas, intencionadas em prejudicar ou destruir a vida do/a Consulente. Não é fácil de se lidar com esta espécie de pessoas. É necessário preparar-se para enfrentar uma guerra para combater e neutralizar o inimigo.

Caso essas figuras sejam de Corações ou de Folhas, estão representando pessoas chegadas ao Consulente (são membros da família e amigos), podem representar que os atos de magia também irão atingir estas pessoas. Por sua vez, figuras da corte do naipe de Nozes na posição da Vassoura, são benéficas porque irão representar os profissionais da área (curandeiros, feiticeiros, médiuns etc.) a que o/a Consulente recorre para pedir auxílio. Os terapeutas, gurus, estão representados pelo naipe de Corações e Folhas.

Lembrem-se de que:

- Os Reis: irão representar os profissionais da área experientes;
- As Rainhas: irão representar os profissionais da área experientes;
- Os Valetes: profissionais da área menos experientes.

As cartas que anunciam a chegada de alguma NEGATIVIDADE OU MAGIA SÃO:

- O Cavaleiro, O Navio, As Corujas, As Cegonhas, A Carta.

As cartas que representam PROTEÇÃO são:

- A Casa, A Árvore, O Urso, As Estrelas, O Cão, A Montanha, As Chaves, A Âncora.

Exemplo de uma Leitura

Para melhor compreensão, apresento-lhes uma leitura verídica, realizada para uma mulher que suspeitava ser alvo de algum ato de magia. As cartas foram as seguintes:

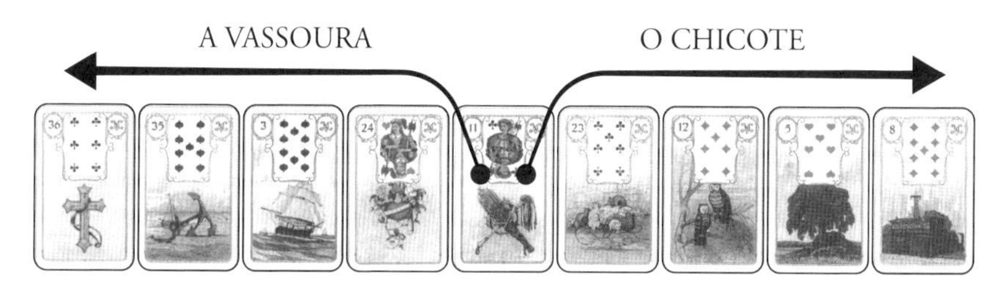

- As quatro cartas do grupo do Chicote (magia): Os Ratos + As Corujas + A Árvore + O Caixão;
- As quatro cartas do grupo da Vassoura (limpeza): O Coração + O Navio + A Âncora + A Cruz.

A leitura começa nas quatro cartas do lado do Chicote, que irão mostrar as energias presentes na vida do/a Consulente:

- Os Ratos + A Corujas + A Árvore + O Caixão.

O primeiro passo é observar se entre as cartas está presente alguma carta indicadora de magia ou energias negativas. Como podem observar, três cartas foram encontradas, Os Ratos, As Corujas e O Caixão. Este conjunto de cartas confirma, sem margem de dúvida, que a Consulente está sendo afetada por magia, principalmente a combinação (espelho) das cartas Os Ratos + O Caixão, que fala de magia negra.

Em seguida, observamos se entre este conjunto de cartas se encontra alguma carta tema, A Árvore, que leva a crer que a magia foi feita para afetar a saúde da Consulente para que ficasse doente (A Árvore + O Caixão). Outra confirmação que a magia foi realizada para atingir a saúde da Consulente está no espelhamento da carta Os Ratos e O Caixão. A combinação, Os Ratos + As Corujas sugere a presença de várias pessoas envolvidas, possivelmente de um país africano (A Árvore + O Caixão). As Corujas + A Árvore + O Caixão, descreve dois curandeiros poderosos.

Uma vez identificada a magia, devemos nos concentrar no conjunto de cartas posicionadas na parte da Vassoura que irão fornecer indicações de como "limpar" o que foi prognosticado no conjunto de cartas do Chicote:

- O Coração + O Navio + A Âncora + A Cruz.

Temos presente a carta O Valete de Corações que sugere a presença de um jovem aprendiz "mago" e cartomante, que vem interferir na questão. Mesmo com o seu pouco conhecimento da matéria, intervém na busca (O Navio) de uma solução. Também a presença deste jovem aprendiz nos diz que a Consulente nutre esperanças (O Navio + A Âncora) de que possa ajudá-la a superar este momento difícil (espelho da carta O Coração + A Cruz). A intervenção deste jovem (O Coração + O Navio + A Âncora) irá acalmar a situação com orações (A Cruz) e fé (O Coração + A Cruz). Portanto, não vai existir uma solução, no momento, que possa eliminar definitivamente a magia da Consulente.

Chegando a uma conclusão similar, aconselho somar os números das cartas presentes, para obter uma orientação que possa ajudar a solucionar o problema levantado no conjunto das cartas posicionadas no Chicote. Neste caso a soma seria:

- 24 + 3 + 35 + 36 = 98 - 36 = 62 - 36 = 26 (O Livro). A carta O Livro, aconselha procurar alguém que tenha experiência e conhecimento na matéria.

Método da Vovó

Este método de leitura acompanha-me desde que comecei o meu caminho dos estudos com as cartas. Era um método que minha avó trabalhava além do Método do Mestre, chamado hoje de Grand Tableau. O método exige maestria e prática com o baralho, portanto é um método de leitura que deve ser escolhido somente quando já tiverem adquirido um bom conhecimento teórico e prático com o baralho.

Este método de leitura permite responder, com precisão e clareza, a qualquer pergunta das diversas áreas da vida: sentimental, profissional, financeiro, saúde etc.

- Passo 1: Para "trabalhar" com este método, é importante definir a área que se pretende investigar (amor, profissão, finanças, amizade, saúde etc.).
- Passo 2: Uma vez que se conhece o contexto da leitura, extrai-se do baralho a carta que representa a carta tema (já estudamos nos capítulos anteriores). Por exemplo, se o contexto é referente a questões profissionais, a carta a ser extraída do baralho será A Âncora; no caso de o contexto ser para um relacionamento sentimental, serão duas cartas a serem consideradas, O Coração e O Anel.
- Passo 3: Uma vez extraída do baralho a carta tema, embaralham-se as 35 cartas restantes, e tiram-se 19 cartas que, unidas à carta tema, somam 20 cartas. No caso apresentado no passo 2, para um relacionamento sentimental, as cartas temas extraídas do baralho são duas: O Coração e O Anel. Sendo assim, a quantidade de cartas a serem extraídas do baralho serão 18 que unidas às 2 cartas tema, formam um baralho com o total de 20 cartas.
- Passo 4: Deixa-se o baralho restante de lado.
- Passo 5: Embaralhem as 20 cartas e disponham na mesa pela ordem apresentada na figura aqui ao lado.

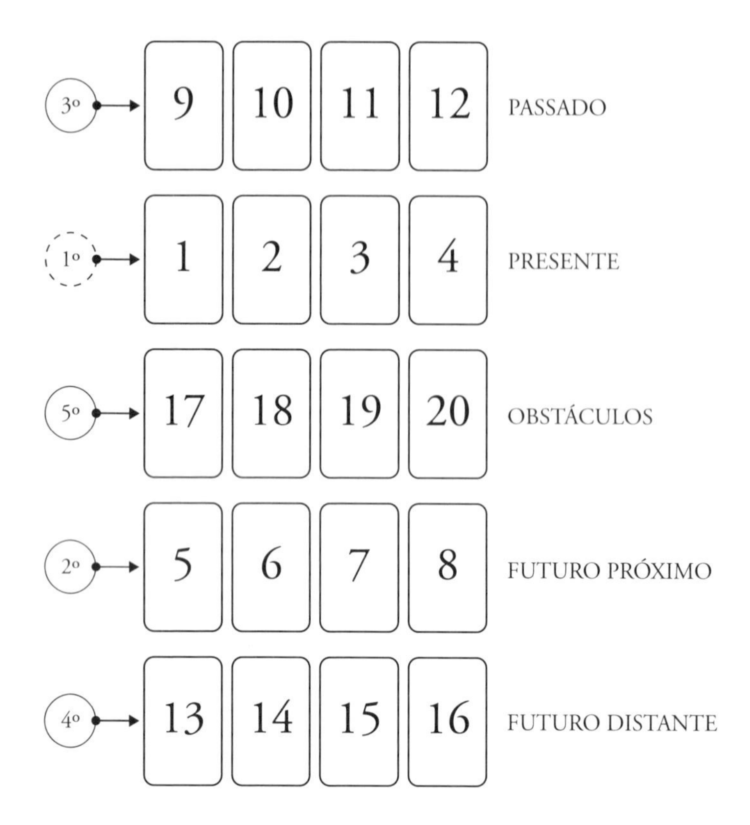

Aqueles que não desejarem seguir a disposição das cartas que aqui apresento, podem colocá-las de 1 a 20 lado a lado, de cima para baixo, da esquerda para a direita, respeitando o número de cartas de cada grupo, isto é, quatro cartas para cada linha.

- Passo 6: Os quatro grupos de cartas determinam o ritmo da leitura e fornecem uma cronologia temporal dos eventos passado, presente, futuro próximo e distante:
  - O passado: As cartas aqui posicionadas fornecem-nos informações importantes, porque falam sobre eventos que influenciam a situação atual. Mostram os eventos ou fatores marcantes do passado. Este grupo de cartas está ligado ao grupo de cartas do presente e dos obstáculos.

Os dois seguintes grupos são analisados juntos.

  - O presente: Descreve a situação atual da questão.

- Obstáculos: Descreve os principais obstáculos da questão atual. Aqui obtemos mais informações sobre os eventos atuais mostrados nas cartas no presente.

Os dois seguintes grupos de cartas, irão revelar o desenvolvimento da questão formulada.

- Futuro próximo: As cartas aqui posicionadas mostram-nos os próximos acontecimentos.
- Futuro distante: Irão nos mostrar o estado da questão até a data estabelecida para a presente leitura.

A seguir, apresento a vocês uma leitura que fiz, em 2017, para a minha consulente que irei chamar de Monique para proteger a sua privacidade. Monique, uma artista famosa na Suíça, solicitou uma leitura para averiguar a evolução da amizade com Sebastian nos próximos 3 meses. A carta tema extraída para as questões relacionadas à amizade foi a carta O Cão e as cartas extraídas para a leitura foram as seguintes:

- O Passado: O Homem + O Urso + A Foice + O Coração
  As quatro cartas presentes neste grupo informaram-me que a relação de amizade entre os dois tinha acabado de sofrer uma ruptura abrupta (A Foice posicionada em cima da carta O Cão). Sebastian, que está representado pela carta O Homem, pareceu-me um indivíduo vingativo e frio (O Homem + O Urso + A Foice), capaz de abusar do seu poder e de suas próprias habilidades para ferir aqueles que considera inimigos. A Combinação A Foice + O Coração, ademais, assinala sentimentos não correspondidos e frieza por parte de Sebastian por Monique.
- O Presente: A Montanha + Os Ratos + O Cão + A Vassoura e O Chicote
  Considerando os eventos anunciados nas cartas que constituíram o "Passado", o presente mostrou-me sentimento de frustraçao e de impotência (A Montanha) de Monique pela atitude de frieza e de indiferença demonstrada por Sebastian (A carta O Homem posicionada em cima da combinação A Montanha + Os Ratos) o que originou discussões e acusações entre eles (O Cão + A Vassoura e O Chicote).

Os três valetes (Sinos, Corações e Nozes), posicionados um perto do outro, mais a combinação O Cão + A Vassoura e o Chicote indicam que Sebastian é homossexual, e isto poderia ter sido a motivação da desavença entre os dois amigos.

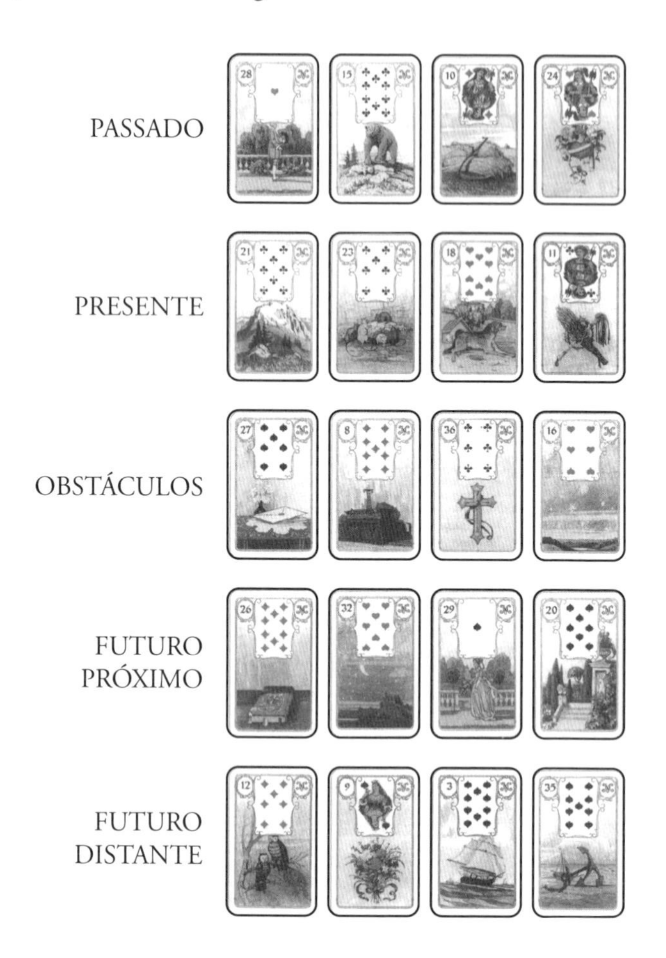

Nota importante:

Quem já conhece as técnicas de leitura do Grand Tableau, pode aplicá-las neste método podendo assim extrair mais informações sobre o caso, usando também a técnica da ponte (técnica que nos mostra as cartas que ligam as duas cartas Consulentes, o que representará o assunto principal em que estão focados). No exemplo, as cartas de conexão são

A Foice + O Livro que indicam a revelação de um segredo da parte de Monique, já que a carta O Livro encontra-se posicionada perto da carta A Mulher. As Corujas + A Lua, posicionada em cima da carta O Ramo de Flores, assinala convites românticos da parte de Monique para Sebastian.

- Os Obstáculos: A Carta + O Caixão + A Cruz + As Estrelas As cartas do grupo dos "Obstáculos" indicaram-me a ausência de comunicação (A Carta + O Caixão) que não só gerava dor profunda (O Caixão + A Cruz), mas também a impossibilidade de recuperar uma relação já difícil (O Caixão + A Cruz + As Estrelas), apesar de várias tentativas desesperadas de esclarecimento (A Vassoura e O Chicote posicionado em cima da carta As Estrelas).
- Futuro Próximo: O Livro + A Lua + A Mulher + O Parque No futuro imediato, na falta de comunicação e resolução da situação com Sebastian, Monique dedicou-se às suas pautas de ópera (O Livro) e ao palco onde ela se sentia realizada e querida pelos seus fãs (A Lua + A Mulher + O Parque).
- Futuro Distante: As Corujas + O Ramo de Flores + O Navio + A Âncora
  Com o passar do tempo, Monique teve oportunidade de encontrar Sebastian nos palcos internacionais de música (O Navio + O Parque posicionado em cima da carta A Âncora), onde tiveram a ocasião de manter uma conversa cordial (As Corujas + O Ramos de Flores), limitando-se a um trato social para manter as aparências profissionais.

4

— CAPÍTULO 7 —

O GRAND TABLEAU

O Grand Tableau é uma estrutura formada por quatro linhas de 8 cartas cada uma e por uma quinta linha com 4 cartas centrais, formando assim 36 áreas denominadas casas. Esta estrutura conhecida com o nome de Grand Tableau, em homenagem a M. LLe Le Normand, significa, em língua Portuguesa, A Grande Mesa.

Este sistema é conhecido também com outros nomes:

- 8 x 4 + 4, 9 x 4 ou 6 x 6, dependendo da estrutura escolhida
- Mesa Real
- O tabuleiro
- O tabuleiro da vida

As origens do método do Grand Tableau perdem-se nas brumas do tempo. O que sabemos até agora é que, desde os séculos passados, era costume os Cartomantes conduzirem as suas leituras com metodologias que envolviam o baralho inteiro.

Alguns documentos e livros publicados muito antes do baralho Petit Lenormand - como o protótipo do baralho Lenormand, o Jogo da Esperança (1778/9) - nos quais a disposição do jogo era numa estrutura de 6 x 6, confirmam essa tese.

Tem-se a correlação do método com o baralho Petit Lenormand no ano 1846, na folha de instrução do Philippe Lenormand, quando o baralho foi publicado pela primeira vez.

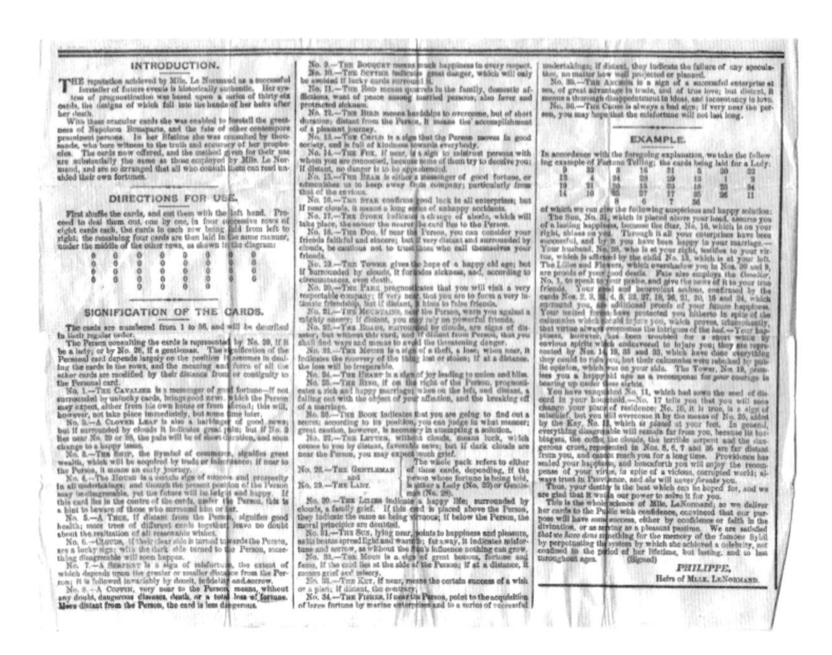

INTRODUCTION.

THE reputation achieved by Mlle. Le Normand as a successful foreteller of future events is historically authentic. Her system of prognostication was based upon a series of thirty-six cards, the designs of which fell into the hands of her heirs after her death.

With these oracular cards she was enabled to foretell the greatness of Napoleon Bonaparte, and the fate of other contemporary prominent persons. In her lifetime she was consulted by thousands, who bore witness to the truth and accuracy of her prophecies. The cards now offered, and the method given for their use are substantially the same as those employed by Mlle. Le Normand, and are so arranged that all who consult them can read unaided their own fortunes.

DIRECTIONS FOR USE.

First shuffle the cards, and cut them with the left hand. Proceed to deal them out, one by one, in four successive rows of eight cards each, the cards in each row being laid from left to right; the remaining four cards are then laid in the same manner, under the middle of the other rows, as shown in the diagram:

SIGNIFICATION OF THE CARDS.

The cards are numbered from 1 to 36, and will be described in their regular order.

The Person consulting the cards is represented by No. 29, if it be a lady; or by No. 28, if a gentleman. The signification of the Personal card depends largely on the position it assumes in dealing the cards in the rows, and the meaning and force of all the other cards are modified by their distance from or contiguity to the Personal card.

No. 1.—THE CAVALIER is a messenger of good fortune—if not surrounded by unlucky cards, brings good news, which the Person may expect, either from his own house or from abroad; this will, however, not take place immediately, but some time later.

EXAMPLE.

PHILIPPE,
Heirs of MLLE. LENORMAND.

Qual a função do Grand Tableau na vida de uma pessoa?

Simplificando, o Grand Tableau dá uma visão completa da vida do/a Consulente. É uma ferramenta poderosa que pode ajudar a obter uma maior compreensão de si mesmo, trazendo à luz o que está na mente e no coração do/a Consulente e de outras pessoas, para que ele/a tenha uma visão mais clara dos eventos do momento, descobrindo fatores que podem ter desencadeado os desafios que está enfrentando.

Essa tomada de consciência torna o/a Consulente ciente da sua verdadeira situação, do seu ponto fraco e de força que o permitirá identificar o momento mais auspicioso para enfrentar os grandes desafios da vida, e onde deve focar-se, no momento, para que possa ser produtivo.

O estudo do Grand Tableau

Pode ser tentador desejar fazer leituras, especialmente quando se está no início do estudo do baralho Lenormand. Enfrentar uma leitura com o Tableau, nas primeiras vezes, é desafiador até mesmo para quem tem experiência com o baralho. Embora seja um método de leitura que fascine a todos os apaixonados do Lenormand, a sua interpretação é tecnicamente complexa quando não se tem noção do seu funcionamento. Sendo este um método de leitura que envolve as 36 cartas e todas as técnicas, não será fácil dominá-lo. Com paciência e prática, gradualmente irão se familiarizando.

O modo de trabalhar com o Tableau difere de cartomante para cartomante. Existem diferentes abordagens para a interpretação de um Tableau. Pode derivar dos vários estilos Lenormand (tradicional, alemão, francês etc.), das tradições ou das experiências pessoais de cada um. Isso não significa que estão erradas por serem diferentes. Todas elas são boas, é uma questão de "gosto". A que apresento a vocês é à minha maneira de trabalhar com o Grand Tableau.

Ao longo dos anos, experimentei e inspirei-me em várias abordagens e técnicas que aprendi, seja com a minha família ou com colegas encontrados durante a minha carreira profissional. Com o tempo, fui me aperfeiçoando e acrescentando à minha experiência algumas técnicas, até se tornarem completas para mim. Com o tempo, vocês também irão adquirir experiência e poderão encontrar o seu "jeito" de trabalhar com o Grand Tableau.

O capítulo 7 foi estruturado na seguinte disposição:

1. As estruturas do Grand Tableau – Quais são as estruturas principais do Grand Tableau? E de onde derivam essas estruturas?

2. As bases do Tableau – Nesta sessão irão conhecer as três bases principais da leitura do Grand Tableau e como trabalhar com elas:

- O Método Philippe Lenormand (conhecido também como O Método da Distância ou O Método Tradicional);
- O Método da Linha do Tempo;
- O Método das Casas.

Numa leitura do Grand Tableau – como terão ocasião de observar na sessão do passo a passo do ponto 4 – junto uma parte de cada uma das técnicas das três bases principais, porque, segundo a minha experiência, esta união é muito enriquecedora embora cada umas das bases possam ser utilizadas individualmente. Este procedimento é uma escolha individual.

3. As técnicas auxiliares – Existem várias técnicas. A maior parte delas são antigas, como a técnica do espelho e outras que pertencem a cartomantes que generosamente divulgaram ao público os próprios conhecimentos e descobertas. Cada uma das técnicas é válida embora algumas dessas sejam complexas na sua aplicação durante uma leitura. As que irei apresentar nesta seção são as mais acessíveis para iniciantes, mas nem por isso devem ser consideradas pouco importantes. Aconselho experimentarem todas para encontrar aquela mais adequada a vocês.

Os primeiros 3 pontos são dedicados ao estudo teórico. Depois de compreenderem o mecanismo de cada um deles, será fácil passarem ao ponto 4.

4. Os passos para interpretar o Grand Tableau – Como puderam notar, várias técnicas são usadas para realizar uma leitura com o Grand Tableau. Saber por onde iniciar e para onde "olhar", para fornecer respostas aos dilemas do/a Consulente, é essencial; principalmente para aqueles que são principiantes na matéria. Portanto, esta seção é um guia prático para a correta interpretação do Grand Tableau.

Nota importante:

Realizar uma leitura com o Grand Tableau requer conhecimento básico do baralho Petit Lenormand (capítulos 1, 2, 3, 4, 5 e 6). Acreditem: iniciar com uma base sólida pode fazer toda a diferença na aprendizagem. É importante salientar que a Cartomancia é um campo no qual ter uma forte base de conhecimento é essencial para realizar, com sucesso, as próprias leituras e, por consequência, ajudar o/a Consulente a ser mais consciente perante a própria vida. A melhor maneira de deixar de ser um/a amador/a é tornar-se um/a Cartomante profissional, empenhando-se em aprender tudo sobre o próprio baralho.

As estruturas do Grand Tableau

Existem muitas estruturas do Grand Tableau no mundo. As três que apresento a vocês aqui são as tradicionais e as mais difundidas nas mesas dos cartomantes.

O primeiro Tableau, fez a sua aparição no ano 1778/79 com o baralho o Jogo da Esperança. No folheto de instrução encontra-se a seguinte frase:

> *"As 36 iluminuras são dispostas num quadrado que deve ter seis linhas de seis cartas (monta-se assim um tabuleiro de 6 cartas por 6 cartas), em ordem numérica de 1 a 36."*
>
> Das Spiel der Hofnung (*O Jogo da Esperança*)
> Johann Kaspar Hechtel (1778/79)

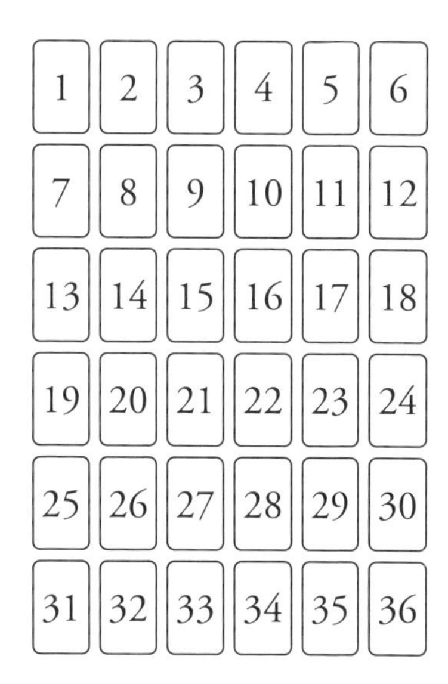

Conhecida aqui na Europa como o Grand Tableau Hechtel (nome do autor do baralho O Jogo da Esperança) ou por Grand Tableau 6 x 6 pela disposição das 36 cartas (6 cartas em 6 linhas e colunas), é um Tableau pouco usado nas leituras, pela razão do comprimento que fica na mesa.

A segunda estrutura acompanha o baralho Petit Lenormand desde a sua primeira aparição no mercado no ano de 1846. Na folha de instrução do Philippe Lenormand está escrito:

> *"Depois de baralhar as 36 cartas e as ter cortado com a mão esquerda, distribua-as em cinco montes; quatro dos quais contêm oito cartas cada, colocados em quatro linhas, da esquerda para a direita. O último contém unicamente quatro cartas, colocadas no centro, abaixo da última linha, conforme apresentamos neste diagrama de distribuição."*

Este Tableau é chamado por Tableau de Philippe Lenormand ou de Grand Tableau 8x4+4. É uma estrutura muito popular na mesa dos cartomantes e é aquele que uso nas minhas leituras.

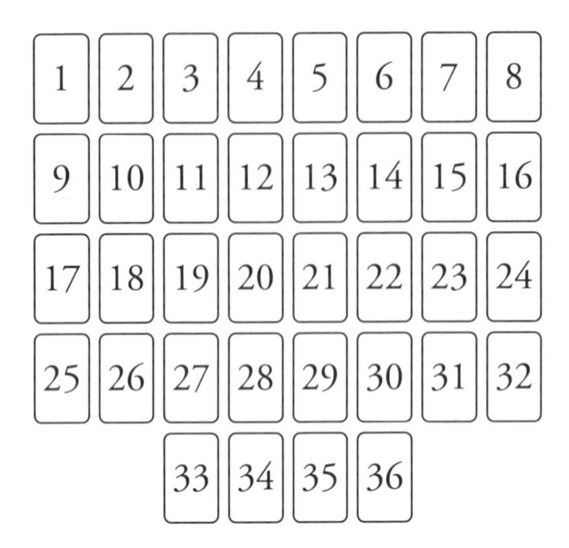

O terceiro Tableau é chamado por vários nomes: O método do Mestre, O Tableau de Mlle Lenormand e de o Grand Tableau 9x4 pela disposição das cartas na mesa (quatro linhas com nove cartas cada uma).

Segundo o livro *"L´Oracle Parfait ou Le passe temps des Dame, L´Art detirer les cartes avec explication"* do ano 1875, Mlle Lenormand fazia as suas leituras num Tableau dividido em 36 casas conforme representado na imagem aqui ao lado. Cada uma das casas representa um setor da vida.

Por exemplo: a casa 1 é a casa dos projetos; a casa 2, da satisfação; a casa 3, do bom resultado etc. Darei mais detalhes sobre este Tableau na seção Grand Tableau das casas.

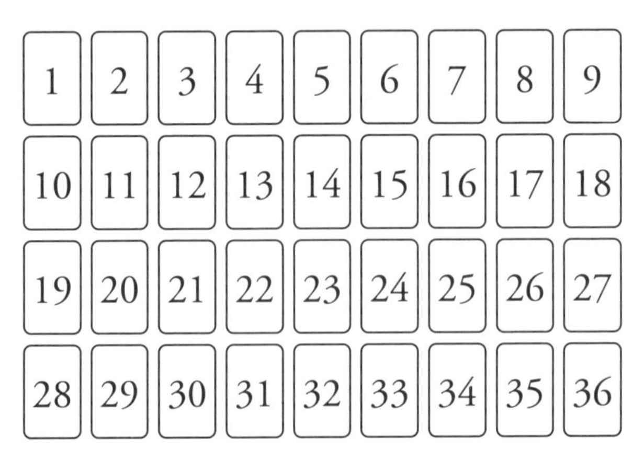

As bases do Grand Tableau

O MÉTODO PHILIPPE LENORMAND

Também conhecido pelos seguintes nomes: Grand Tableau 8x4+4, O Método da distância ou Método tradicional.

O Grand Tableau acompanha o baralho Petit Lenormand desde o início da sua aparição registrada em 1846. O manual de instruções que acompanhava o baralho, escrito por Philippe Lenormand, continha a técnica do perto/distante, hoje mais conhecida como o Método tradicional. Aqui na Suíça, é conhecido por Método Philippe Lenormand, em reconhecimento do autor que escreveu a folha de instrução.

Desde 1971 até o ano 1990, trabalhei com o método Philippe Lenormand porque essa era a única forma de trabalhar com as "francesinhas", como a minha avozinha carinhosamente chamava ao baralho Petit Lenormand. Ainda me lembro quando ela me ensinou a ler o Petit Lenormand. Era muito divertido procurar a carta da Consulente, as cartas desfavoráveis (As Nuvens, A Serpente, O Caixão, A Foice, A Vassoura e O Chicote, Os Pássaros, A Raposa, A Montanha, Os Ratos e A Cruz); observar as cartas que circundavam essas cartas; avaliar a distância entre determinadas cartas, em especial da carta que representava a Consulente. O mesmo acontecia com a carta O Homem para o marido, namorado ou pretendente; O Anel para a união, A Criança para os filhos, A Casa para a família ou ambiente entre os habitantes da casa. Naquela época, eram só as mulheres que procuravam a minha avó para as consultas quando queriam ter notícias sobre esses assuntos. Nessa altura, não existia a imensa lista de cartas tema nem as técnicas de leitura disponíveis atualmente.

O Método Philippe Lenormand foi muito melhorado ao longo dos anos, adaptou-se à evolução dos tempos e "fundiu-se" um pouco com as técnicas da tradição alemã e com as técnicas de leitura do baralho comum. De fato, alguns significados das cartas e técnicas do Grand Tableau têm correspondência com a tradição Lenormand alemã e o baralho comum. Por exemplo: A Serpente representa também óculos ou lentes de contato; As Cegonhas, pernas longas, viagens aéreas e imigração; A Torre, autoridade, burocracia, assuntos com a lei. Durante um certo período, o uso do Grand Tableau das casas, Grand Tableau da linha do tempo e suas técnicas (as quatro casas angulares, coração da mesa, as quatro cartas do destino etc.) muito usadas na Alemanha, Áustria e Suíça, foram contestadas pelos "tradicionalistas", porém, hoje, pela sua grandiosidade e praticabilidade, é utilizado pela maioria dos "tradicionalistas" de todo o mundo.

Acredito que o afastamento da maioria dos cartomantes do Método Philippe Lenormand (a partir dos anos 80) deu-se pela falta de técnicas e de outros detalhes riquíssimos que hoje o método Philippe moderno possui. Graças a Andy Boroveshengra cartomante, Mestre e autor do livro "Lenormand Thirty six cards", o Método Philippe Lenormand reacendeu-se dando um salto de qualidade. Observando ao pormenor, pode encontrar-se algumas semelhanças com as técnicas pertencentes ao método Alemão e não só.

Uso as técnicas de duas escolas (tradicional e alemã) nas minhas leituras do Grand Tableau, onde dei os meus primeiros passos na leitura, seguindo os ensinamentos que recebi da minha avó. Segue o Método Philippe e dos estudos de Erna Droesbeke. Isto me ajuda a ter uma panorâmica imediata da vida do meu consulente e a começar uma leitura com uma certa segurança.

Como funciona a técnica?

A explicação da técnica do Método Philippe Lenormand é baseada na folha de instrução do Philippe Lenormand (1846) e da minha experiência pessoal adquirida nos longos anos de carreira trabalhando com o Grand Tableau.

- Passo 1: As 36 cartas do baralho são colocadas na mesa em quatro filas (da esquerda para a direita), com oito cartas cada uma e uma quinta fila com quatro carta que serão colocadas a partir da coluna três até a coluna seis (ver o gráfico a seguir).

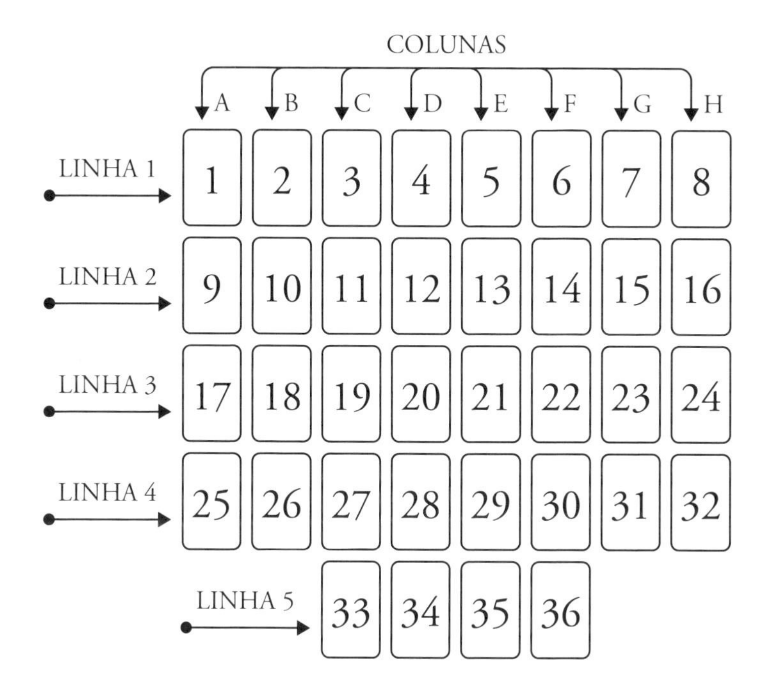

- Passo 2: Os trechos do documento original, fornecem indicações de como vêm interpretadas as cartas dentro do sistema:

> *"Se a pessoa que consulta é uma mulher, carta n.º 29, começa-se compondo um alegre conto a partir das cartas que a rodeiam. Se para um homem, o conto começa da carta n.º 28 e, mais uma vez, usam-se as cartas que o rodeiam."*

Das Spiel der Hoffnung (*O Jogo da Esperança*)
Johann Kaspar Hechtel (1778/79)

> *"Devemos centrar-nos e ter uma grande atenção nestas duas cartas, os números 28 e 29. O seu posicionamento (na distribuição) indica a felicidade futura ou o infortúnio da pessoa; todas as outras cartas adquirem o seu significado a partir destas duas e, de uma maneira geral, o seu posicionamento, desde a maior proximidade ou máximo afastamento das duas cartas citadas, determina a mensagem do destino."*

Philippe Lenormand 1846

Através desse método entende-se que, numa leitura inteira, começa- se partindo da carta que representa o/a Consulente e que as cartas têm energias diferentes segundo a posição que ocupam, perto ou distante da carta do/a Consulente.

Mas, como vem calculado o que está perto e o que está distante no Grand Tableau?

Para entenderem melhor este sistema do perto /distante, imaginem o que acontece quando atiramos uma pedra no lago. Em algum momento de suas vidas, já devem ter atirado uma pedra em um lago, e mesmo que não o tenham feito, devem ter visto alguém que o fez, certo? Nesse momento, devem ter observado o efeito produzido na superfície do lago partindo do ponto onde a pedra caiu; a superfície à volta daquele ponto transforma-se em ondas.

Observa-se que as ondas mais intensas, formam-se partindo do ponto em que a pedra caiu (na figura aqui trazida como exemplo, irá representar as ondas dos pontos 1 e 2). À medida que as ondas vão se distanciando do ponto da queda da pedra, elas vão perdendo a sua intensidade, até desaparecer (pontos 3, 4 e 5).

Agora vamos imaginar que essas ondas são transformadas em campos de energias nas nossas vidas e que o ponto de caída da pedra seja a nossa posição ou a do/a nosso/a Consulente. Quais serão as energias que iremos sentir com maior intensidade nas nossas vidas? Serão aquelas que estão mais perto (posição 1) ou perto (posição 2) de nós. E de quais energias iremos sentir um menor efeito ou ausência total? Serão aquelas que se encontram distantes (posição 3) e mais distantes (posições partindo do ponto 4) de nós. Estas quatro zonas de campo de energia definem claramente o que vai ou não ser sentido, vivido e visualizado por nós.

No Grand Tableau acontece a mesma coisa. É partindo da posição onde se encontra a carta Consulente que vem definido o que está perto e o que se encontra distante. Mas, como irão perceber nas vezes que realizarão uma leitura com este sistema, nem sempre a carta do/a Consulente ficará posicionada no centro da mesa. Antes de lhes trazer aqui exemplos de algumas possíveis posições da carta do/a Consulente, é importante que saibam como aplicar a teoria das "ondas" dentro do Tableau.

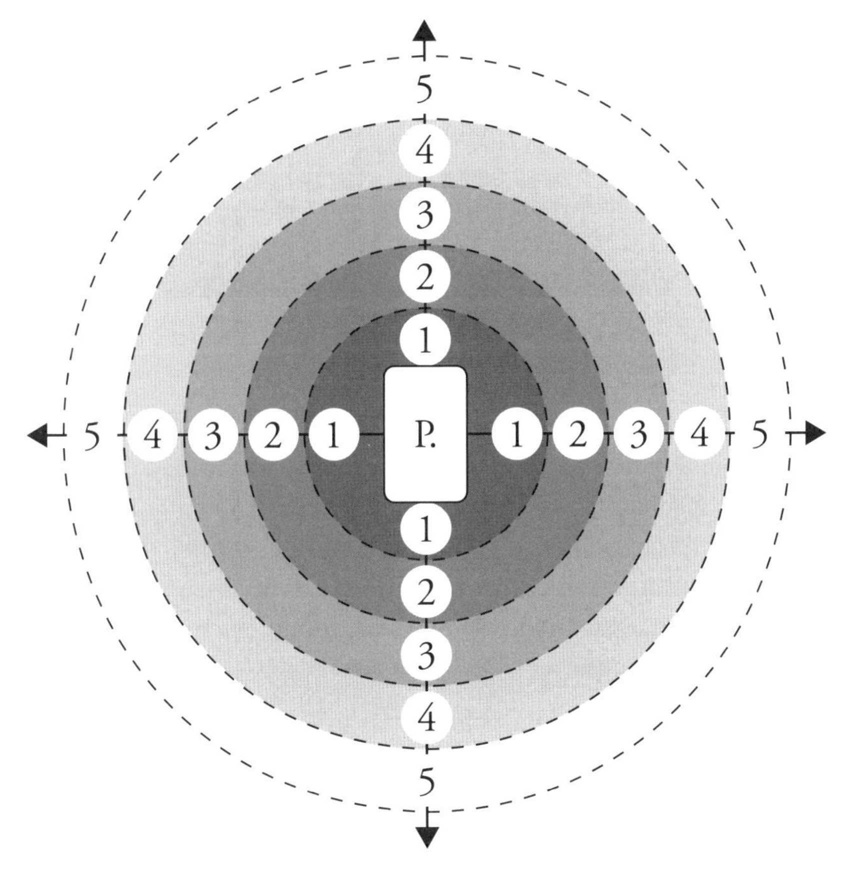

P. (PEDRA) = CARTA CONSULENTE

Se entenderam bem o que foi tratado antes, também entenderão que o que está perto e distante é definido partindo da posição onde a pedra caiu, também entenderão que existem quatro frequências energéticas sentidas, certo?

No Tableau acontece a mesma coisa. É partindo da posição onde se encontra a carta do/a Consulente que vem definido o que está perto e o que está distante. Tomemos como exemplo a figura abaixo com a carta consulente O Homem.

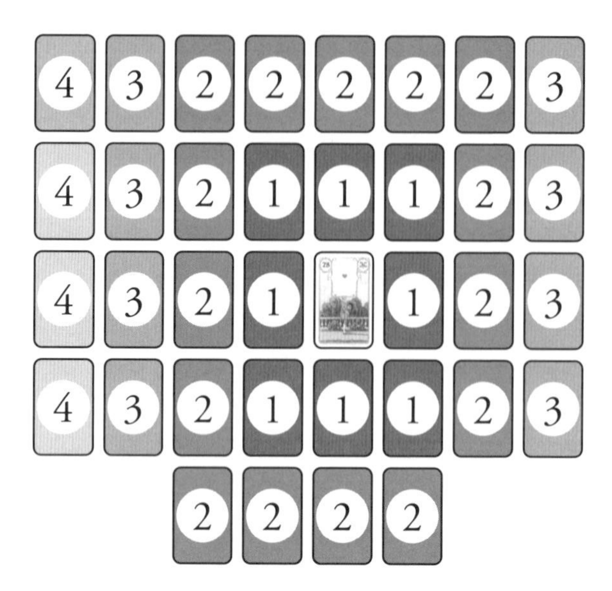

As tonalidades em cor cinzenta definem a graduação da intensidade da posição que uma carta ocupa no Tableau. Quanto mais perto se encontra da carta Significadora, a cor cinza é escura e quanto mais a posição se distancia da carta Significadora, a cor cinza vai clareando, perdendo assim a sua intensidade. Deste modo, partindo da carta O Homem, define-se que:

- Posição 1 – Formada pelas cartas que tocam a do Consulente ou a Significadora (carta temática), encontram-se as cartas que estão muito perto (também chamadas de muito próximas). O grupo de cartas aqui presentes irão indicar:
  - Eventos e circunstâncias importantes que são intensamente sentidas pelo Consulente;
  - O que é vivido e tocado pelo Consulente;
  - O que o Consulente tem visão, presta maior atenção e que, portanto, tem conhecimento.
- Posição 2 – Considera-se perto (também chamadas de próximas) todas as cartas que se encontram em contato com as cartas posicionadas muito perto (posição 1) da carta do Consulente. O

grupo de cartas, nesta posição, tem também muita importância e influencia o estado atual do Consulente.

Na observação das posições 1 e 2, é importante que considerem os seguintes pontos:

- A tenham em conta as cartas consideradas como as piores cartas do baralho:
  - As Nuvens (Rei de Nozes)
  - A Serpente (Rainha de Nozes)
  - O Caixão (9 de Sinos)
  - A Foice (Valete de Sinos)
  - A Vassoura e O Chicote (Valete de Nozes)
  - As Corujas (7 de Sinos)
  - A Raposa (9 de Nozes)
  - A Montanha (8 de Nozes)
  - Os Ratos (7 de Nozes)
  - A Cruz (6 de Nozes)

Este mesmo procedimento deve ser aplicado também no que diz respeito à predominância dos naipes; principalmente no naipe de Nozes que, como sabem, tem uma natureza altamente negativa e indica problemas e aflições. Quanto mais perto ele estiver da carta do Consulente ou tema, maior será a influência negativa dele na vida da pessoa, sobretudo se estiver presente uma quantidade maior desse grupo de cartas na posição 1.

- Levem também em conta se nessas posições, principalmente na posição 1, estão presentes um dos seguintes grupos de cartas: de movimento, lentas ou paradas. Por exemplo: uma quantidade maior do grupo de cartas paradas indicará resistência a mudanças que podem ter várias razões explicadas pelas cartas vizinhas.

  Observe também as cartas tema presentes, porque irão indicar as áreas de vida que são de relevância na vida do Consulente. Se perto da carta dele estiver posicionada, por exemplo, A Âncora, isto indica que o Consulente está concentrado nos assuntos profissionais. Serão as cartas vizinhas à Âncora que darão mais detalhes. Se tivermos, por exemplo, O Coração – carta tema para assuntos do coração, emoções, vontades, entusiasmo e prioridades – inserida no grupo de cartas paradas, isto anuncia inexistência de entusiasmo, de ação ou de capacidade emocional para enfrentar eventos ou circunstâncias representadas pelas outras cartas vizinhas; talvez o Consulente esteja resistindo a alguma mudança ou à conclusão inevitável de algo.

O que foi entendido, até agora, é que as posições 1 (muito perto) e 2 (perto) são mais sentidas e estão ao alcance do Consulente.

- Posição 3 – Considera-se distante (também chamadas de afastadas ou longe) as cartas que se encontram em contato com as cartas consideradas perto (posição 2). O grupo de cartas presentes nesta posição irão indicar:
  - O que começa a se afastar do Consulente;
  - O que começa a não ter mais sentido, a não ser mais prioridade na vida do Consulente; aquilo pelo que ele vai perdendo interesse.
- Posição 4 – Considera-se muito distante (também chamado de muito afastado ou de muito longe). O grupo de cartas presentes nesta posição irá indicar:
  - De que o Consulente se afastou;
  - O que não provoca mais interesse ou o que não é mais prioridade para o Consulente;
  - O que ele ignora;
  - O que ele não vê.

Lembrem-se: o grau de influência de algumas cartas negativas é muito maior dentro do Tableau. Essas cartas são: As Nuvens, A Serpente, O Caixão e a Cruz. Por exemplo, se a carta O Caixão estiver posicionada na posição 4 – posição que se encontra na zona muito distante da carta do Consulente (vejam o exemplo trazido aqui abaixo) – nota-se que a sua energia nefasta atinge o Consulente com uma intensidade menor que a sentida pelas posições 3 e 2 que se encontram dentro do espaço considerado muito perto e perto da carta O Caixão. Obviamente, seria alarmante se O Caixão estivesse nas posições 3, 2 ou 1, porque quanto mais perto a carta estiver da carta Significadora (pessoa ou tema), mas ela trabalhará com toda a sua energia natural.

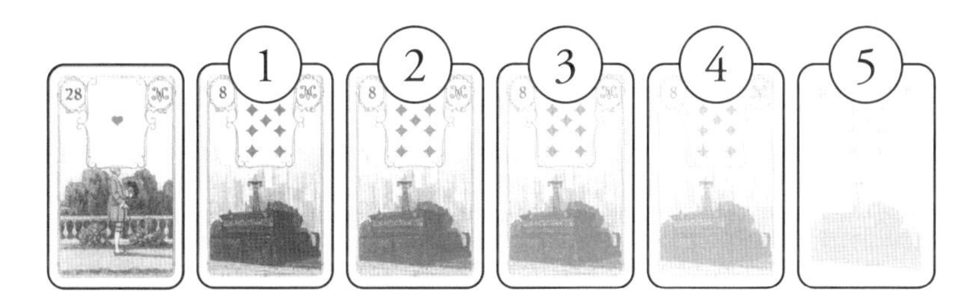

O mesmo acontece com algumas cartas positivas, como As Estrelas, O Sol e a Lua que irradiam toda a sua energia positiva mesmo estando posicionadas na zona 4, enfraquecendo quanto mais distantes se encontram da carta Significadora (posições 5 em diante).

Como são lidas as cartas que circundam a carta significadora?

A análise das cartas, sejam aquelas nas posições muito perto, perto, distante e muito distante, é feita sempre no sentido horário, partindo da hora 12 (como exemplo aqui ao lado) até completar todas as cartas presentes e terminar na hora 12.

Como já tinha dito, a carta do Consulente pode encontrar-se em várias posições no Tableau e, por consequência, pode conter 4, 5, 6 e 7 posições de distância da carta Significadora como nos exemplos aqui trazidos:

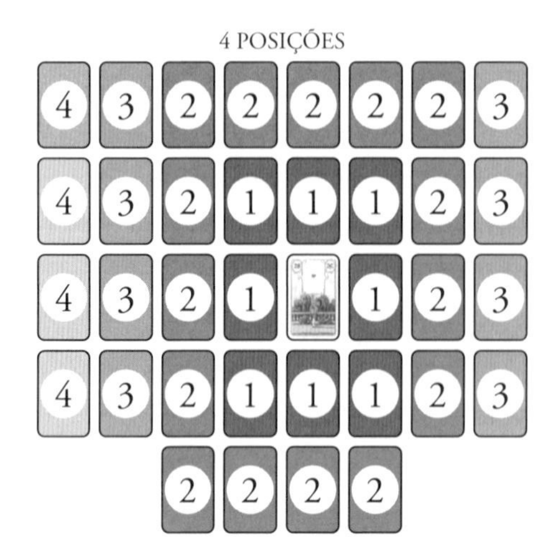
4 POSIÇÕES
4 3 2 2 2 2 2 3
4 3 2 1 1 1 2 3
4 3 2 1 1 2 3
4 3 2 1 1 1 2 3
2 2 2 2

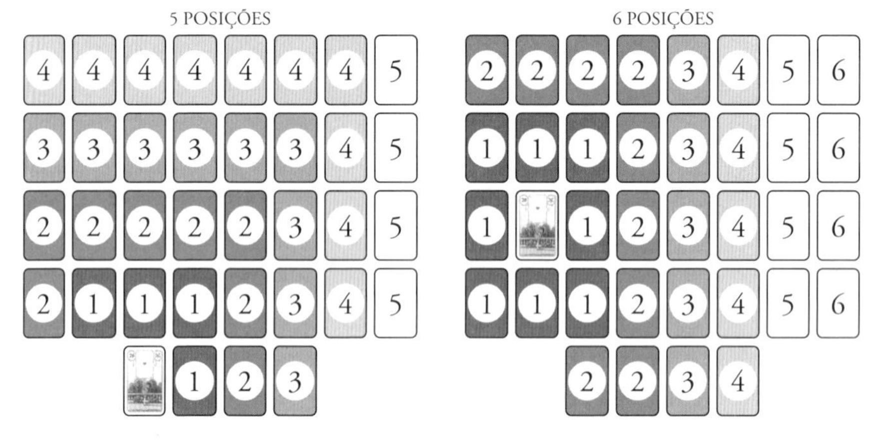
5 POSIÇÕES
4 4 4 4 4 4 4 5
3 3 3 3 3 3 4 5
2 2 2 2 2 3 4 5
2 1 1 1 2 3 4 5
1 2 3
6 POSIÇÕES
2 2 2 2 3 4 5 6
1 1 1 2 3 4 5 6
1 1 2 3 4 5 6
1 1 1 2 3 4 5 6
2 2 3 4

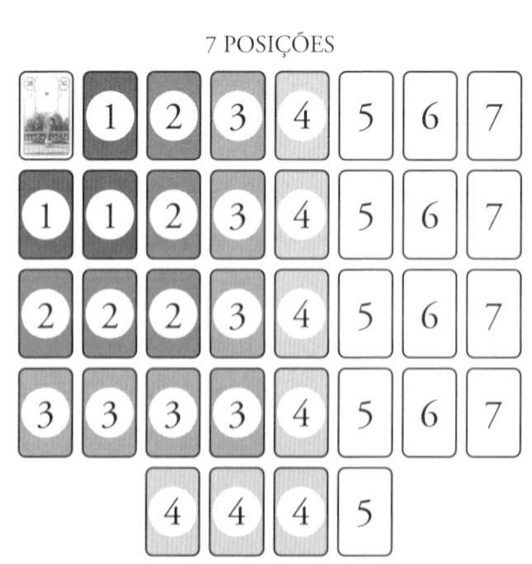
7 POSIÇÕES
1 2 3 4 5 6 7
1 1 2 3 4 5 6 7
2 2 2 3 4 5 6 7
3 3 3 3 4 5 6 7
4 4 4 5

A técnica do método Philippe vai muito além do que foi descrito até aqui. Mas como trabalho com três bases técnicas juntas, conforme expliquei na introdução ao Grand Tableau, é suficiente que aprendam o mecanismo do perto/distante que é uma das chaves principais para interpretar corretamente o Lenormand, como irão perceber quando unirem as três bases.

O MÉTODO DA LINHA DO TEMPO

CHAMADA TAMBÉM DE LINHA DA VIDA OU A CRUZ DO DESTINO

A linha do tempo serve para criar uma cronologia que permite determinar um período de tempo no Tableau (PASSADO, PRESENTE e FUTURO) em que acontece um evento na vida do/a Consulente. A linha do tempo desenvolve-se na horizontal, na vertical e na diagonal partindo da carta Consulente, respeitando a direção do olhar.

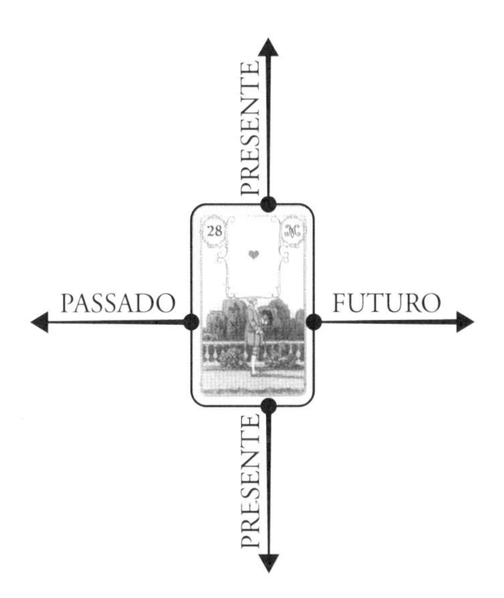

Sendo assim:

1. Todas as cartas posicionadas na direção do olhar da figura representada pela carta (linha horizontal partindo da carta do/a Consulente) fazem referência ao FUTURO do/a Consulente. Estas cartas irão fornecer informações sobre eventos ou sobre

como uma questão se desenvolverá. Na leitura da linha do futuro, deve-se levar em consideração todos os eventos citados na linha do presente e das cartas vizinhas à carta do/a Consulente, porque é no próprio futuro que se verá a evolução desses mesmos fatos.

2. Todas as cartas posicionadas atrás da figura (linha horizontal partindo da carta do/a Consulente) fazem referência ao PASSADO do/a Consulente. Elas trarão informações sobre eventos já ocorridos e a origem desses mesmos eventos. Informações estas que permitem compreender a situação na qual o/a Consulente se encontra no PRESENTE.

3. Todas as cartas que percorrem verticalmente a carta do/a Consulente representam o PRESENTE e trazem informações sobre o estado atual. São os assuntos que o/a Consulente está vivenciando, com os quais está se ocupando no momento e que podem ter uma ligação com o passado. Por isso, ao ler as cartas desta área é necessário analisar também as cartas posicionadas no passado.

A leitura da linha do tempo

O Tableau é dividido em três partes verticais e duas horizontais.

A divisão vertical

Obtém-se através da posição da carta Consulente, dividindo o Tableau em três partes verticais da seguinte maneira:

- As cartas que se encontram posicionadas ATRÁS DA CARTA DO/A CONSULENTE formam o primeiro grupo e representam o PASSADO;
- As cartas que ATRAVESSAM A CARTA DO/A CONSULENTE formam o segundo grupo e representam o PRESENTE;
- As cartas que se encontram NA FRENTE DA CARTA DO/A CONSULENTE formam o terceiro grupo e representam o FUTURO.

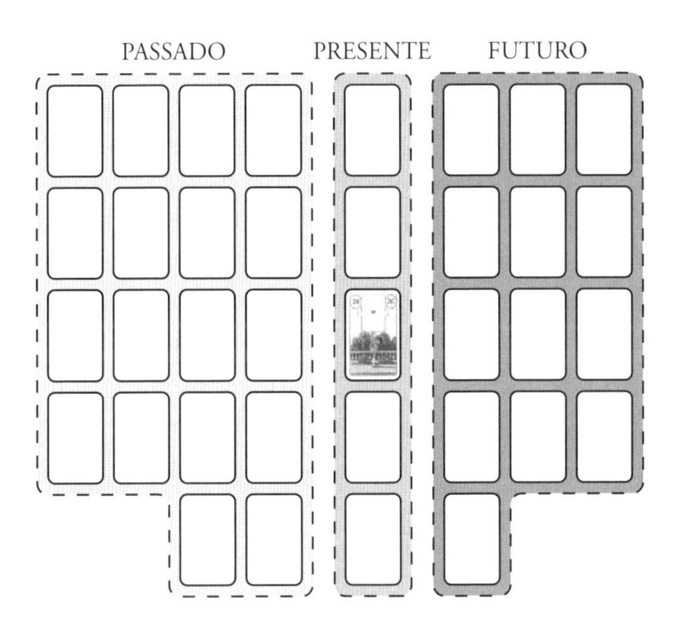

A divisão horizontal

Obtém-se dividindo o Tableau em duas partes horizontais partindo da carta do/a Consulente (como representado no gráfico aqui abaixo).

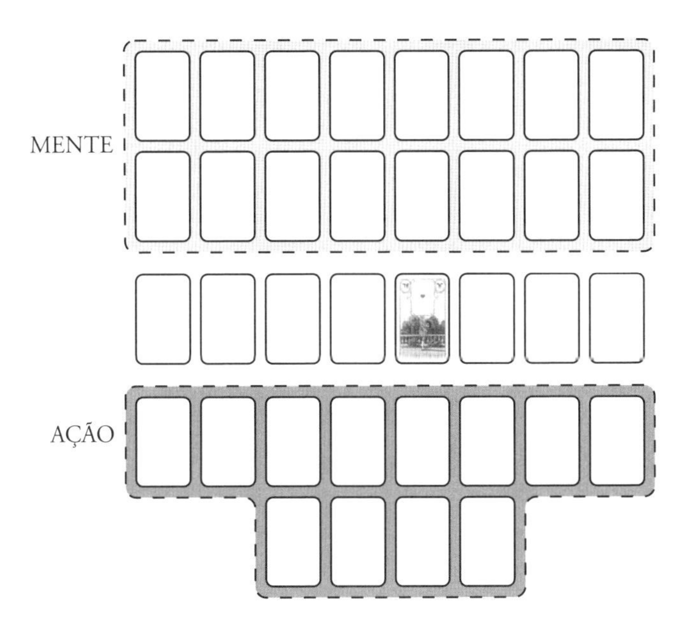

Esta divisão irá definir o seguinte:

- Acima (Mente) - O grupo de cartas posicionado acima da cabeça é a parte racional do/a Consulente. Neste grupo de cartas, obtêm- se informações sobre o que está na sua mente, quais os seus pensamentos; suas esperanças, medos, receios, preocupações, o que lhe pesa na consciência, as lembranças, os planos, os projetos, as ideias, as suas ambições e intenções. Representam o processo psicológico e temperamental mental do Consulente.
- Abaixo (Ação) - O grupo de cartas posicionado abaixo do/a Consulente, isto é, debaixo dos pés, é chamado de ação e indica as experiências, os eventos reais, as contribuições ativas da pessoa ou o que ele/a está desenvolvendo para atingir os seus objetivos. Também são os efeitos visíveis das causas de eventos passados.

As diagonais

Obtemos as diagonais formando uma linha em X que atravessa a carta do/a Consulente (observe o gráfico a seguir como exemplo).

Conforme estudado anteriormente, o Tableau está dividido da seguinte maneira:

- Em vertical – Passado, Presente e Futuro
- Em horizontal – Mente e Ação

Portanto, as diagonais encontram-se nas posições passado e futuro; e semelhante ao que acontece quando dividimos o Tableau em duas partes horizontais, temos:

- As diagonais posicionadas acima da carta do/a Consulente que irão representar os assuntos ligados à mente;
- As diagonais posicionadas abaixo da carta do/a Consulente que irão representar eventos vividos, conduta, desempenho e atitudes tomadas pelo/a Consulente.

Antes de dar início à explicação dos significados que correspondem às diagonais, gostaria de deixar aqui algumas palavras sobre os significados atribuídos por mim a essas quatro posições.

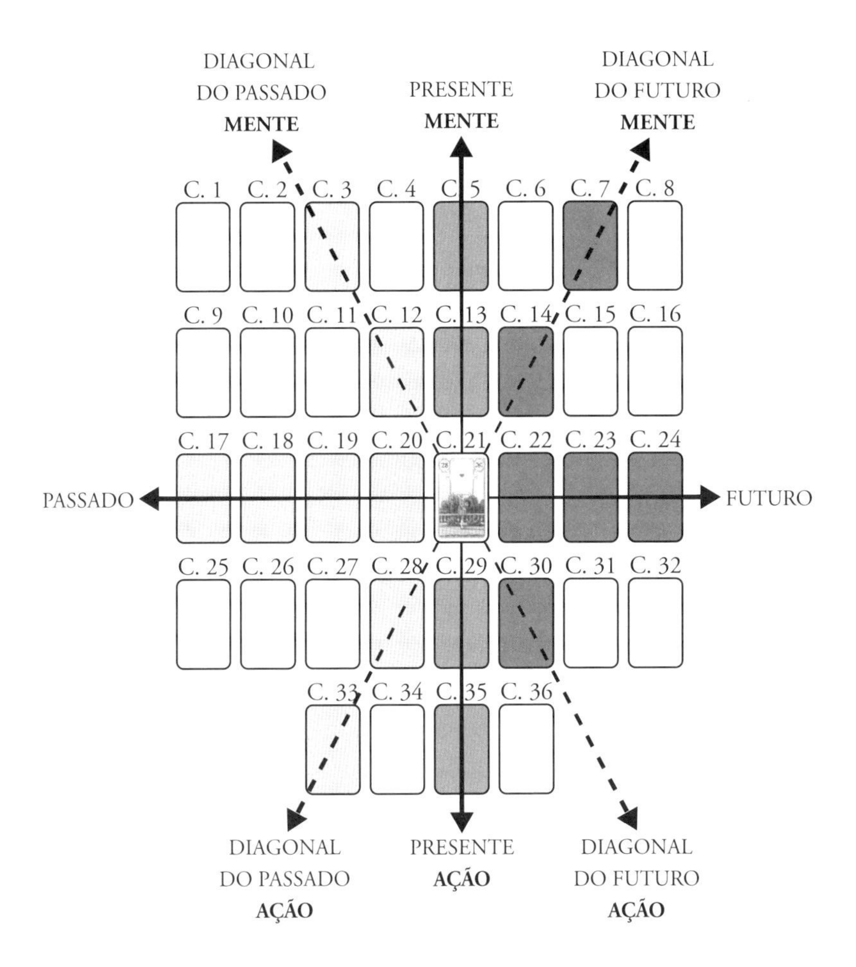

Quando recebi os ensinamentos da Erna Droesbeke sobre o Grand Tableau (1990), aprendi que as diagonais posicionadas à esquerda representam as causas e aquelas à direita as consequências ou efeitos derivados dos eventos anunciados nas diagonais das causas.

Para mim, as informações obtidas com as atribuições da Erna (causa/ consequência ou efeito) não eram suficientes para enquadrar a real situação do meu Consulente. Por isso, senti a necessidade de estudar todas as leituras passadas e aquelas do momento (sempre anotei num caderno todas as minhas leituras), observando de maneira analítica todas as cartas presentes nessas determinadas posições (diagonais) e unindo a conversa mantida, naquela época, com os meus Consulentes durante a leitura e com o passar do tempo. Depois de algum tempo, precisamente no fim do ano de 1991, os meus significados para as diagonais finalmente ficaram definidos.

Defini que as diagonais na posição acima, as quais representam a mente, são lidas da seguinte maneira:

- A DIAGONAL DO PASSADO – MENTE: Representa os fatos que ficaram marcados na memória do/a Consulente (eventos significativos, como comemorações, conquistas, traumas etc.). Mas, por vezes, sobretudo se as cartas presentes nesta posição os confirmarem, podem assinalar transtornos psicológicos ou obsessivos que têm origens no passado. Uma atenta análise das cartas posicionadas no pensamento do presente dirá se esse estado psicológico ainda afeta o/a Consulente;
- A DIAGONAL DO FUTURO – MENTE: Representa os pensamentos futuros do/a Consulente. São os seus projetos, objetivos, intenções sobre o que está vivendo no presente.

As diagonais na posição abaixo, que representam ação, são lidas da seguinte maneira:

- A DIAGONAL DO PASSADO – AÇÃO: É o que rejeitou ou ainda está rejeitando; é o que abandonou ou quer abandonar, o que evitou ou está evitando, o que não aceitou ou não está aceitando. Identifica de que o/a Consulente está tentando se distanciar ou se libertar (trabalho, casamento, doença, dívidas, pessoas etc.).
- A DIAGONAL DO FUTURO – AÇÃO: Representa a evolução imediata que a situação vai tomar nos próximos dias.

Nota importante:

Aconselho todos os meus alunos a prestar particular atenção ao grupo de cartas diagonais da zona da mente e da ação do passado, às cartas na linha do presente e localizadas vizinhas à carta do/a Consulente, e também à linha do futuro, isto quando se realiza uma consulta para uma pessoa problemática ou inclinada a atos destrutivos como automutilação ou suicídio. Pois nas diagonais da mente, vêm assinaladas as intenções; nas da ação do passado, vemos se a pessoa não sente mais à vontade de viver; no presente e futuro, se irá se cumprir o ato pensado.

Como são lidas as linhas do passado, presente, futuro e as diagonais

Dois pontos são necessários salientar para a correta leitura das linhas:

1. A direção correta a seguir na leitura das cartas;
2. A técnica de leitura das cartas nas linhas.

Ponto 1 – a direção correta a seguir na Leitura das Cartas

Como foi aprendido no estudo da lei e do Método Philippe Lenormand, todas as cartas que entram em contato com a carta do/a Consulente têm maior influência sobre ela, já as que se encontram posicionadas distantes têm menos influência na vida do/a Consulente. Aplicando este conceito no Tableau, a leitura parte sempre da carta do/a Consulente como mostram as setinhas (nas posições passado, presente, futuro e diagonais) que indicam a direção de leitura. Compreendido este conceito, entende-se que:

- A LINHA DO PASSADO – A ou as cartas posicionadas muito perto ou perto da carta do/a Consulente (dependendo da quantidade de cartas presentes) representam o passado recente. As cartas distantes ou muito distantes da carta do/a Consulente representarão o passado distante. Com poucas cartas, nesta posição, temos um indicativo de que os eventos recentes têm muita influência no momento.
- A LINHA DO PRESENTE – Para esta linha, é necessário dividir a sua explicação em duas partes:
  - A linha da MENTE - A ou as cartas posicionadas muito perto ou perto da carta do/a consulente dão informações sobre os pensamentos prioritários no momento presente. Aquelas posicionadas distantes ou muito distantes não têm tanta prioridade quanto as localizadas muito perto ou perto. A presença delas, no entanto, age com menos intensidade na mente do/a Consulente.
  - A linha da AÇÃO - A ou as cartas posicionadas muito perto ou perto da carta do/a Consulente representam a situação atual, o que está sendo trabalhado como prioridade no momento.

As distantes ou mais distantes são assuntos e eventos que, mesmo estando no presente, têm menos prioridade ou o/a Consulente dá menor importância.

- A LINHA DO FUTURO – A ou as cartas posicionadas muito perto ou perto da carta do/a Consulente representam os próximos acontecimentos (futuro imediato) e as cartas posicionadas distantes ou muito distantes da carta do/a Consulente representarão o futuro distante.
- AS DIAGONAIS – Também para a explicação das linhas diagonais é necessário fazer a divisão pelas:
  - Linhas da MENTE

    A linha do passado – A ou as cartas posicionadas muito perto ou perto da carta do/a Consulente indicam eventos recentes que marcaram sua memória; já as cartas posicionadas distantes ou muito distantes são as memórias de um passado que podem também estar relacionadas com a infância.

    A linha do futuro – A ou as cartas posicionadas muito perto ou perto da carta do/a Consulente assinalam o que será o foco e o prioritário na mente da pessoa; as cartas distantes ou muito distantes, o que terá menos foco, mas, ainda assim, de interesse da pessoa.
  - Linhas da AÇÃO

    A linha do passado – A ou as cartas posicionadas muito perto ou perto da carta do/a Consulente indicam o que o/a Consulente está afastando ou rejeitando na sua vida; as cartas distantes ou muito distantes indicam o que já foi afastado ou rejeitado.

    A linha do futuro - a ou as cartas posicionadas muito perto ou perto da carta do Consulente indicam os próximos passos que a pessoa tomará. Na leitura da presente linha é importante também dar uma "olhada" nas cartas posicionadas muito perto ou perto da linha do futuro, porque ambas estão ligadas.

Ponto 2 – a técnica de Leitura das Cartas nas Linhas

É também importante saber como "ler" as cartas nas linhas. Tomemos como exemplo a linha do presente. Partindo do que foi aprendido, agora sabem que o que está acima da carta do/a Consulente mostra os seus pensamentos e o que está abaixo, o que está acontecendo de fato.

Porém, na leitura, é preciso considerar o seguinte:

- As cartas centrais especificadas com o número 1, que irei chamar de carta foco, irão trazer o tema, isto é, o assunto objeto do pensamento;
- As cartas posicionadas ao lado da carta foco (n. º1), marcadas no gráfico pelos números 2 e 3, que chamarei de cartas auxiliares, darão mais informações sobre o assunto trazido pela carta em posição n.º 1.

Tomemos como exemplo a leitura do grupo de cartas posicionadas na zona mente, na figura aqui ao lado. Na zona muito perto, encontram-se as seguintes cartas: As Nuvens (1ª posição), As Corujas (2ª posição) e O Anel (3ª posição). Como seguiria a leitura destas três cartas? Considerando que a carta As Nuvens encontra-se posicionada diretamente sobre a cabeça do Consulente, sendo, portanto, a carta foco, concluo que a pessoa se encontra em um estado de grave tensão mental pelas tensões (As Nuvens + As Corujas) e agitações contínuas (As Corujas + O Anel) causadas por um compromisso ou por um acordo (O Anel).

Em seguida, observo as cartas que se encontram na zona perto: A Chave (1ª posição) que é a carta foco, e as cartas auxiliares que são Os Ratos (2ª posição) e Os Peixes (3ª posição). A Chave, na posição da mente, significa a busca frequente de soluções; a combinação Os Ratos + Os Peixes significa dívidas ou perdas financeiras.

Por fim, a observação do grupo de cartas das posições muito perto (As Nuvens + As Corujas + O Anel) e perto (A Chaves + Os Ratos + Os Peixes) leva-me a pensar que a pessoa em questão está muito preocupada e estressada buscando desesperadamente uma solução para pagar uma dívida. Muitas outras interpretações podem ser realizadas com as cartas presentes neste grupo, mas, para que entendam bem o mecanismo da técnica, fiz uma leitura acadêmica.

O mesmo procedimento tomado para a linha do presente deve ser aplicado para as linhas diagonais. Particularmente, nunca senti a necessidade de observar as cartas que estão em cima e embaixo nas linhas do passado e do futuro. Somente no caso em que tenho uma única carta na posição passado ou futuro é que tendo a combinar a carta que está em cima com aquela que está embaixo.

O TEMPO CRONOLÓGICO DOS EVENTOS NAS LINHAS

Para calcular um tempo aproximado da realização de um evento ou dos eventos tratados nas linhas é necessário levar em conta o seguinte:

1. É importante determinar um prazo de validade para a leitura. Este prazo pode ser de 10 dias, de um a três meses; por vezes até mais, dependendo da questão colocada pelo/a Consulente.
2. É necessário observar quais cartas ocupam a última posição numa das linhas (passado, presente, futuro e diagonal). É através delas que se estabelece se os eventos nelas representados acontecerão no tempo estabelecido ou terão um atraso. Por exemplo, se uma carta parada se encontra posicionada como última carta na linha do futuro, os eventos marcados pelas cartas anteriores permanecerão por longo tempo e, por consequência, não haverá avanço algum. Um problema levará muito tempo para ser resolvido, mais tempo que a data definida para a leitura. Por exemplo, se a leitura tem como objetivo saber se uma encomenda vinda do estrangeiro chegará no prazo de 10 dias, uma carta parada ou que representa atrasos, posicionada como última carta na linha do futuro, irá indicar que a encomenda chegará muito mais tarde que o previsto.

OS ÂNGULOS DO TABLEAU

Os quatro ângulos do Tableau, representados pelas cartas nas 1ª, 8ª, 25ª e 32ª posições (as quatro cartas posicionadas na 5ª linha não são consideradas nesta técnica), têm como objetivo evidenciar as preocupações primárias do/a Consulente. Portanto, este será o tema geral da consulta, as preocupações, as ânsias primordiais do/a Consulente (mesmo que esse apresente uma outra argumentação como objetivo principal da consulta).

A tradição alemã diz que a carta posicionada na 1ª casa representa o tema principal e que as outras cartas presentes nas 8ª, 25ª e 32ª casas descrevem o assunto representado pela 1ª casa.

Todavia, nas minhas leituras, pude notar que nem sempre os ângulos ressaltavam um único assunto, especialmente se o/a Consulente, no momento da consulta, enfrentava situações difíceis na sua vida.

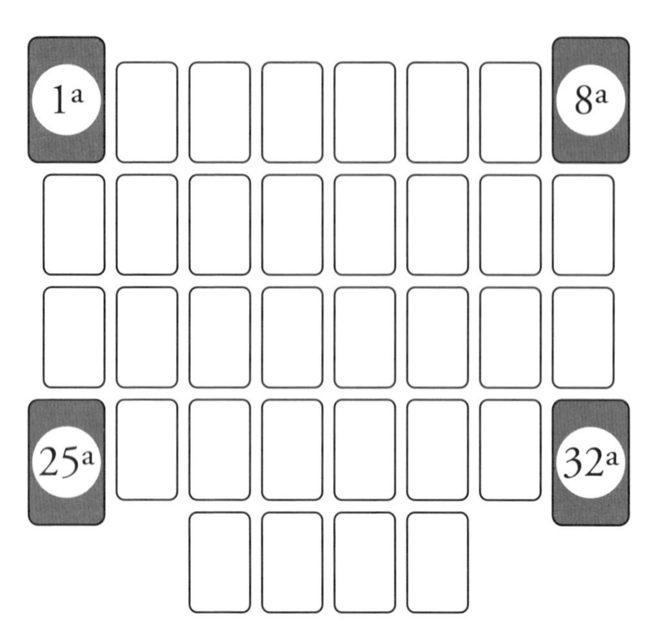

Numa leitura, não é de se excluir que um, dois ou todos os quatro ângulos do Tableau possam ressaltar temas ou assuntos que sejam fontes de preocupação para o/a Consulente.

Sendo assim, a leitura dos ângulos, dependendo do objetivo da leitura (geral ou para uma questão específica), pode seguir da seguinte maneira:

- Caso decidam seguir a tradição, considerem a carta em 1ª posição como tema principal e as posições restantes (8ª, 25ª e 32ª) irão fornecer detalhes sobre o assunto apresentado pela 1ª posição. A leitura dos ângulos faz-se em combinação diagonal: entre a 1ª e 32ª posições e entre a 8ª e 25ª posições.
- De outro modo, no caso em que os ângulos abordem mais de um assunto, são lidos separadamente, considerando que as cartas posicionadas vizinhas fornecerão detalhes sobre o assunto trazido pela carta tema, ou seja:
  - A carta localizada na 1ª posição deverá ser lida com as cartas que se encontram nas casas 2, 9 e 10;

- A carta localizada na 8ª posição deverá ser lida com as cartas que se encontram nas casas 7, 15 e 16;
- A carta localizada na 25ª posição deverá ser lida com as cartas que se encontram nas casas 17, 18 e 26;
- A carta localizada na 32ª posição deverá ser lida com as cartas que se encontram nas casas 23, 24 e 31.

Nota importante:
Todas as informações aqui obtidas assumem um papel relevante numa leitura por disponibilizarem indicações sobre o que realmente é primordial para o/a Consulente. Dependendo dos argumentos ressaltados, a leitura do Tableau prossegue na análise da área dos pensamentos, do presente e das casas que representam as áreas de vida ou dos assuntos aqui ressaltados.

O CORAÇÃO DO GRAND TABLEAU

Chama-se coração do Grand Tableau, as cartas que se encontram nas posições 12, 13, 20 e 21.

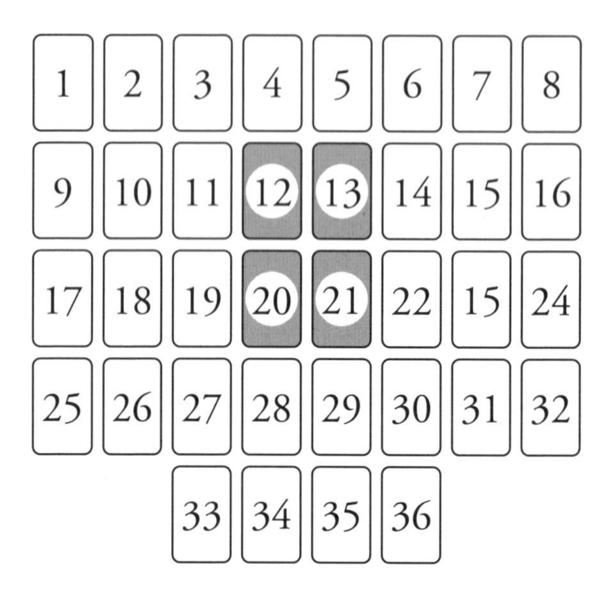

Destaquei as quatro cartas aqui posicionadas para que o/a Consulente se foque e concentre-se na atitude comportamental durante o período marcado para a leitura.

- Estas quatro cartas são lidas em diagonal, ou seja, a 12 + a 21 e a 13 + a 20.

Nota importante:
Prestem atenção se o/a Consulente ou uma outra pessoa (representada por uma carta da corte ou por outra carta) está presente no Coração do Grand Tableau, porque esta área indicará o que é necessário focar em si mesmo (atitudes etc.) ou na outra pessoa assinalada. Observem também a presença de cartas tema nesta região, pois elas representarão a área ou situação da vida da pessoa que não pode ser perdida de vista e na qual ela deve se concentrar no período estabelecido para a leitura.

A LINHA FATÍDICA

As quatro casas que se encontram posicionadas na última linha – casas 33, 34, 35 e 36 – são chamadas de linha fatídica ou de linha do destino.

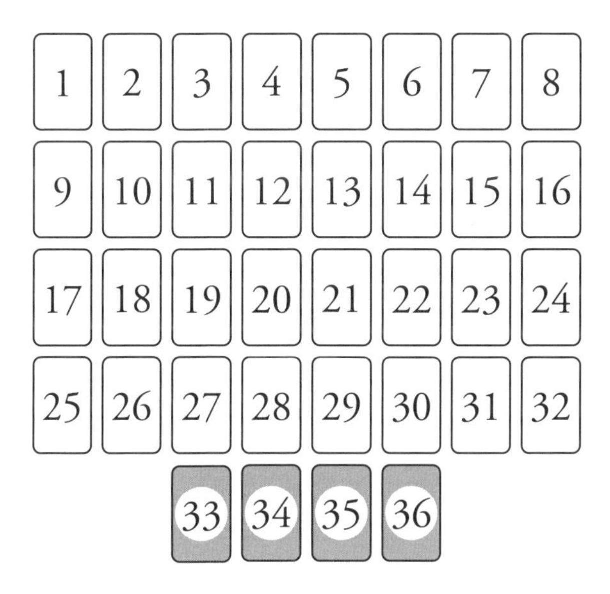

Estas quatro casas contêm eventos que acontecerão inevitavelmente. Não existem possibilidades de escapar desta sentença. Esta linha é vista como o resultado final ou a evolução que se obterá sobre a questão investigada ou que os eventos aqui anunciados serão as consequências que o/a Consulente obterá, desejando ou não.

A linha fatídica e a linha do futuro estão ligadas em um certo sentido. A linha do futuro mostra o desenvolvimento, enquanto a linha fatídica revela o resultado desse desenvolvimento. São os acontecimentos mais importantes que marcam a existência do Consulente durante o período estabelecido no início da leitura.

Portanto, se o Grand Tableau foi programado para um tempo de 6 meses, por exemplo, esta linha anuncia eventos que irão ocorrer dentro deste período. As cartas são lidas aos pares, da esquerda para a direita (da casa 33 a casa 36), encadeando uma carta com a outra, ou seja, a 33 com a 34, a 34 com a 35 e a 35 com a 36, como demonstrado no esquema na próxima página.

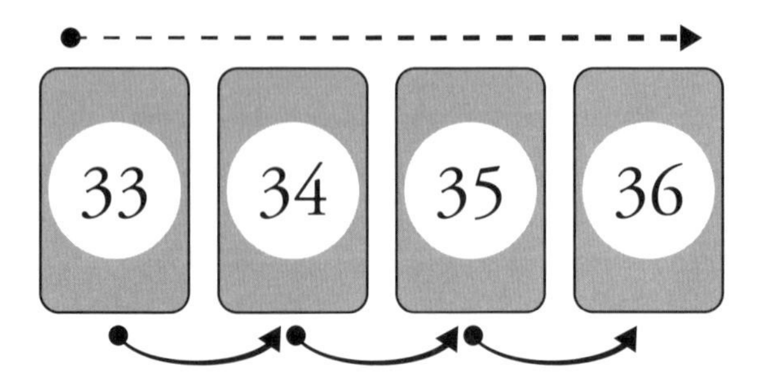

Nota importante:
A carta do/a Consulente aqui posicionada é um forte indicador de que este, contribuirá para a manifestação dos eventos aqui indicados. O mesmo acontece para qualquer uma outra carta que representa uma pessoa. Deve-se também considerar as ou a carta tema que esteja presente neste grupo de cartas, porque isto identificará em qual área da vida os eventos acontecerão ou serão predominantes.

O MÉTODO DAS CASAS

Antigamente, era habitual que os cartomantes trabalhassem com métodos amplos, como o Grand Tableau, em que as posições de cada casa correspondiam a uma área ou evento da vida.

Uma alusão ao baralho e método de leitura utilizado pela M.lle Le Normand para as suas leituras encontra-se no livro *L´Oracle Parfait ou Le Passe-Temps Des Dames Art De Tirer Les Cartes*, escrito por Etteila em 1875 e no registro dos depoimentos deixados no interrogatório da polícia em Bruxelas e nos seus livros.

Etteilla afirma que Mlle Le Normand utilizava um baralho comum, composto por 36 cartas, com nove cartas por cada naipe: Rei, Dama, Valete, Dez, Nove, Oito, Sete, Dois e Às. O método de lançamento utilizado por Mlle Le Normand era uma estrutura de nove cartas em quatro filas composta de 36 casas (estrutura hoje conhecida como o Grand Tableau Lenormand 9x4). Essa estrutura representava as áreas da vida, estados emocionais ou eventos que serviam de guia durante a leitura (hoje conhecido como o Grand Tableau Lenormand das Casas, muito praticado aqui na Suíça, Alemanha, Áustria e França).

Era assim que Mlle Le Normand lia as cartas? Não podemos afirmar, porque a própria Mlle Le Normand foi muito vaga em fornecer essas informações.

L'ORACLE
PARFAIT
OU
LE PASSE-TEMPS DES DAMES
ART
DE TIRER LES CARTES
AVEC EXPLICATION
Claire et facile de toutes les cartes du jeu de piquet, leur interprétation et signification d'après les plus célèbres cartomanciens,
Mlle LENORMAND, ETTEILLA, &, &.

L´Oracle Parfait ou Le Passe-Temps Des Dames Art De Tirer Les Cartes

As 36 casas do Tableau de Mlle Le normand

O que se sabe, é que o método foi criado exclusivamente para o baralho comum. As palavras-chave das Casas podem parecer vagas, mas poucos detalhes são dados no livro sobre os seus significados.

1 Projet.	2 Satisfaction.	3 Réussite.	4 Espérance.	5 Hasard.	6 Désir.	7 Injustice.	8 Ingratitude.	9 Association.
10 Perte.	11 Peine.	12 État.	13 Joie.	14 Amour.	15 Prospérité.	16 Mariage.	17 Affliction.	18 Jouissance.
19 Héritage.	20 Trahison.	21 Rival.	22 Présent.	23 Amant.	24 Élévation.	25 Bienfait.	26 Entreprise.	27 Changement.
28 Fin.	29 Récompense.	30 Disgrâce.	31 Bonheur.	32 Fortune.	33 Indifférence.	34 Faveur.	35 Ambition.	36 Indisposition.

Este mesmo livro, "L'Oracle Parfait ou Le passe temps des Dames, L'Art detirer les cartes avec explication", plagiou um outro livro francês publicado no ano de 1788 de nome "Étrennes Nouvelles de L´Horoscope de l`Homme e de la Femme" que reporta os conhecimentos de Henricus Cornelius Agripa.

ÉTRENNES

NOUVELLES

DE

L'HOROSCOPE

De l'HOMME & de la FEMME,

Par le moyen de 36 Cartes, travaillées ſur les plus profondes connoiſſances du ſavant *Henri-Corneille Agrippa*, tiré avec tant de ſuccès de l'Horoſcope, par M. *G. D. R.*

Pour l'Année 1788, *contenant*

I. La manière de tirer ſon Horoſcope, par le moyen des Cartes à Jouer, & celle de connoître l'interprétation des douze ſignes du Zodiaque, par les Cartes & l'influence desdites ſignes ſur les Corps humains.

II. L'Explication de 36 Nombres, qui ſont la Baſe de tout cet Ouvrage, pour bien tirer ſon Horoſcope.

III. L'Explication detaillée de 24 manières différentes, ſavoir : trois Rois, trois Dames, trois Valets, &c. qui ſe touchent, & qui pourront ſe toucher dans les trois Tirages, ſoit perpendiculairement, ou de front, ſoit de triangle, ou de file, &c.

Première Partie, ſeconde Edition.

Prix, vingt-cinq ſols, broché, les deux parties.

A PARIS,

Chez *Gabriel Quinet*, Libraire, dans la Salle du Palais. 1788.

Henricus Cornelius Agripa
(1486 – 1535)

Caso tenham curiosidade, poderão consultar gratuitamente o livro *L'Oracle Parfait ou Le passe temps des Dames,* através do site: http://gallica.bnf.fr/

O meu primeiro contato com este método foi em 1970, quando iniciei os meus primeiros passos nos estudos da cartomancia tradicional com as 36 cartas do baralho comum com nove cartas dos quatro naipes: Às, Rei, Rainha, Valete, Dez, Nove, Oito, Sete e Dois (método francês). A estrutura do Tableau, transmitida pela minha avó, é o conhecido hoje por 6x6 (a estrutura utilizada no baralho O jogo da Esperança). Mais tarde, em 1974, a minha avó trouxe-me de Portugal, como presente, um pequeno livro chamado "O seu destino nas cartas, como desvendar os mistérios do futuro com 36 cartas". Este método contém o Método do Mestre com a explicação das 36 casas e os significados das cartas nas 36 posições.

Foi a primeira vez na minha vida que vi um livro de cartomancia, por isso o conservo, até hoje, como um tesouro precioso. Os meus alunos já tiveram o privilégio de tê-lo nas mãos.

Um outro livro que foi e é, ainda hoje, um ponto de referência nos meus estudos sobre esta matéria é o livro Le Grand Livre de la Cartomancie, do autor Gerhard von Lentner, publicado em 1984; comprei esse livro em Paris (França). É rico em informações sobre este tema. Para terem uma ideia do quanto o livro é significativo, ele contém 920 páginas onde explica detalhadamente a técnica do método, os significados das cartas e as casas singularmente e, por último, os significados das cartas nas casas. A estrutura do Tableau presente no livro é de 32 casas, mas as técnicas podem ser adaptadas ao Método do Mestre das 36 casas.

AS CASAS DO TABLEAU LENORMAND

As casas são o que tornam a leitura do Grand Tableau espetacular. Cada casa representa um aspecto diferente da vida, desde as áreas principais (relacionamento, trabalho, finanças, saúde, viagem, etc.), pessoas (pai, mãe, filhos, família, marido, mulher, amante, rival, amigos, sócios, etc.), lugares (dentro de casa, locais fora de casa, rua, estrada, cidade, etc.) até as circunstâncias agradáveis ou desagradáveis que um ser humano vivencia durante a sua vida (nascimentos, alegrias, sucessos, tristezas, mortes, doenças, etc.).

Numa leitura, elas mostram o que o/a Consulente está enfrentando ou o que enfrentará nessas áreas da vida. O Tableau é dividido em 36 setores, também conhecidos pelo nome de casas. Cada casa, de acordo com a ordem numérica, corresponde a uma das cartas do baralho Petit Lenormand:

- A casa n.º 1 corresponde a carta n.º 1, O Cavaleiro
- A casa n.º 2 corresponde a carta n.º 2, O Trevo
- A casa n.º 3 corresponde a carta n.º 3, O Navio
- A casa n.º 4 corresponde a carta n.º 4, A Casa
- A casa n.º 5 corresponde a carta n.º 5, A Árvore
- A casa n.º 6 corresponde a carta n.º 6, As Nuvens
- A casa n.º 7 corresponde a carta n.º 7, A Serpente
- A casa n.º 8 corresponde a carta n.º 8, O Caixão
- E assim por diante.

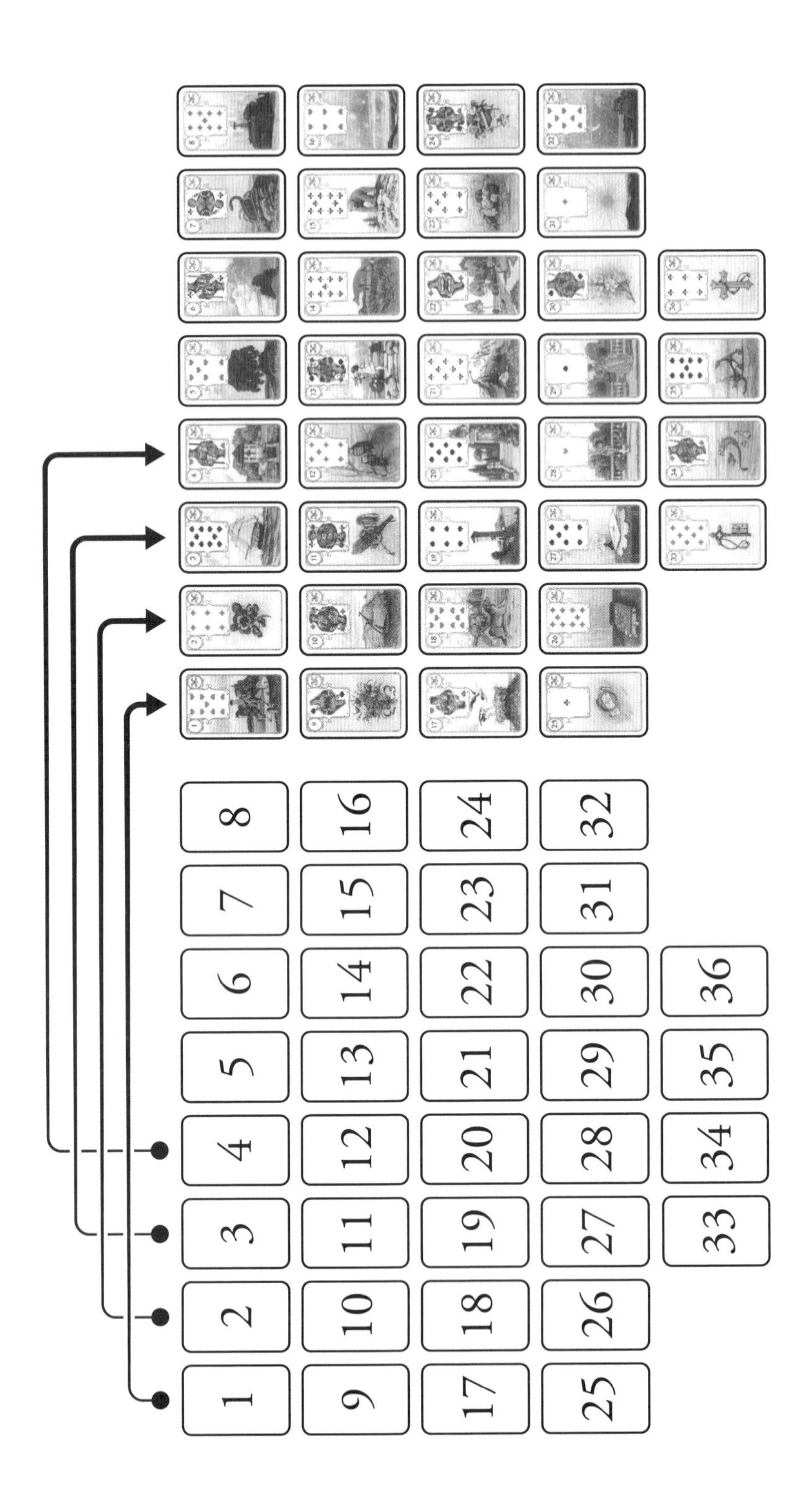
1
2
3
4
5
6
7
8
9
10
11
12
13
14
15
16
17
18
19
20
21
22
23
24
25
26
27
28
29
30
31
32
33
34
35
36

Uma vez entendido que uma casa é representada por uma das cartas do baralho (tecnicamente chamada de casa natural), é fácil entender o que cada uma das 36 Casas possam estar representando numa leitura.

Por exemplo, a casa n.º 32 representa: honra, fama, reconhecimento e o status social perante o público.

Portanto, é nesta casa que se observa, o prestígio e o status social adquirido em virtude do comportamento, atitude e esforço aplicado no alcançar de um determinado objetivo.

Nota importante:
Os significados das casas, aqui apresentadas, fazem parte do sistema Lenormand Alemão. Caso, por exemplo, a sua linguagem Lenormand seja a Brasileira ou a do Baralho Cigano, algumas casas do Tableau deverão ser adaptadas para esse mesmo sistema, como no exemplo abaixo:

- A casa n.º 2, que significa: dificuldades, provações e obstáculos de breve duração;
- A casa n.º 6, que significa: medos, tormentos, confusão e indecisões;
- E assim por diante.

A LINGUAGEM DAS CASAS

Agora que entenderam a importância das casas no Tableau, chegou o momento de aprofundarem os seus conhecimentos das 36 casas.

Saibam que, mesmo que as 36 casas carreguem todos os significados das 36 cartas do baralho, para quem está dando os primeiros passos no estudo do Grand Tableau, é importante atribuir poucos significados às casas. Mas, uma vez superada a fase inicial do estudo prático, onde se aprende a dominar significados e técnicas, pode-se acrescentar outros significados às casas.

Casa N.º 1

Governado pela carta: Carta 1, O Cavaleiro

Frase da casa: "Trago novidades."

Propósito da casa: Revelar importantes novidades que estão chegando. Positivas ou negativas, dependendo da carta que aqui se encontra.

Palavras-chave: Novidades (notícias ou a chegada de algo).

Exemplos de algumas cartas posicionadas na casa n.º 1:

- O Navio: chegada de algo ou alguém proveniente de terras distantes.
- As Nuvens: informações vagas; situações ou eventos pouco claros.
- A Serpente: intromissão de uma terceira pessoa nos assuntos do/a Consulente; assédio.
- O Caixão: notícias tristes; funeral.
- O Ramo de Flores: uma pequena promoção; visitas; pedido de desculpas.
- As Corujas: alguém se aproxima para contar algo; chegada de uma chamada.
- O Urso: receber notícias ou informações através de alguém influente (exemplo: um advogado, um chefe, um dos pais).
- O Cão: chegada de apoio, ajuda; voltar a ter confiança em si mesmo ou em alguém.
- A Montanha: imobilidade.
- Os Ratos: encontrar o que foi roubado ou perdido.
- O Coração: uma nova paixão, amor; chegada da pessoa amada ou novo interesse romântico.
- A Carta: correio, correio eletrônico, fax (se a carta do Navio está perto, anuncia que esta comunicação vem de muito longe ou do exterior); A Carta também pode anunciar a chegada de uma visita como também de um novo contato da parte de alguém.
- Os Lírios: anuncia a chegada de um período tranquilo e sereno; reconciliação.
- A Chave: chegada de uma resposta ou da solução de um problema.

- Os Peixes: ingresso econômico; movimento bancário (investimento).
- A Âncora: novo emprego; novas oportunidades (propostas) profissionais; chegada de algo ou de alguém que traz esperança ou estabilidade.

Casa N.º 2

GOVERNADO PELA CARTA: Carta 2, O Trevo

FRASE DA CASA: "Trago um pouco de fortuna e novas oportunidades!"

PROPÓSITO DA CASA: Revelar quais oportunidades surgirão a nosso favor. Mesmo sendo breves serão desfrutadas.

PALAVRAS-CHAVE: Golpe de sorte, uma nova oportunidade, pequenas alegrias e satisfações, jogos de azar (corridas de cavalos, apostas nos esportes, loterias e todas as formas de jogos de azar e especulação).

Exemplos de algumas cartas posicionadas na casa n.º 2:

- A Casa: anuncia um alojamento provisório de breve duração.
- As Estrelas: fortuna no jogo; a chance de esclarecimento.
- Os Ratos: oportunidades perdidas.
- O Anel: uma segunda chance numa relação.
- Os Peixes: um golpe de sorte; oportunidades de ganhar dinheiro extra; gorjeta.
- Os Lírios: reconciliação.

Casa N.º 3

GOVERNADO PELA CARTA: Carta 3, O Navio

FRASE DA CASA: "Trago aventura em localidades distantes e conhecimento de novas culturas".

PROPÓSITO DA CASA: Revelar quais fatos ocorrerão longe do alcance do/a Consulente.

PALAVRAS-CHAVE: Comércio, negócios, empreendimento, importação e exportação, viagens distantes, férias, exterior (países estrangeiros), ausência, anseios, desejos, saudades, nostalgia.

Exemplos de algumas cartas posicionadas na casa n.º 3:

- O Cavaleiro: viajar frequentemente; separação ou ir embora.
- A Casa: transação comercial; compra ou venda de imóveis; saudades de casa.
- As Nuvens: viagem em atraso.
- O Caixão: uma viagem que não ocorrerá (cancelamento); funeral; herança.
- As Estrelas: viagem por razões espirituais; navegar (buscar) na internet
- As Cegonhas: viagem de avião; mudanças na vida do/a Consulente; negócios de viagens.
- A Torre: país estrangeiro; fronteira; viajar sozinho; uma companhia estrangeira.
- O Livro: viagem de estudos, de exploração; viagem a uma localidade desconhecida, secreta; negócios que são mantidos em sigilo.
- A Carta: correspondência à distância, do estrangeiro; contato com cultura ou etnia diferente.
- O Sol: uma viagem será afortunada.
- Os Peixes: viagem de negócios; comércio lucrativo; transferência de dinheiro para o exterior; herança; alcoolismo.
- A Cruz: peregrinação ou viagem por razões religiosas.

Casa N.º 4

Governado pela carta: Carta 4, A Casa

Frase da casa: "Trago Conforto e mostro o ambiente doméstico do/a Consulente."

Propósito da casa: Revelar tudo o que acontece na própria habitação ou no ambiente em que se vive (também a relação e convivência com pessoas chegadas). Assinala também onde e com quem o/a Consulente se sente confortável.

Palavras-chave: A própria habitação, imóveis e propriedades (casa, terrenos), cotidiano, situação doméstica, vizinhos, assuntos pessoais e particulares, fundações pessoais (segurança emocional interna), o mundo interior, conforto, hábitos, tradição.

Exemplos de algumas cartas posicionadas na casa n.º 4:

- O Navio: distanciamento dos assuntos de casa; afastar-se ou sair de casa (observem as cartas que circundam a carta O Navio e também a carta que se encontra posicionada na casa n.º 3 para descobrir as razões do distanciamento ou quem vai embora de casa); sair da zona de conforto; venda de uma propriedade (casa ou terreno).
- A Árvore: ficar calmo, parado; descansar; recuperação depois de uma doença ou longo período de estresse; retiro; encontrar-se a si mesmo.
- O Cão: a residência de um/a amigo/a; animal de estimação.
- A Torre: isolamento.
- O Anel: casa conjugal; casa compartilhada.
- Os Lírios: morar com a família; casa da família; lar harmonioso e acolhedor.
- O Sol: terapia energética; Reiki.

Casa N.º 5

Governado pela carta: Carta 5, A Árvore

Frase da casa: "Trago bem-estar".

Propósito da casa: Revelar informações sobre o estado de saúde. Mostra a bagagem cármica que a pessoa trouxe para esta vida.

Palavras-chave: Saúde (força vital, doença e a capacidade de recuperação do corpo em caso de doença), tratamento, remédio, as próprias raízes (hereditariedade, origens), as origens de um evento, ramificar.

Exemplos de algumas cartas posicionadas na casa n.º 5:

- O Trevo: tratamento com ervas.
- As Nuvens: indisposição; mal-estar.
- O Caixão: doença.
- O Ramo de Flores: tratamento ou medicina alternativa.

- As Estrelas: crescimento espiritual.
- Os Ratos: anunciam perda de vitalidade; corpo doentio; sistema imunológico fraco.
- O Anel: anuncia um relacionamento de longo prazo; tratamento contínuo.
- O Sol: vitalidade; boas condições de saúde.
- A Âncora: anuncia saúde ou vida estável; convalescença.

Casa N.º 6

GOVERNADO PELA CARTA: Carta 6, As Nuvens

FRASE DA CASA: "Trago incompreensões, confusões e eventos ambíguos".

PROPÓSITO DA CASA: Revelar o que não está bem compreendido e o que o/a deixa confuso/a e ansioso/a.

PALAVRAS-CHAVE: Problemas, aborrecimentos, preocupações, contratempos temporários, instabilidade, incertezas, inconstância, equívoco, incompreensão, ameaças, medos.

Exemplos de algumas cartas posicionadas na casa n.º 6:

- O Navio: um/a ex que se afasta ou toma distância; aborrecimentos durante uma viagem ou nos negócios.
- As Nuvens: diagnóstico da presença de negatividade; os problemas não são grandes, mas numerosos.
- A Serpente: a ex e um rival juntos para prejudicar.
- O Caixão: passado que atormenta.
- O Ramo de Flores: entender mal a gentileza de alguém.
- A Vassoura e O Chicote: maus-tratos.
- As Estrelas: mal-entendido que vem esclarecido; ilusões sobre um projeto.
- O Anel: frequentes contratempos.
- A Carta: breve atraso na chegada de uma comunicação escrita; medo ou anseio em receber uma notícia; agitação causada por escritos.

- Os Peixes: o/a Consulente está perturbado devido a problemas financeiros; pequenos aborrecimentos ou dificuldades financeiras temporárias.
- A Âncora: atraso no cumprimento de uma tarefa profissional.

Casa N.º 7

GOVERNADO PELA CARTA: Carta 7, A Serpente

FRASE DA CASA: "Trago traições e complicações".

PROPÓSITO DA CASA: Revelar os inimigos ocultos.

PALAVRAS-CHAVE: Inimigos potenciais (rivais, adversários), pecados, traição, complicação, decepção, desvio, inveja, ciúme

Exemplos de algumas cartas posicionadas na casa n.º 7:

- A Árvore: medicamento;
- As Nuvens: um inimigo ou rival fora de suspeita; feitiço, bruxaria.
- As Estrelas: quimioterapia; tratamento químico.
- O Coração: complicações na área sentimental; maldade pura.
- O Anel: amante mulher; graves complicações num relacionamento; decepção numa colaboração ou por um parceiro.
- O Livro: complicações técnicas; rival oculto; magia.

Casa N.º 8

GOVERNADO PELA CARTA: Carta 8, O Caixão

FRASE DA CASA: "Trago o fim de tudo".

PROPÓSITO DA CASA: Revelar o que vai terminar e o que não faz mais sentido alimentar na vida da pessoa.

PALAVRAS-CHAVE: Fim, morte, luto, tristeza, dor, doença grave, falência, grande perda.

Exemplos de algumas cartas posicionadas na casa n.º 8:

- O Cavaleiro: anulação de um deslocamento; visita anulada.
- O Navio: fim de uma viagem ou de um processo de transformação.

- A Árvore: doença genética; conclusão de terapia.
- As Nuvens: contágio.
- A Serpente: derrota de um inimigo perigoso.
- O Ramo de Flores: cancelamento de uma cerimônia.
- As Corujas: adoecer por causa das preocupações.
- A Torre: doença que requer isolamento; fim do isolamento; hospital; Fim de vida; demolição de um edifício.
- O Parque: cancelamento de um evento público; doença afetiva.
- A Montanha: renúncia, a causa das grandes dificuldades presentes nos projetos; ficar um longo período de cama doente.
- Os Ratos: epidemia.
- O Anel: dissolução de uma parceria ou contrato (trabalho, relacionamento etc.); doença crônica.
- O Livro: doença desconhecida.
- A Lua: nenhum reconhecimento ou premiação.
- A Âncora: encerramento de uma atividade profissional (falência); conclusão de uma obrigação; desemprego.
- A Cruz: morte; dor profunda ou um grande sofrimento.

Casa N.º 9

GOVERNADO PELA CARTA: Carta 9, O Ramo de Flores

FRASE DA CASA: "Trago alegria e a beleza das coisas".

PROPÓSITO DA CASA: Revelar alegrias e surpresas.

PALAVRAS-CHAVE: Surpresa, convites, presentes, felicidade, contentamento, gratificação, oferta, prêmios, visita, hobbies.

Exemplos de algumas cartas posicionadas na casa n.º 9:

- O Trevo: uma surpresa inesperada.
- As Nuvens: um convite pouco claro.
- A Raposa: convite com segundas intenções.
- As Estrelas: talento artístico.
- O Parque: convite para uma festa ou manifestação.

- O Coração: apaixonar-se; namoro; convite sincero.
- O Anel: convite para um casamento; pedido de casamento; oferta de colaboração.
- A Lua: grande reconhecimento; promoção.
- Os Peixes: presente de grande valor ou em dinheiro.

Casa N.º 10

GOVERNADO PELA CARTA: Carta 10, A Foice

FRASE DA CASA: "Trago eliminação das coisas desnecessárias".

PROPÓSITO DA CASA: Revelar os perigos e riscos que ameaçam a vida do/a Consulente, mas também separar o "joio do trigo".

PALAVRAS-CHAVE: Perigo, riscos, advertência, ameaça, choque, acidente, corte, separação.

Exemplo de algumas cartas posicionadas na casa n.º 10:

- O Navio: acidente; interrupção de uma viagem.
- A Árvore: fratura dos ossos.
- As Nuvens: ataque da parte de um ex.
- A Serpente: eliminação de um rival; ataque da parte de uma ex.
- O Caixão: impulsos suicidas; acidente ou morte violenta.
- As Corujas: interrupção da comunicação telefônica ou corte da linha telefônica.
- O Urso: divisão dos bens.
- O Cão: cortar com uma amizade, colega, conhecido ou vizinho.
- O Parque: distanciamento social; necessidade de se livrar de pessoas desnecessárias.
- A Montanha: remoção dos impedimentos a realização de algo.
- O Anel: anuncia a rescisão de um contrato.
- A Carta: nenhuma comunicação ou contato.
- Uma carta do/a Consulente: atitude incisiva.
- Os Lírios: agressão sexual, estupro.
- Os Peixes: redução, interrupção da renda.

Casa N.º 11

GOVERNADO PELA CARTA: Carta 11, A Vassoura e o Chicote

FRASE DA CASA: "Trago conflitos e confrontos".

PROPÓSITO DA CASA: Revelar onde ou com quem se vive um conflito e como se lida com as divergências.

PALAVRAS-CHAVE: Disputas, divergências, controvérsias, punição, acusação, abuso, querela, vício, magia, feitiço.

Exemplos de algumas cartas posicionadas na casa n.º 11:

- A Casa: conflitos domésticos; dores na alma.
- A Árvore: dores no corpo.
- A Serpente: crítica maligna; complicações em uma questão judicial.
- A Coruja: ataque verbal.
- A Criança: discussões fúteis; desavenças geradas pela falta de responsabilidade.
- O Urso: confronto com um superior ou com um dos pais.
- O Cão: discussões por causa da lealdade; alarme de segurança.
- A Torre: ação jurídica.
- O Parque: ataque público.
- Os Caminhos: forçar uma decisão.
- O Coração: discussões com um ente querido.
- O Anel: anuncia relacionamento com muitas disputas.
- O Livro: críticas por motivos intelectuais.
- Os Lírios: advogado; tensões na família.
- A Cruz: condenação.

Casa N.º 12

GOVERNADO PELA CARTA: Carta 12, As Corujas

FRASE DA CASA: "Trago um pouco de agitação, nervosismo e falatório".

PROPÓSITO DA CASA: Revelar como se expressa e se comunica com os outros.

Palavras-chave: Comunicação verbal, boatos, agitação, inquietação.

Exemplos de algumas cartas posicionadas na casa n.º 12:

- O Ramo de Flores: conversa formal.
- A Criança: conversas sobre um filho; falar sobre um novo início.
- As Estrelas: videochamada; celular.
- Os Caminhos: agitação por não saber aonde ir ou o que decidir.
- O Anel: contato telefônico regular; falar sobre um acordo ou um contrato.
- O Livro: coisas não são ditas; confissão; conversa confidencial.
- A Chaves: celular.
- A Cruz: oração; falar de algo que causa dor e sofrimento.

Casa N.º 13

Governado pela carta: Carta 13, A Criança

Frase da casa: "Trago algo de novo".

Propósito da casa: Revelar o que há de novo na vida da pessoa e como lida com os seus filhos ou com adolescentes.

Palavras-chave: Filho/a, crianças, adolescentes, novo início, recomeço, os primeiros passos, estágio inicial.

Exemplos de algumas cartas posicionadas na casa n.º 13:

- O Navio: novos rumos; novos começos no exterior.
- As Nuvens: um jovem confuso ou bipolar; início de um período de caos e confusão.
- As Corujas: gêmeos; dois filhos ou jovens.
- As Estrelas: anunciam uma nova visão; novas ideias.
- O Coração: anuncia um novo amor.
- O Livro: nova edição de um livro; novo livro.
- Os Peixes: pequenos investimentos; pequenos ganhos; pequena quantia de dinheiro.
- A Âncora: anuncia um novo trabalho, emprego.

Casa N.º 14

Governado pela carta: A carta 14, A Raposa

Frase da casa: "Trago erros e enganos".

Propósito da casa: Revelar o que está errado e o que não é confiável.

Palavras-chave: Alerta, falso, engano, fraude, cilada, mentira, erro, situação ilusória, intriga, ilegalidade.

Exemplos de algumas cartas posicionadas na casa n.º 14:

- O Navio: momento errado para afastar-se ou fazer uma viagem; mentiras ou enganos ligados a uma viagem.
- A Árvore: diagnóstico errado; se conduz uma vida dupla.
- A Serpente: uma grande mentira.
- O Caixão: fingir uma doença; diagnóstico errado de uma doença.
- O Ramo de Flores: favoritismo; falsa cordialidade; indelicadeza;
- O Parque: mentiras que envolvem muitas pessoas; capacidade de tirar proveito dos outros.
- O Anel: continua dizendo mentiras ou enganando; comportamento errado num relacionamento ou parceria.
- A carta do/a Consulente: manipula a situação para tirar vantagens.
- Os Peixes: relacionamento errado com o dinheiro; falsificação de dinheiro.

Casa N.º 15

Governado pela carta: Carta 15, O Urso

Frase da casa: "Trago proteção, coragem e força para enfrentar as adversidades da vida".

Propósito da casa: Revelar as posses, os recursos pessoais e financeiros.

Palavras-chave: Força, poder, coragem, os Pais, superior, bens, poupança.

Exemplos de algumas cartas posicionadas na casa n.º 15:

- A Casa: bens imóveis.
- A Vassoura e O Chicote: relacionamento com os pais é conflituoso.

- Os Peixes: poupança; financeiramente seguro; a pessoa sabe administrar bem o próprio dinheiro ou bens
- Os lírios: avôs; especialista; juiz, advogado.

Casa N.º 16

Governado pela carta: A carta 16, As Estrelas

Frase da casa: "Trago inspirações e objetivos a serem alcançados no futuro".

Propósito da casa: Revelar as expectativas e projetos futuros.

Palavras-chave: Expectativas, inspirações, planos, objetivos, realizações, sucessos, talento, espiritualidade (crença espiritual), misticismo, esoterismo, tecnologia.

Exemplos de algumas cartas posicionadas na casa n.º 16:

- A Árvore: cura; recuperação.
- As Nuvens: objetivos pouco claros; efeitos colaterais de um medicamento.
- O Parque: rede social.
- Os Caminhos: projetos inacabados.
- O Coração: aspirar a um amor verdadeiro.
- O Sol: grande vitória; conquista dos próprios objetivos.
- A Lua: sucesso que vai além do esperado; grande reconhecimento.

Casa N.º 17

Governado pela carta: Carta 17, As Cegonhas

Frase da casa: "Trago mudanças".

Propósito da casa: Revelar sobre o que está mudando ou o que deve ser mudado, alterado na vida.

Palavras-chave: Mudanças, modificações, alterações, transformações, transições, transferência, gravidez, nascimento.

Exemplos de algumas cartas posicionadas na casa n.º 17:

- A Casa: mudança de residência; mudanças no ambiente doméstico.
- A Árvore: mudanças no estilo de vida; uma mudança que vai levar muito tempo para se concretizar.
- A Criança: gravidez.
- O Cão: mudança confiável; mudança de atitude em relação a uma amizade.
- A Montanha: mudanças difíceis.
- O Anel: alteração ou modificações num contrato; renovação de um contrato; necessidade de mudar algo num relacionamento.
- Os Peixes: mudanças na área financeira.

Casa N.º 18

Governado pela carta: Carta 18, O Cão

Frase da casa: "Trago amigos e situações confiáveis".

Propósito da casa: Revelar como a pessoa lida com os seus amigos, que tipo de amigo é ou o que atrai, o que é puro, quem é confiável e honesto.

Palavras-chave: Lealdade, fidelidade, confiança, honestidade, amizade, animal de estimação, suporte.

Exemplos de algumas cartas posicionadas na casa n.º 18:

- A Árvore: amigo de infância ou de longa data.
- A Serpente: amizades prejudiciais; amigo que trai a confiança do/a Consulente; "amigo" que trama contra o/a Consulente.
- A Foice: amigo, colega, conhecido ou vizinho prepotente, agressivo.
- A Raposa: amizades perigosas.
- O Urso: amigos influentes.
- A Cegonha: mudanças na lista de amigos.
- A Torre: amizade com limitações.
- Os Ratos: amigo aproveitador, oportunista.

- Os Peixes: apoio, auxílio financeiro vindo de um amigo ou conhecido.
- A Âncora: um colega de trabalho; fidelidade ao próprio trabalho.

Casa N.º 19

Governado pela carta: Carta 19, A Torre

Frase da casa: "Trago restrições e ordem".

Propósito da casa: Revelar como a pessoa lida com a autoridade.

Palavras-chave: Grande edifício, instituições (estado, governo), autoridades, leis, burocracia, isolamento, solidão.

Exemplos de algumas cartas posicionadas na casa n.º 19:

- O Navio: empresa multinacional.
- A Casa: fechar-se em si.
- A Árvore: hospital; longo período de solidão.
- O Urso: um dos pais hospitalizado ou preso; juiz.
- O Parque: instituições ou organizações públicas.
- A Montanha: Prisão; restrições; fronteira; alfândega.
- O Coração: instituições de caridade.
- O Anel: anuncia uma separação; solidão num relacionamento; cartório.
- Os Lírios: retiro; momentos de reflexão; isolar-se da família.
- A Lua: Mesquita.
- A Cruz: Igreja.

Casa N.º 20

Governado pela carta: A carta 20, O Parque

Frase da casa: "Trago novas crenças e diversão fora da zona de conforto".

Propósito da casa: Revelar a postura da pessoa perante os outros e a vida social em geral.

Palavras-chave: Vida social, assuntos externos, evento público, a sociedade, público, a comunidade, entretenimento (diversão, recreação).

Exemplos de algumas cartas posicionadas na casa n.º 20:

- O Trevo: um encontro inesperado.
- A Árvore: recuperação; férias.
- A Serpente: má companhia.
- O Caixão: funeral; lixeira.
- O Ramo de Flores: companhia agradável; festa de aniversário; evento prazeroso.
- A Foice: evento social perigoso (com a carta A Vassoura e O Chicote pode anunciar agressão numa manifestação pública).
- O Anel: site de relacionamento; grupo pertencente a uma sociedade (escolar, religiosa etc.); encontros que se repetem.
- O Livro: publicações literárias; nenhum acesso ao público (fórum, comunidade etc.).
- A Lua: admiração e respeito público; tornar-se famoso.
- A Chave: fórum acessível a todos; Ingresso aberto ao público.
- Os Peixes: muitos fãs, é seguido por um grande público; clientes; leilão.
- A Âncora: clientela fixa.

Casa N.º 21

GOVERNADO PELA CARTA: Carta 21, A Montanha

FRASE DA CASA: "Trago grandes desafios e obstáculos".

PROPÓSITO DA CASA: Revelar os obstáculos que impedem de atingir os objetivos.

PALAVRAS-CHAVE: Obstáculos, bloqueio, atrasos, dificuldades, oposição.

Exemplos de algumas cartas posicionadas na casa n.º 21:

- As Nuvens: não se compreende de onde vêm os obstáculos; não se
- consegue reconhecer o adversário.
- O Caixão: dificuldades para acabar com algo.
- A Criança: dificuldades para iniciar algo; dificuldades para ter um filho.

- A Torre: ser detido.
- Os Caminhos: dificuldades em tomar uma decisão ou em escolher entre várias possibilidades.
- O Coração: sentir-se indiferente.
- O Anel: prevê uma relação bloqueada ou impedida por alguém ou por alguma coisa (demonstrado na carta que está próxima a Montanha); obstáculos na assinatura de um contrato ou na realização de uma união.
- O Livro: bloco psicológico; bloqueio nos estudos, formação, pesquisa; dificuldades em dominar uma matéria.
- Os Peixes: dívidas.
- A Âncora: dificuldades para desempenhar uma tarefa.

Casa N.º 22

Governado pela carta: Carta 22, Os Caminhos

Frase da casa: "Trago escolhas".

Propósito da casa: Revelar as incertezas e as decisões a serem feitas.

Palavras-chave: Decisão, escolha, alternativa a ser avaliada, opções.

Exemplos de algumas cartas posicionadas na casa n.º 22:

- A Casa: decisões relacionadas a uma casa.
- A Árvore: procurar uma segunda opinião médica.
- As Nuvens: indecisões que atormentam.
- A Montanha: uma decisão não é tomada no momento.
- O Coração: diversos amantes.
- O Anel: infidelidade; adultério; separação; vários compromissos.
- A carta do/a Consulente: anuncia que está em uma fase de avaliação da própria vida ou que está tomando uma decisão importante (que pode ser sobre uma separação).
- Os Peixes: mais de uma renda.

Casa N.º 23

Governado pela carta: Carta 23, Os Ratos

Frase da casa: "Trago estresse e perdas".

Propósito da casa: Revelar o que está sendo perdido ou diminuído na vida.

Palavras-chave: Perda, furto, roubo, estresse, preocupação, medo, ansiedade, gasto, dano, desinteresse.

Exemplos de algumas cartas posicionadas na casa n.º 23:

- O Cavaleiro: dano no automóvel, moto ou bicicleta.
- A Casa: roubo dos dados pessoais;
- A Árvore: exaustão física.
- As Nuvens: infecção, contaminação, vírus.
- A Vassoura e O Chicote: desviar-se das discussões; diminuição de agressividade.
- A Raposa: corrupção; diminuição de recursos.
- O Urso: perda de peso.
- As Estrelas: estresse na realização de um projeto.
- O Cão: poucos amigos.
- O Parque: vírus.
- O Coração: perda de afeição.
- O Anel: roubo, engano da parte de um companheiro; lenta ruptura num relacionamento; não cumprir tudo o que se promete.
- O Livro: esquecimento; alzheimer.
- Os Peixes: perdas na área financeira (roubo); poucos ganhos (redução salarial); precariedade; prejuízo financeiro; ganância.
- A Âncora: perdas na área profissional; pequenas tarefas profissionais; pouco trabalho; exploração; perda da estabilidade.

Casa N.º 24

GOVERNADO PELA CARTA: Carta 24, O Coração

FRASE DA CASA: "Trago amor e realizo o que está no seu coração".

PROPÓSITO DA CASA: Revelar o que ocupa o coração, as emoções do momento, o que a pessoa ama, adora e admira.

PALAVRAS-CHAVE: Amor, romance, afeições, paixão, atração, afinidade, desejo, prazer, gosto.

Exemplos de algumas cartas posicionadas na casa n.º 24:

- A Casa: amante da vida doméstica; desejo da casa própria.
- A Árvore: amor para toda a vida; sentimentos estáveis.
- A Serpente: coração envenenado; sede sádica de vingança.
- O Caixão: emocionalmente esgotado.
- O Ramo de Flores: flerte; estar apaixonado.
- A Vassoura e O Chicote: raiva; desejo de magoar.
- As Estrelas: interesses esotéricos ou espirituais.
- O Anel: desejos de uma relação séria; amor no casal.
- O Livro: interesse pelos estudos do ocultismo, da astrologia, da cartomancia; paixão secreta, paixão por algo proibido.
- Os Lírios: apego à família; calmaria.
- A Âncora: anuncia amor e devoção ao próprio trabalho e à profissão; um grande amor; sentimentos estáveis.

Casa N.º 25

GOVERNADO PELA CARTA: Carta 25, O Anel

FRASE DA CASA: "Trago a garantia de que tudo esteja legalizado".

PROPÓSITO DA CASA: Revelar informações sobre um relacionamento ou contrato.

PALAVRAS-CHAVE: Relações (de qualquer tipo), união oficial, fusão, contrato, parceria, compromisso, pacto (acordo), cooperação, obrigações, deveres.

Exemplos de algumas cartas posicionadas na casa n.º 25:

- O Navio: parceiro estrangeiro; parcerias comerciais; colaborações estrangeiras ou a distância; relacionamento a distância.
- A Casa: aquisição de um imóvel.
- A Árvore: check-up de rotina.
- As Nuvens: incertezas na relação, união.
- A Serpente: adultério.
- O Ramo de Flores: compromisso oficializado (noivado).
- A Foice: divórcio ou uma separação caso o/a Consulente seja casado ou comprometido; numa leitura profissional, indica a ruptura ou anulação do contrato ou acordo.
- As Corujas: acordo verbal; estresse numa união;
- As Estrelas: conexões espirituais.
- A Torre: relacionamento a distância; acordo na data de um processo; um contrato ou acordo com limitações.
- O Parque: obrigações sociais.
- A Montanha: anda-se em círculos sem encontrar uma saída neste momento; um contrato ou acordo problemático ou bloqueado; nenhum acordo é possível neste momento.
- Os Ratos: relacionamento que começa a desgastar-se.
- O Livro: acordos secretos, confidenciais; parceria secreta; o/a parceiro/a (marido, mulher ou sócio/a) esconde algo.
- A Carta: contrato escrito.
- Os Lírios: relacionamento com uma pessoa mais velha.
- O Sol: fortuna por meio de uma colaboração.
- Os Peixes: relação de interesse; pagamento regular (leasing, aluguel, salário); acordo financeiro; vínculo financeiro (a pessoa depende de uma outra financeiramente).
- A Âncora: contrato de trabalho; renovação do contrato; casamento duradouro (relação sólida); alguém é vinculado a algo.

Casa N.º 26

GOVERNADO PELA CARTA: Carta 26, O Livro

FRASE DA CASA: "Trago conhecimento, mas também posso ocultar uma verdade".

PROPÓSITO DA CASA: Revela assuntos ligados à aprendizagem e ao desconhecido.

PALAVRAS-CHAVE: Desconhecido, segredo, mistério, ocultismo, educação, escola, ensino, aprendizagem, estudos (curso, formação, seminário), pesquisa, examinar, memória, ocultação, sigilo.

Exemplos de algumas cartas posicionadas na casa n.º 26:

- O Navio: análise de urina; curso ou estudo no exterior ou online; curso já em andamento, planejamento para uma viagem; documentos de uma viagem (passaporte, visto etc.).
- A Casa: estudar em casa; documentos relativos à casa.
- A Árvore: exames médicos.
- A Serpente: inimigos secretos; feitiço, bruxaria.
- O Caixão: testamento; esconder o real estado de saúde.
- A Criança: aprender coisas boas.
- A Raposa: inteligência aplicada com fins desonestos.
- As Estrelas: estudar ciências ocultas.
- A Torre: estudos universitários; pensa-se numa separação; processo judicial.
- A Montanha: um segredo que por um longo tempo não é descoberto.
- O Coração: amor platônico, mantido em total segredo; admirador secreto; interesse pelos estudos ocultos e pelo mistério.
- O Anel: relação clandestina, extraconjugal; revisão de um livro ou documento; nova edição de um livro.
- A Carta: assuntos secretos.
- Os Lírios: segredos de família; segredos na vida sexual da pessoa.
- O Sol: descoberta de um segredo; sucesso nos estudos.

- Os Peixes: segredos ligados às finanças.
- A Âncora: sigilo no trabalho; aquisição das técnicas necessárias.
- A Cruz: estudos religiosos; segredos que atormentam.

CASA N.º 27

Governado pela carta: Carta 27, A Carta

Frase da casa: "Trago notícias".

Propósito da casa: Revelar o tipo de notícias que se recebe ou se envia.

Palavras-chave: Notícias, correio, informações, contato, papéis.

Exemplos de algumas cartas posicionadas na casa n.º 27:

- O Cavaleiro: carta registrada.
- O Navio: informações sobre uma viagem; notícias do estrangeiro ou correio internacional; contato virtual.
- A Árvore: relatório ou receita médica.
- As Nuvens: contato ou notícias do ex; e-mail ou mensagens que perturbam; informações pouco esclarecedoras.
- A Serpente: contato ou notícias da ex.
- O Ramo de Flores: proposta.
- A Foice: documento para o divórcio ou para a dissolução de um contrato se a carta O Anel estiver vizinha.
- A Vassoura e O Chicote: multa; comunicação da polícia ou advogado (se na casa n.º 1 está posicionada a carta O Urso).
- As Corujas: chat (WhatsApp, Duo, Messenger, Skype etc.); contato telefônico.
- As Estrelas: raio-x; contato por internet; chat.
- As Cegonhas: notícias sobre uma mudança ou modificação.
- A Torre: notícias ou comunicação da parte das autoridades.
- O Parque: chat room; comentário no Facebook.
- O Coração: chegada de correspondência da parte de uma pessoa importante; mensagem de amor.

- O Anel: correspondência do parceiro/a, cônjuge.
- O Livro: cartas (e-mail) anônimas; resultado dos exames (A Árvore vizinha, exames médicos); sintomas desconhecidos; informações desconhecidas ou confidenciais.
- Os Peixes: cheque; cartão de crédito; extrato bancário; fatura; fertilidade.
- A Âncora: currículo profissional.

CASA N.º 28 E N.º 29

Governado pela carta: Carta 28, O Homem

Governado pela carta: Carta 29, A Mulher

Frase da casa: "Trago as energias; o que o/a Consulente recebe".

Propósito da casa: Revelar o que está influenciando a vida do/a Consulente.

CASA N.º 30

Governado pela carta: Carta 30, Os Lírios

Frase da casa: "Trago paz e serenidade".

Propósito da casa: Revela a orientação e situação sexual, como lida com a família, mas também o quanto é tranquila a harmonia consigo mesmo.

Palavras-chave: Família, harmonia, paz, vida sexual.

Exemplos de algumas cartas posicionadas na casa n.º 30:

- A Criança: sobrinhos, netos, herdeiros.
- A Foice: sexo violento.
- O Urso: pessoa influente que ajudará o/a Consulente.
- O Cão: suporte e assistência da parte de um/a amigo/a; confiante; autoestima.
- A Torre: família vive separada.
- O Anel: reconciliação do casal; paz alcançada num acordo.
- A Âncora: aposentadoria; experiência profissional.

Casa N.º 31

Governado pela carta: Carta 31, O Sol

Frase da casa: "Trago um grande sucesso".

Propósito da casa: Revela o que renderá felicidade.

Palavras-chave: Grande fortuna, sucesso, felicidade, otimismo, vitalidade.

Exemplos de algumas cartas posicionadas na casa n.º 31:

- As Nuvens: bipolaridade; depressão.
- O Anel: sucesso através de uma cooperação ou parceria.
- A Lua: grande reconhecimento; prestígio.
- A Cruz: sucesso através de sacrifícios e sofrimento.

Casa N.º 32

Governado pela carta: Carta 32, A Lua

Frase da casa: "Trago honra e reconhecimento em suas vidas".

Propósito da casa: Revela o quanto é respeitado e honrado, mas também o reflexo das ações.

Palavras-chave: Status, fama, honra, reconhecimento, reputação, prestígio, merecimento.

Exemplos de algumas cartas posicionadas na casa n.º 32:

- As Estrelas: prêmio merecido; louvor e reconhecimento; sucesso garantido no campo esotérico ou tecnológico.
- O Sol: carreira ou pessoa bem-sucedida; boa reputação.

Casa N.º 33

Governado pela carta: Carta 33, A Chave

Frase da casa: "Trago soluções".

Propósito da casa: Revelar uma certeza ou solução.

Palavras-chave: Certeza, solução, resolução, resposta, acesso.

Exemplos de algumas cartas posicionadas na casa n.º 33:

- A Raposa: resolver um problema usando astúcia, estratégia ou engano.
- O Anel: sentir-se seguro ou garantido em uma relação.
- A carta do/a Consulente: tomar a vida na mão; a solução depende do/a Consulente.
- Os Peixes: acessibilidade financeira; empréstimo concedido.
- A Âncora: segurança no trabalho; uma solução é garantida.

Casa N.º 34

GOVERNADO PELA CARTA: Carta 34, Os Peixes

FRASE DA CASA: "Trago prosperidade e abundância".

PROPÓSITO DA CASA: Revelar as condições financeiras e a relação que se tem com o dinheiro.

PALAVRAS-CHAVE: Abundância, finanças, dinheiro, renda, negócios, investimentos.

Exemplos de algumas cartas posicionadas na casa n.º 34:

- O Trevo: dinheiro extra.
- O Navio: dinheiro ganho por herança ou vindo de longe; assistência financeira a distância; transferência de dinheiro; mercado internacional.
- A Casa: investir em bens imóveis.
- As Nuvens: ansiedades com problemas financeiros; embriaguez.
- O Cão: o/a Consulente receberá auxílio e ajuda financeira por parte de amigos.
- A Montanha: dinheiro que tarda a chegar; finanças bloqueadas.
- Os Ratos: dinheiro ilegal.
- O Anel: conta conjunta.
- O Livro: ocultar o próprio rendimento; dinheiro escondido.
- O Sol: esperanças realizadas.
- A Âncora: segurança financeira; renda estável; um investimento de longo prazo; empresário;

Casa N.º 35

Governado pela carta: Carta 35, A Âncora

Frase da casa: "Sou a esperança, mas também trago estabilidade e segurança".

Propósito da casa: Revelar como se encontra a situação profissional.

Palavras-chave: Trabalho, emprego, ocupação, esperança, estável, rotina.

Exemplos de algumas cartas posicionadas na casa n.º 35:

- O Cavaleiro: chegada de um novo emprego; novas oportunidades profissionais.
- A Casa: forte ligação com a própria casa.
- A Árvore: estabilidade na vida.
- As Nuvens: ambiguidade no campo profissional.
- A Serpente: assédio ou comportamento inadequado no trabalho.
- A Vassoura e O Chicote: disputas no trabalho.
- A Estrelas: novas perspectivas profissionais.
- A Montanha: desemprego.
- Os Caminhos: propostas profissionais que precisam ser revistas com cuidado.
- Os Ratos: trabalho que não compensa ou não é valorizado; pouca estabilidade; pouca garantia.
- O Livro: sigilo no trabalho.
- A Carta: correspondência profissional.
- Os Peixes: emprego bem remunerado.
- A Cruz: excesso de trabalho e responsabilidades profissionais.

Casa N.º 36

Governado pela carta: Carta 36, A Cruz

Frase da casa: "Trago sofrimento e provações na sua vida".

Propósito da casa: Revelar o que aflige, o que lhe é penoso e o que tem de ser cumprido.

Palavras-chave: Karma, sacrifício, sofrimento, aflição, tormento, dor, provação, cargo, exame, missão, religião.

Exemplos de algumas cartas posicionadas na casa n.º 36:

- As Nuvens: infortúnio.
- A Serpente: evento ou situação chocante.
- O Caixão: grande tormento; profunda dor; sentir-se culpado.
- A Vassoura e O Chicote: calvário; martírio.
- O Coração: remorso, culpa; desgosto.
- A carta do/a Consulente: a pessoa é capaz de atos extraordinários, inclusive auto sacrificar-se pelos outros.
- A Âncora: sobrecarga profissional.

AS CASAS ESPECIAIS

Numa leitura das casas com o Grand Tableau, não é aconselhado ler todas as 36 casas, porque a leitura seria contraditória, confusa e muito longa. O objetivo das casas especiais é concentrar a leitura em algumas casas realizando uma leitura concreta sem divagar.

As casas especiais são:

- As casas temas;
- As casas adicionais;
- As casas de verificação.

As Casas Temas

Algumas casas são associadas aos setores ou assuntos da vida: amor, sentimentos, relações, finanças, trabalho (emprego), saúde etc. Por exemplo, se você pretende obter informações sobre a vida matrimonial de uma pessoa, observe a casa n.º 25, que é a casa dos relacionamentos e das uniões oficiais; se pretende conhecer as condições financeiras, é necessário observar a casa n.º 34 que representa todas as questões financeiras (ganhos, salário etc.).

As casas temas podem ser lidas de duas maneiras:

1. Numa leitura em geral, onde se pode ter uma visão completa da vida do/a Consulente;

2. Numa leitura específica, onde a casa tema é escolhida segundo o assunto trazido pelo/a Consulente.

Nota importante:
As casas temas podem mudar segundo a tradição que se segue (tradicional, alemã, francesa, brasileira etc.). Por exemplo, na tradição brasileira (baralho cigano), a casa n.º 2 representa obstáculos e desafios passageiros; a casa n.º 4, a família; a casa n.º 11, o sexo; a casa n.º 15, inveja e ciúme; casa n.º 22, caminhos abertos; casa n.º 32, intuição, mediunidade e ilusão; casa n.º 36, destino, vitória e sucesso. Portanto, modifiquem as casas de acordo com a tradição que vocês seguem, sem problema algum. O importante é que, durante a leitura, se sintam à vontade.

As Casas Adicionais

Numa leitura, a casa tema e as casas adicionais trabalham juntas. A ou as casas adicionais são todas aquelas casas que têm correspondência com o assunto trazido pelo/a consulente ou ressaltado pela carta posicionada na casa tema.

As casas adicionais permitem responder as várias questões apresentadas pelo/a Consulente e também dissolver qualquer dúvida que possa aparecer durante a leitura. Por exemplo, se o/a Consulente pede uma leitura direcionada para uma questão profissional, confessando que no momento trabalha vendendo produtos artesanais de produção própria e deseja saber se encontrará em breve um trabalho fixo, a casa tema a ser considerada para uma profissão autônoma é a casa n.º 14 e a casa adicional a ser considerada, neste caso, será a casa que indica emprego fixo, isto é, a casa n.º 35 que irá, através da carta aqui posicionada, indicar se o/a Consulente conseguirá finalmente encontrar um emprego duradouro. Suponhamos que nesta casa esteja presente a carta O Anel. Pode-se anunciar, neste caso, que um contrato profissional está para ser assinado; portanto, é de se esperar um emprego fixo. Mas se, em vez disso, a carta Os Ratos estiver aqui posicionada, anuncia desemprego ou trabalhos ocasionais ou mal pagos.

As Casas de Verificação

Todas as 36 casas são consideradas casas de verificação. Essas casas permitem entender melhor a questão investigada e também ajudam a obter informações que possam auxiliar o/a Consulente a preparar-se para a vivência de alguns eventos, tomar consciência de alguns fatos e centrar-se unicamente nos seus objetivos.

No exemplo apresentado acima, para dar uma orientação objetiva ao Consulente, seria necessário considerar a casa n.º 1 que indicará as novidades que estão chegando na sua vida profissional e também a casa n.º 33 que fornecerá indicações para onde seguir na busca de um emprego fixo.

Como puderam notar, unindo as três técnicas das casas especiais vai-se a fundo no assunto ou na área da vida, dando ao Consulente informações úteis que servirão de resolução dos seus problemas.

Tabela das casas de verificação

Casas	Respondem as seguintes perguntas
Nº 01	O que está a caminho? O que se aproxima? Quais são as novidades que estão chegando? Qual abordagem deve-se ter perante a questão? O que está em movimento? Quem está para interferir ou intrometer-se? É momento de agir?
Nº 02	Quais são as novas oportunidades que devem ser aproveitadas?

Casas	Respondem as seguintes perguntas
Nº 03	De que é necessário afastar-se, tomar distância? O que deve ser deixado para trás? O que está indo embora? Quais mudanças já estão sendo feitas? Do que sente saudades?
Nº 04	Como está o/a Consulente? (O mundo interior e pessoal do/a Consulente) Como está o ambiente em que vive? Quais os hábitos do/a Consulente? O que o/a faz se sentir mais confortável?
Nº 05	Qual é a verdadeira natureza da pessoa ou da questão investigada? O que precisa ser curado? Qual a bagagem que traz do passado? (Carma)
Nº 06	O que causa preocupações no momento? Com o que não está conseguindo lidar? O que não está claro? O que deixa o/a Consulente perturbado, instável ou nervoso?
Nº 07	Quem são os inimigos ocultos? O que vai complicar?
Nº 08	Do que é necessário desprender-se? Onde é necessário dar um fim? O que o/a faz sentir-se triste e vazio?
Nº 09	O que traz alegria? O que deve ser celebrado? Onde é necessário usar delicadeza?
Nº 10	O que é necessário remover? No que se deve ser decisivo? Quais perigos e riscos corre?

Casas	Respondem as seguintes perguntas
Nº 11	O que deve ser defendido ou enfrentado? O que é necessário lutar e combater? Com quem ou onde se está criando ou passando por conflitos?
Nº 12	O que causa estresse ou excitação? O que deve comunicar ou o que vai ser comunicado ao/a Consulente?
Nº 13	O que está na fase inicial? O que está crescendo e deve ser curado?
Nº 14	O que está errado? Em que não se deve confiar? De onde vem o engano? O que esconde?
Nº 15	Quais os recursos pessoais? O quanto é forte?
Nº 16	Quais as expectativas do/a Consulente? Qual meta deseja atingir? Quais os valores espirituais?
Nº 17	O que está mudando? O que é necessário mudar, modificar ou alterar?
Nº 18	No que se pode confiar? O que é verdadeiro? O que deve ser protegido? Qual ajuda e apoio que recebe e de quem?
Nº 19	Sobre o que é necessário refletir? O que impede o convívio com os outros ou a liberdade pessoal?

Casas	Respondem as seguintes perguntas
Nº 20	Como é o convívio com os outros? Integra-se bem com os outros?
Nº 21	O que está sendo bloqueado, impedido? O que é necessário bloquear, impedir? Quem impede ou bloqueia?
Nº 22	O que deve ser avaliado antes de tomar uma decisão? Quais são as alternativas ou opções no momento? Qual é o caminho a seguir?
Nº 23	O que ou quem causa ânsia e estresse? O que está perdendo força? No que se está perdendo tempo? O que está sendo tirado do/a Consulente?
Nº 24	O que está no coração do/a Consulente? Como está emocionalmente? Qual o seu desejo mais profundo?
Nº 25	Com o que o/a Consulente se comprometeu? Quais as suas obrigações e deveres?
Nº 26	O que ocupa a mente do/a Consulente? O que não se sabe, que é desconhecido? O que está oculto? O que deve ser analisado? Qual o nível de educação e cultura do/a Consulente?
Nº 27	É necessário contatar alguém? Quem são os contatos importantes do/a Consulente? Qual comunicado deve ser feito?
Nº 30	O que traz calma e paz na vida do/a Consulente? O que é necessário fazer para trazer calma e paz na vida? Com o que ou com quem é necessário fazer as pazes? Quais os valores morais do/a Consulente?

Casas	Respondem as seguintes perguntas
Nº 31	Como está a energia do/a Consulente? O que traz a felicidade para o/a Consulente? Onde tem maior sucesso na vida?
Nº 32	Qual a imagem que os outros têm do/a Consulente? Qual a reputação do/a Consulente? Quais os seus reconhecimentos, méritos? O que deve ser feito para chegar à celebridade?
Nº 33	O que está nas mãos do/a Consulente? O que é necessário ser feito? Qual resultado se obterá?
Nº 34	Quais valores são mais importantes para o/a Consulente?
Nº 35	O que não se pode mudar? Quais esperanças nutre o/a Consulente? O que o/a faz sentir-se seguro?
Nº 36	Como o/a Consulente lida com a própria crença? O que deve ser sacrificado? O que causa sofrimento? Qual a missão a ser cumprida?

As perguntas aqui oferecidas na tabela não são definitivas; foram elaboradas para mostrar o tipo de perguntas que podem ser realizadas para cada casa quando aplicada a técnica das casas de verificação. À medida que forem aprendendo mais sobre os significados das casas, poderão desenvolver muitas outras perguntas que poderão auxiliá-los durante a leitura.

Casa Natural

Uma casa é chamada de natural quando uma carta se encontra posicionada na própria casa de correspondência, isto é:

- O Trevo posicionado na casa n.º 2
- A Serpente posicionada na casa n.º 7
- O Sol posicionado na casa n.º 31
- A Cruz posicionada na casa n.º 36
- E assim por diante.

Qual é a importância de uma casa natural numa leitura? Na minha experiência pude observar os seguintes pontos:

- Uma carta posicionada na própria casa evidencia as áreas ou eventos que serão de grande relevância no período determinado para a leitura. Por exemplo, A Serpente posicionada na casa n.º 7 alerta sobre perigos. Um outro exemplo que podemos dar é com a carta O Sol que, posicionada na casa n.º 31, irá evidenciar (mesmo que na leitura estejam presentes eventos difíceis a serem superados) um período caracterizado de grande energia, autoconfiança e de alegria de viver que ajudarão a superar qualquer adversidade da vida.
- A energia da carta posicionada na própria casa manifesta-se com maior intensidade. Exemplo: A Serpente, posicionada na casa n.º 7, é como encontrar-se dentro de um pesadelo sem fim onde cada evento ou situação é gravemente prejudicial e complicado. Se a carta que representa o/a Consulente está muito perto ou perto, a pessoa entra em contato com o seu próprio lado sombrio e será guiada pelos seus instintos malignos (sedutor, pecador, diabólico e cruel) para atingir os seus objetivos com resultados, ao longo do tempo, prejudiciais e irreparáveis. Também assinala rivais e adversários mal-intencionados a causar graves danos e destruir o/a Consulente. Neste caso, é imperativo observar as cartas que se encontram perto e circundantes para obter maior informação sobre a identidade desse perigo e em que área de vida ou assunto será atingido.

- As únicas cartas que observei que algumas vezes trabalham de maneira diferente quando posicionadas na própria casa são: O Caixão, A Foice e Os Ratos.
  - O Caixão na casa n.º 8: evidencia um período de grande desespero (por uma situação que se agrava) ou de uma perda enorme e profunda (luto, falência, derrota). Também não é de se excluir que o/a Consulente esteja recebendo na própria vida os efeitos negativos de uma tragédia ou perda significativa do passado. Por outro lado, a carta O Caixão, posicionada na casa n.º 8, pode anunciar um alívio que chega para pôr fim em algo que será identificado pelas cartas circundantes (por exemplo: com a carta A Árvore pode anunciar o fim de uma doença muito séria ou de algo relacionado ao passado).
  - A Foice na casa n.º 10: tanto pode evidenciar um grave perigo (acidente, agressão), a interrupção abrupta de algo (relacionamento, emprego etc.), como também a eliminação de um perigo ou de uma ameaça.
  - Os Ratos na casa n.º 23: tanto pode evidenciar um alerta de um período tenso com preocupações, estresse e grandes prejuízos (ruína econômica, profissional, reputação etc.), como também a redução dos problemas ou das perdas.

Nota importante:
Na leitura da casa natural, considerem também as cartas que se encontram posicionadas muito perto e perto e as cartas circundantes.

Como se leem as casas

Umas das dificuldades que observo nos cursos que ministro é o dilema de como devem ser interpretadas as cartas nas casas do Grand Tableau. Como foi aprendido, quando abordado o tema das casas no Grand Tableau, as casas representam as várias áreas de vida (amor, trabalho, finanças, saúde etc.), situações, condições e assuntos que preocupam geralmente o ser humano (felicidade, oportunidades, esperança, conflitos, impedimentos etc.).

O que agora deve ser entendido é qual o papel que as cartas desempenham quando posicionadas nas casas e qual a forma correta de lê-las. Partindo do princípio de que as cartas são 36 formas de expressão de energias e de acontecimentos, posicionadas nas casas, elas irão assinalar o que está acontecendo ou como se vive naquelas determinadas áreas de vida representadas pelas casas. Para entenderem melhor este conceito, lembrem-se de que:

- As CARTAS assinalam eventos;
- As CASAS irão assinalar as áreas da vida onde os eventos, anunciados pelas cartas, acontecerão. Sendo assim, quando uma carta "visita" uma determinada casa, ela mostra a energia e os eventos que o/a Consulente está vivendo naquela determinada área de vida.

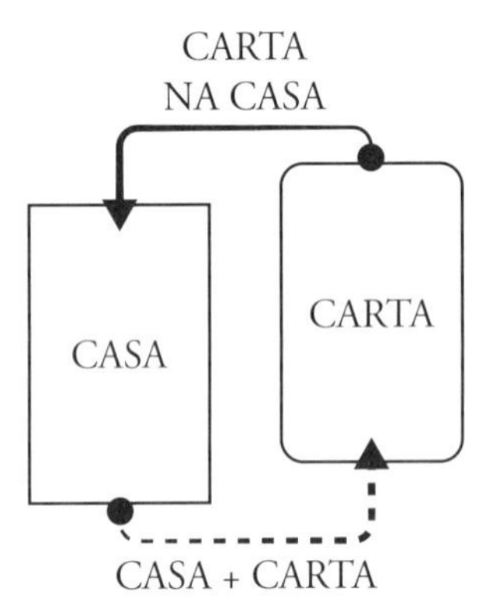

O segundo conceito a ser entendido é a correta leitura das cartas quando posicionadas nas casas. É importante saber que uma casa não é modificada pelas cartas que nelas se encontram posicionadas. Elas são um "GPS" que localiza o posicionamento das áreas da vida. Assim sendo, as cartas mostram o tipo de situações e energias que se vivem nessas áreas.

A maneira correta de se ler é observar a casa em questão e em seguida a energia da carta que lá se encontra posicionada, isto é, casa + carta.

Vejamos um exemplo com a carta O Anel na Casa n.º 10.

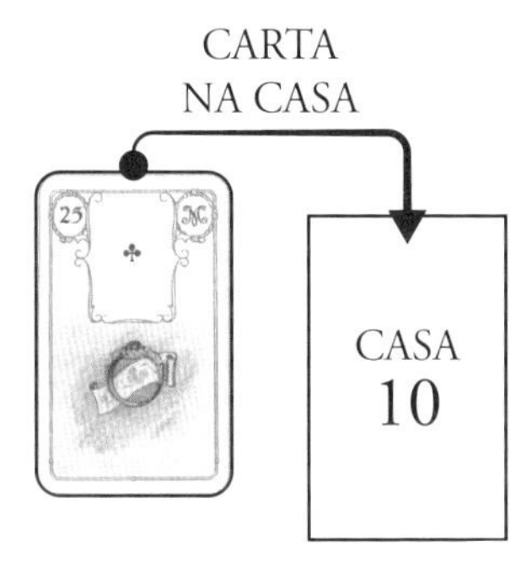

- A casa n.º 10 representa: perigo, risco, ruptura, separação, interrupção;
- A carta O Anel significa: vínculo, relacionamento, promessa, associação, ciclo repetitivo, entre outros significados.

Uma leitura possível:

- Mudanças inesperadas (casa n.º 10) num relacionamento ou contrato (carta O Anel);
- A pessoa tomou uma decisão de libertar-se (casa n.º 10) de um relacionamento ou de algum vínculo (carta O Anel);
- Interrupção (casa n.º 10) de um acordo ou contrato (carta O Anel).

Agora vamos inverter as posições, tendo a carta A Foice na casa n.º 25. Como seria a leitura?

- Um acordo (casa n.º 25) foi finalmente encontrado na divisão de bens comuns ou numa separação (carta A Foice);
- Um relacionamento (casa n.º 25) está em perigo (carta A Foice).

Nota importante:
Na leitura de uma casa, é importante levar em conta não somente a carta hospedada na casa, mas também é necessário observar a casa representada pela carta hospedada.

Para entender melhor o conceito faço um exemplo. Vamos supor que o/a Consulente deseje informações sobre as suas finanças.

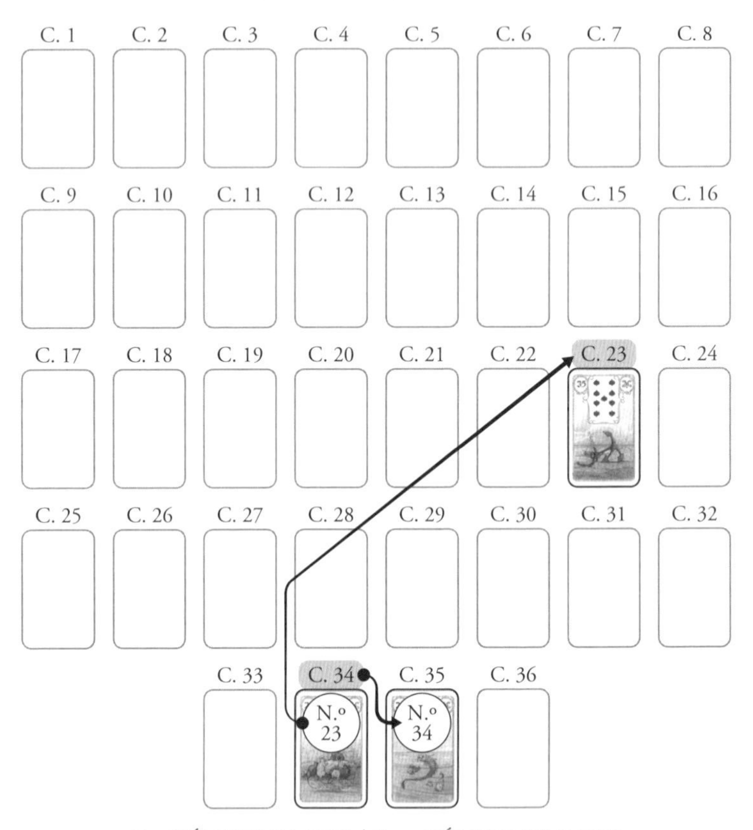

C. = NÚMERO DA CASA | N.º = NÚMERO DA CARTA

A casa que se irá consultar será a casa n.º 34 certo? Na casa n.º 34, encontra-se posicionada a carta Os Ratos que indica uma questão financeira, precariedade, despesas excessivas, perdas, dificuldades financeiras, além de outras coisas. Portanto conclui-se que, o/a Consulente encontra-se num momento, a nível financeiro, difícil. Para entender melhor o mecanismo desta técnica, sigam a minha explicação observando ponto por ponto no Tableau aqui ao lado.

Vamos localizar a carta tema das finanças no Tableau, a carta Os Peixes, encontra-se posicionada na casa n.º 35, casa do trabalho, do emprego e da esperança. Os Peixes, na casa n.º 35, indicam salário ou lucros provenientes de negócios ou de emprego fixo. A leitura prossegue, procurando a casa que representa a carta que está posicionada na casa n.º 34 (nela encontram-se Os Ratos); na casa n.º 23, que é a área da perda, redução de algo, gastos etc. encontra-se a carta A Âncora que fala de redução de trabalho.

A minha interpretação seria a seguinte:

O/a Consulente está atravessando um momento em que o lucro do seu trabalho é menor do que o planejado, porque o resultado do trabalho não corresponde às suas expectativas.

Como podem ver, utilizando esta técnica de leitura, que se chama técnica da corrente (alguns chamam com um nome diferente, que irei explicar em detalhes quando chegarmos às técnicas auxiliares do Grand Tableau) encontrarão informações que respondem aos "comos" e aos "porquês "para chegar à situação descrita pela carta presente na casa tema.

A carta consulente nas casas

Como já foi dito, a carta do/a Consulente é a carta mais importante do baralho Petit Lenormand, porque é através dela que uma leitura se desenvolve. Também entenderam que a posição onde se encontra localizada a carta do/a Consulente no Tableau define a sua condição e tendência perante o assunto em questão (dependendo do contexto trazido para a leitura). O que é necessário agora entender é como a carta do/a Consulente é lida quando posicionada numa casa do Tableau.

A casa onde a carta do/a Consulente se encontra posicionada mostrará:

- Com o que o/a Consulente está ocupado, em que está focado no momento;
- A que dá mais importância no momento;
- Como o/a Consulente responde aos acontecimentos.

Por exemplo:

A carta do/a Consulente nas casas n.º 8 ou n.º 17 anuncia que o/a Consulente está revendo o seu comportamento ou que tomou consciência de algo e que necessita de uma mudança.

É a casa n.º 8, principalmente, que aponta para mudanças significativas, ou onde o/a Consulente toma consciência de que chegou a hora de dar um fim aos eventos desnecessários com a finalidade de seguir novos caminhos na sua vida. Esta tomada de posição o/a levará também a viver grandes perdas.

Alguns pontos a serem considerados durante a leitura:

1. Observar a posição da carta do/a Consulente no Tableau: está posicionada em cima? No meio? Embaixo? Numa das extremidades? No centro?

2. Observar as cartas que circundam a carta do/a Consulente;

3. Observem a carta que está posicionada na casa do/a Consulente. Uma carta posicionada na casa do/a Consulente mostra os assuntos ou energias que a pessoa está vivenciando no presente e que o/a levam à situação atual. Por exemplo, se numa leitura para questões profissionais, a carta do/a Consulente estiver posicionada na casa n.º 26 e na casa do Consulente a carta A Criança, a leitura será a seguinte: novos projetos (Criança na casa n.º 28) levam o Consulente à aquisição das técnicas necessárias (cursos) para executar, com competência, o seu trabalho;

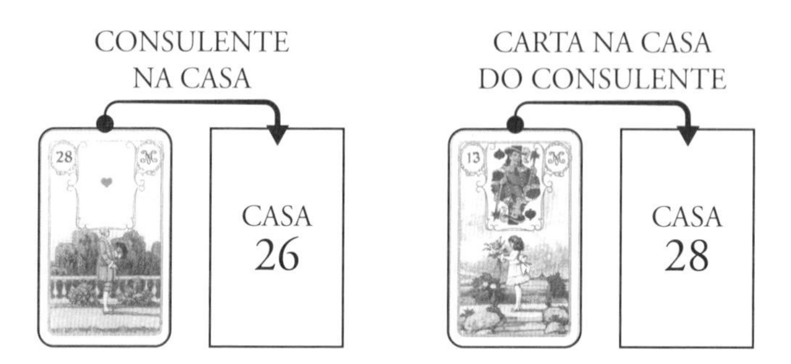

4. Recorrer à técnica da corrente caso seja necessário obter mais informações;

5. A carta do/a Consulente posicionada numa casa negativa ou difícil como as casas n.º 6, n.º 7, n.º 8, n.º 10, n.º 11, n.º 12, n.º 14, n.º 21, n.º 23 e n.º 36 informa que vai atravessar um período crítico e delicado.

As técnicas auxiliares

Estas técnicas desempenham um papel essencial na leitura do Grand Tableau. Chamo-as de técnicas auxiliares porque são ferramentas a que se recorre no momento que seja necessária uma ajuda para esclarecer algum ponto incompreensível que possa surgir durante a leitura.

As técnicas auxiliares são as seguintes:

- A posição da carta Consulente no Tableau;
- A importância da primeira e última carta no Tableau;
- A técnica da ponte;
- Identificação de uma pessoa no Tableau;
- A técnica da corrente;
- A técnica do movimento do cavalo;
- A técnica do movimento da rainha;
- A técnica do espelho;
- A técnica da contagem dos 7.

POSIÇÃO DA CARTA CONSULENTE

A primeira análise que deve ser feita, antes de começar a leitura do Tableau, é de localizar a carta do/a Consulente e observar em qual posição se encontra.

Como irão perceber nas suas leituras, nem sempre a carta do/a Consulente encontra-se posicionada no centro do Tableau. Algumas vezes a carta vai estar posicionada em cima, numa das extremidades, no centro ou no fundo do Tableau.

A posição que a carta do/a Consulente ocupa no Tableau vai dizer muito sobre ele, porque cada uma dessas posições está representando um estado de espírito, a postura e a atitude perante os eventos presentes na vida. Portanto, é através das informações aqui obtidas que irão compreender o estado psicológico e emocional do/a Consulente, podendo, assim, orientá-lo melhor para que possa enfrentar o impacto dos eventos do momento de uma maneira mais suave e produtiva.

Antes de mais nada, é importante que saibam como são classificadas as posições no Tableau. O Tableau é dividido em 8 colunas verticais de 5 linhas horizontais.

As 8 colunas estão divididas em 8 letras do alfabeto (como podem notar no gráfico aqui embaixo), sendo as últimas 4 cartas da quinta linha com 4 letras do alfabeto. As quatro posições marcadas por 4.1 da quarta linha não vêm marcadas por nenhuma letra do alfabeto, porque têm uma função diferente durante a leitura.

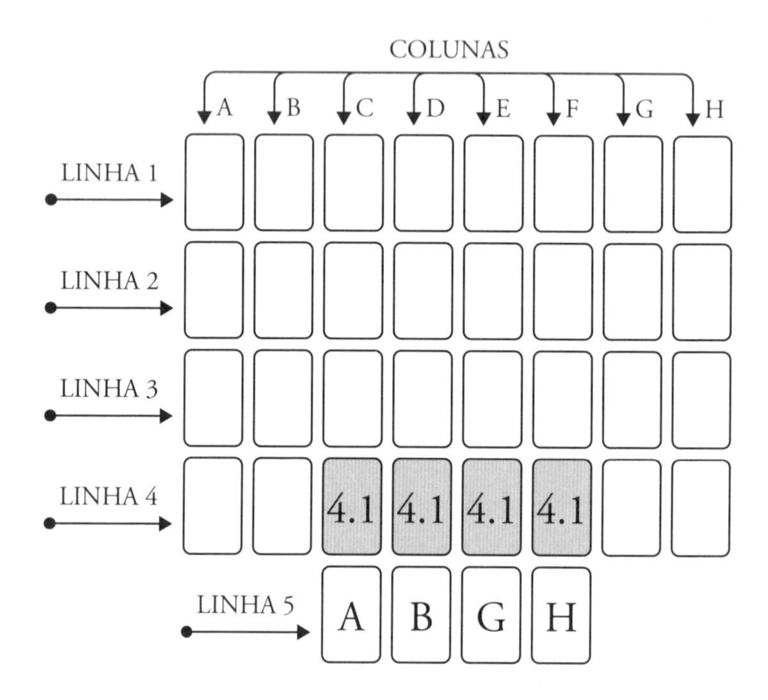

As 8 Colunas

Para uma correta leitura, é necessário respeitar "a lei do olhar". Como já explicado anteriormente, quando foi tratada a questão "da lei do olhar", a direção para onde uma figura olha representa o futuro ou em que se está focada no momento; e o que dá as costas está representando o passado. Tomemos como exemplo a carta O Homem para a explicação da técnica.

Posição A E H

Representam as extremidades do Tableau.

Posição A:

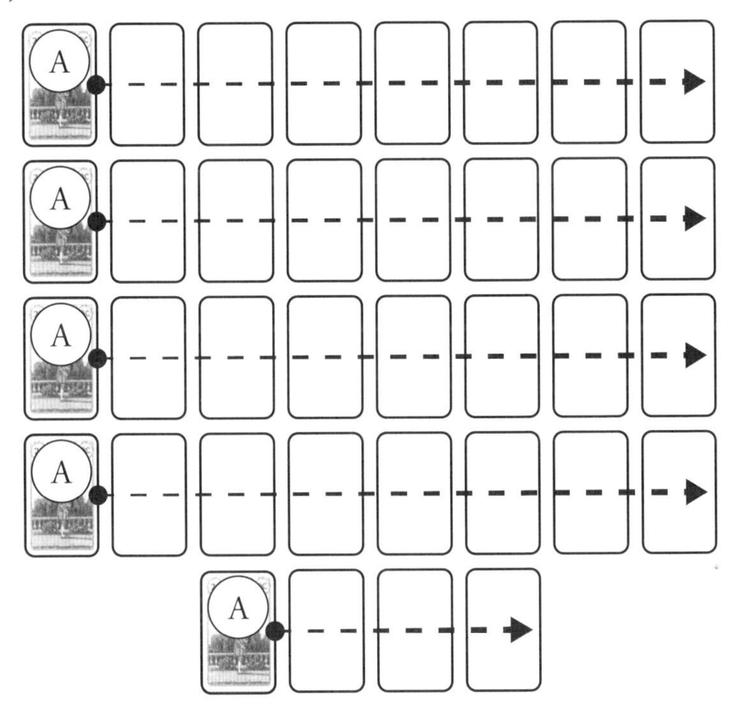

Quando a carta do Consulente se encontra posicionada numa extremidade onde não há nenhuma carta nas suas costas, significa que:

- O Consulente está na fase de renovação;
- O Consulente está no início de uma nova fase na sua vida;
- O Consulente está concentrado no futuro. O passado não tem importância alguma no momento;
- Um novo caminho se apresenta para solucionar uma questão ou dar uma nova direção na própria vida;
- O Consulente completou uma fase importante da vida e agora está pronto para novos desafios que a vida apresentará.

Posição H:

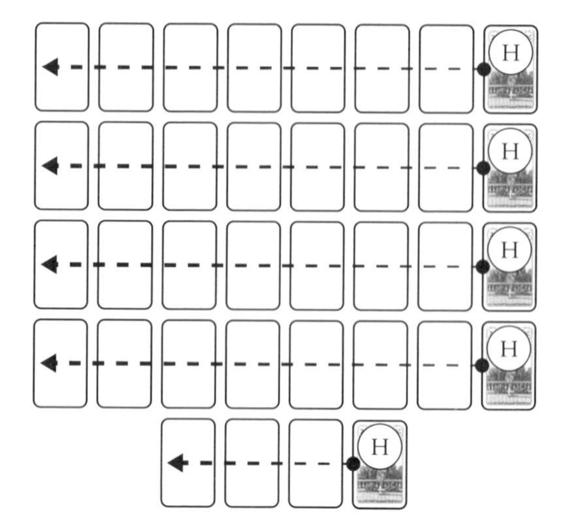

Quando a carta do/a Consulente se encontra posicionada na extremidade onde olha para o vazio, conforme o exemplo do gráfico acima, significa que:

- O passado controla a vida do Consulente;
- O passado é doloroso ou ainda não está esquecido;
- Incapacidade de sair de uma situação difícil;
- Medo de se separar de algo que antes significou muito para o Consulente;
- O Consulente não está livre para tomar decisões ou agir;
- O Consulente precisa resolver uma situação do passado. Algo ainda tem de ser resolvido para seguir em frente na vida.

Portanto, a carta do Consulente, nesta posição, diz que este não consegue avançar, porque está "preso", "amarrado" a velhos esquemas ou a situações que ainda influenciam fortemente o presente. Aconselho, neste ponto, prestarem atenção às cartas que circundam a carta do Consulente, e as que se encontram posicionadas na linha do passado, pois irão esclarecer quais eventos ainda são marcantes, a ponto de parar ou paralisar o Consulente, e também para avaliar se esta situação irá permanecer por muito ou pouco tempo.

Posição B E C – F E G – D E E

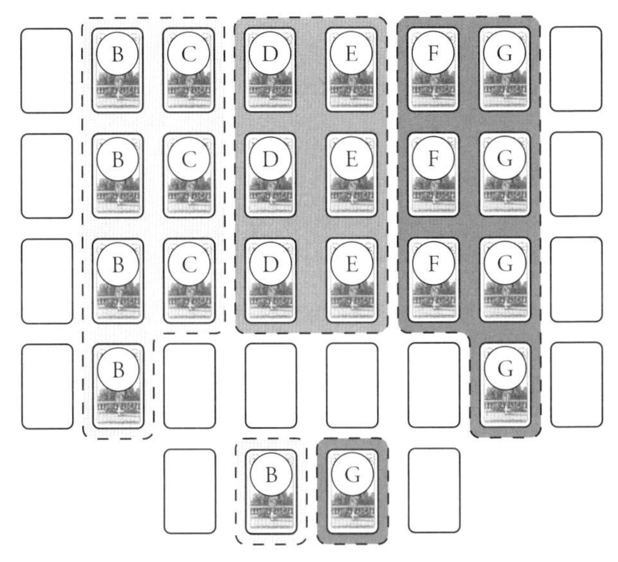

Posição B E C:

Quando a carta do Consulente se encontra posicionada perto da extremidade do Tableau, com uma ou duas cartas atrás e muitas cartas a sua frente, significa que o Consulente, mesmo tendo dado muitos passos na direção do futuro, ainda tem algo pendente a ser resolvido.

Posição F E G:

Quando a carta do Consulente se encontra posicionada perto da extremidade do Tableau, com uma ou duas cartas na sua frente e com muitas cartas atrás, significa:

- Avanço através de trabalho duro;
- Avançando com luta;
- Abertura de um novo caminho que se apresenta com algumas dificuldades.

A Posição D E E:

Quando a carta do Consulente se encontra posicionada numa das duas colunas (D ou E), significa que ele está numa posição de equilíbrio, porque tem plena visão do passado e do futuro.

As 5 Linhas

Na leitura das linhas, é aplicada a "lei da influência" onde a carta posicionada em cima influencia e domina a carta posicionada abaixo dela.

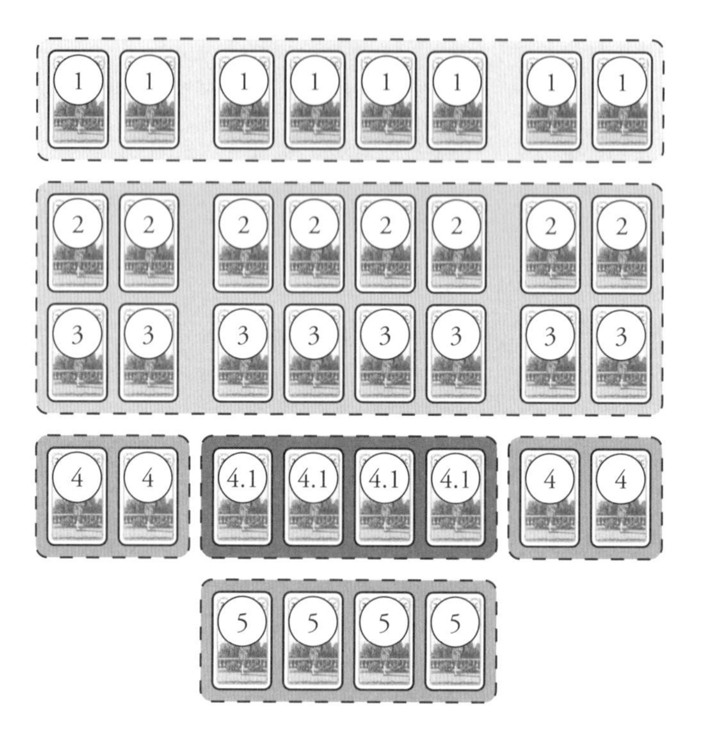

A Linha 1:

Quando a carta do Consulente se encontra posicionada na primeira linha, significa que:

- O Consulente está confiante;
- O Consulente está na posição de controle;
- O Consulente é uma pessoa ativa, tem força para superar qualquer obstáculo presente na vida.

A Linha 2 E 3:

Quando a carta do Consulente ocupa a segunda ou a terceira linha, significa que o Consulente tem capacidade de raciocínio e de ação controlada.

A Linha 4 E 5:

Quando a carta do Consulente se encontra posicionada na quarta ou quinta linha, significa que ele está em uma posição de submissão dos eventos representados pelas cartas posicionadas acima dele.

Outros significados possíveis:

- O Consulente está sobrecarregado;
- O Consulente, no momento, é projetado na atividade mental, ou seja, a pessoa pensa muito e não age;
- O Consulente está cansado e exausto;
- Os problemas controlam o Consulente;
- O Consulente está "sem chão";
- O Consulente deixa-se dominar por eventos externos ou das outras pessoas;
- A opinião dos outros é importante para o Consulente;
- Os eventos estão profundamente enraizados na mente.

As Casas 4.1:

Ao longo dos anos, fui observando que quando a carta do Consulente encontra-se posicionada numa das quatro posições da zona 4.1, indica que a pessoa atravessa um momento de solidão voluntária ou forçada; que está preso a algo como vícios, maus hábitos (droga, álcool, tabagismo, gula, sexo, etc.) ou medos que o paralisam. Pude ir notando também que, em qualquer situação de dificuldade e aprisionamento que se encontre o Consulente, querendo ou não, isto o leva a se aproximar da compreensão de si mesmo tanto nos aspectos positivos como negativos. Com o tempo, denominei esta posição de: zona calvário.

Na leitura, é importante juntar os dois pontos (linha e coluna) e interpretá-las segundo a posiçao em que se encontra a carta do Consulente.

Vamos supor que a leitura seja para uma pessoa do sexo masculino. A carta que o representará na leitura será a carta O Homem. Suponhamos que O Homem se encontre posicionado na 4 - H (observe o esquema abaixo). Diria que o Consulente está num momento difícil, sentindo-se sobrecarregado, deprimido e esgotado mentalmente por ser incapaz de sair de uma situação passada.

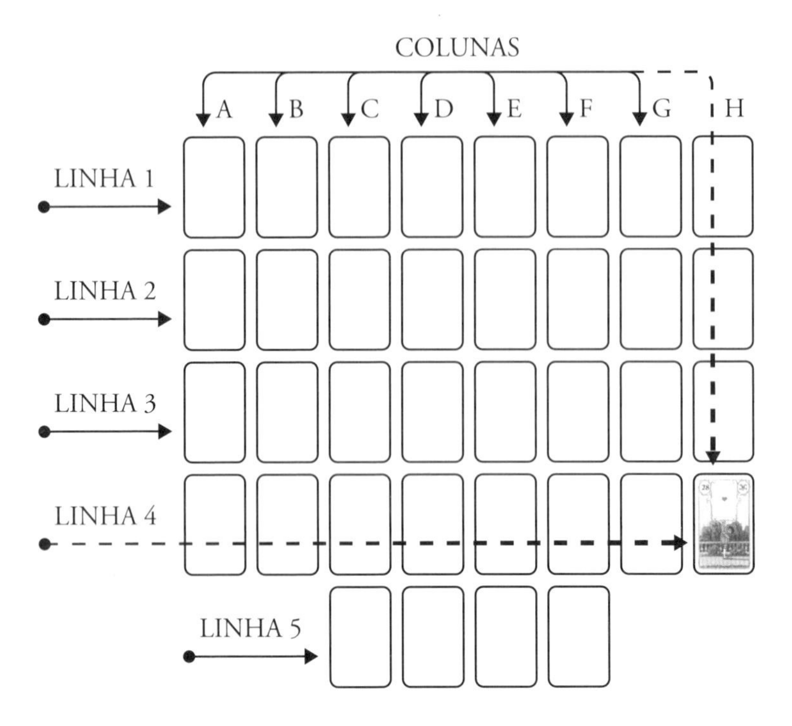

Contudo, é importante lembrar que para uma correta leitura da carta do Consulente e da posição que ocupa no Tableau, é necessário considerar o contexto da leitura, as cartas que se encontram posicionadas no passado e por cima (para conhecer os seus pensamentos e o que o está influenciando fortemente) e, por fim, as cartas à volta da carta do Consulente para compreender a real situação.

A IMPORTÂNCIA DA PRIMEIRA E DA ÚLTIMA CARTA NO TABLEAU

'Detinha, minha filha, um dos segredos de uma leitura com as cartas, é observar a 1ª e a última carta extraída num "jogo", porque servirão para ter uma síntese do seu decorrer." dizia-me a minha avó. Este hábito de observar a 1ª e a última carta de qualquer leitura que eu faça, (quer seja com o Tableau ou não) acompanha-me desde pequena. Com esta técnica, tenho a oportunidade de "ter", em antemão, o início e o desfecho da leitura que servirá de "guia" e de "molde" no decorrer da leitura.

Esta primeira fase de leitura serve para adquirir informações sobre a carta em exame. Depois segue-se a combinação da 1ª e da última carta de onde vai se extrair informações que servirão de "apoio" durante a leitura. O resultado obtido, nesta fase de leitura, não deve ser divulgado ao Consulente, visto que a leitura se encontra ainda na fase inicial, uma vez que para realizar uma leitura com sucesso é necessário considerar muitos outros fatores. Como já dito na introdução ao Grand Tableau, uma leitura envolve a aplicação de várias técnicas que auxiliam o Cartomante a entender melhor alguma questão que aparenta ser incompreensível, confusa ou que necessita de uma análise aprofundada.

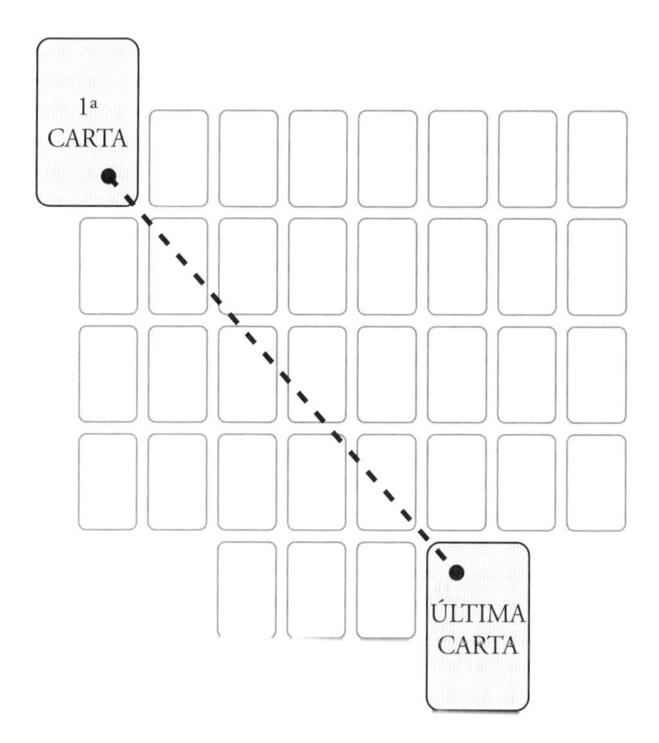

Nota importante:

A leitura das duas cartas é efetuada em primeiro lugar, separadamente, tendo em conta também as cartas que se encontram posicionadas à volta!

TÉCNICA DA PONTE

Chama-se de ponte as cartas que fazem conexão entre a carta do/a Consulente e outra carta que representa uma outra pessoa ou uma carta tema objetivo da leitura.

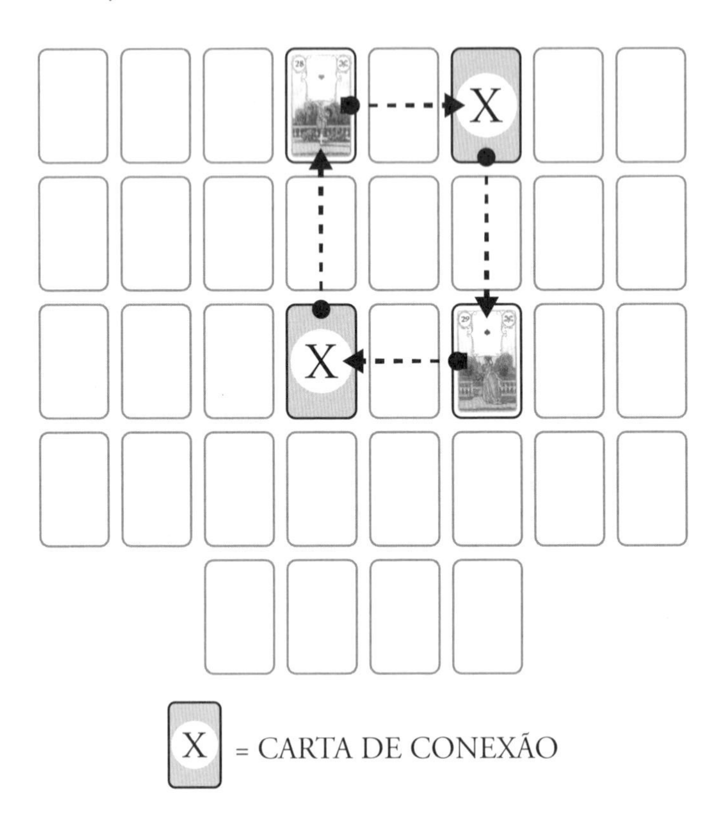

As duas cartas de conexão (dependendo da posição das duas cartas, pode-se ter uma só carta de conexão) representam o tema em discussão entre as duas pessoas e as cartas no interior da ponte contam uma história sobre o tema trazido pelas cartas de conexão.

É importante observar, também, se entre as cartas presentes se encontra alguma carta tema, porque ela irá, junto às cartas de conexão, assinalar outros assuntos tratados entre as duas pessoas ou assuntos da área da vida, no caso em que uma leitura seja direcionada a um tema específico.

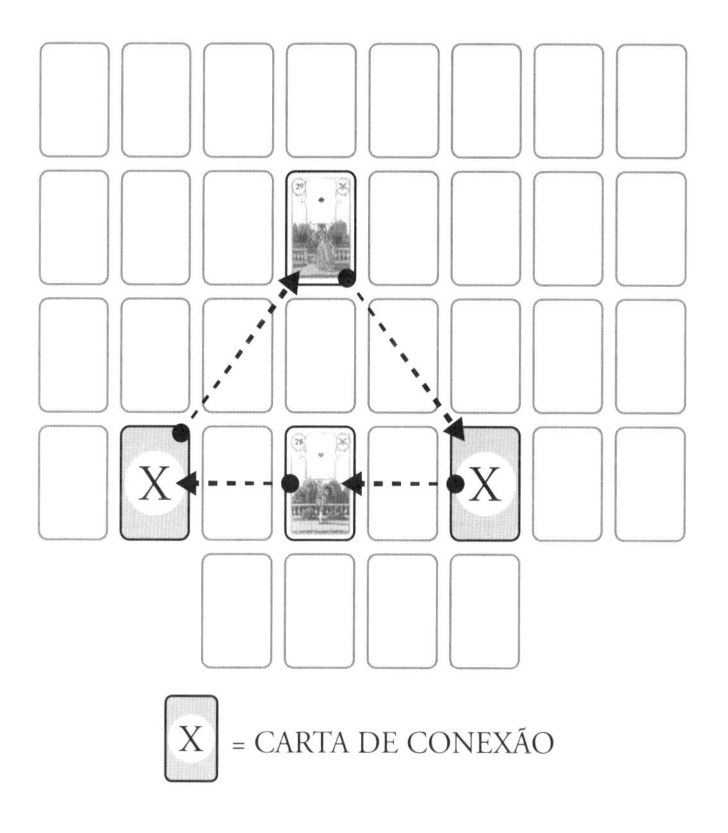

IDENTIFICAÇÃO DE UMA PESSOA NO TABLEAU

Tanto no Grand Tableau como num outro método de leitura, é possível identificar as características físicas e qual o papel que uma determinada pessoa desenvolve na vida do/a consulente, seja com uma carta que representa o consulente ou com uma figura da corte. Para obter essas informações, é necessário observar as cartas que circundam a carta consulente.

Um dos métodos que utilizo, quando não estou trabalhando com o Grand Tableau, é o 3x3. Extraio do baralho a carta do Consulente, O Homem, se a pessoa é do sexo masculino ou A Mulher se a pessoa é do sexo feminino; então deposito-a no centro da mesa de trabalho. Em seguida, embaralho as cartas e extraio outras oito cartas e as deito na mesa segundo a disposição numérica do gráfico a seguir.

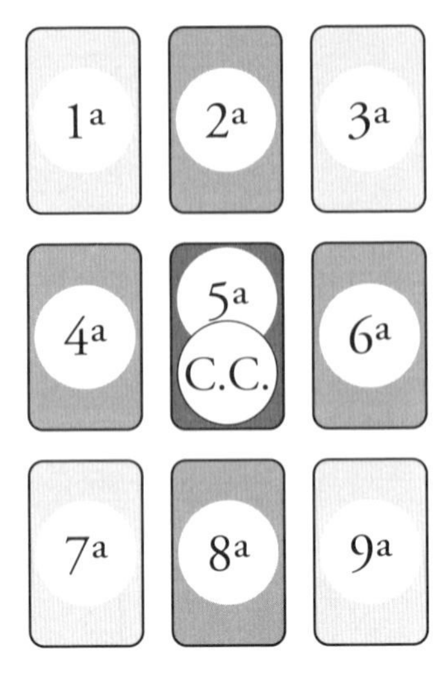

C.C. = CARTA CONSULENTE

As regras de leitura são as seguintes:

1. As cartas na 2 ª, 6ª, 8ª e 4ª posição vão dar indícios sobre a característica e aspecto físico da pessoa. A leitura começa no consulente, seguindo a carta que se encontra por cima (cabeça) do/a consulente e segue no sentido horário, isto é, posições 2, 6, 8 e 4.

2. As cartas na 3ª, 9ª, 7ª e 1ª posição vão trazer indícios sobre a relação, situação ou área na qual essa pessoa atua na vida do/a consulente. A leitura segue as posições 3, 9, 7 e 1 no sentido horário.

Caso estejam trabalhando com o método Grand Tableau Lenormand, o mesmo sistema pode ser aplicado, localizando a carta que representa a pessoa objeto da leitura. As cartas a considerar na leitura são todas aquelas que se encontram ao redor e na vizinhança da carta do/a consulente.

Tomarei como exemplo uma leitura pessoal efetuada no mês de fevereiro do ano de 2013, onde não atribuí nenhuma identidade para a carta O Homem.

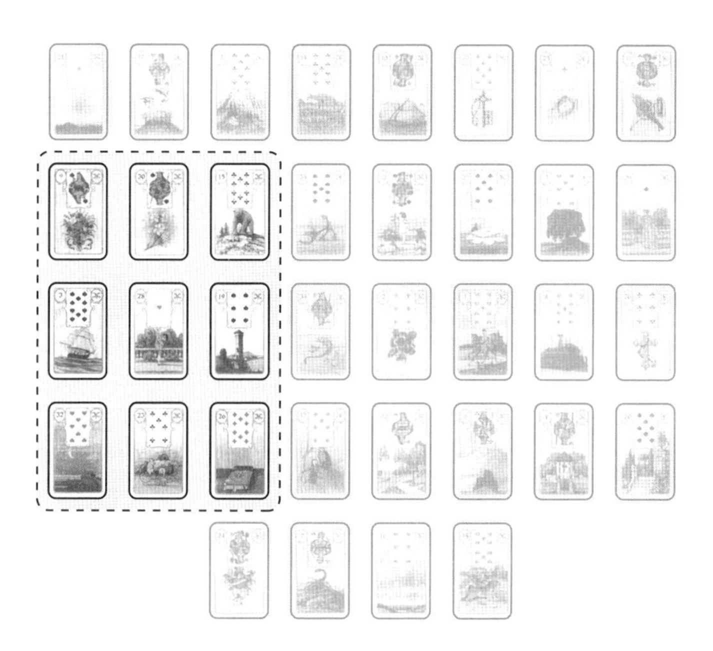

A leitura começa partindo da carta que está posicionada por cima da cabeça do Consulente (em 2ª posição), seguindo no sentido horário e levando em consideração somente as cartas nas posições que formam uma cruz (6ª, 8ª e 4ª). É importante salientar que nem sempre na posição onde se encontra a carta do Consulente se obterá a mesma quantidade de cartas encontradas como aqui no exemplo. Mesmo com uma quantidade menor de cartas, a leitura deve ser efetuada sempre no sentido horário. Tomemos como exemplo o Tableau aqui trazido. As cartas na 2ª, 6ª, 8ª e 4ª posição são as seguintes:

- Os Lírios: indicando uma pessoa de pele clara (branca) com cabelos grisalhos;
- A Torre: uma pessoa alta de estatura;
- Os Ratos: pessoa careca ou calvo;
- O Navio: um estrangeiro.

Indicam um homem maduro, alto, calvo ou careca. Os Lírios + A Torre apontam também para uma pessoa com aparência elegante, educada e conservadora.

Agora leva-se em consideração as posições dos ângulos, dando início a leitura pela 3ª posição, seguindo sempre o sentido horário (9ª, 7ª e 1ª posições).

- O Urso: indica uma pessoa que ocupa uma posição importante na vida, uma posição de autoridade. É engraçado, pois se observarem atentamente o Tableau completo, utilizado aqui como exemplo, a carta que se encontra posicionada ao lado da carta do Urso é a carta A Âncora que representa trabalho. Portanto, a minha relação com este homem é estreitamente profissional;

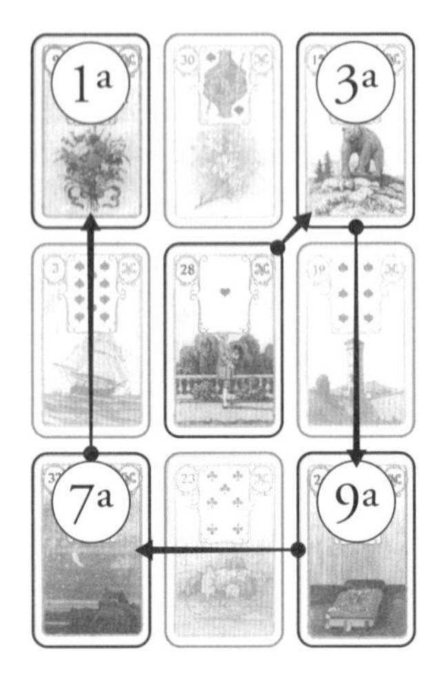

- O Livro: representa livros, manuscritos;
- A Lua: representa status, fama, reconhecimento, admiração, reputação;
- O Ramo de Flores: surpresa, gratificação, gentileza.

As cartas personificam um homem maduro (Os lírios), distinto e poderoso (Os Lírios + O Urso + A Torre), muito direto, honesto (Os lírios + O Urso) e culto (A Torre + O Livro). Proprietário de uma editora (O Urso + A Torre + O Livro), ocupa uma posição de prestígio no mundo editorial (O Urso + O Livro + A Lua + O Ramo de Flores). É um homem de caráter forte, obstinado ao perseguir os seus objetivos (Os Ratos), principalmente nos momentos difíceis (A Torre + O Livro+ Os Ratos).

Estas três cartas fazem-me lembrar da crise financeira que a editora sofreu por causa da inundação no depósito dos livros numa cheia que atingiu algumas partes de Roma, destruindo todo o material contido no depósito (14 de novembro de 2012). Foi um momento difícil, mas graças à coragem, à determinação e à capacidade, adquirida com a vasta experiência no campo editorial (Os lírios + O Urso + A Torre + O Livro), a editora salvou-se, continuando, ainda hoje, no seu esplendor de publicações de manuscritos relacionados ao mundo esotérico.

Todas as informações, obtidas anteriormente, levaram-me a identificar este homem como o meu editor Italiano, o senhor Giovanni Canonico, proprietário da casa editora Mediterranee de Roma.

Giovanni Canónico

Como podem notar através da fotografia, o senhor Canonico é um homem alto, elegante e calvo. É italiano; portanto, para mim que sou Suíça, ele é um homem estrangeiro.

Passados alguns dias desta leitura, recebi uma chamada do senhor Canonico, dizendo que estava reunindo todos os escritores para propor encontros públicos e novos manuscritos para ajudar a editora a sair da crise que estava atravessando naquele momento.

TÉCNICA DA CORRENTE

A palavra corrente deriva do encadeamento que se forma durante a leitura da união das casas e cartas. Esta técnica é, na maior parte das vezes, utilizada numa leitura em geral quando se pretende ter mais clareza sobre uma determinada área da vida. As cartas obtidas na técnica da corrente irão representar o momento atual e um futuro próximo que pode alcançar de 7 a 10 dias aproximadamente.

Gostaria de salientar a importância da técnica da corrente numa leitura do Grand Tableau, porque será uma das técnicas que utilizarão com frequência em suas leituras. É essencial, portanto, que tenham máxima experiência na prática com esta ferramenta de trabalho.

Existem dois tipos de técnica da corrente:

1. A tradicional na qual se obtém maior quantidade de cartas, mas que requer maior familiaridade com a técnica para não arriscar perder-se durante a leitura;

2. A simplificada na qual a leitura é concentrada unicamente em poucas casas e cartas.

Como pôr em prática esta técnica? Antes de iniciá-la, é recomendável:

- Estar bem clara a questão objeto da leitura;
- Identificar a casa tema que melhor representa a questão, por exemplo:
  - Questões relacionadas com uma viagem – casa n.º 3;
  - Questões relacionadas com a saúde – casa 5;
  - Questões relacionadas com magia, desentendimentos, abusos – casa n.º 11;
  - Questões relacionadas com a espiritualidade – casa n.º 16;
  - Questões relacionadas com assuntos legais, jurídicos, burocráticos – casa n.º 19;
  - Questões relacionadas com a vida social, manifestações, eventos, palestras ou encontros – casa n.º 20;
  - Questões relacionadas com uma relação (casamento, noivado, namoro), sociedade, contratos – casa n.º 25;
  - Questões relacionadas com a família, o sexo – casa n.º 30;
  - Questões relacionadas com os negócios, o dinheiro – casa n.º 34;
  - Questões relacionadas com o trabalho – casa n.º 35;
  - Questões relacionadas com a religião, crença e fé – casa n.º 36.

Para que entendam melhor a técnica, darei um exemplo de leitura, passo a passo, das duas técnicas (a tradicional e a simplificada). Já que esta leitura tem como finalidade fazer uma demonstração da técnica, mesmo que ambos os Tableaus sejam verídicos, o meu objetivo será o de focar exclusivamente no procedimento da técnica em si.

TÉCNICA DA CORRENTE TRADICIONAL

Durante uma leitura geral, o meu Consulente pediu-me para analisar duas questões importantes para ele naquele momento: a sua saúde e a questão profissional. Para o nosso exemplo, escolhi apresentar unicamente a questão profissional. Como bem sabem, a casa temática para os assuntos profissionais é a casa n.º 35 e é desta casa que partimos a nossa leitura. Na técnica da corrente tradicional, a leitura termina quando se encontra a carta temática que, neste caso ilustrativo, é a carta A Âncora.

Passo 1

O primeiro passo é observar a carta que se encontra posicionada na casa temática, Os Ratos.

C. = NÚMERO DA CASA | N.º = NÚMERO DA CARTA

Nota importante:
Quando se está no início dos estudos práticos com o baralho, é natural encontrar algumas dificuldades no momento da interpretação das cartas, principalmente quando se trabalha com o Grand Tableau. Por isso, é essencial que aprendam a utilizar as palavras-chave das casas e também das cartas; também é necessário saber sentir e escutar o que a sua emoção e intuição estão lhe transmitindo naquele momento. É primordial que aprendam a observar e a sentir o que aquela determinada carta está trazendo naquela determinada casa, como no seguinte exemplo: Os Ratos na casa n.º 35.

A carta Os Ratos, em geral, traz, numa leitura, uma energia negativa, de desgaste; é algo que está se perdendo e, consequentemente, mostra um estado de estresse e de nervosismo derivado de alguma preocupação.

Uma vez obtida estas informações, qual é a conclusão a que se pode chegar no momento? A mim, fez-me pensar que as condições profissionais do meu consulente, naquele momento, eram de descontentamento, porque os Ratos trazem sempre uma perda, diminuição e um estado de insatisfação, seja qual for a casa que estejam posicionados; no caso dele, uma provável frustração por não poder exercer todo o seu conhecimento e experiência profissional. Diminuição de trabalho pode ser uma outra hipótese interpretativa.

Como já foi dito, a leitura tem como finalidade fazer uma demonstração da técnica, portanto, não irei fazer aqui uma leitura completa. Mas gostaria de deixar para vocês algumas indicações importantes que são consideradas e aplicadas durante a utilização da técnica:

1. Observem sempre as cartas que circundam a carta objeto de leitura. Essas cartas trazem sempre informações importantes que podem contribuir para o entendimento da questão;
2. Qual a distância entre a carta do/a Consulente e a carta objeto de leitura (carta temática)? Conforme já estudaram, quando foi tratada a técnica do Método Philippe Lenormand, todas as cartas que se encontram posicionadas na área muito perto e

perto têm forte influência sobre a carta do/a Consulente e as cartas posicionadas distantes não têm peso algum ou são menos sentidas por ele;

3. Em qual casa a carta do/a Consulente se encontra posicionada? Como já falei antes, onde o/a Consulente se encontra determina em que está focado, as suas atitudes, o seu comportamento naquele momento.

Voltando à nossa leitura.

Até agora, entendeu-se que o Consulente está vivendo um momento de grande estresse em razão de uma preocupação que o está desgastando. Como podem notar, a leitura ficou vaga e pode até gerar descontentamento ao Consulente por não serem fornecidas outras informações que o possam levar a um possível entendimento da situação e resolução futura do seu problema. É importante lembrar, e tenham isto sempre em mente, que o trabalho de um Cartomante é o de auxiliar o/a próprio/a Consulente, abrindo a sua visão ao mundo com todas as informações que conseguir extrair das suas leituras. E é através dessa busca de informações que a técnica da corrente ganha vida.

Passo 2

O próximo passo é localizar a casa que representa a carta posicionada na casa tema (Os Ratos), casa n.º 23. Isto é, ir diretamente à casa natural da carta posicionada na casa tema. A casa n.º 23 é a casa das perdas e das faltas.

Portanto irá dar indicações sobre:

- O que está diminuindo?
- O que está sendo cancelado?
- O que não tem mais força?
- O que está sendo danificado?

Na casa n.º 23, encontra-se posicionada a carta O Parque que está representando o público, pessoas, clientes, empregados.

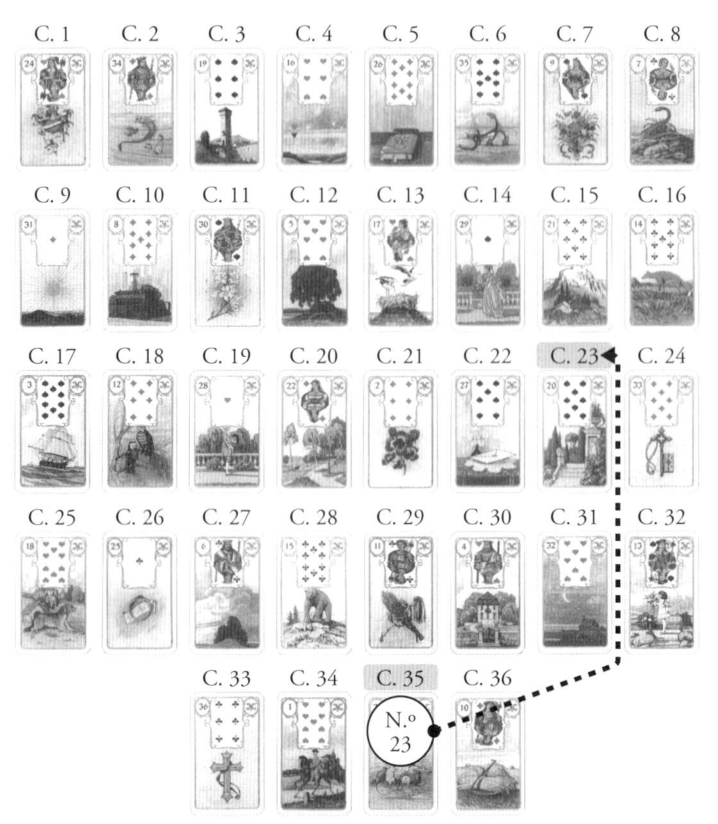

C. = NÚMERO DA CASA | N.º = NÚMERO DA CARTA

Nota importante:
A partir de agora, é importante que a interpretação das cartas obtidas esteja conectada com o assunto levantado pela primeira carta posicionada na casa tema, no nosso caso Os Ratos, porque é a partir deste ponto que será formada uma história.

Levando em conta o que já foi dito anteriormente no passo 1, e com a presença da carta O Parque na casa n.º 23, comecei, naquele momento, a entender quais eram os motivos da frustração do meu Consulente. Estes provinham da preocupação pela falta de trabalho em razão da diminuição de clientes.

Passo 3

Repitam o procedimento anterior, localizando a casa natural da carta posicionada na casa n.º 23 (no caso, O Parque) e direcionem-se para a casa n.º 20.

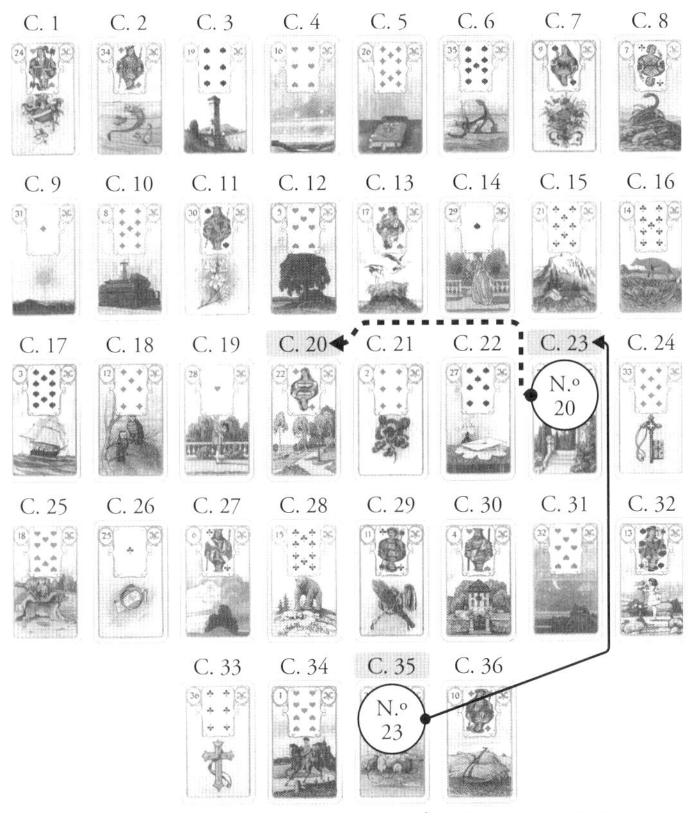

C. = NÚMERO DA CASA | N.º = NÚMERO DA CARTA

A casa n.º 20 é a casa do que acontece à volta do Consulente. Portanto, irá fornecer indicações sobre a vida social, a sociedade em que vive e frequenta (neste caso será o ambiente profissional) e da comunidade.

Na casa n.º 20 encontra-se a carta Os Caminhos que significam:

- Uma decisão importante a ser efetuada;
- Uma seleção de coisas;
- Alternativas a serem consideradas.

A minha interpretação:
Uma decisão importante estava sendo tomada por um grupo de pessoas, relacionada com os empregados.

Passo 4

Repitam o procedimento anterior, localizando a casa natural da carta posicionada na casa n.º 20 (neste caso, Os Caminhos).

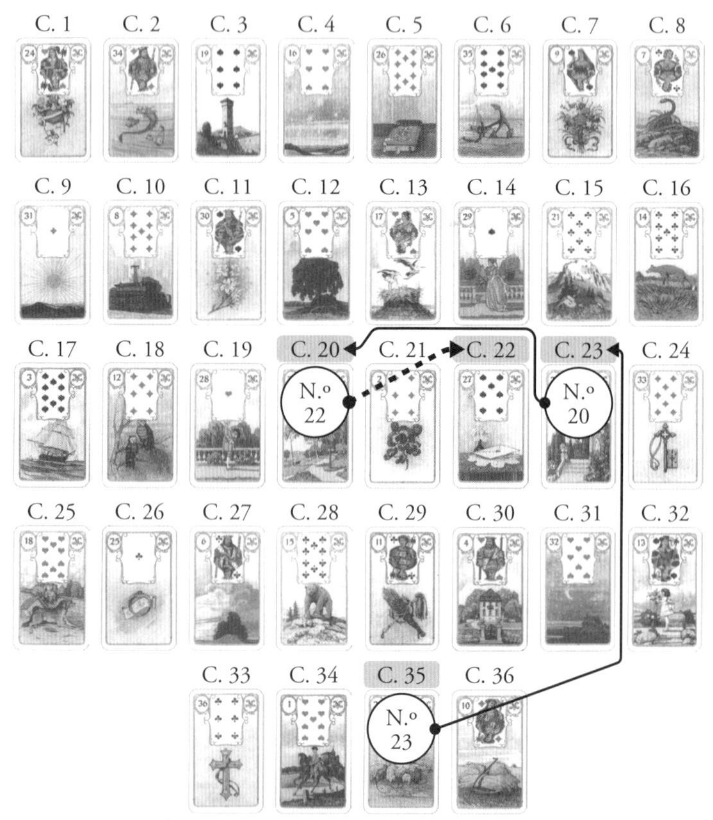

C. = NÚMERO DA CASA | N.º = NÚMERO DA CARTA

A casa n.º 22 é a casa das escolhas, das avaliações e das decisões a serem tomadas. Na casa n.º 22, encontra-se a carta A Carta que tem como significado: notícias e comunicações escritas.

A minha interpretação:
Indica que muitas são as informações sobre uma decisão que está sendo tomada.

Passo 5

Repitam o procedimento anterior, localizando a casa natural da carta posicionada na casa n.º 22 (no caso, A Carta). Portanto, a casa objeto de leitura será a casa n.º 27.

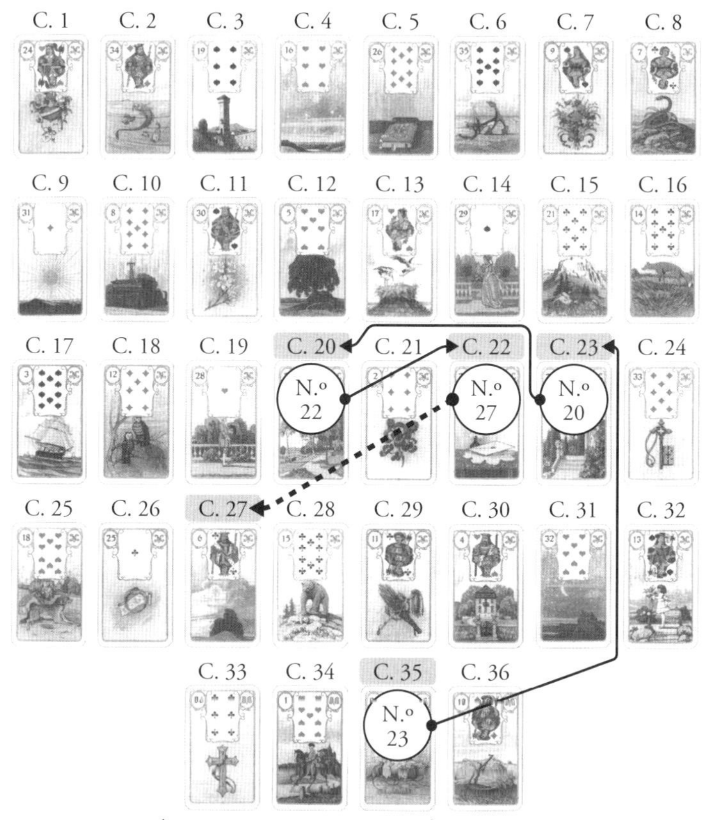

C. = NÚMERO DA CASA | N.º = NÚMERO DA CARTA

A casa n.º 27 tem como significado a comunicação (correspondência escrita, e-mail, chat, mensagem etc.). Na casa n.º 27, encontra-se posicionada a carta As Nuvens, que quando presente numa leitura significa:

- Ansiedade;
- Instabilidade;
- Avisa sobre algo pouco claro;
- Decepções;

A minha interpretação:
Notícias pouco claras que poderão criar um estado de desespero no meu Consulente.

Passo 6

Repitam o procedimento anterior, localizando a casa natural da carta posicionada na casa n.º 27 (neste caso, As Nuvens).

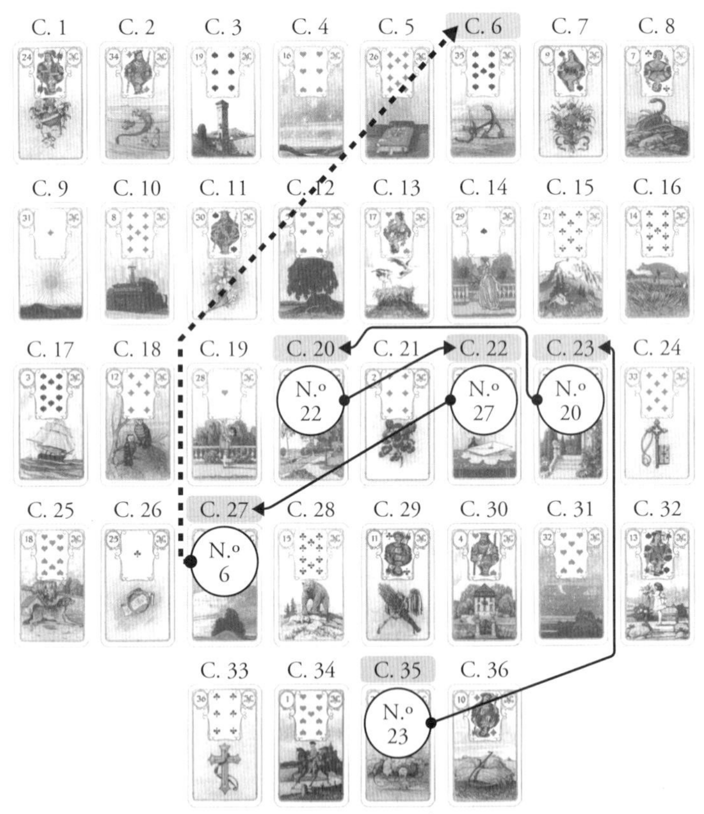

C. = NÚMERO DA CASA | N.º = NÚMERO DA CARTA

Na casa n.º 6, encontra-se a carta A Âncora, que mesmo sendo a carta tema na leitura, deve ser interpretada com todos os seus atributos divinatórios. A casa n.º 6 é a casa das incertezas e dos aborrecimentos. Portanto, a carta aqui posicionada irá indicar o que a pessoa receia, o que o deixa desnorteado e inseguro.

A Âncora, numa leitura, traz uma garantia de esperança, de estabilidade, de segurança, mas também pode criar resistência ou até vincular o estado ou o atributo representado pela casa onde a referida carta se encontra posicionada; no exemplo, aqui, seria a casa n.º 6. Sendo assim, a carta da Âncora na casa n.º 6 indica que a condição profissional do meu Consulente permanecerá por longo tempo incerta.

Uma vez encontrada a carta tema, a técnica da corrente completa-se. Neste ponto, é essencial fazer uma síntese de todas as informações obtidas dos vários anéis (casa + carta) que formam a corrente.

Numa leitura, a técnica da corrente tradicional pode conter uma ou mais cartas, e memorizá-las nem sempre é fácil; arrisca-se perder a conta das casas, as casas encontradas e, em consequência disso, ficar com uma leitura confusa e inexata. Para evitar cair neste erro, aconselho a todos tomar nota, num caderno ou folha, todas as casas e cartas na ordem de leitura. Eu tenho um caderno onde faço todas as anotações das minhas leituras do Grand Tableau. Para o exemplo ilustrativo desta técnica, preparei uma lista abaixo.

As casas e as cartas obtidas na técnica da corrente:

Casa	Carta Posicionada	Interpretação
Nº 35	Os Ratos	Preocupação, redução de trabalho.
Nº 23	O Parque	Falta de clientes, redução do pessoal.
Nº 20	Os Caminhos	Seleção de empregados.
Nº 22	A Carta	Notícias referentes a algumas decisões.
Nº 27	As Nuvens	Notícias incertas, mas que perturbam.
Nº 6	A Âncora	As angústias permanecem por longo tempo.

Vamos à minha interpretação:

O Consulente encontra-se desanimado e preocupado com a sua situação profissional que se apresenta frágil no momento.

O trabalho diminuiu drasticamente e uma decisão difícil e muito ponderada está para ser tomada, com a possibilidade da existência de um corte de empregados na empresa onde trabalha.

Muitas são as notícias que circulam entre os colegas, aumentando a angústia de poder estar incluído na lista das pessoas escolhidas para serem despedidas. Porém, uma decisão ainda não foi tomada e não será tomada num breve espaço de tempo.

Cada detalhe relacionado a este assunto está sendo cuidadosamente ponderado, portanto é necessário manter a calma no momento.

A TÉCNICA DA CORRENTE – SIMPLIFICADA

Esta é a técnica que uso com mais frequência nas minhas leituras, porque me permite seguir o meu instinto do momento. Trago, como exemplo, uma consulta real datada do dia 6 de janeiro de 2014. Durante a leitura, o meu Consulente perguntou-me se receberia, em breve, um pagamento vindo da Espanha, relativo a uma mercadoria que vendeu pela internet. Fazia uma semana que esperava o depósito do dinheiro na sua conta bancária e começava a temer ter sido enganado.

Passo 1

Através do contexto da pergunta efetuada pelo meu Consulente, observei imediatamente a casa 34, porque, como já devem saber, é a casa tema para os assuntos financeiros. Por motivos de estudo sobre a matéria aqui proposta, vou apresentar somente a parte que interessa do Tableau do meu Consulente.

Na casa n.º 34, encontra-se posicionada a carta A Montanha que tem como significados principais: bloqueios, atrasos, grande impedimento para alcançar algo. A Montanha, nesta posição, confirma a preocupação do meu Consulente pelo atraso do depósito do dinheiro.

C. = NÚMERO DA CASA | N.º = NÚMERO DA CARTA

Passo 2

O próximo passo, como acontece com a técnica da corrente tradicional, é prosseguir para a casa natural da carta posicionada na casa n.º 34 (no caso, A Montanha).

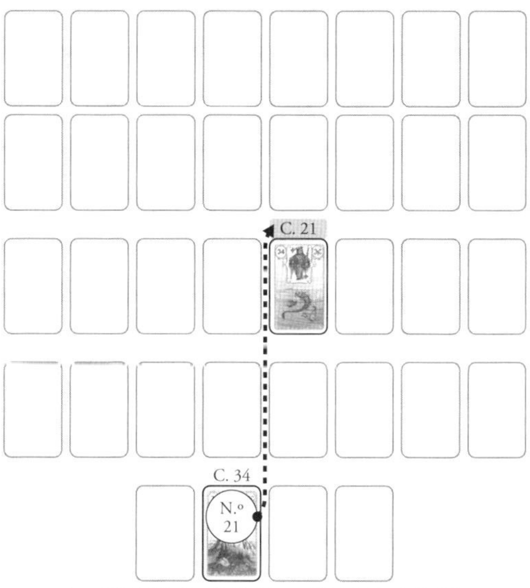

C. = NÚMERO DA CASA | N.º = NÚMERO DA CARTA

A casa n.º 21 significa: graves problemas, graves dificuldades e impedimentos, grande atraso e longa demora. Na casa n.º 21 encontra-se posicionada a carta Os Peixes.

Neste caso, a corrente termina aqui porque encontramos a carta tema. Mas, numa leitura com a técnica simplificada, a corrente nunca está completa, a não ser que aconteça algo semelhante ao exemplo aqui presente.

Na técnica simplificada as casas a serem "abertas" são:

- A casa natural da carta que se encontra posicionada na casa tema;
- A casa onde se encontra posicionada a carta tema.

É no decorrer da leitura destas casas que podem nascer algumas dúvidas e vocês sintam a necessidade de esclarecer essas lacunas como será demonstrado em seguida.

Passo 3

Antes de prosseguir a leitura do meu consulente, decidi fazer alguns ajustes investigando as razões da demora do pagamento por parte do comprador. Fui à casa n.º 29, que representa a outra pessoa, mesmo sendo esta um outro homem (a casa n.º 28 representa o meu consulente que é do sexo masculino e a casa n.º 29 a outra pessoa, mesmo que esta seja do mesmo sexo).

Na casa n.º 29, estava posicionada a carta A Cruz que me fala de sofrimentos, dores e lágrimas. E a carta que representa o comprador encontrava-se na casa n.º 8. A casa n.º 8 é a casa da doença, uma dor profunda, uma morte, questões que chegaram a um fim.

Analisando estas duas casas, pude concluir que o comprador estava passando por um momento de grande sofrimento que desestruturou a sua própria existência. Quis ir mais além para entender do que se tratava e fui localizar a carta O Caixão (carta natural da casa n.º 8 onde está posicionado o comprador) que estava na casa n.º 15 a qual, para mim, além de representar poder e força, também representa os pais, os chefes e os superiores.

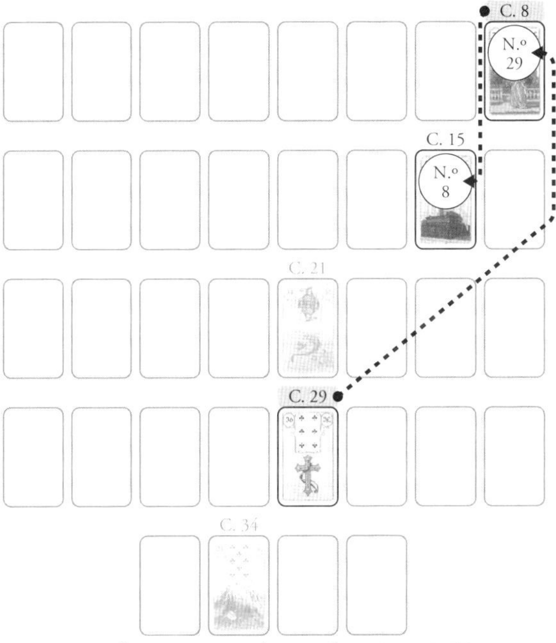

C. = NÚMERO DA CASA | N.º = NÚMERO DA CARTA

Neste momento, já tinha um panorama suficiente da situação para poder orientar o meu consulente. O comprador não podia efetuar o depósito, porque estava vivendo, naquele momento, uma tragédia e, provavelmente, estava de luto pela morte de uma pessoa mais velha que poderia ser um dos pais (obviamente, eu tinha cartas perto da carta O Caixão que confirmavam a minha tese).

Aconselhei meu consulente a entrar em contato com o comprador para verificar se o que eu tinha dito se confirmava. Ele entrou em contato naquele instante. A resposta foi que estava no Funchal (Ilha da Madeira) para o funeral do seu pai que, depois de uma doença gravíssima e imprevista, faleceu e só voltaria para a Espanha dentro de duas semanas. O comprador confirmou o que foi dito na leitura. Isto revela o quanto a técnica simplificada é capaz de alcançar informações que vão muito além da técnica tradicional. O poder de manusear o Tableau, seguindo a nossa necessidade e intuição do momento, permite revelar aspectos mais profundos na leitura.

TÉCNICA DO MOVIMENTO DO CAVALO

Agora o nosso Tableau transforma-se num tabuleiro de Xadrez. Isto aparentemente intimida pela sua associação a um jogo complexo como o Xadrez, mas com um pouco de paciência, com a ajuda do texto e de alguma prática, irão descobrir que a técnica do movimento do cavalo não é nenhum bicho de sete cabeças e que é acessível a qualquer um.

A técnica tem como função revelar fatos e eventos relevantes que possivelmente o/a Consulente poderá não estar prestando muita atenção. Os eventos ou fatos assinalados pelo cavalo, junto às informações obtidas com a situação atual (cartas posicionadas ao redor e linha do presente partindo da carta Significadora), contribuem para fazer um quadro geral dos acontecimentos do momento.

Nota importante:
A técnica do movimento do cavalo é aconselhada quando se abre uma leitura em geral e seja necessário aprofundar uma determinada área da vida ou assunto que preocupa o/a Consulente.

E como funciona a técnica? É através de uma carta Significadora que a técnica do movimento do cavalo é aplicada. É essencial, portanto, que estejam familiarizados com esse tema.

Antes de dar início à explicação desta técnica, gostaria de responder a uma pergunta feita por muitos de vocês: "Por onde iniciar o movimento do cavalo numa leitura? Por cima, por baixo ou pelos lados?". É facultativo; não existe uma regra predefinida que determine por onde se deve dar início ao movimento do cavalo.

Cabe a cada um decidir qual direção deve considerar. Pessoalmente, optei por seguir o movimento dos ponteiros do relógio, assumindo como ponto de partida as 12 horas e seguindo o movimento horário como indicado no gráfico ao lado. Geralmente o Cavalo pode assumir quatro direções (vamos chamá-las aqui de horas 12, 3, 6 e 9), como podem observar nas setinhas do gráfico.

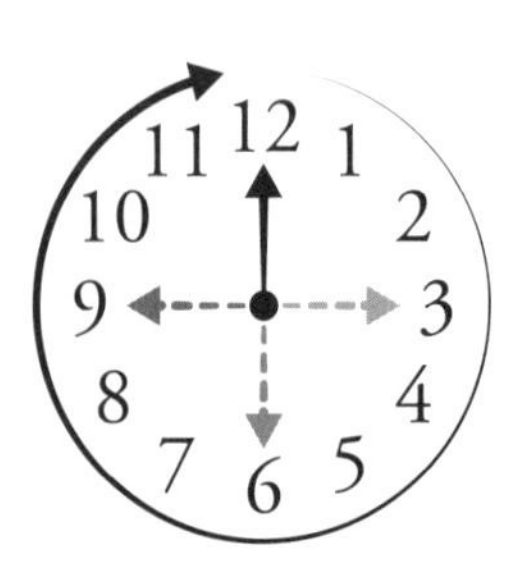

Porém, dependendo da posição da carta Significadora, as possibilidades de movimento podem ser reduzidas a 7, 6, 5, 4, 3 ou 2 movimentos, conforme verão nos exemplos mais à frente.

Passo 1

Dá-se início ao movimento do Cavalo no Tableau, começando onde se encontra posicionada a carta Significadora (neste exemplo, a carta O Homem), movendo-se no sentido horário (hora 12) "pulando" duas casas (no exemplo, casas n.º 13 e n.º 5) e, em seguida, vira-se à direita onde se encontra a casa 6 e se posiciona o cavalo.

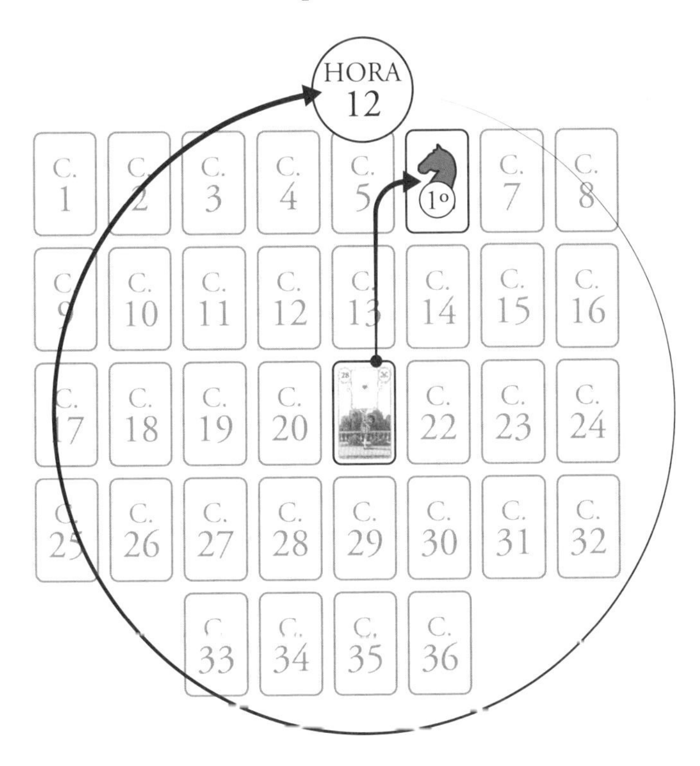

Como podem observar, a técnica do movimento do Cavalo é obtida fazendo-se um movimento que parte da carta Significadora, "pulando" duas casas; em seguida, vira-se à direita (conforme o exemplo acima) e, finalmente, nos posicionamos na casa ao lado da segunda, formando um (L) virado ao contrário.

Nota importante:

As duas casas que o cavalo "pula" são ignoradas na leitura, isto é, não devem ser lidas. As únicas cartas consideradas para leitura são aquelas onde o cavalo se posiciona!

Passo 2

Seguindo o sentido horário (agora na hora 3), "pulem" duas casas (no exemplo, casas número 22 e número 23); por fim, virem para cima (casa número 15). Continuando sempre partindo da carta Significadora (hora 3), "pulem" duas casas (número 22 e número 23) e, desta vez, virem para baixo, posicionando o Cavalo na casa número 31.

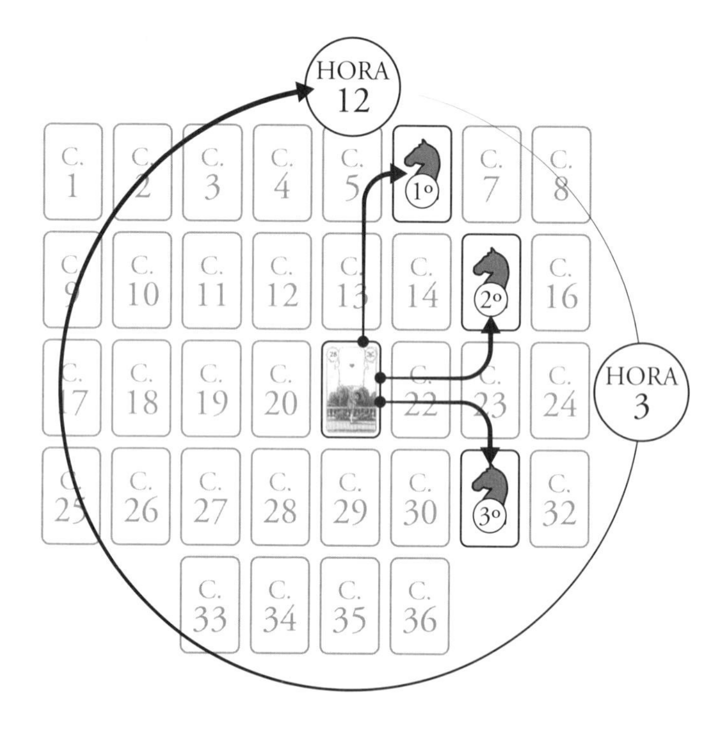

Como podem notar, o movimento do Cavalo permite gerar dois posicionamentos finais:

1. Posição esquerda e direita;
2. Posição superior e inferior.

Passo 3

Na hora 6, executa-se o mesmo procedimento: "pular" duas casas (n.º 29 e n.º 35), virar para a direita e posicionar o Cavalo na casa n.º 36. Repitam, mais uma vez, a ação anterior; mas desta vez virem à esquerda, posicionando o Cavalo na casa n.º 34.

Passo 4

Na posição hora 9, executa-se o mesmo procedimento: "pular" duas casas (n.º 20 e n.º 19); virar para baixo, posicionando o Cavalo na casa n.º 27. Repetir a ação; mas, desta vez, para cima, posicionando o Cavalo na casa n.º 11.

Passo 5

Repetir o procedimento no sentido hora 12, virando para a esquerda, "pulando" duas casas (n.º 13 e n.º 5); em seguida, virar à esquerda e posicionar o Cavalo na casa n.º 4.

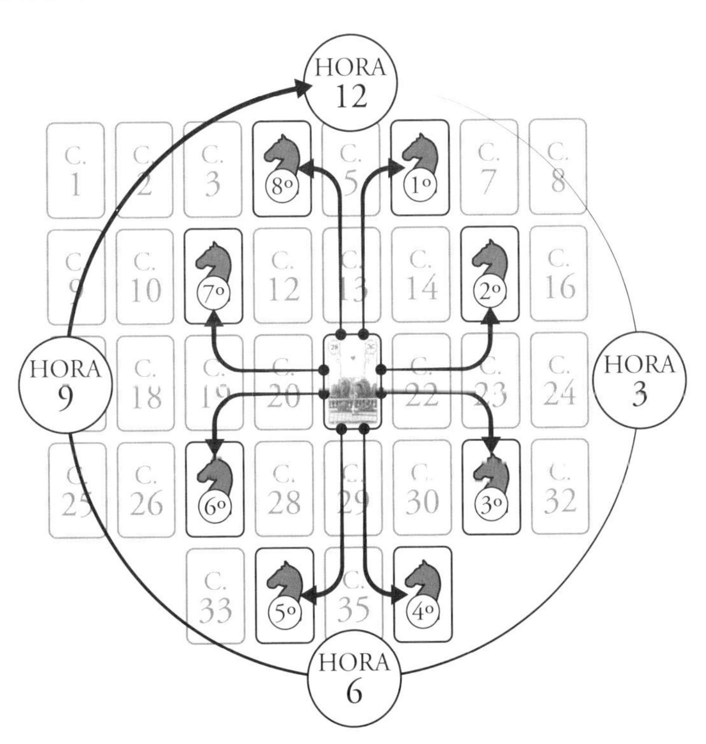

Como podem notar, a carta Significadora – nesta posição – obtém oito posições, isto é, oito cartas que serão lidas no sentido horário, partindo da primeira (obtida da posição hora 12), combinando-as, entre si, de forma a obter uma história com sentido.

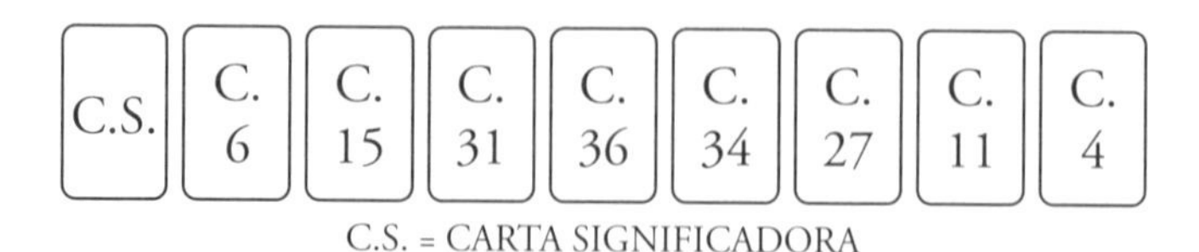

C.S. = CARTA SIGNIFICADORA

Um outro ponto a ser considerado, durante a leitura, é fazer a combinação entre a casa e a carta, desfrutando, assim, de outras informações que irão trazer mais detalhes à leitura.

Conforme foi dito anteriormente, de acordo com a posição da Carta Significadora no Tableau, é possível obter-se o máximo de oito cartas e o mínimo de duas cartas, como os exemplos seguintes.

7 POSIÇÕES

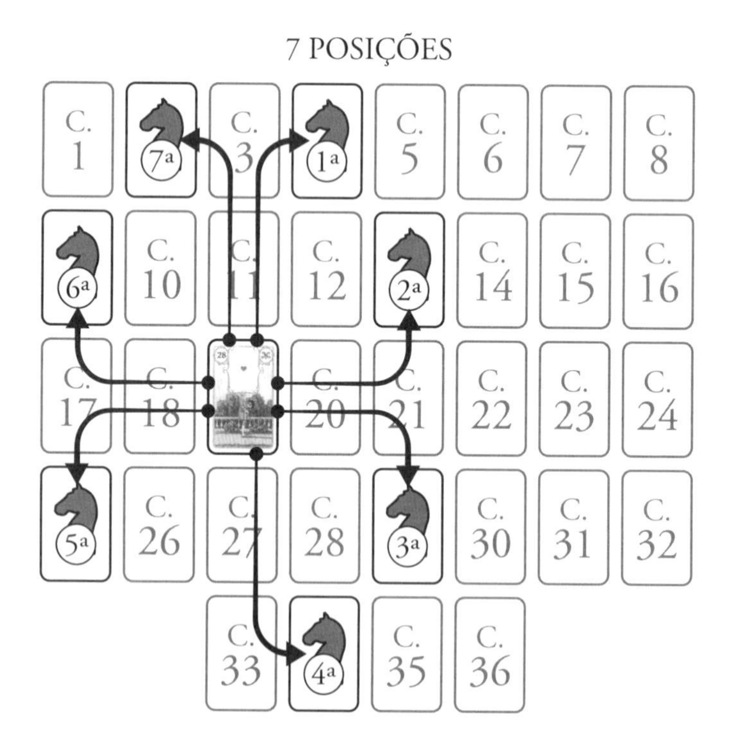

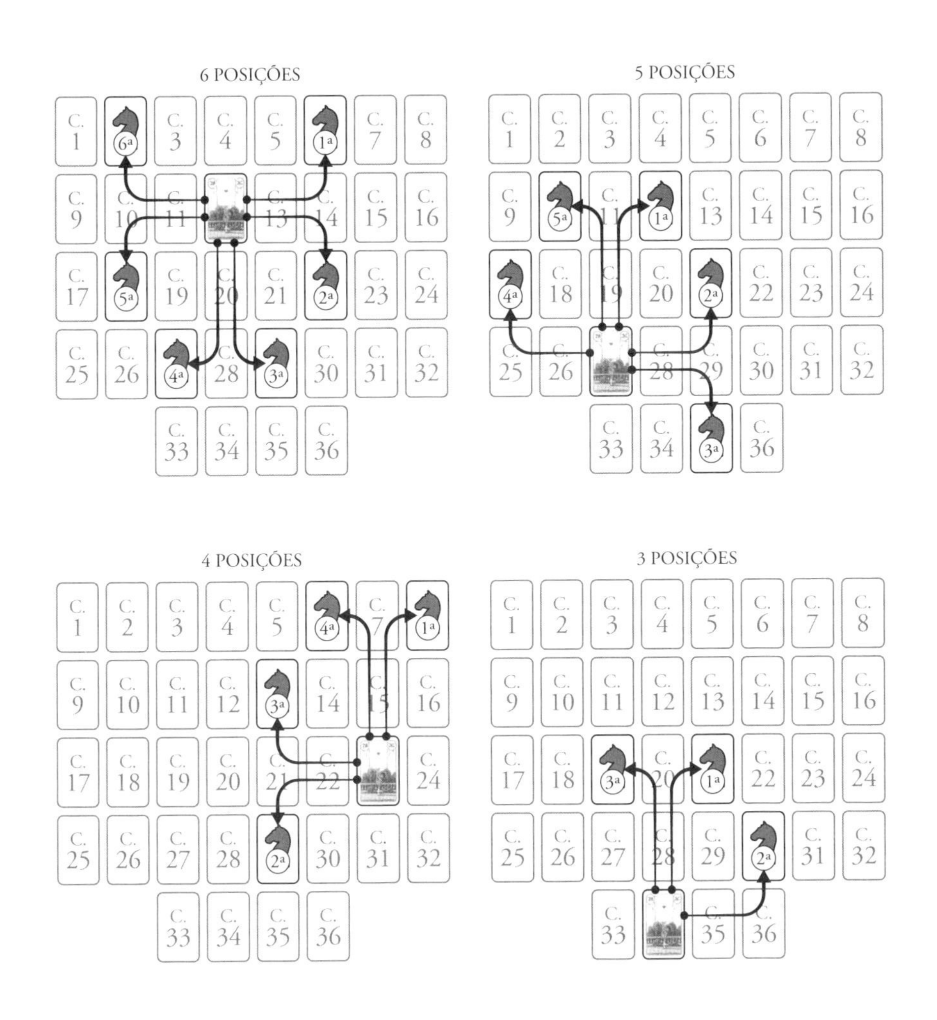
6 POSIÇÕES
5 POSIÇÕES
4 POSIÇÕES
3 POSIÇÕES

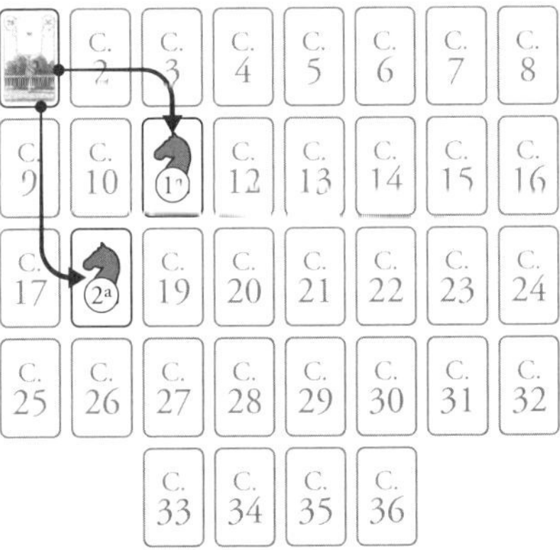
2 POSIÇÕES

Tabela das Posições do Movimento do Cavalo no Sentido Horário Partindo das 36 Casas do Tableau:

Casa	Casas Movimento do Cavalo	Casa	Casas Movimento Do Cavalo
Nº 1	11 e 18	Nº 19	4, 13, 29, 34, 25, 9 e 2
Nº 2	12, 19 e 17	Nº 20	5, 14, 30, 35, 33, 26, 10 e 3
Nº 3	13, 20, 18 e 9	Nº 21	6, 15, 31, 36, 34, 27, 11 e 4
Nº 4	14, 21, 19 e 10	Nº 22	7, 16, 32, 35, 28, 12 e 5
Nº 5	15, 22, 20 e 11	Nº 23	8, 29, 13 e 6
Nº 6	16, 23, 21 e 12	Nº 24	30, 14 e7
Nº 7	24, 22 e 13	Nº 25	10, 19 e 33
Nº 8	23 e 14	Nº 26	11, 20, 34 e 9
Nº 9	3, 19 e 26	Nº 27	12, 21, 35, 17 e 10
Nº 10	4, 20, 27 e 25	Nº 28	13, 22, 36, 18 e 11
Nº 11	5, 21, 28, 26 e 17	Nº 29	14, 23, 33, 19 e 12
Nº 12	6, 22, 29, 27, 18 e 2	Nº 30	15, 24, 34, 20 e 13
Nº 13	7, 23, 30, 28, 19 e 3	Nº 31	16, 35, 21 e 14
Nº 14	8, 24, 31, 29, 20 e 4	Nº 32	36, 22 e 15
Nº 15	32, 30, 21 e 5	Nº 33	20, 29 e 18
Nº 16	31, 22 e 6	Nº 34	21, 30 e 19
Nº 17	2, 11 e 27	Nº 35	22, 28 e 20
Nº 18	3, 12, 28 e 1	Nº 36	23, 28 e 21

TÉCNICA DO MOVIMENTO DA RAINHA

A necessidade de oferecer uma orientação e aconselhamento, numa leitura em geral, onde estão envolvidas várias questões e áreas da vida, fez-me procurar técnicas que pudessem responder a esta exigência. Muitas foram as tentativas; umas não davam resultado algum, outras obtinham uma mensagem pouco clara. A minha paixão pelo

Xadrez levou-me a tentar algumas técnicas desse jogo até notar que o movimento da Rainha respondia perfeitamente ao que eu estava procurando. Depois de obter resultados satisfatórios com a técnica nas minhas leituras pessoais (2011), comecei a divulgá-la aos meus alunos no curso avançado do Grand Tableau. Mais uma vez, o Grand Tableau transforma-se num tabuleiro de Xadrez trazendo, desta vez, o movimento da Rainha.

Qual a função da técnica numa leitura?

A técnica do movimento da Rainha serve para orientar o/a Consulente a procurar equilíbrio ou como agir numa determinada questão ou área da vida.

Não se deve confundir a função da técnica do movimento da Rainha com a técnica do coração do Tableau (casas n.º 12, n.º 13, n.º 20 e n.º 21). Apesar de ambas terem a mesma função de trazer uma orientação, um conselho e, até mesmo, de assinalar a área da vida ou o assunto que o/a Consulente deve se concentrar no período de tempo estabelecido para a leitura, as duas técnicas têm, entretanto, as seguintes aplicações:

- O Coração do Tableau tem como função trazer uma orientação em geral para todo o Tableau.
- O movimento da Rainha é aplicado para a orientação de vários assuntos ou áreas da vida. Numa leitura em geral, onde são abordadas as várias áreas de vida – como relacionamento, família, trabalho, finanças e saúde – pode-se, através desta técnica, trazer uma orientação para cada uma das áreas da vida do/a consulente sem ter de refazer um outro Tableau específico.

Como funciona a técnica?

Passo 1

Localizar no Tableau a carta Significadora que representará a área ou o assunto que se deseja receber uma orientação.

Passo 2

Tal como na técnica do movimento do Cavalo, a leitura faz-se no sentido horário a partir da carta Significadora (hora 12); só que os movimentos da Rainha formam linhas retas na vertical, na horizontal e nas diagonais direita e esquerda da carta Significadora. Todas as últimas cartas posicionadas no fim de cada linha são objeto de leitura.

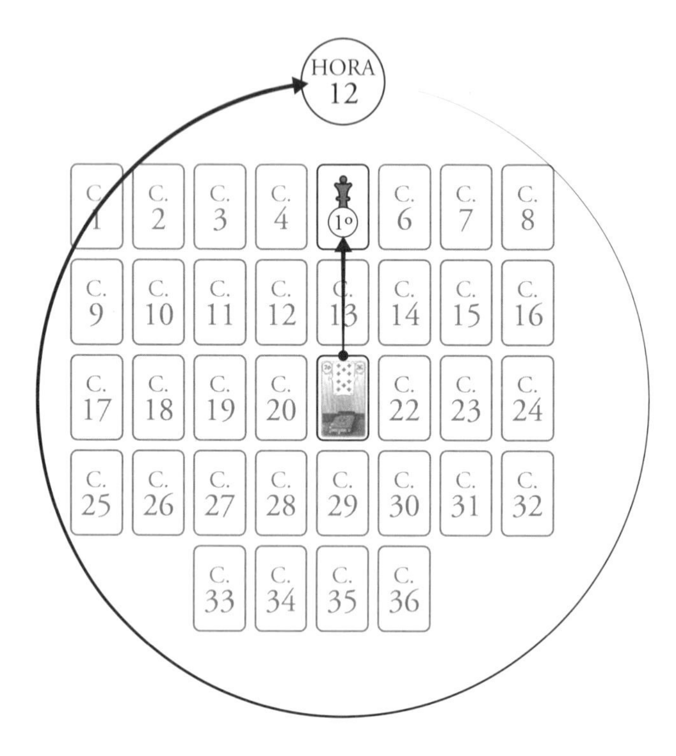

No exemplo aqui trazido, com a carta O Livro, "pula-se" a casa n.º 13 e a Rainha se posiciona na casa n.º 5. A carta nesta posição é a 1ª carta que será objeto de leitura.

Passo 3

O passo seguinte é fazer o Movimento da Rainha em diagonal "pulando" a casa n.º 14 e posicionando a Rainha na casa n.º 7. Esta será a 2ª carta eleita para a leitura.

Passo 4

Agora o Movimento da Rainha segue numa linha horizontal "pulando" as casas n.º 22 e n.º 23 e posiciona-se na casa n.º 24 que será a 3ª carta eleita.

Passo 5

Repetindo o procedimento, desta vez em diagonal, encontrarão a 4ª carta na casa n.º 30. Prossigam movimentando-se sempre no sentido horário até completar toda a volta e chegar no mesmo ponto em que o movimento se iniciou (na hora 12).

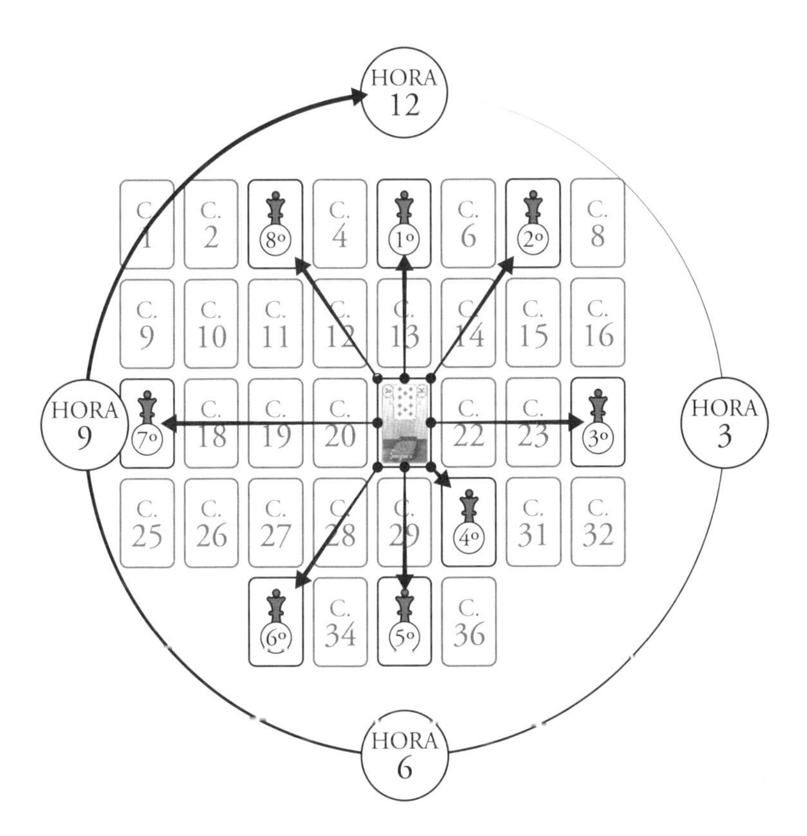

Como irão notar em suas leituras, segundo a posição da carta Significadora, com o movimento da Rainha é possível obter o máximo 3, 4, 5, 6, 7 e 8 posições no Tableau.

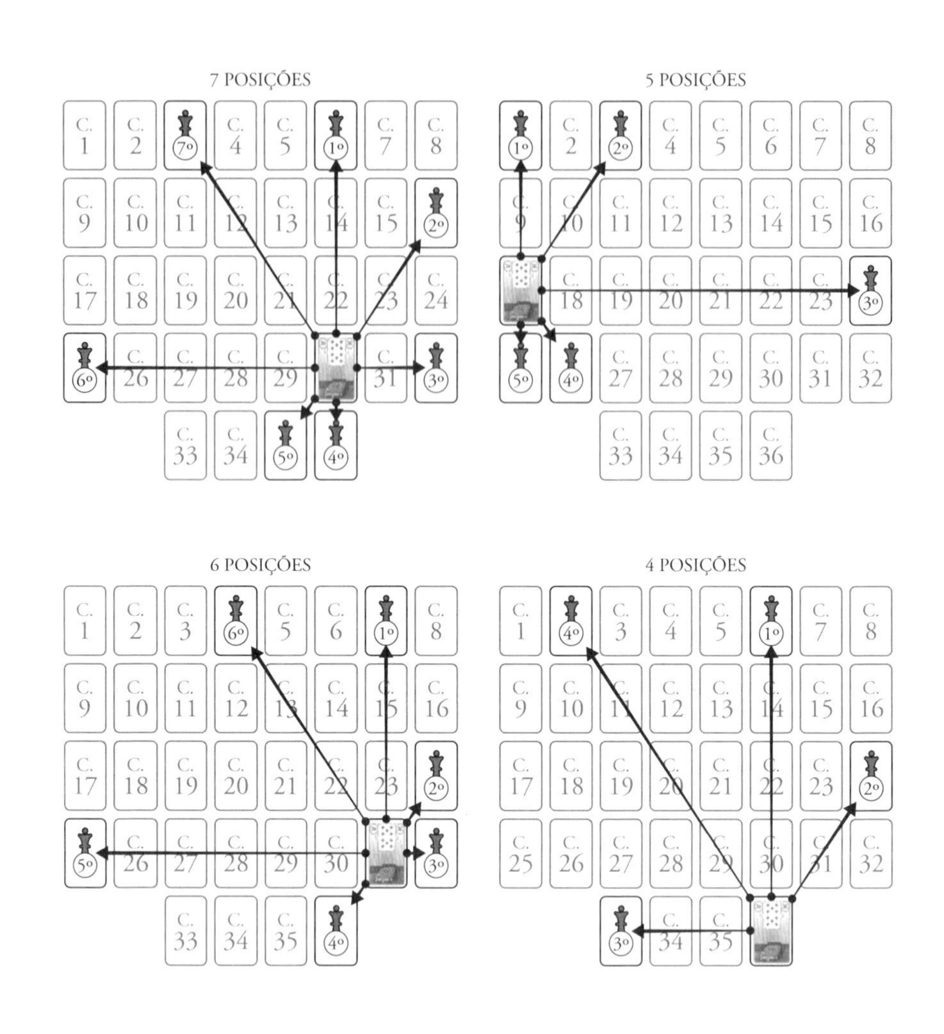
7 POSIÇÕES
5 POSIÇÕES
6 POSIÇÕES
4 POSIÇÕES

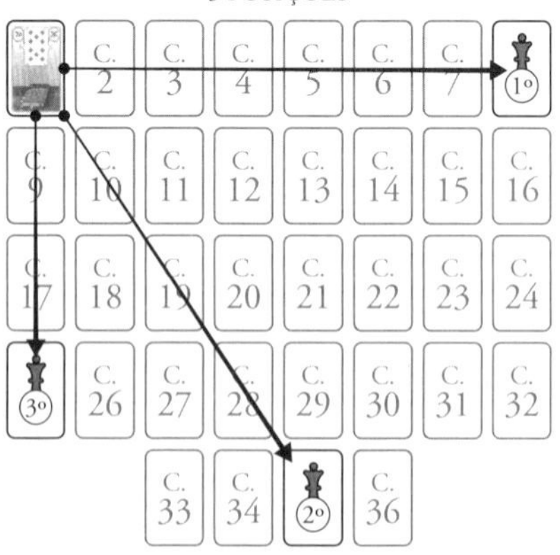
3 POSIÇÕES

A leitura das cartas eleitas procede na ordem em que foram extraídas (a 1ª carta + a 2ª carta; a 2ª carta + a 3ª carta e assim por diante) e são lidas sem levar em consideração as casas onde se encontram posicionadas.

Tabela das Posições do Movimento da Rainha no Sentido Horário Partindo das 36 Casas do Tableau:

Casa	Casas Movimento da Rainha	Casa	Casas Movimento da Rainha
Nº 1	8, 35 e 25	**Nº 19**	7, 8, 16, 24, 31, 34, 9 e 6
Nº 2	8, 36, 26, 9 e 1	**Nº 20**	8, 32, 35, 9 e 7
Nº 3	8, 30, 33, 17 e 1	**Nº 21**	1, 3, 24, 33 e 25
Nº 4	8, 31, 34, 25 e 1	**Nº 22**	2, 4, 24, 34, 26, 25, 17 e 9
Nº 5	8, 32, 35, 26 e 1	**Nº 23**	3, 5, 24, 35, 33, 26, 17 e 1
Nº 6	8, 24, 36, 27 e 1	**Nº 24**	4, 6, 24, 36, 34, 27, 17 e 2
Nº 7	8, 16, 31, 33 e 1	**Nº 25**	5, 7, 24, 30, 35, 33, 17 e 3
Nº 8	8, 32, 34 e 1	**Nº 26**	6, 8, 24, 31, 36, 34, 17 e 4
Nº 9	1, 2, 16, 34 e 25	**Nº 27**	7, 16, 24, 32, 31, 35, 17 e 5
Nº 10	2, 3, 16, 35, 26, 17, 9 e 1	**Nº 28**	8, 32, 31, 17 e 6
Nº 11	3, 4, 16, 36, 33, 25, 9 e 2	**Nº 29**	1, 4 e 32
Nº 12	4, 5, 16, 30, 34, 26, 9 e 3	**Nº 30**	2, 5, 32, 33, 25 e 17
Nº 13	5, 6, 16, 31, 35, 27, 9 e 4	**Nº 31**	3, 6, 32, 34, 33, 25 e 9
Nº 14	6, 7, 16, 32, 36, 33, 9 e 5	**Nº 32**	4, 7, 32, 35, 34, 33, 25 e 1
Nº 15	5, 8, 32, 36, 35, 34, 25 e 2	**Nº 33**	3, 7, 36 e 17
Nº 16	6, 16, 32, 36, 35, 25 e 3	**Nº 34**	4, 8, 36, 33 e 9
Nº 17	7, 24, 32, 36, 25 e 4	**Nº 35**	5, 16, 36, 33 e 1
Nº 18	8, 25 e 5	**Nº 36**	6, 24, 33 e 2

TÉCNICA DO ESPELHO

A técnica do espelho é uma técnica antiga praticada pelos/as cartomantes do século passado. Etteilla (Jean-Baptiste Alliette, cartomante e ocultista francês) no seu livro publicado no ano de 1773 "Etteilla, ou la seule maniere de tirer les cartes", precisamente na página 50, fornece – através de uma leitura demonstrativa – o funcionamento da técnica numa linha de 9 a 15 cartas.

Atualmente, esta técnica é aplicada com muito sucesso no método da linha dos 3, 5 ou 7 e também no Grand Tableau, apesar de que no Grand Tableau o procedimento técnico é diferente.

Jean-Baptiste Alliette (Etteilla)
1738 – 1791

ETTEILLA,
OU
LA SEULE MANIERE
DE TIRER
LES CARTES,
REVUE, CORRIGÉE ET AUGMENTÉE
PAR L'AUTEUR;
SUR SON PREMIER MANUSCRIT.

Vingt fois ſur le métier remettez votre ouvrage.
. . . . *Boil.*

A AMSTERDAM.
Et ſe trouve a PARIS,
Chez LESCLAPART, Libraire, Quai de *Gêvres*;
M. DCC. LXXIII.

Qual a função da técnica do espelho numa leitura?

Utilizo esta técnica quando sinto a necessidade de obter mais informações sobre uma determinada carta ou área da vida. As cartas espelhos evidenciam informações ocultas, como intenções ou motivos, que nem sempre as cartas vizinhas ou ao redor da carta objeto da leitura fornecem.

O passo a passo da técnica

Para encontrar as casas espelhos de uma casa, divide-se o tableau em duas partes: vertical e horizontal. Para entender melhor o procedimento, é necessário que estudem a técnica em duas fases.

Passo 1 – O espelho vertical

Imaginem que o Grand Tableau seja uma folha A4 e a dobrem ao meio na vertical conforme o exemplo ao lado.

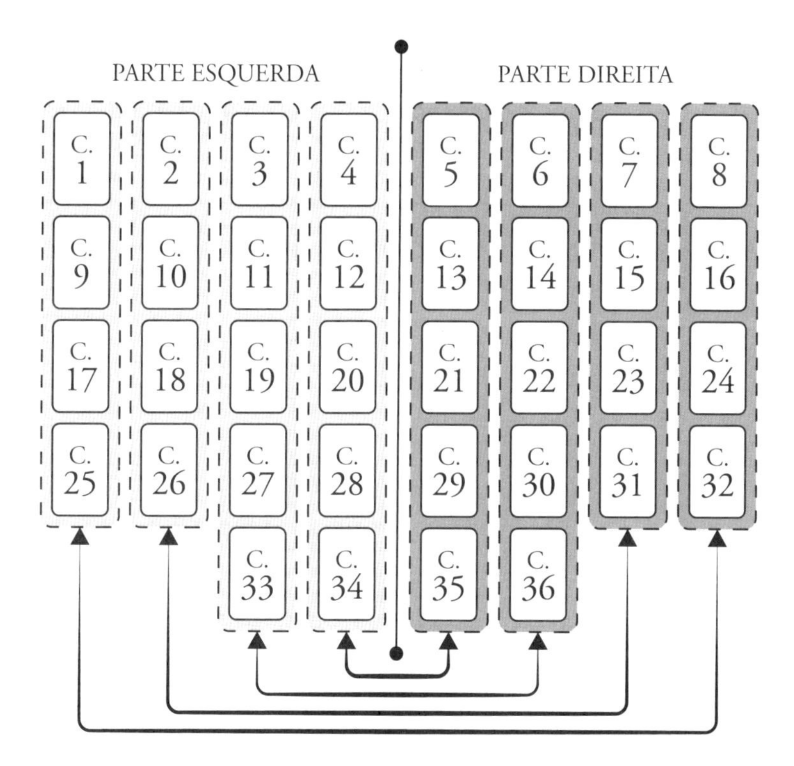

O que se irá obter são duas partes com 18 casas cada uma:

- A parte esquerda contém as casas n.º: 1, 2, 3, 4, 9, 10, 11, 12, 17, 18, 19, 20, 25, 26, 27, 28, 33 e 34;
- A parte direita contém as casas n.º: 5, 6, 7, 8, 13, 14, 15, 16, 21, 22, 23, 24, 29, 30, 31, 32, 35 e 36.

Ao dobrar o Tableau ao meio na vertical o que se percebem? Observem o gráfico para acompanhar e entender melhor a minha explicação. A casa n.º 1 encontra a casa n.º 8 certo? Na linguagem cartomântica diz- se que a casa n.º 1 faz espelho com a casa n.º 8. Portanto:

Casa	Espelha a Casa	Casa	Espelha a Casa
Nº 1	Nº 8	Nº 18	Nº 23
Nº 2	Nº 7	Nº 19	Nº 22
Nº 3	Nº 6	Nº 20	Nº 21
Nº 4	Nº 5	Nº 25	Nº 32
Nº 9	Nº 16	Nº 26	Nº 31
Nº 10	Nº 15	Nº 27	Nº 30
Nº 11	Nº 14	Nº 28	Nº 29
Nº 12	Nº 13	Nº 33	Nº 36
Nº 17	Nº 24	Nº 34	Nº 35

Passo 2 – O espelho horizontal

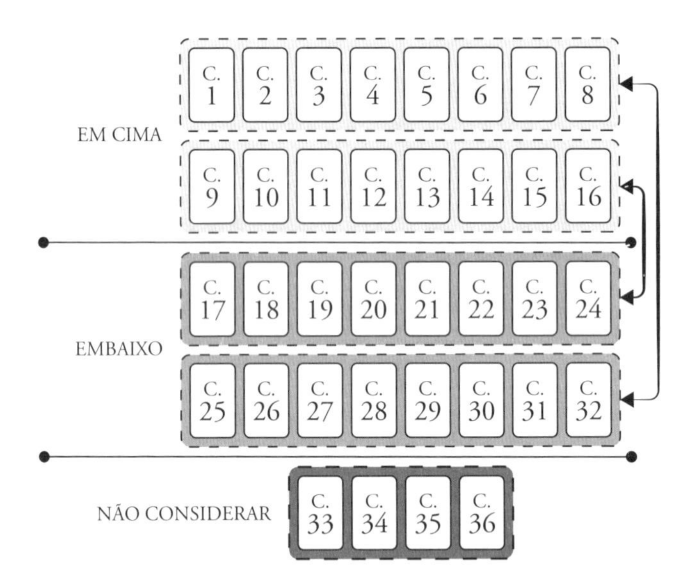

Nesta etapa, desconsiderem, por enquanto, as quatro Casas da quinta linha nesta fase de estudos (casas 33, 34, 35 e 36); imaginem o Tableau dobrado pela metade na horizontal (conforme o exemplo abaixo). Deste modo, irão obter dois grupos com 16 cartas:

- O grupo de carta em cima contém as casas n.º: 1, 2, 3, 4, 5, 6, 7, 8, 9, 10, 11, 12, 13, 14, 15 e 16;

- O grupo de carta embaixo contém as casas n.º: 17, 18, 19, 20, 21, 22, 23, 24, 25, 26, 27, 28, 29, 30, 31 e 32.

Ao dobrar o Tableau, notarão que a primeira fila de casas se encaixa com a quarta fila; e as casas da segunda fila se encaixam com a terceira fila. Sendo assim, a casa n.º 1 faz espelho com a casa n.º 25; a casa n.º 9 faz espelho com a casa n.º 17. Portanto, os espelhos das casas são:

Casa	Espelha a Casa	Casa	Espelha a Casa
Nº 1	Nº 25	Nº 9	Nº 17
Nº 2	Nº 26	Nº 10	Nº 18
Nº 3	Nº 27	Nº 11	Nº 19
Nº 4	Nº 28	Nº 12	Nº 20
Nº 5	Nº 29	Nº 13	Nº 21
Nº 6	Nº 30	Nº 14	Nº 22
Nº 7	Nº 31	Nº 15	Nº 23
Nº 8	Nº 32	Nº 16	Nº 24

Por último, dobra-se o interior do Tableau sempre em horizontal, para encontrar os quatro espelhos verticais das quatro casas da quinta linha (casas n.º 33, n.º 34, n.º 35 e n.º 36).

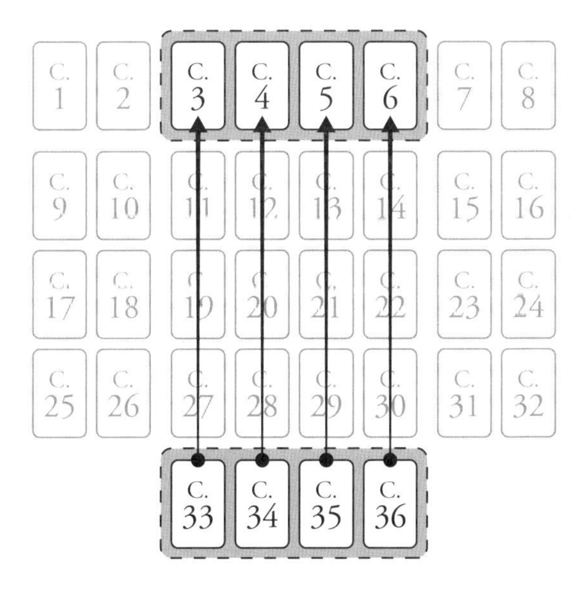

Assim sendo:

Casa	Espelha a Casa	Casa	Espelha a Casa
Nº 33	Nº 3	Nº 35	Nº 5
Nº 34	Nº 4	Nº 36	Nº 6

Já notaram que uma casa tem duas casas espelho.

Passo 3 – espelhos

Neste ponto, em qualquer posição do Tableau em que esteja uma carta, ela terá duas cartas espelhos: uma na horizontal e outra na vertical. Por exemplo, suponhamos que a carta objeto da leitura esteja posicionada na casa n.º 3. Sua carta espelho horizontal encontra-se na posição da casa n.º 6 e a vertical na casa n.º 27.

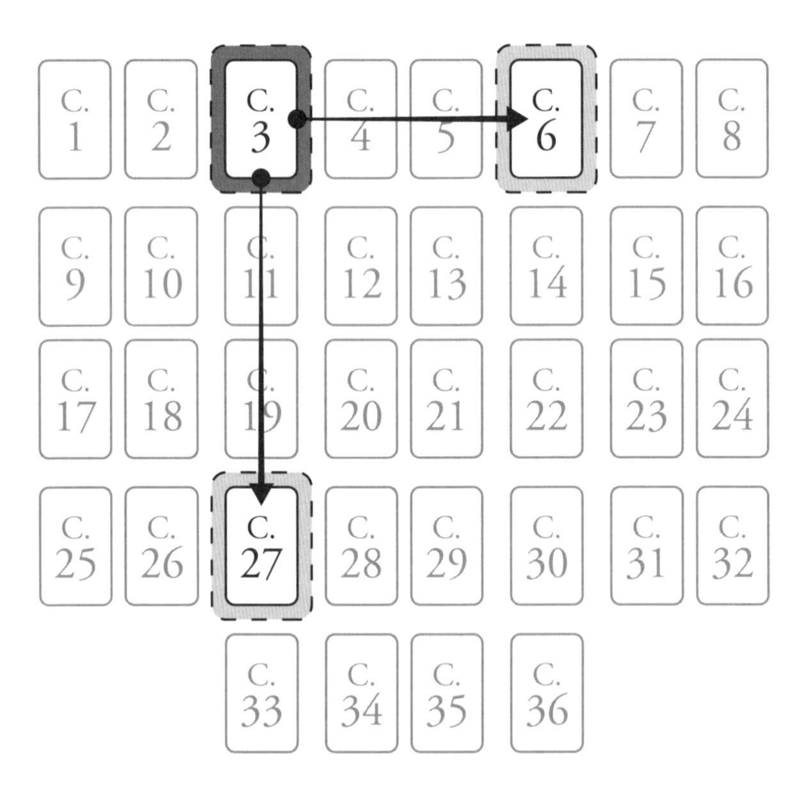

Tabela das Casas e os seus Espelhos:

Casa	Espelha as Casa	Casa	Espelha as Casa
Nº 1	8 e 25	Nº 19	22 e 11
Nº 2	7 e 26	Nº 20	21 e 12
Nº 3	6 e 27	Nº 21	20 e 13
Nº 4	5 e 28	Nº 22	19 e 14
Nº 5	4 e 29	Nº 23	18 e 15
Nº 6	3 e 30	Nº 24	17 e 16
Nº 7	2 e 31	Nº 25	32 e 1
Nº 8	1 e 32	Nº 26	31 e 2
Nº 9	16 e 17	Nº 27	30 e 3
Nº 10	15 e 18	Nº 28	29 e 4
Nº 11	14 e 19	Nº 29	28 e 5
Nº 12	13 e 20	Nº 30	27 e 6
Nº 13	12 e 21	Nº 31	26 e 7
Nº 14	11 e 22	Nº 32	25 e 8
Nº 15	10 e 23	Nº 33	36 e 3
Nº 16	9 e 24	Nº 34	35 e 4
Nº 17	24 e 9	Nº 35	34 e 5
Nº 18	23 e 10	Nº 36	33 e 6

TÉCNICA DA CONTAGEM DOS 7

Trata-se de uma técnica antiga quanto à cartomancia. Lembro-me de que minha avó utilizava esta contagem nas suas leituras. É comum encontrar cartomantes que utilizam a contagem de 3, 4 ou 5. Todas estão corretas. A única diferença nessas contagens é a quantidade numérica maior de cartas que se obtém no final da contagem. Portanto, é uma questão de gosto ou afinidade usar um ou outro número de contagem. O que recomendo é definir, de uma vez por todas, qual o número de contagem que se pretende usar e seguir com ele no futuro. Aqui lhes apresento a técnica que aprendi, com a qual trabalho e que ensino nos cursos aos meus alunos.

Qual a função da técnica numa leitura?

Utiliza-se a técnica da contagem dos 7 quando é necessário saber eventos do passado ou do futuro de uma determinada área da vida. Na maioria das vezes, esta técnica é utilizada numa leitura onde estão envolvidas várias questões (conflitos, separações) ou áreas da vida (trabalho, finanças, saúde, família etc.) e quando se deseja conhecer o resultado de uma ação ou a direção que uma questão tomará no futuro, assim como entender as origens dos fatores presentes no momento da leitura.

Nota importante:

Aplica-se a técnica desta contagem à carta do/a Consulente somente quando esta se encontra posicionada numa das extremidades do Tableau e não tem um passado ou futuro.

A CONTAGEM DOS 7 PARA O FUTURO

Passo 1

Localizar no Tableau a carta Significadora que representa o assunto a investigar. No exemplo ilustrativo, temos a carta A Âncora que representará a área profissional do/a Consulente. A contagem parte da carta Significadora pessoa ou tema (A Âncora), seguindo na direção da sua mão direita, isto é, da esquerda para a direita. Quando a linha termina (observe o esquema), a contagem continua na linha de baixo, na primeira carta posicionada no início da linha, e para-se a contagem na sétima carta.

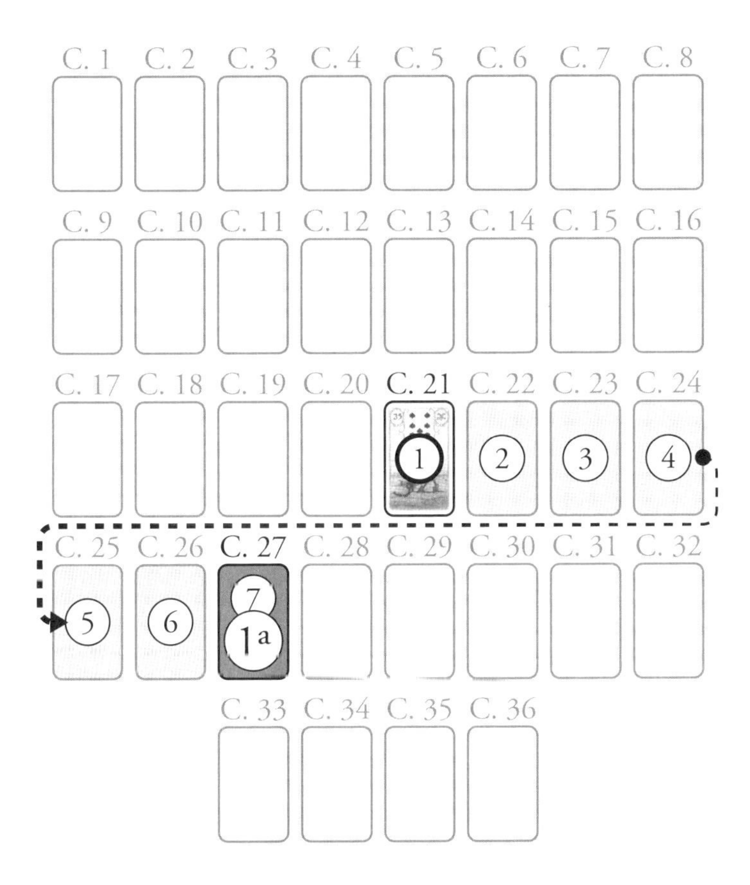

Passo 2

Assumir como ponto de partida a sétima carta da primeira contagem (1ª carta) e iniciar a nova contagem de sete cartas. O procedimento de mudança de linha na contagem é a mesma explicada anteriormente. Uma ajuda, caso não tenha entendido a explicação, é aquela de seguir as indicações das setinhas no esquema.

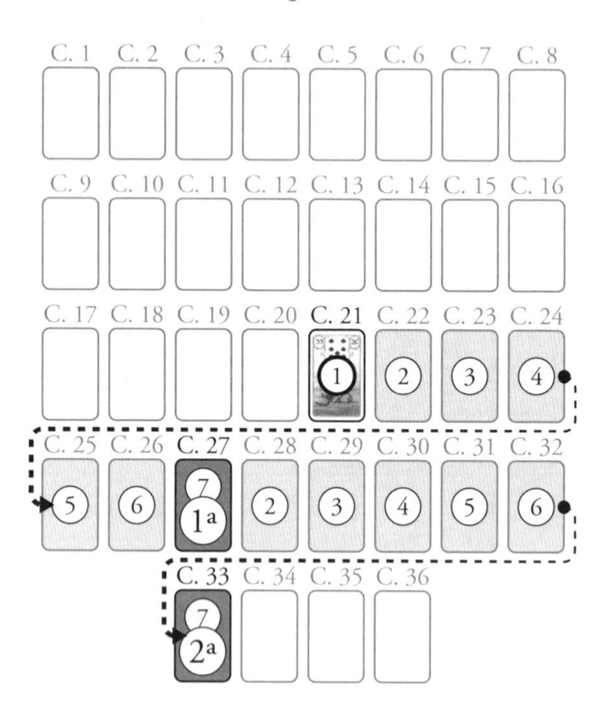

Passo 3

Repetir a contagem, tendo como ponto de partida a sétima carta da segunda contagem (2ª carta).

Passo 4

Repetir a contagem, tendo como ponto de partida a sétima carta da terceira contagem (3ª carta). Como podem observar, a contagem da quinta linha segue a sua contagem na primeira linha do Tableau (observem o movimento da seta no exemplo apresentado).

Passo 5

Repetir a contagem, tendo como ponto de partida a sétima carta da quarta contagem (4ª carta).

Passo 6

Repetir a contagem, tendo como ponto de partida a sétima carta da quarta contagem (5ª carta).

Passo 7

Continue o procedimento da contagem, repetindo o ponto de partida sempre da sétima carta (5ª carta) até a última sétima carta que irá coincidir com a carta Significadora. Aqui termina a contagem dos 7.

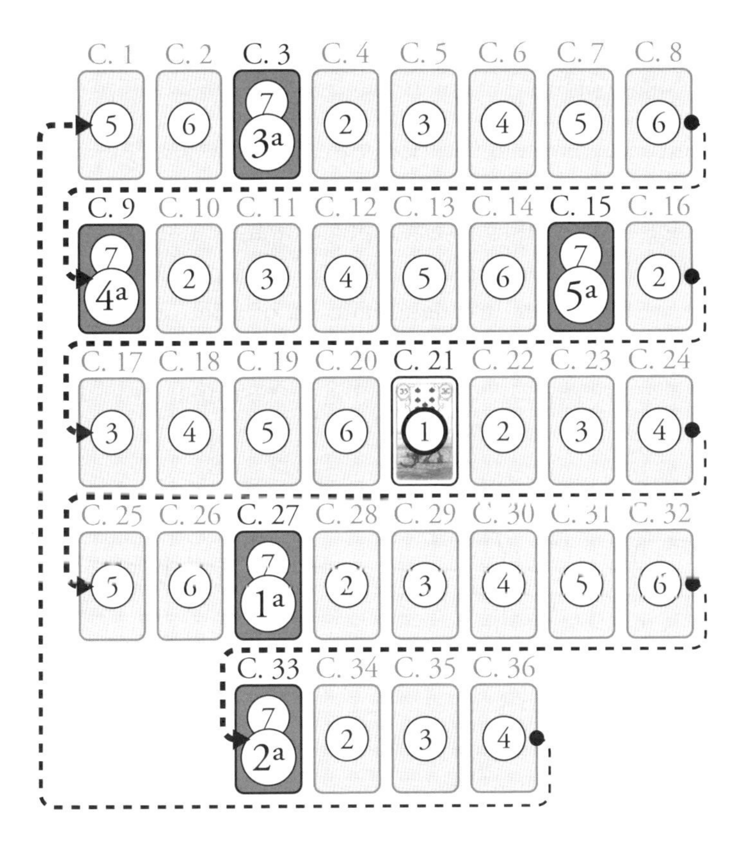

Nota importante:

Pode acontecer que sintam dificuldade em recordar as cartas identificadas nas contagens. Por isso, proponho que tomem nota, numa folha, das cartas por ordem de contagem.

Como "ler" as cartas da contagem?

A leitura destas seis cartas pode fazer-se à medida que se vão identificando as sétimas cartas de cada contagem, partindo da carta Significadora. Façam a combinação das cartas da seguinte forma:

- A carta Significadora + a 1ª carta;
- A 1ª carta + a 2ª carta;
- A 2ª carta + a 3ª carta;
- A 3ª carta + a 4ª carta;
- A 4ª carta + a 5ª carta.

Quando tiverem mais prática com a técnica, podem passar para um nível superior que consiste em considerar na leitura as casas onde as cartas eleitas na contagem estão posicionadas. Por exemplo:

A leitura dá-se na combinação de casa + carta e com o resultado delas, obtém-se um quadro detalhado da questão investigada. Não esqueçam também de observar sempre a última carta da linha (a 5ª carta), que também tem como objetivo determinar uma data breve ou não do desfecho da questão.

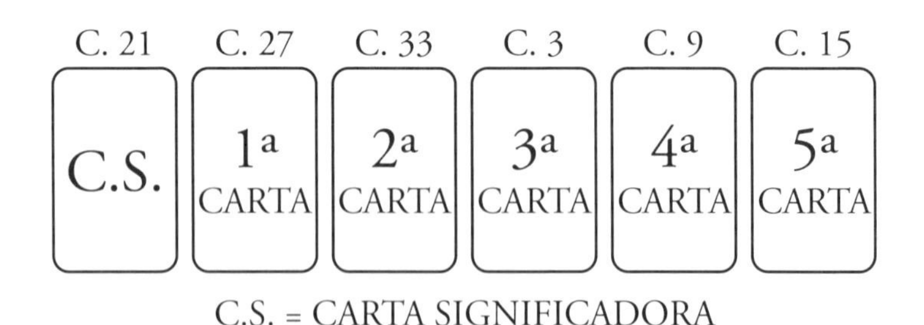

C.S. = CARTA SIGNIFICADORA

Tabela das Posições das Sétimas Cartas nas Casas do Tableau para o Futuro:

Casa	Casas da Contagem dos 7 para o Futuro	Casa	Casas da Contagem dos 7 para o Futuro
Nº 1	7, 13, 19, 25 e 31	Nº 19	25, 31, 1, 7 e 13
Nº 2	8, 14, 20, 26 e 32	Nº 20	26, 32, 2, 8 e 14
Nº 3	9, 15, 21, 27 e 33	Nº 21	27, 33, 3, 9 e 15
Nº 4	10, 16, 22, 28 e 34	Nº 22	28, 34, 4, 10 e 16
Nº 5	11, 17, 23, 29 e 35	Nº 23	29, 35, 5, 11 e 17
Nº 6	12, 18, 24, 30 e 36	Nº 24	30, 36, 6, 12 e 18
Nº 7	13, 19, 25, 31 e 1	Nº 25	31, 1, 7, 13 e 19
Nº 8	14, 20, 26, 32 e 2	Nº 26	32, 2, 8, 14 e 20
Nº 9	15, 21, 27, 33 e 3	Nº 27	33, 3, 9, 15 e 21
Nº 10	16, 22, 28, 34 e 4	Nº 28	34, 4, 10, 16 e 22
Nº 11	17, 23, 29, 35 e 5	Nº 29	35, 5, 11, 17 e 23
Nº 12	18, 24, 30, 36 e 6	Nº 30	36, 6, 12, 18 e 24
Nº 13	19, 25, 31, 1 e 7	Nº 31	1, 7, 13, 19 e 25
Nº 14	20, 26, 32, 2 e 8	Nº 32	2, 8, 14, 20 e 26
Nº 15	21, 27, 33, 3 e 9	Nº 33	3, 9, 15, 21 e 27
Nº 16	22, 28, 34, 4 e 10	Nº 34	4, 10, 16, 22 e 28
Nº 17	23, 29, 35, 5 e 11	Nº 35	5, 11, 17, 23 e 29
Nº 18	24, 30, 36, 6 e 12	Nº 36	6, 12, 18, 24 e 30

A CONTAGEM DOS 7 PARA O PASSADO

Passo 1

O procedimento da contagem é a mesma já explicada anteriormente (contagem do futuro). A única diferença na contagem do passado é que, desta vez, segue-se a direção contrária, ou seja, da direita para a esquerda. Assim sendo, iniciem a contagem a partir da carta Significadora (1) e sigam contando as cartas até chegarem à sétima carta, obtendo assim a 1ª carta da contagem. Conforme o exemplo abaixo, ao chegarem à quinta carta, a contagem segue na segunda linha com a primeira carta à direita (como mostra a seta no esquema).

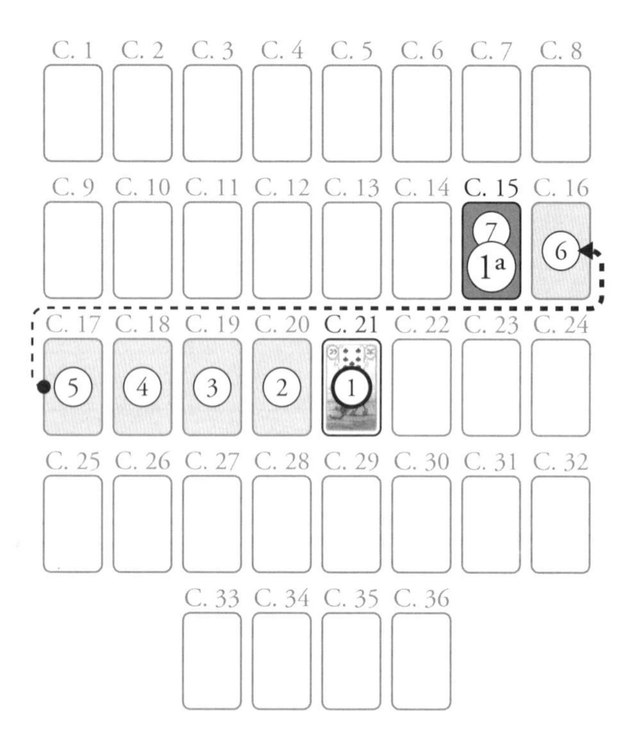

Passo 2

Assumir, como ponto de partida, a sétima carta da primeira contagem (1ª carta) e iniciem a nova contagem de sete cartas, obtendo assim a 2ª carta.

Passo 3

Repetir a contagem, tendo como ponto de partida a sétima carta da segunda contagem (2ª carta) e, assim, obtém-se a 3ª carta.

Passo 4

Repetir a contagem, tendo como ponto de partida a sétima carta da terceira contagem (3ª carta) e, no fim da contagem, obtém-se a 4ª carta. Como podem notar (seta), a passagem da contagem da primeira fila continua na quinta fila, na primeira carta à direita, seguindo a contagem em direção à esquerda.

Passo 5

Repetir a contagem, tendo como ponto de partida a sétima carta da quarta contagem (4ª carta) e, no fim da contagem, obtém-se a 5ª carta. Aqui a contagem continua na quarta linha da direita para a esquerda.

Passo 6

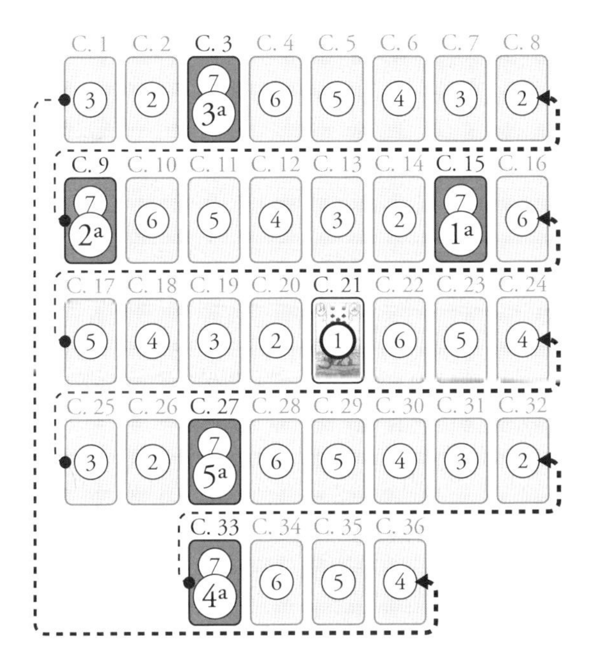

Continue o procedimento da contagem, repetindo o ponto de partida sempre da sétima carta da quinta contagem até a última sétima carta que irá coincidir com a carta Significadora. Aqui termina a contagem dos 7. A leitura das cartas eleitas na contagem segue a mesma regra já explicada na contagem para o futuro.

Tabela das Posições das Sétimas Cartas nas Casas do Tableau para o Passado:

Casa	Casas da Contagem dos 7 para o Passado	Casa	Casas da Contagem dos 7 para o Passado
Nº 1	31, 25, 19, 13 e 7	Nº 19	13, 7, 1, 31 e 25
Nº 2	32, 26, 20, 14 e 8	Nº 20	14, 8, 2, 32 e 26
Nº 3	33, 27, 21, 15 e 9	Nº 21	15, 9, 3, 33 e 27
Nº 4	34, 28, 22, 16 e 10	Nº 22	16, 10, 4, 34 e 28
Nº 5	35, 29, 23, 17 e 11	Nº 23	17, 11, 5, 35 e 29
Nº 6	36, 30, 24, 18 e 12	Nº 24	18, 12, 6, 36 e 30
Nº 7	1, 31, 25, 19 e 13	Nº 25	19, 13, 7, 1 e 31
Nº 8	2, 32, 26, 20 e 14	Nº 26	20, 14, 8, 2 e 32
Nº 9	3, 33, 27, 21 e 15	Nº 27	21, 15, 9, 3 e 33
Nº 10	4, 34, 28, 22 e 16	Nº 28	22, 16, 10, 4 e 34
Nº 11	5, 35, 29, 23 e 17	Nº 29	23, 17, 11, 5 e 35
Nº 12	6, 36, 30, 24 e 18	Nº 30	24, 18, 12, 6 e 36
Nº 13	7, 1, 31, 25 e 19	Nº 31	25, 19, 13, 7 e 1
Nº 14	8, 2, 32, 26 e 20	Nº 32	26, 20, 14, 8 e 2
Nº 15	9, 3, 33, 27 e 21	Nº 33	27, 21, 15, 9 e 3
Nº 16	10, 4, 34, 28 e 22	Nº 34	28, 22, 16, 10 e 4
Nº 17	11, 5, 35, 29 e 23	Nº 35	29, 23, 17, 11 e 5
Nº 18	12, 6, 36, 30 e 24	Nº 36	30, 24, 18, 12 e 6

Introdução à Leitura do Grand Tableau
(Passo a Passo)

Depois de terem adquirido todo o conhecimento teórico, chegou o momento de fazer a primeira leitura do Grand Tableau Lenormand. Como já foi dito antes, este é um método de leitura complexo que requer tempo e paciência, seja no estudo, seja na sua interpretação.

Não existem regras que determinam quais os passos certos a serem efetuados na interpretação do Tableau. Mas, relembrando a maneira de como me foi transmitido tudo que sei sobre a cartomancia e como essa forma de ensinamento foi benéfica para mim, senti a necessidade de organizar um passo a passo que pudesse proporcionar aos meus alunos, e agora a vocês, uma estrutura que inclui um conjunto de regras a partir das quais possam trabalhar.

Preparação para a leitura

O que é necessário definir logo no início da leitura:

1. O contexto – É importante definir, em primeiro lugar, com o/a Consulente o que o levou a fazer uma consulta.
Nesta fase preliminar, é hábito meu perguntar ao meu Consulente quais são os assuntos que quer ver tratados com mais pormenores e quais aqueles que não deseja que sejam abordados. A partir das informações obtidas, tomo consciência dos pontos dos quais devo concentrar-me na leitura.

2. O tipo de Tableau a ser utilizado – Uma vez entendido o contexto, é necessário definir claramente qual o tipo de leitura mais adequada:

- **2.1 Geral:** é a leitura ideal quando se pretende obter uma visão panorâmica da vida do/a Consulente. Tradicionalmente, uma leitura geral é realizada a cada início de uma consulta, porque abrange várias esferas principais da vida, tais como:

- Assuntos de saúde (casa n.º 5);
- Assuntos familiares (casa n.º 30);
- Assuntos financeiros (casa n.º 34);
- Etc.

e mais alguns assuntos adicionais, tais como:

- Novos eventos (casa n.º 1);
- Mudanças a decorrer (casa n.º 17);
- Incertezas e indecisões (casa n.º 22);
- Honra e reconhecimento (casa n.º 32);
- Etc.

- **2.2. Específico:** decide-se a leitura para um Tableau específico quando o conteúdo a ser tratado é sobre um único argumento, isto é, quando a leitura é concentrada numa determinada preocupação ou numa área específica de vida, como relacionamento, família, trabalho, finanças etc.; uma leitura específica também é utilizada quando, numa leitura geral, surge algum ponto ou alguma área específica de vida em que seja necessário um maior aprofundamento;
- **2.3. Horóscopo anual:** leitura efetuada no início de cada ano como forma de prever quais são as influências predominantes que serão vivenciadas no decorrer do ano;
- **2.4. Horóscopo mensal:** leitura efetuada no início de cada mês para prever quais são os eventos importantes que podem ser vivenciados no decorrer do mês.

3. Período temporal – determina-se um prazo de validade para a leitura. Este prazo pode ir de um ou mais meses, dependendo da questão colocada pelo/a Consulente.

Uma vez esclarecidos os três pontos acima, avalia-se o tipo de leitura adequado, o período temporal e pode se dar início à leitura.

GUIA PASSO A PASSO PARA UMA LEITURA GERAL

Passo 1 – Embaralhar

Embaralhem as cartas concentrando-se na pergunta. Mesmo sendo uma leitura geral, é necessário ter uma pergunta e um período temporal (1, 3, 6, 9, ou 12 meses por exemplo) para que se possa encaixar os eventos nesse determinado período.

Por exemplo, a pergunta que faço todas as vezes que tenho que realizar uma leitura geral é a seguinte: "O que (nome da pessoa) precisa saber sobre a sua vida nos próximos (período de tempo)?"

Passo 2 – Corte do baralho

(Este passo não é obrigatório!)

Depois de embaralhar as cartas, cortem o baralho em dois. Virem a última carta dos dois montes.

Através destas cartas obterão as primeiras informações da vida do/a Consulente. As informações aqui obtidas não são reveladas no momento, pois as indicações fornecidas pelas duas cartas terão mais sentido no decorrer da leitura.

Passo 3 – Distribuição das cartas na mesa

Unam os dois montes pela mesma ordem que foi feito o corte e distribuam as 36 cartas em sequência, da esquerda para a direita formando o Tableau.

A minha sugestão é que deitem as cartas de modo que fiquem com a imagem virada para cima, isto é, para vocês. Este procedimento ativará, de imediato, suas memórias (técnicas e tudo que aprenderam sobre o baralho) e a intuição. Dois componentes chave que unidos contribuem para o sucesso de uma leitura.

C. = NÚMERO DA CASA

Passo 4 – Avaliação do estado pessoal do/a consulente

A primeira fase da leitura é muito significativa, já que fornece informações sobre o modo como o/a Consulente se posiciona, lida e encara a vida no momento da leitura. Conhecer de antemão esses detalhes e uni-los às informações fornecidas pelo/a Consulente, durante a "conversa" inicial à consulta, definirá a linguagem e a postura a ter no decorrer da leitura. Portanto, antes de passarem à leitura efetiva, recomendo que reservem um momento para analisar os seguintes pontos em silêncio:

1. A primeira e a última carta - através destas duas cartas, pode-se "sentir" o "tom" da leitura. Tomem estas cartas como um "GPS" para toda a leitura; (Capítulo 7 – A importância da primeira e da última carta do Tableau)

2. Casa natural - existe alguma carta posicionada na sua casa natural? É uma chamada de atenção para algo que está muito intenso na vida do/a Consulente. Por exemplo, a carta A Montanha posicionada na sua própria casa, isto é, na casa n.º 21, acentua as dificuldades, os problemas e as adversidades que exigirão todo esforço e concentração possíveis para superá-los (Capítulo 7 – Casa Natural);

3. INDICAÇÕES PESSOAIS: Casas de verificação – as cartas aqui presentes permitem verificar o estado e as condições pessoais do/a Consulente. Para ter acesso a essas informações, são analisadas as três casas seguintes:

- Casa n.º 4: casa associada ao mundo pessoal do/a Consulente e capacidade de resistência interior;
- Casa n.º 24: casa associada ao coração e as emoções. Mostra o que realmente é importante para si mesmo, o que sente e como lida com as experiências emocionais;
- Casa n.º 26: casa associada à mente; mostra o estado mental do/a Consulente.

Uma vez estudadas individualmente as 3 casas, é necessário agora analisar as três cartas em conjunto.

Nota importante:
Nenhuma informação encontrada nas três casas deve ser tomada como definitiva, lembrando que atitudes comportamentais e mentais, estado de espírito e emocionais mudam conforme vivenciamos situações numa determinada fase da vida. Assim sendo, as três cartas posicionadas nessas casas irão definir o estado emocional e psicológico durante o período temporal destinado para a leitura.

4. A POSIÇÃO DA CARTA CONSULENTE NO TABLEAU

- **4.1.** Em qual das colunas (A, B, C, D, E, F, G e H) e linha (1, 2, 3, 4 e 5) encontra-se posicionada a carta do/a Consulente? (Capítulo 7 – A posição da carta Consulente no Grand Tableau).
- **4.2.** Em que casa se encontra posicionada a carta do/a Consulente? (Capítulo 7 – A Carta Consulente nas casas). Por exemplo, se a carta do/a Consulente estiver posicionada na casa n.º 17, casa das mudanças, pode-se dizer que ele está efetuando algumas mudanças significativas naquele momento. Para que se possa entender em qual área da vida e as razões que levam a essa atitude, sugiro que analisem:

- A casa onde se encontra posicionada a carta As Cegonhas (observem, em particular, se a carta se encontra numa casa temática, porque mostrará a área da vida em que a mudança está ocorrendo);
- As cartas que rodeiam a carta As Cegonhas (elas indicarão os motivos e razões que a levam a fazer essa mudança).

- **4.3.** Qual é a carta que se encontra posicionada na casa do/a Consulente? (Capítulo 7 – A Carta Consulente nas casas). Se, por exemplo, na casa do/a Consulente estiver posicionada a carta A Vassoura e O Chicote – que entre outros significados indica ataques e agressões – e a carta do/a Consulente estiver posicionada na casa n.º 8 – casa do fim de algo – poderá ser dito que o/a Consulente está pondo fim aos ataques e às agressões que está vivenciando. Como já foi dito acima, mais informações sobre a natureza do conflito serão encontradas nas cartas posicionadas ao redor da carta A Vassoura e O Chicote e na casa n.º 11 (casa das agressões, conflitos e divergências).

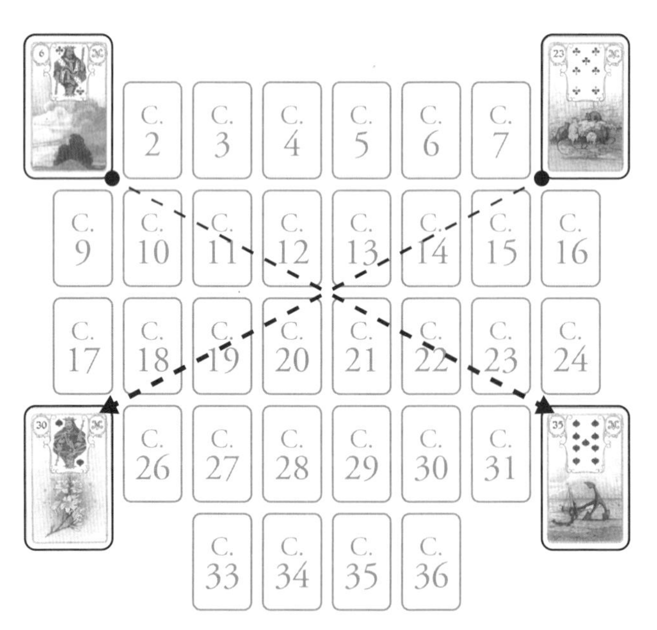

C. = NÚMERO DA CASA

5. Os quatro ângulos – as cartas, aqui posicionadas, referem-se aos anseios do momento. Na maioria das vezes, o assunto aqui levantado, junto às duas cartas do corte, pode indicar a ou as áreas da vida nas quais se deverá prestar maior atenção, porque essas são as áreas de maior preocupação para o/a Consulente. Tomemos como exemplo as seguintes cartas: As Nuvens, A Âncora, Os Ratos e Os Lírios.

O/a Consulente encontra-se perturbado (As Nuvens) por questões relacionadas ao trabalho (A Âncora) que tiram (Os Ratos) a sua paz (Os Lírios).

Portanto, sabe-se que a área profissional é o que ocupa a cabeça do/a Consulente no momento. Mais informações sobre as cartas dos ângulos são encontradas nas cartas ao seu redor (Capítulo 7 – A linha do tempo, os ângulos do Tableau).

Agora temos elementos suficientes para dar início à leitura, lembrando que as informações encontradas, nesta etapa, devem ser recordadas no decorrer de toda a leitura!

Passo 5 – O Presente: o momento atual

As cartas aqui posicionadas, representam acontecimentos e as condições atuais do/a Consulente. Portanto, informam sobre os assuntos e circunstâncias que enfrenta e o que está sendo trabalhado para construir o próprio futuro.

Nesta fase de leitura, são considerados os seguintes 3 pontos:

1. As cartas posicionadas ao redor do/a Consulente (Capítulo 4 – A lei do Philippe Lenormand), ou seja, todas as cartas posicionadas muito perto e perto da carta do/a Consulente. Ao analisarem estas cartas observem o seguinte:

- 1.1. As energias predominantes – irão mostrar as energias que estão presentes no momento:

- Qual grupo de movimento é predominante? A maioria são cartas de movimento, lentas ou paradas? Por exemplo, se houver uma predominância de cartas de movimento, assinalará que os assuntos ainda estão em fase de resolução (para mais detalhes sobre o tema, consultem o Capítulo 4 – A lei da movimentação);

- Qual polaridade (positivo, neutro ou negativo) é predominante? (Capítulo 3 – Polaridades das 36 cartas);
- Qual o naipe predominante? (Capítulo 4 – A lei da predominância);
- Estão presentes cartas de figuras da corte? Se sim, a qual naipe pertence? As cartas da corte irão representar pessoas que desempenham um papel central e que, portanto, têm alguma influência ou são responsáveis pelos eventos do momento. Por exemplo, a presença de figuras da corte do naipe de Corações irá identificar pessoas chegadas ao Consulente, possivelmente do convívio familiar, que acreditam e defendem seus pontos de vista, harmonizando e minimizando qualquer tensão que ele esteja vivenciando. (Capítulo 3 – As figuras da corte);

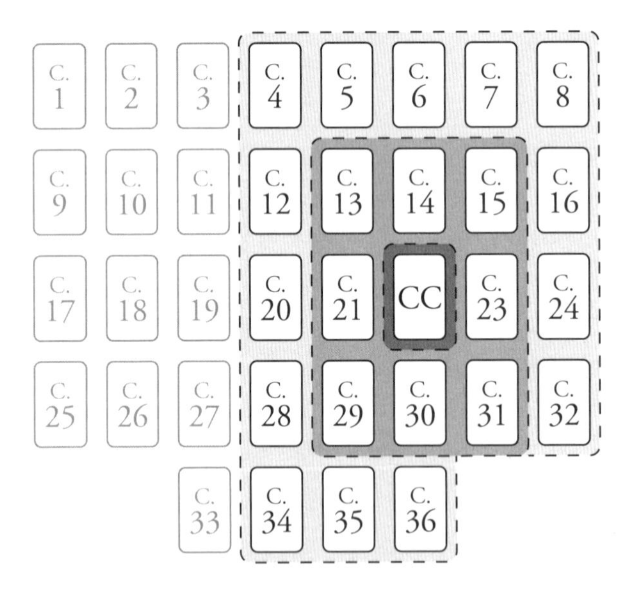

- **1.2.** Existe alguma carta Significadora presente? As cartas Significadoras presentes indicam os temas ativos na vida do/a Consulente. Por exemplo, suponhamos que perto da carta do/a Consulente se encontre posicionada a carta A Âncora. Como se sabe, A Âncora é a carta Significadora para as questões relacionadas ao trabalho. Assim sendo, os assuntos profissionais são de maior interesse no momento para o/a Consulente.

Nota importante:

Após ter localizado alguma carta Significadora, é importante também analisar não só as cartas que a rodeiam, mas também a casa onde ela se encontra posicionada e a casa temática que a representa, no caso aqui citado seria a casa 35. Nesta leitura, poderão aplicar as técnicas auxiliares que irão acrescentar detalhes adicionais e profundidade à leitura (capítulo 7): a técnica da corrente, a técnica do movimento do cavalo ou a técnica do espelho, dependendo das informações que se pretende saber.

2. A LINHA VERTICAL – A LINHA DO TEMPO

É a linha que atravessa verticalmente a carta do/a Consulente.

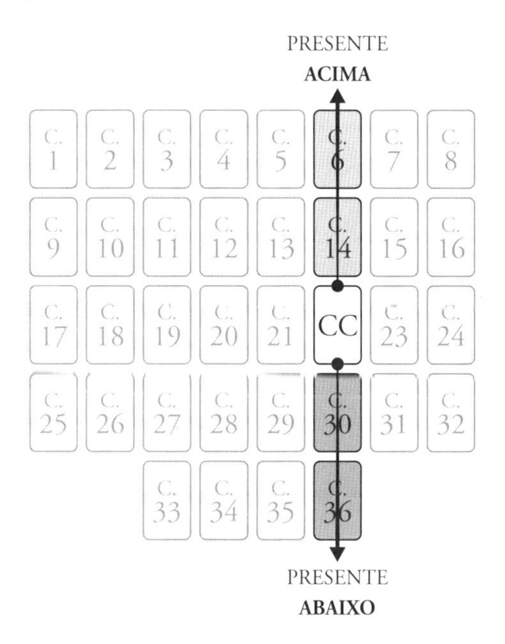

Ao interpretar estas cartas, lembrem-se de considerar também as cartas posicionadas ao lado como já foi explicado quando se estudou a linha do tempo (Capítulo 7 – A linha do tempo, A técnica de leitura das cartas nas linhas). Na interpretação, sigam os seguintes pontos:

- **2.1.** Linha do presente acima: Mente – mostra os pensamentos, o que planeja e como o/a Consulente percebe a sua situação do momento. Ao interpretar este grupo de cartas é importante analisar, também, as cartas que estão abaixo do/a Consulente porque elas indicarão como os pensamentos podem estar influenciando ou não o comportamento dele no momento.

Nota importante:
Este ponto deve ser analisado em conjunto com a Casa n.º 26 que é a casa temática da mente.

- **2.2.** Linha do presente abaixo: Ação – mostra os assuntos que o/a Consulente está tratando, os passos que está dando e o que ele tem sob controle na ocasião. Algumas vezes pode revelar como o/a Consulente está utilizando o seu potencial no momento.

Nota importante:
Quando se analisa o presente, é importante analisar também a linha do passado e do futuro, para que se possa entender onde a situação do momento teve origem e qual "direção" tomará com base no que está sendo trabalhado no presente. Como o presente livro é didático, cada raciocínio está sendo apresentado separadamente; mas, durante uma leitura efetiva, deve-se analisar todos os pontos em conjunto.

3. As casas temáticas – As áreas da vida a serem analisadas

Quando o/a Consulente pede uma leitura em geral, é porque tem interesse em obter informações sobre as principais áreas da vida. Portanto, as casas temáticas principais a serem analisadas, numa leitura em geral, são:

- A casa n.º 4, para o Lar e para a Vida Privada
- A casa n.º 5, para a Saúde
- A casa n.º 16, para a Espiritualidade
- A casa n.º 18, para a Amizade
- A casa n.º 20, para a Vida Social
- A casa n.º 24, para os Sentimentos
- A casa n.º 25, para Relacionamentos e Contratos
- A casa n.º 26, para a Educação e Estudos (se estuda)
- A casa n.º 30, para a Família e Sexualidade
- A casa n.º 34, para as Finanças
- A casa n.º 35, para o Trabalho (se trabalha)
- A casa n.º 36, para Religião

Certamente, não se deve recorrer a todas essas casas no caso de o/a Consulente ser um jovem de 10 anos de idade. Neste contexto, as casas de interesse seriam:

- A casa n.º 5, para a sua Saúde
- A casa n.º 18, para a Amizade
- A casa n.º 20, para a Vida Social
- A casa n.º 26, para a Educação e Estudos
- A casa n.º 30, para a Família

Como já aprenderam, as 36 casas do Tableau refletem um aspecto da vida, mas, numa leitura, não é aconselhado concentrar- se em todas elas, a não ser que o/a Consulente demonstre particular interesse em outras áreas além das mencionadas; isto porque tornaria a leitura confusa e contraditória.

Lembrem-se também de que algumas casas podem agregar mais de um assunto ou áreas da vida, como a casa n.º 4, onde não só é possível ver as questões referentes ao lar ou a um imóvel, mas também à vida pessoal, à estabilidade e à segurança do/a Consulente.

Um outro exemplo encontra-se na casa n.º 30, que além de tratar de todos os assuntos referentes à família, também trata de assuntos referentes à vida sexual do/a Consulente. Definam bem essas casas antes de uma leitura, para que não haja confusão durante a interpretação.

- **3.1.** Como calcular o passado, o presente e o futuro da carta Significadora numa leitura geral?

  - Para o passado, utiliza -se a técnica da contagem dos 7;
  - Para o presente, são consideradas as cartas ao redor da carta Significadora (muito perto e perto), técnica da corrente, técnica do movimento do cavalo e a técnica do espelho;
  - Para o futuro, é aplicada a técnica da contagem dos 7;
  - Para dar uma orientação ao consulente, considerar a técnica do movimento da rainha.

Passo 6 – O Passado: as origens

As cartas, aqui posicionadas, darão indicações sobre as origens dos eventos vivenciados no presente. Nesta fase de leitura, são considerados os seguintes pontos:

1. A LEI DO OLHAR – como foi estudado (capítulo 4 – A lei do olhar), para definir a linha temporal numa leitura (passado, presente e futuro), deve-se aplicar na carta do Consulente a lei do olhar que indica o futuro nas cartas posicionadas na direção do olhar da figura representada pela carta e o passado nas cartas posicionadas nas "costas" da figura;

2. A LINHA DO TEMPO: PASSADO
Assinalam fatos anteriores que levaram o Consulente para onde está agora (presente).

- **2.1.** O que viveu? Estas informações encontram-se nas cartas posicionadas atrás da carta do Consulente. Lembre-se de que as cartas posicionadas muito perto e perto da carta Consulente irão indicar eventos e assuntos passados recentes, que ainda podem estar influenciando o presente, e que as cartas posicionadas distante e muito distante irão indicar eventos e assuntos remotos;
- **2.2.** O que o marcou? – A resposta a esta pergunta está na diagonal do passado da zona mente;
- **2.3.** O que rejeita? – A resposta a esta pergunta está na diagonal do passado da zona ação.

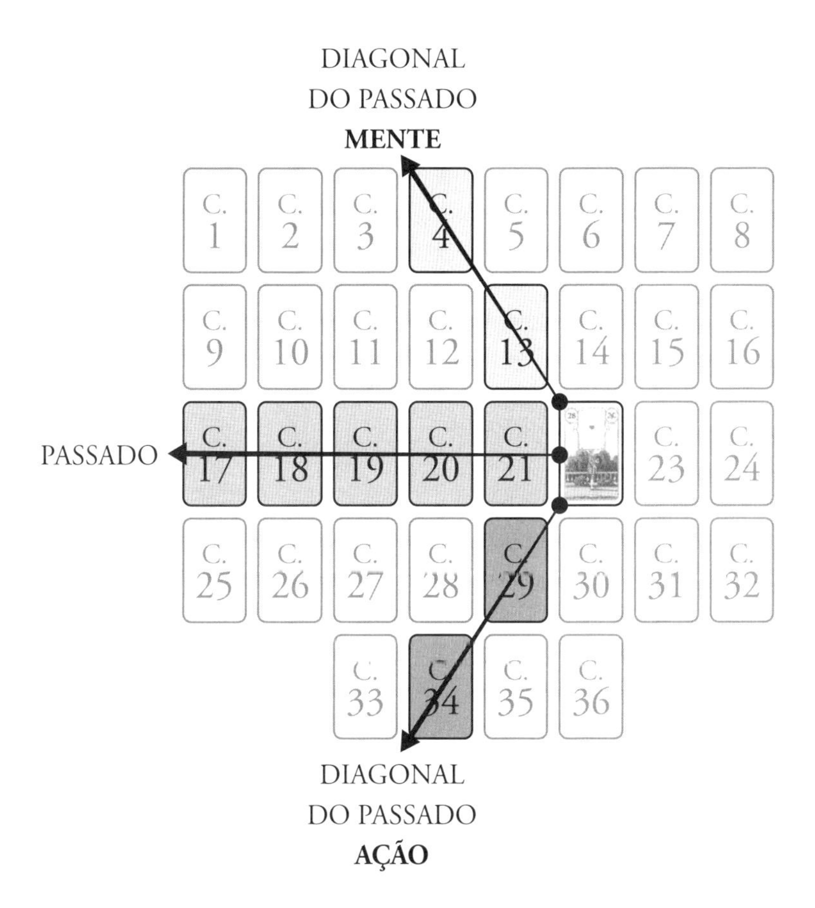

Passo 7 – O Futuro: tendências gerais para o futuro

Nesta fase de leitura, são considerados os seguintes pontos:

1. Diagonal futuro (mente): Quais são os seus planos futuros? Quais são as suas esperanças ou anseios?
2. Quais os passos que dará nos próximos dias? A resposta para esta pergunta encontra-se na diagonal futuro, debaixo da carta do/a Consulente;
3. O que esperar? A resposta para esta pergunta encontra-se nas cartas posicionadas na frente da carta do/a Consulente.

Para calcular o período temporal dos eventos nesta linha, deve- se dividir o tempo marcado para a leitura com o número de cartas presentes.

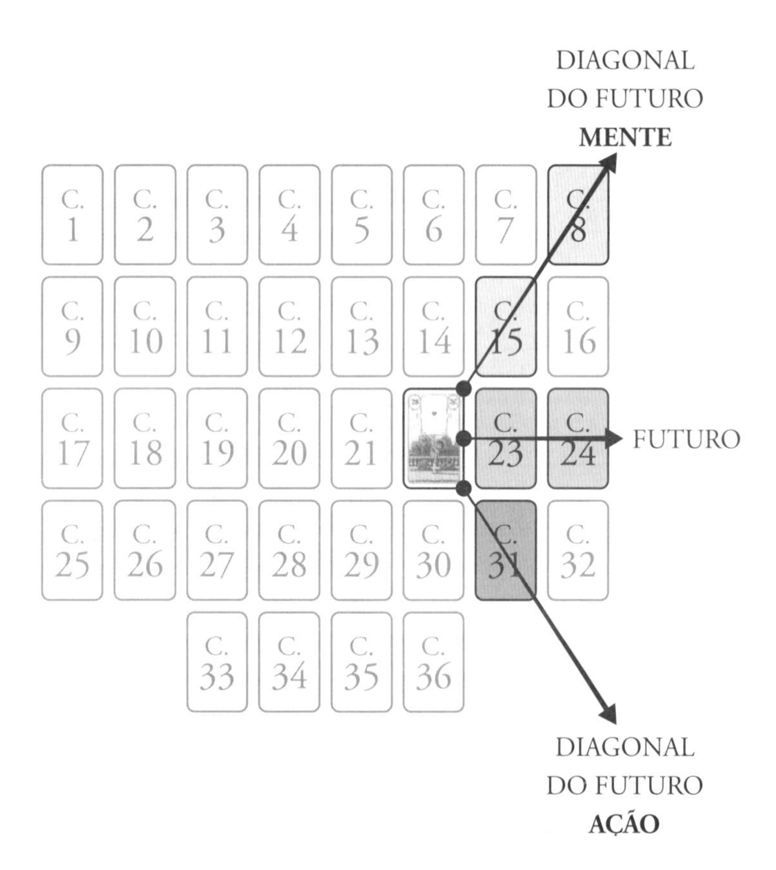

Isto é, suponham que o tempo estabelecido para a leitura seja de 3 meses (90 dias) e que o número de cartas presentes na linha do futuro sejam duas. Dividindo 90 por 2, terão como total 45 dias que serão atribuídas a cada carta, certo? Sendo assim, a primeira carta da linha irá representar eventos que acontecerão nos primeiros 45 dias do mês e a segunda carta, eventos que acontecerão nos últimos 45 dias do mês.

Mas e se, por exemplo, a leitura for destinada para o mês de novembro que tem 30 dias, tendo o número de cinco cartas na linha do futuro? Qual quantidade de dias seria atribuída para cada carta? Dividindo 30 por 5, terão como total 6 dias para cada carta.

Passo 8 – A Linha Fatídica

Sobre quais eventos o/a Consulente não tem controle algum? A resposta a esta pergunta está na linha fatídica (casas n.º 33, n.º 34, n.º 35 e n.º 36). Aconselho a observarem esta linha quando estiverem lendo a linha do futuro;

Passo 9 – O Coração do Tableau – orientação ou conselho:

Aqui se receberá uma recomendação geral, incluindo a área ou assunto (isto se aqui se encontra posicionada alguma carta Significadora) no qual o/a Consulente deve se concentrar no período temporal estabelecido para a leitura.

Guia passo a passo para uma leitura específica

PREPARAÇÃO PARA A LEITURA

O que é necessário definir antes da leitura:

1. Uma leitura específica do Tableau precisa de um contexto também específico, isto é, de um único assunto ou área da vida a ser tratado;
2. É necessário determinar qual carta Significadora e qual casa temática irá representar o assunto em questão (Capítulo 3 – A escolha da carta Significadora e Capítulo 7 – As cartas temas);
3. No caso de a leitura envolver uma outra pessoa (por exemplo: uma leitura para um relacionamento), é importante "batizar" a carta que irá representá-la na leitura (Capítulo 3 – As duas cartas consulentes numa leitura de relacionamento);
4. Todas as cartas são lidas em relação ao contexto da leitura. Por exemplo, se o contexto for de natureza financeira, deve-se analisar o lado financeiro das cartas; por outro lado, se a questão é de natureza profissional, a análise deve ser focada apenas no lado profissional das cartas;

Passo 1 – Embaralhar

Embaralhem o baralho concentrando-se na pergunta que deve ser específica e deve-se incluir um período temporal (de dias a 1, 3, 6, 9, ou 12 meses por exemplo) para que se possa encaixar os eventos nesse período. Por exemplo, suponhamos que o/a Consulente peça uma leitura para conhecer as suas condições financeiras no espaço de 6 meses. A pergunta correta será: Qual será a evolução financeira de (nome do/a Consulente) no espaço de 6 meses? Lembrem-se de que quanto mais clara for formulada a pergunta, mais precisa será a resposta!

Passo 2 – Corte do baralho

(Este passo não é obrigatório!)

Depois de embaralhar as cartas, cortem o baralho em dois. Virem a última carta dos dois montes. Através destas cartas, obterão as primeiras informações da vida do/a Consulente. As informações aqui obtidas não são reveladas no momento, pois as indicações fornecidas pelas duas cartas terão mais sentido no decorrer da leitura.

Passo 3 – Distribuição das cartas na mesa

Unam os dois montes pela mesma ordem que foi feito o corte e distribuam as 36 cartas em sequência, da esquerda para a direita formando o Tableau (como já mostrado no gráfico do passo 3 na leitura em geral). A minha sugestão é que deitem as cartas de modo que fiquem com a imagem virada para cima, isto é, para vocês. Este procedimento ativará, de imediato, suas memórias (técnicas e tudo que aprenderam sobre o baralho) e a intuição. Dois componentes chave que unidos contribuem para o sucesso de uma leitura.

Passo 4 – Avaliação do estado pessoal do/a consulente

A primeira fase da leitura é muito significativa, já que fornece informações sobre o modo como o/a Consulente se posiciona, lida e encara a vida no momento da leitura. Conhecer de antemão esses detalhes e uni-los às informações fornecidas pelo/a Consulente, durante a "conversa" inicial à consulta, definirá a linguagem e a postura a ter no decorrer da leitura.

Portanto, antes de passarem à leitura efetiva, recomendo que reservem um momento para analisar os seguintes pontos em silêncio:

1. A primeira e a última carta – através destas duas cartas, pode-se "sentir" o "tom" da leitura. Tomem estas cartas como um "GPS" para toda a leitura; (Capítulo 7 – A importância da primeira e da última carta do Tableau).

2. Casa natural – existe alguma carta posicionada na sua casa natural? É uma chamada de atenção para algo que está muito intenso na vida do/a Consulente (Capítulo 7 – Casa Natural).

3. Casas de verificação, informações pessoais – as cartas aqui presentes, permitem verificar o estado e as condições pessoais do/a Consulente. Para ter acesso a essas informações, são analisadas as três casas seguintes:

- Casa n.º 4: Casa associada ao mundo pessoal do/a Consulente e capacidade de resistência interior;
- Casa n.º 24: Casa associada ao coração e as emoções. Mostra o que realmente é importante para si mesmo, o que sente e como lida com as experiências emocionais;
- Casa n.º 26: Casa associada à mente; mostra o estado mental do/a Consulente.

Uma vez estudadas individualmente as 3 casas, é necessário agora analisar as três cartas em conjunto.

Nota importante:
Nenhuma informação encontrada nas três casas deve ser tomada como definitiva, lembrando que atitudes comportamentais e mentais, estado de espírito e emocionais mudam conforme vivenciamos situações numa determinada fase da vida. Assim sendo, as três cartas posicionadas nessas casas irão definir o estado emocional e psicológico durante o período temporal destinado para a leitura.

4. A posição da carta Consulente no Tableau

- **4.1.** Em qual linha (1, 2, 3, 4, e 5) e coluna (A, B, C, D, E, F, G e H) encontra-se posicionada a carta do/a Consulente? (Capítulo 7 – A posição da carta Consulente no Grand Tableau).
- **4.2.** Em qual Casa se encontra posicionada a carta do Consulente? (Capítulo 7 – A carta Consulente nas casas). Quando a carta do/a Consulente se encontra posicionada na casa temática relacionada à pergunta, isto indica que o/a Consulente está investindo toda a sua energia no assunto em questão ou nessa área da vida.

Por outro lado, se a carta Consulente estiver posicionada numa outra casa do Tableau, irá mostrar como ele reage aos eventos do momento. Por exemplo, suponhamos que a leitura seja direcionada para uma questão matrimonial e que a carta do/a Consulente esteja posicionada na casa n.º 10, casa associada aos perigos, aos riscos, aos cortes e a separação. Neste cenário, poderiam concluir que o/a Consulente estaria vivenciando algum evento ou situação que o colocaria sob pressão, induzindo-o a tomar uma decisão que será provavelmente irrevogável. Neste caso, verifiquem a carta posicionada na casa n.º 25, casa do casamento, que irá informar o que realmente está acontecendo; não se esqueçam de olhar também as cartas posicionadas ao redor da carta O Anel. Se, por exemplo, estiver posicionada, na casa n.º 25, a carta A Torre ou A Foice, a decisão seria de um possível divórcio.

Agora, suponhamos que a carta do/a Consulente esteja posicionada na casa n.º 24, a casa temática do amor, poderíamos dizer que, em qualquer circunstância, o/a Consulente está vivendo um matrimônio onde o amor falará mais alto; portanto, a sua forma de agir será conduzida pelos sentimentos e pelo respeito que tem pelo outro.

- **4.3.** Qual carta se encontra posicionada na Casa do/a Consulente? A carta aqui posicionada, mostrará o que leva o/a Consulente a agir de um determinado modo. Reforçando o exemplo acima (ponto 4.2.), o/a Consulente está na casa n.º 10, tendo presente a carta A Serpente posicionada na casa do/a Consulente, carta esta que representa uma traição. Poderia se dizer que haveria motivos para uma possível interrupção do casamento e que seria causada por uma possível traição. Mas atenção! Para confirmar uma traição, é necessário verificar se na casa n.º 25 (casa do casamento), na casa n.º 7 (casa da traição) e casa n.º 26 (casa das coisas ocultas) estão presentes as cartas As Nuvens, A Raposa, O Livro, O Anel (casas n.º 7 e n.º 25). E para identificar de que parte vem a traição, observem a distância entre as cartas do/a Consulente com a carta A Serpente. A carta do/a Consulente posicionada muito perto ou perto da carta A Serpente apontará uma pessoa infiel na relação.

5. A POSIÇÃO DA CARTA SIGNIFICADORA NO TABLEAU

- **5.1.** Em qual linha (1, 2, 3, 4, e 5) e coluna (A, B, C, D, E, F, G e H) encontra-se posicionada a carta Significadora?
- **5.2.** Em qual casa encontra-se posicionada a carta Significadora?
- **5.3.** Qual carta encontra-se posicionada na casa temática? Algumas leituras específicas, como uma leitura para verificar o andamento de um relacionamento de qualquer tipo (matrimonial, familiar, sentimental, profissional etc.), envolvem mais de uma carta Significadora. Por exemplo, suponhamos que um Consulente, homem, deseje conhecer o andamento do seu casamento. Neste caso, as cartas Significadoras envolvidas na leitura seriam as seguintes:
    - A carta 28, O Homem, irá representar o Consulente (a pessoa que pede a consulta);
    - A carta 29, A Mulher, irá representar a sua esposa (o outro Consulente);
    - A carta 24, O Coração, irá representar a carta Significadora para os sentimentos;
    - A carta 25, O Anel, irá representar a carta Significadora para o casamento.

  Assim sendo, observem os seguintes pontos:

    - Em que linha (1, 2, 3, 4, e 5) e coluna (A, B, C, D, E, F, G e H) encontram-se posicionadas as duas cartas Consulentes?
    - Em quais casas encontram-se posicionadas as duas cartas Consulentes?
    - Que cartas se encontram posicionadas nas casas dos dois Consulentes (casas n.º 28 e n.º 29)?

- Em qual linha (1, 2, 3, 4, e 5) e coluna (A, B, C, D, E, F, G e H) encontram-se posicionadas as cartas Significadoras?
- Em quais casas encontram-se posicionadas as cartas Significadoras?
- Quais cartas encontram-se posicionadas nas Casas temáticas?

6. Análise da posição entre a carta do Consulente e a carta Significadora – A lei da influência

- **6.1.** A carta do Consulente encontra-se acima ou abaixo da carta Significadora? Como foi aprendido no capítulo 4 – A lei da influência, a carta que está em cima tem o controle sobre a carta que está abaixo. Portanto, esta técnica permite mostrar se o Consulente influencia, se tem controle da situação (carta do/a Consulente posicionada por cima da carta Significadora) ou se ele deixa se controlar pela situação (carta do/a Consulente posicionada debaixo da carta Significadora);

  Isto caso a leitura envolva unicamente o/a Consulente e uma única carta Significadora. Por outro lado, caso a leitura envolva mais de uma carta Significadora e um outro consulente (como no exemplo proposto no ponto 5), deve-se analisar o seguinte:

- **6.2.** A carta do/a Consulente (a pessoa que pede a consulta) está posicionada acima ou abaixo da outra carta Consulente?
- **6.3.** A carta Consulente está posicionada acima ou abaixo das cartas Significadoras?

No exemplo do gráfico da página seguinte, a carta do Consulente (o Homem), estando posicionada em cima das outras cartas (A Mulher, O Coração e O Anel), assinala que ele está em total domínio sobre a situação. Portanto, será capaz de defender os seus direitos, pois tem segurança e firmeza para enfrentar qualquer desafio presente.

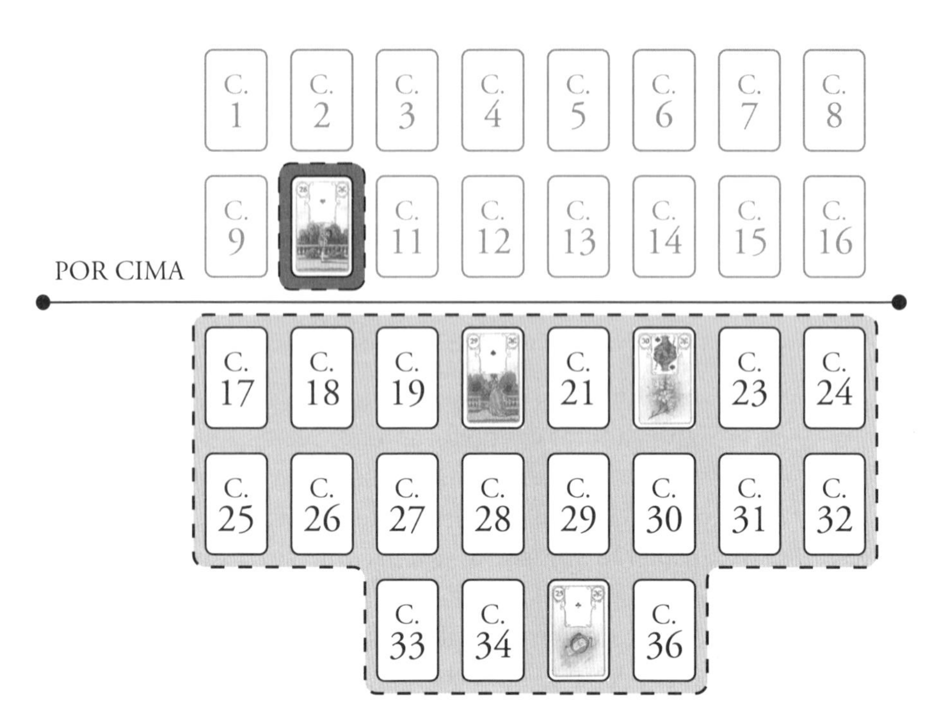

7. Caso a leitura seja direcionada a duas pessoas – A lei do olhar – As duas cartas Consulentes olham-se ou dão-se as costas? Isso irá definir a "sintonia" existente entre as duas pessoas. (Capítulo 4 – Como interpretar a carta Consulente)

8. A distância entre a carta do/a Consulente e a carta Significadora – A lei do Philippe Lenormand

Qual é a distância existente entre a carta do/a Consulente e a carta Significadora? Estão posicionadas muito perto, perto, distante ou muito distante uma da outra? Isso irá definir o quanto o/a Consulente está "comprometido" com essa questão;

Por outro lado, numa leitura onde esteja envolvida uma outra pessoa e outras cartas significadoras, deve-se calcular a distância entre elas.

Tomando como exemplo o gráfico a seguir, tendo sempre como referência o Consulente homem, que deseja conhecer o andamento do seu casamento, será necessário observar:

- **8.1.** Qual é a distância entre a carta do Consulente e as outras cartas Significadoras? Estão posicionadas muito perto, perto, distantes ou muito distantes umas das outras?

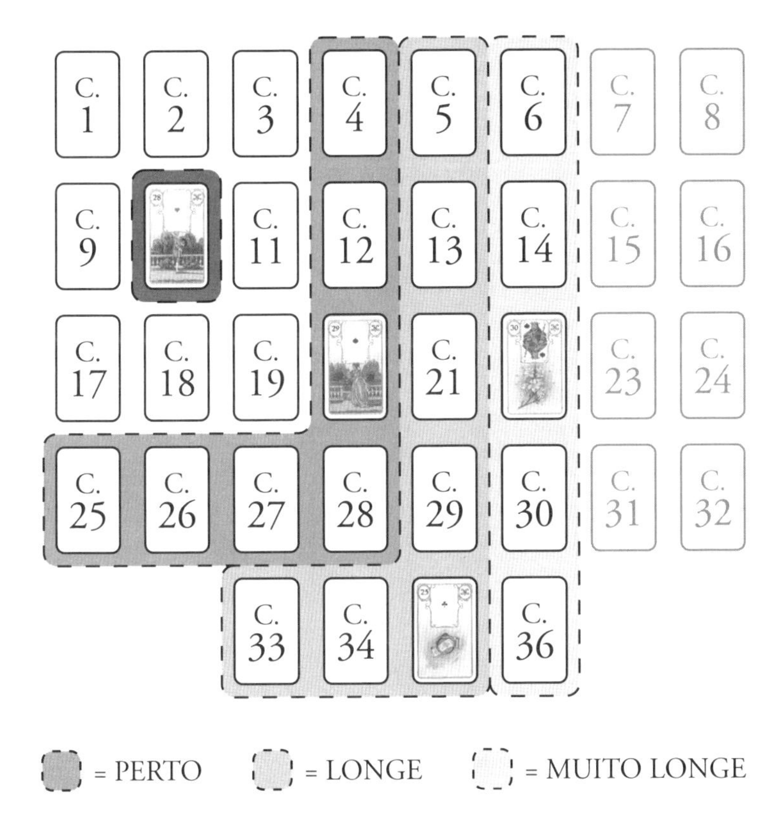

- **8.2.** Qual é a distância entre a carta do outro Consulente e as cartas Significadoras?

Qual é a conclusão que se chega ao analisar os dois gráficos? Nota se que a esposa está mais interessada no Consulente, nas questões afetivas e matrimoniais do que o nosso Consulente que mantém distância de qualquer envolvimento emocional e matrimonial, preferindo manter unicamente um contato com a esposa (carta do outro Consulente em zona perto). As razões desse contato são encontradas no exemplo do passo 5 ponto 3.

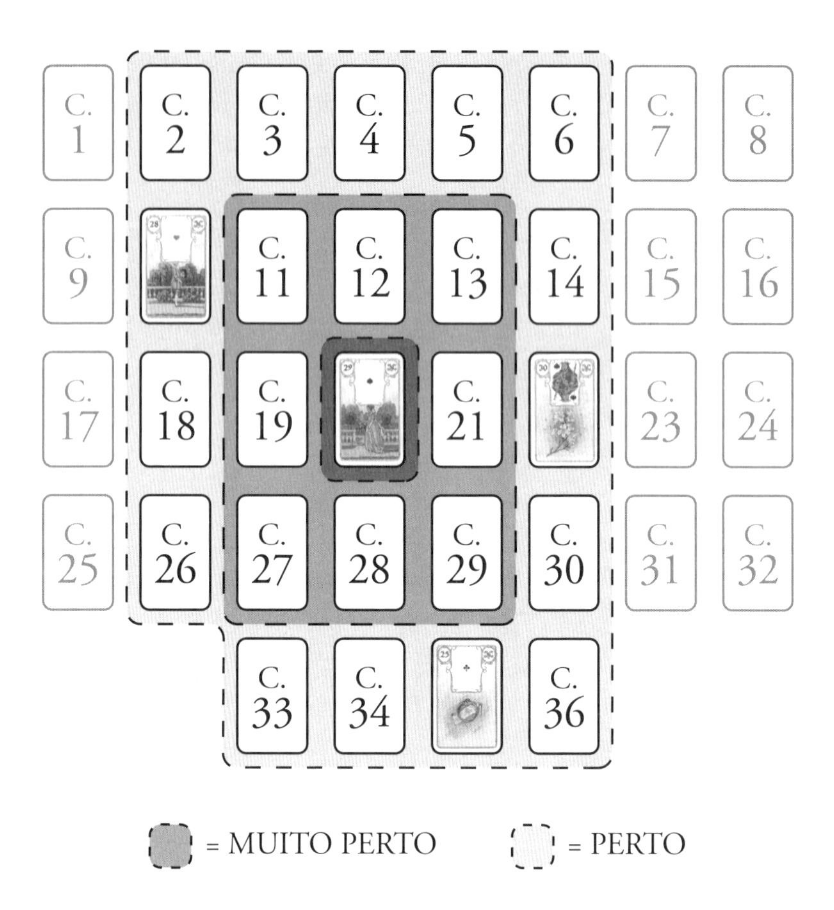

9. Os quatro ângulos – as cartas aqui posicionadas referem-se aos anseios do momento. Na maioria das vezes, o assunto aqui levantado, junto às duas cartas do corte, pode indicar a ou as áreas da vida na qual se deverá prestar maior atenção, porque são essas as áreas de maior preocupação para o/a Consulente.

Agora que já temos elementos suficientes para dar início à leitura, lembremo-nos de que as informações obtidas nesta etapa devem ser recordadas durante o decorrer de toda a leitura!

Passo 5 – O Presente: o momento atual

As cartas, aqui posicionadas, representam os acontecimentos e as condições atuais do/a Consulente. Portanto, informam sobre os assuntos e as circunstâncias que enfrenta e o que está sendo trabalhado para construir o próprio futuro.

Nesta fase de leitura, são considerados os seguintes pontos:

1. As cartas ao redor da carta do/a Consulente (Capítulo 4 – A Lei do Philippe Lenormand): são as influências, eventos que o/a Consulente está vivenciando naquele momento. O mesmo procedimento deve ser aplicado caso a leitura envolva uma outra pessoa;

2. As cartas ao redor da ou das cartas Significadoras: representam a situação real da questão investigada;

Ao analisarem os pontos 1 e 2, observem as energias presentes no momento:

- Qual grupo de movimento é predominante? A maioria são cartas de movimento, lentas ou paradas? (Para mais detalhes sobre o tema, consultem o Capítulo 4 – A lei da movimentação);
- Qual polaridade (positivo, neutro ou negativo) é predominante? (Capítulo 3 – Polaridades das 36 cartas);
- Qual é o naipe predominante? (Capítulo 4 – A lei da predominância);
- Estão presentes cartas de figuras da corte? Se sim, a quais naipes pertencem? As cartas da corte irão representar pessoas que desempenham um papel central. Portanto, têm alguma influência ou são responsáveis pelos eventos do momento. (Capítulo 3 – As figuras da corte).

3. No caso de a leitura envolver uma outra pessoa e um ou vários Significadores, é importante também analisar as cartas de conexão entre elas (capítulo 7 – A técnica da ponte).

Observando sempre o exemplo do Consulente, que deseja conhecer o andamento do seu matrimônio, as cartas ponte entre a carta do Consulente e a de sua esposa seriam as cartas A Criança + A Casa. Portanto, o assunto tratado entre o casal é referente a um jovem de casa que poderia ser o próprio filho.

Para obter mais pormenores sobre o que está sendo tratado, é essencial observar as cartas posicionadas entre as cartas de conexão que serão, neste caso, as cartas Os Lírios + A Torre que estão assinalando a presença de uma autoridade envolvida.

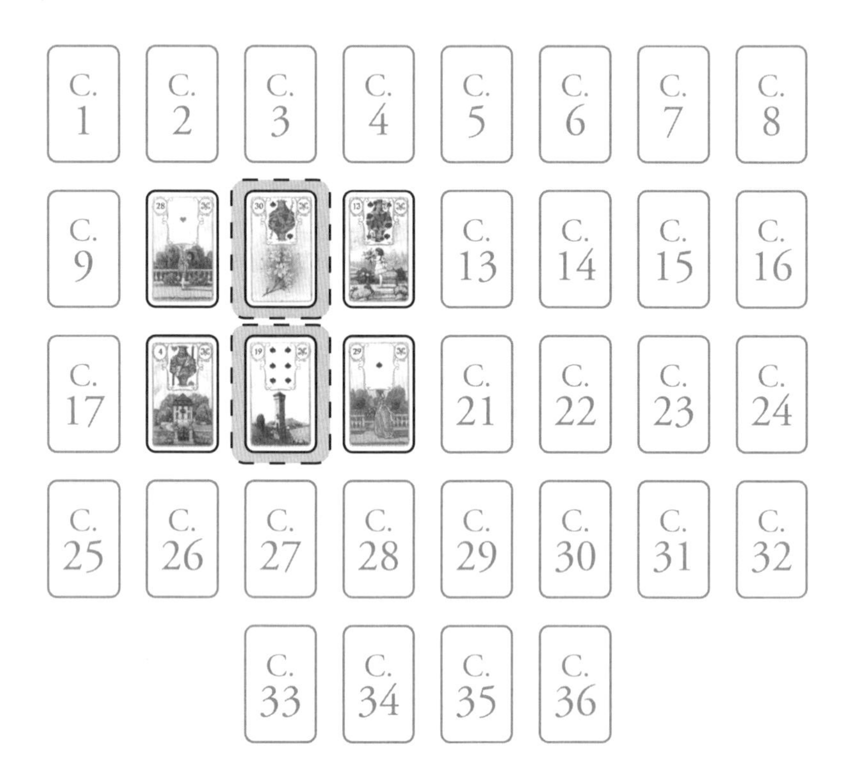

Uma das hipóteses interpretativas, aqui, seria que os dois estão decidindo, por meio de um juiz, o destino do filho, isto é, com quem o filho irá ficar, com o pai ou com a mãe.

4. Façam o mesmo procedimento do ponto 3 entre as cartas Consulentes e cartas Significadoras (separadamente). Como exemplo, tomarei unicamente a carta do Consulente homem. Ponte entre a carta Consulente e a carta O Coração:

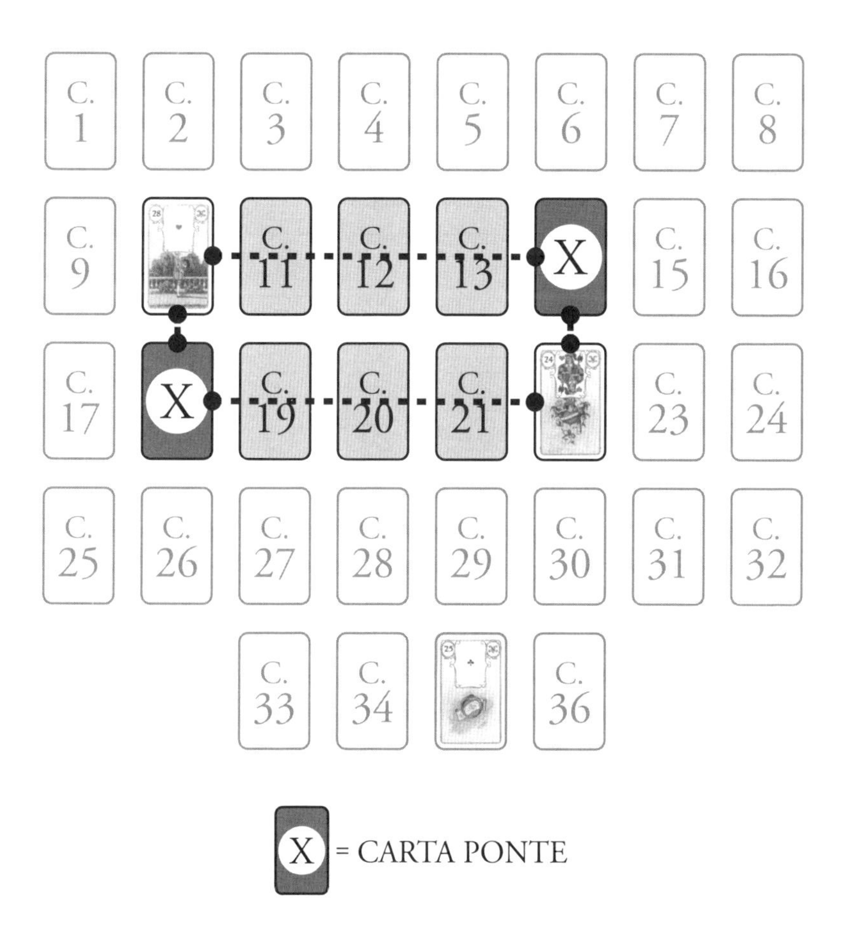

X = CARTA PONTE

Leiam primeiro as duas cartas pontes e depois as cartas que se encontram entre elas (no exemplo acima, as cartas posicionadas na cor cinzenta).

Procedam da mesma forma com a carta Consulente e a carta O Anel:

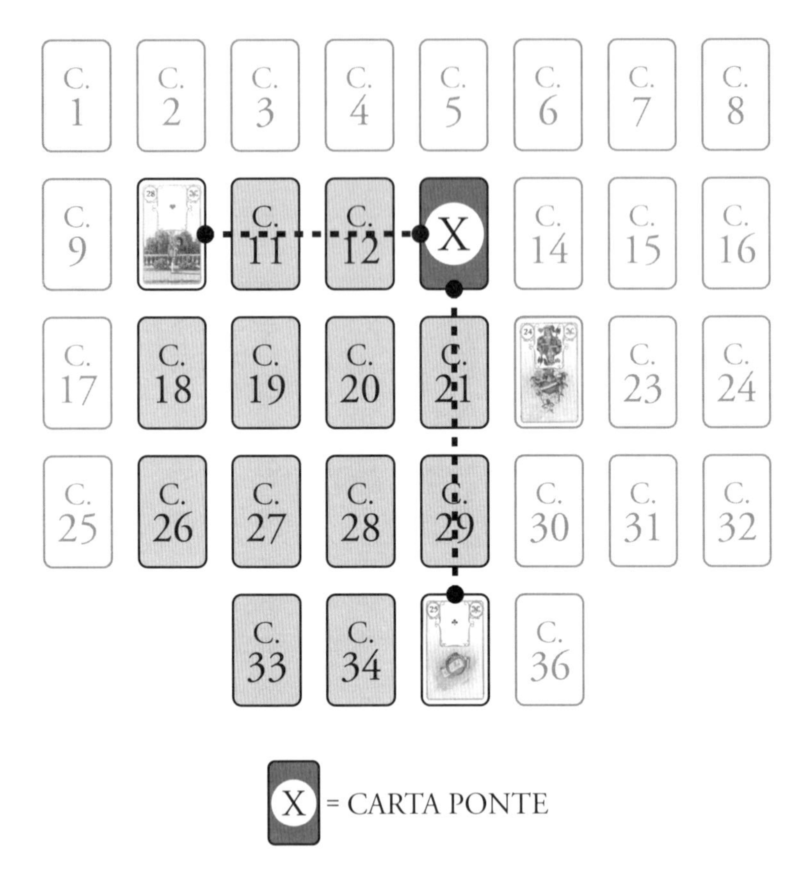

Façam o mesmo procedimento com a carta do outro consulente e as cartas Significadoras.

5. A linha vertical que atravessa a carta do Consulente (Capítulo 7 – A linha do tempo)

Observem a linha vertical para conhecer o que o Consulente está pensando no momento. Façam o mesmo com a outra carta Consulente no caso de a leitura envolver uma outra pessoa.

6. As casas adicionais – durante a leitura de uma casa temática, é importante fazer conexão com algumas casas que estão relacionadas ao tema ou ao assunto em análise. Por exemplo, ao analisar uma questão matrimonial, a casa tema principal serão: a casa n.º 25, que está associada ao casamento; a casa n.º 28, que seria a casa do Consulente; a casa n.º 29 para a esposa.

7. Em seguida, sugiro que tomem como hábito trabalhar em qualquer ocasião, em que sintam necessidade, com a técnica das casas de verificação, porque ela pode responder a qualquer dúvida ou pergunta levantada pelo Consulente durante a leitura. (Capítulo 7 – As casas especiais).

Por exemplo:

- Casa n.º 1 - O que está chegando;
- Casa n.º 6 - O que não está claro;
- Casa n.º 8 - O que acabou: mostra o que o/a Consulente deve deixar ir;
- Casa n.º 13 - O que está na fase inicial;
- Casa n.º 17 - O que está mudando ou o que deve mudar;
- Casa n.º 26 - O que está oculto: revela questões que o/a Consulente desconhece;
- Casa n.º 33 - O que está nas mãos do/a Consulente: o que deve ser feito para alcançar os seus objetivos.

Outras casas podem ser consultadas quando for necessário ir mais fundo em uma questão. Por exemplo:

- Casa n.º 14 - Em que não deve confiar;
- Casa n.º 18 - Em que pode confiar;
- Casa n.º 19 - O que deve ser feito;
- Casa n.º 21 - O que o bloqueia;
- Casa n.º 23 - O que está perdendo força ou o que o/a consulente está perdendo.

Passo 6 – O Passado: as origens

As cartas, aqui posicionadas, darão indicações sobre as origens dos eventos vivenciados no presente. Nesta fase de leitura, são considerados os seguintes pontos:

1. A LEI DO OLHAR – conforme aprenderam (capítulo 4 – A lei do olhar), para definir a linha temporal numa leitura (passado, presente e futuro), deve-se aplicar na carta do/a Consulente a lei do olhar. Na direção do olhar da figura representada pela carta, temos o futuro; já nas cartas posicionadas nas "costas" da figura, temos o passado.

   Numa leitura onde estão envolvidas duas cartas Consulentes, o passado e o futuro serão sempre definidos com a técnica da lei do olhar, conforme representado na figura abaixo:

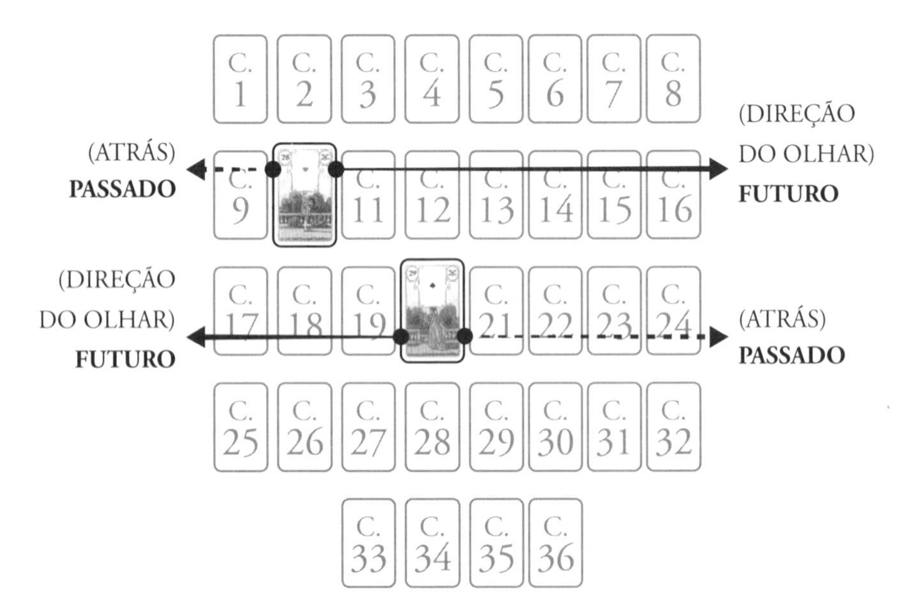

2. A LINHA DO TEMPO: PASSADO

   Assinalam os fatos anteriores que levaram o/a Consulente até onde está agora (presente).

   Para verificar:

- 2.1. O que viveram? Estas informações encontram-se nas cartas posicionadas atrás da carta do/a Consulente. Lembre-se que, as cartas posicionadas muito perto e perto da carta Consulente irão indicar eventos passados recentes e, as cartas posicionadas distantes e muito distantes irão indicar eventos remotos;
- 2.2. O que os marcou? – A resposta a esta pergunta está na diagonal do passado da zona da mente;
- 2.3. O que rejeitam? – A resposta para esta pergunta está na diagonal do passado da zona ação.

Obviamente, todos estes pontos são lidos segundo o contexto da leitura. Por exemplo, caso a leitura tenha como contexto uma questão matrimonial, todos os pontos são referentes a essa área.

Passo 7 – O Futuro: tendências para o futuro

Nesta fase de leitura são considerados os seguintes pontos:

- A linha do tempo – Futuro
  - Diagonal futuro (mente): Quais os seus planos futuros? Quais as suas esperanças ou anseios?
  - Quais os passos que dará nos próximos dias? A resposta para esta pergunta encontra-se na diagonal futuro, debaixo da carta do/a Consulente;
  - O que esperar? A resposta para esta pergunta encontra-se nas cartas posicionadas à frente da carta do/a Consulente.

Para calcular o período temporal dos eventos nesta linha, deve-se dividir o tempo marcado para a leitura com o número de cartas presentes. Isto é, suponham que o tempo estabelecido para a leitura seja de 3 meses (90 dias) e que o número de cartas presentes na linha do futuro sejam duas. Dividindo 90 por 2, terão como total 45 dias que serão atribuídos a cada carta, certo? Sendo assim, a primeira carta da linha irá representar eventos que acontecerão nos primeiros 45 dias do mês e a segunda carta, eventos que acontecerão nos últimos 45 dias do mês. Mas se, por exemplo, a leitura é destinada para o mês de novembro que tem 30 dias, tendo o número de cinco cartas na linha do futuro, qual a quantidade de dias seria atribuída para cada carta? Dividindo 30 por 5, terão como total 6 dias para cada carta.

Passo 8 – A Linha Fatídica

Sobre quais eventos o/a Consulente não tem controle algum? A resposta para esta pergunta está na linha fatídica (casas n.º 33, n.º 34, n.º 35 e n.º 36). Aconselho que observem esta linha quando estiverem lendo a linha do futuro;

Passo 9 – O Coração do Tableau: orientação ou conselho:

Aqui se dá a recomendação ao Consulente à qual deve se concentrar no período temporal estabelecido para a leitura.

REFERÊNCIAS

Droesbeke, Erna. (1978). La Divination par Les Cartes du Petit Lenormand. 1ª edição, Edições Parsifal, Anvers.

Droesbeke, Erna. (1989). L' oracle de Mlle Lenormand: manuel d' in- terprétation du jeu de Mlle Lenormand. 1ª edição, Edições Urania, Argovia.

Rinascimento Italian Art: rinascimentoitalianart.wordpress.com Mary K. Greer: www.marykgreer.com

Robert M. Place: www.robertmplacetarot.com

Lenormand dictionary: www.lenormanddictionary.blogspot.com British Museum: www.britishmuseum.org

SOBRE A AUTORA

ODETE LOPES MAZZA

Nasci em Moçambique e as minhas origens são indianas (Goa). Atualmente vivo na Suíça italiana (Ticino). Faço parte da quarta geração de uma família de cartomantes.

Iniciei o meu percurso na cartomancia com apenas cinco anos de idade com um baralho de cartas comum e, no ano seguinte (1971), tive contato, pela primeira vez, com as "francesinhas", nome que a minha avó dava ao baralho Petit Lenormand. Foi pelas mãos de minha bisavó, em Goa, quando trabalhava como doméstica para uma família inglesa, que houve o primeiro contato da minha família com o Petit Lenormand. Era costume, naquela época, as grandes damas inglesas reunirem-se durante a tarde no salão de casa para tomarem chá e conversarem. Nessa ocasião, era habitual consultarem as "francesinhas" para colherem informações sobre os filhos, maridos, amantes e pretendentes. Foi durante estes encontros que a minha bisavó, ao servir as damas, entrou em contato com o Petit Lenormand.

Segundo a minha avó Sheyla, a minha bisavó apaixonou-se de imediato pelo baralho a ponto de pedir à patroa que a ensinasse a lê-las, oferecendo em troca o compromisso de lhe ensinar a arte da leitura das cartas de jogo comum e a quiromancia. O mais engraçado é que a senhora fez um pedido completamente inesperado e impensável. Em troca do ensinamento das "francesinhas", desejava aprender o kamasutra! Foi assim que a minha família entrou em contato com o baralho Petit Lenormand.

O meu primeiro baralho Lenormand foi desenhado em pequenas folhas de cartolina com uma caneta preta e, até os anos 80, continuei desenhando os meus próprios baralhos. Naquela época, não existiam lojas esotéricas disponíveis e não era possível encontrar no mercado qualquer tipo de baralho divinatório.

Comprei o meu primeiro baralho em 1989, o M.lle Lenormand Blue Owl, numa livraria esotérica em Lugano (Suíça), chamada O Profeta.

Três personagens foram determinantes na minha formação com o baralho Petit Lenormand: minha avó Sheyla (1971), Erna Droesbeke (1989) pelo ensinamento do método Philippe Lenormand (método tradicional) e Angelique (1990) pelos ensinamentos básicos do "método" tradicional alemão que definiram o meu caminho no Petit Lenormand. O método Philippe era bem pobre quando iniciei o meu percurso, e encontrar uma visão mais rica em conteúdo foi muito valioso para mim. As minhas consultas deram um salto de qualidade nos mínimos detalhes dos eventos analisados. Uso as técnicas de duas escolas nas minhas consultas no Grand Tableau: os meus primeiros passos na leitura seguem o do método Philippe, segundo os ensinamentos que recebi da minha avó e dos estudos de Erna Droesbeke. Isto me ajuda a ter um panorama imediato da vida do meu consulente e a começar uma leitura com uma certa segurança.

Trabalho como cartomante atendendo presencialmente e por telefone. Dou cursos de formação profissional presenciais e online: Petit Lenormand, La Vera Sibilla Italiana, baralho tradicional, Kipper, Belline e Geomancia, em italiano e português.

Sou autora de dois livros na Itália (Hermes Edizione - Roma) que foram best sellers naquela época: L´Oracolo della Vera Sibilla Italiana (1999) e L´Oracolo di Mademoiselle Lenormand (2001). Em 2015, publiquei o livro Baralho Petit Lenormand, Introdução às combinações (CapitalBooks). Sou coautora do Baralho A Sibila do Coração (2015) com o grande historiador e escritor italiano Giordano Berti. Sou fundadora e administradora do Fórum Místico Lusitano (2017).

Contatos:

- E-mail: mazza.lopes.odete@gmail.com
- Instagram: Odete Lopes Mazza
- Facebook: Odete Lopes Mazza
- Site: www.odetelopesmazza.com

AGRADECIMENTOS

Agradeço a todos meus familiares, amigos, colegas e alunos que me incentivaram a escrever e a publicar um livro acerca deste tema em Língua Portuguesa.

À Maria Emília Santos, à Alice Silva, à Diogénia Faria de Jesus e à Tânia Santos que pacientemente e com competência corrigiram este livro. Gratidão!

SUGESTÃO DE LEITURA

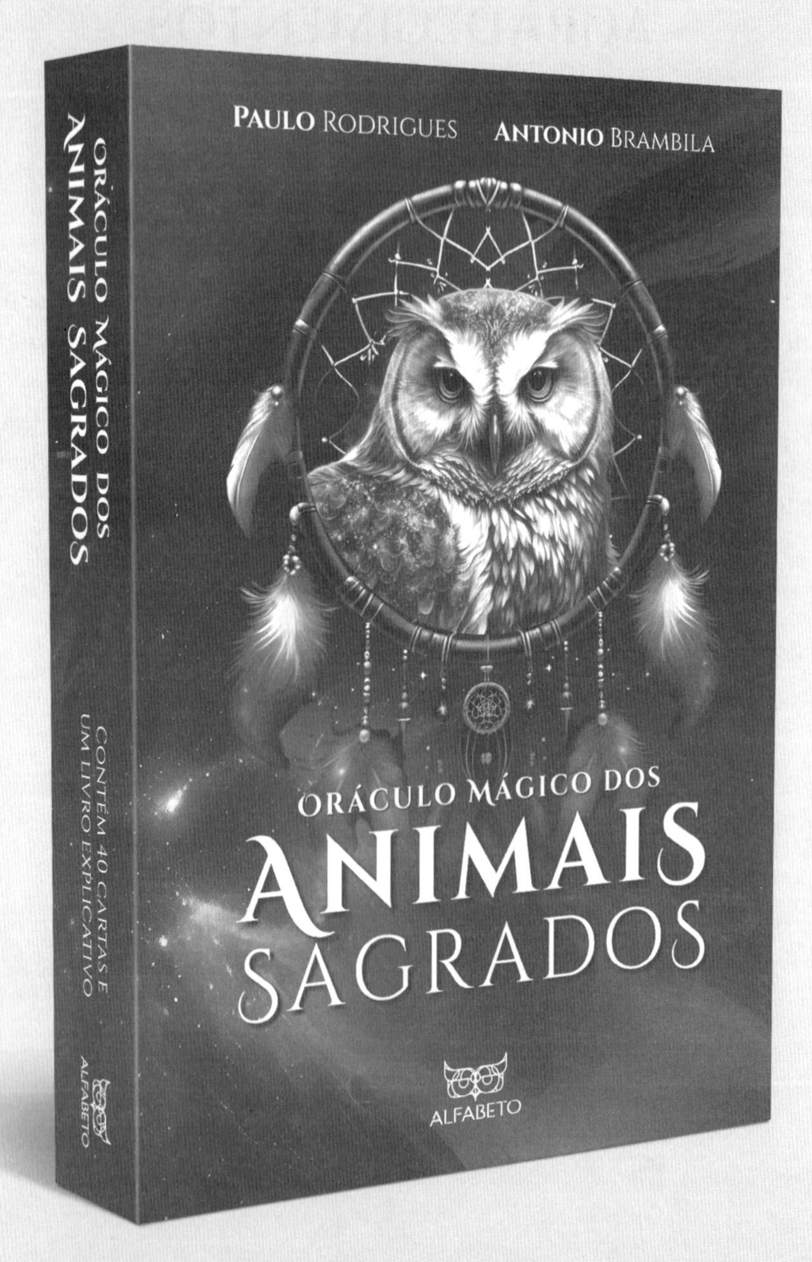

Inclui livro colorido com 104 páginas + deck com 40 cartas.